Best-Sellers

DAVID HERBERT LAWRENCE

LA SERPIENTE EMPLUMADA

Título original: THE PLUMENT SERPENT
Traducción: Pilar Giralt

Para Venezuela:
Coedición con DISTRIBUIDORA MERIDIANO, S.A., Colombia

© Editorial La Oveja Negra Ltda.
y R.B.A. Proyectos Editoriales, S.A. 1985

Traducción cedida por: Editorial Bruguera, S.A.

ISBN: 84-8280-900-8
ISBN: 84-8280-956-3

CARVAJAL S.A.
Impreso en Colombia
Printed in Colombia

CAPITULO I

PRINCIPIO DE UNA CORRIDA DE TOROS

Era el domingo después de Pascua y la última corrida de toros de la temporada en Ciudad de México. Cuatro toros especiales habían llegado de España para la ocasión, ya que los toros españoles son más fieros que los mexicanos. Quizá sea la altitud, quizá sólo el espíritu del continente occidental, pero la cuestión es que al animal nativo le falta «brío», como lo expresó Owen.

Aunque Owen, que era un gran socialista, no aprobaba las corridas de toros, añadió:

—Nunca hemos visto ninguna. Tendremos que ir.

—Oh, sí, creo que debemos ver una —coreó Kate.

—Y es nuestra última oportunidad —dijo Owen.

Y fue a paso apresurado al lugar donde vendían las entradas, para reservar asientos, y Kate le acompañó. Al salir a la calle, se desanimó. Era como si un pequeño personaje se enfurruñara y resistiera en su interior. Ni ella ni Owen hablaban mucho español, había un gran bullicio ante la taquilla, y un desagradable individuo se adelantó para hablar por ellos en americano.

Era evidente que debían comprar entradas de «Sombra», pero querían economizar, y Owen dijo que prefería sentarse entre la multitud, por lo cual, pese a la resistencia del hombre de la taquilla y los curiosos, compraron asientos reservados en «Sol».

El espectáculo se celebraba el domingo por la tarde. Todos los tranvías y los horribles autocares Ford, llamados *camiones**, llevaban el letrero de *Toros** y se dirigían en tropel hacia Chapultepec. Kate volvió a tener aquel repentino y sombrío presentimiento de que no debía ir.

—No tengo muchos deseos de ir —confesó a Owen.

—Oh, pero ¿por qué no? Yo no creo en ellas por principio, pero nunca hemos visto una, así que *debemos* ir.

Owen era americano, Kate, irlandesa. «No haber visto nunca una» significaba «tener que ir». Pero era lógica americana, y no irlandesa, y Kate tuvo que dejarse convencer.

---

* NOTA GENERAL: Las palabras que van en bastardilla señaladas con asterisco, vienen en español en el original.

Naturalmente, Villiers iba encantado, y es que él también era americano y tampoco había visto nunca una corrida, y como era más joven, él más que nadie, *tenía* que ir.

Se metieron en un taxi marca Ford y fueron. El desvencijado vehículo bajó velozmente por la ancha calle de asfalto y piedra y melancolía dominical. Los edificios de piedra tienen en México una melancolía peculiar, dura y seca.

El taxi frenó en una calle lateral, bajo el gran andamiaje de hierro del estadio. En el arroyo, unos hombres bastante sucios vendían pulque y dulces, pasteles, fruta y fritos grasientos. Atrevidos automóviles llegaban veloces y se alejaban renqueando. Pequeños soldados con descoloridos uniformes de algodón, entre rosados y pardos, se mantenían frente a la entrada. Sobre la escena entera se cernía la estructura de hierro del feo e inmenso estadio.

Kate tenía la impresión de ir a la cárcel. En cambio, Owen se dirigió excitado hacia la entrada que correspondía a su billete. En el fondo, él tampoco deseaba ir, pero era un americano nato y si había un espectáculo, tenía que verlo. Esto era la «Vida».

El hombre que revisaba los billetes en la entrada se plantó de repente, cuando estaban pasando, delante de Owen, le puso ambas manos sobre el pecho y cacheó su cuerpo de arriba abajo. Owen dio un respingo y se quedó inmóvil. El individuo se hizo a un lado. Kate estaba petrificada.

Entonces Owen adoptó una actitud sonriente mientras el hombre les hacía seña de que pasaran.

—¿Buscando armas? —preguntó—, guiñando el ojo a Kate con divertida excitación.

Pero ella aún no se había repuesto del horrorizado susto, del temor de que aquel hombre la palpara.

Salieron de un túnel al hueco del anfiteatro de hierro y cemento. Un verdadero rufián acudió a mirar los billetes para indicarles los asientos reservados; movió la cabeza hacia abajo y se alejó con indolencia. Ahora Kate ya sabía que estaba en una trampa, en una gran trampa de cemento.

Bajaron por los escalones de cemento hasta que sólo faltaban tres hileras para el ruedo. Aquélla era su hilera. Tendrían que sentarse sobre el cemento, separados por un aro de hierro. Así eran los asientos reservados de «Sol».

Kate se sentó nerviosamente entre sus dos aros de hierro y miró a su alrededor.

—¡Lo encuentro emocionante! —exclamó.

Como la mayoría de las personas modernas, tenía voluntad de ser feliz.

—¿No es emocionante? —repitió Owen, cuya voluntad de ser feliz era casi una manía—. ¿Qué dices tú, Bud?

—Pues, sí, puede que lo sea —repuso Villiers, evasivo.

Pero es que Villiers era joven, no pasaba mucho de los veinte, mientras que Owen tenía cuarenta. La generación joven calcula su «felicidad» de un modo más práctico. Villiers buscaba la emoción, pero no diría que la había encontrado hasta que fuera una realidad. Kate y Owen (Kate también tenía casi cuarenta años) debían sentir entusiasmo, aunque sólo fuera por cortesía hacia el gran empresario, la Providencia.

—¡Escucha! —exclamó Owen—. ¿Y si tratáramos de proteger nuestro trasero de este cemento...? —y extendió solícito su gabardina doblada sobre el cemento, de modo que tanto Kate como él pudieran sentarse encima.

Miraron a su alrededor. Habían llegado temprano. Grupos de gente moteaban la ladera de cemento opuesta, como erupciones. El ruedo estaba abajo, vacío, cubierto de arena recién peinada; y sobre el ruedo, en el cemento circundante, grandes anuncios de sombreros, con la fotografía de un sombrero de paja para caballero; y anuncios de gafas, con pares de gafas dobladas supinamente, destacaban de forma chillona.

—¿Dónde está la Sombra entonces? —preguntó Owen, torciendo el cuello.

En el extremo superior del anfiteatro, cerca del cielo, había palcos de cemento. Esto era la Sombra donde se sentaba cualquiera que fuese alguien.

—Oh —dijo Kate—, pero a mí no me gustaría estar encaramada allí arriba, tan lejos.

—¡Claro que no! —asintió Owen—. Estamos mucho mejor aquí, en nuestro Sol, que, por cierto no creo que brille mucho.

El cielo estaba nublado, preparándose para la estación lluviosa.

Eran casi las tres de la tarde y no dejaba de entrar gente, pero sólo ocupaba todavía trozos del desnudo cemento. Las hileras inferiores estaban reservadas, por lo que el grueso de los espectadores ocupaba los niveles medianos, y la alta burguesía como nuestro trío estaba más o menos aislada.

El auditorio ya formaba una multitud, en su mayoría hombres de ciudad, gruesos, con trajes negros muy ceñidos y pequeños sombreros de paja, y una mezcla de trabajadores morenos con sombreros anchos. Los hombres de los trajes negros eran probablemente empleados, funcionarios y obreros de fábrica. Algunos habían traído a sus mujeres, vestidas de gasa azul celeste y sombreros de gasa marrón, con las caras tan empolvadas que parecían dulces de malvavisco blanco. Algunos eran familias con dos o tres niños.

La diversión empezó. El juego consistía en arrebatar el duro sombrero de paja a algún individuo y enviarlo hacia la pendiente humana, donde algún tipo listo lo atrapaba y lo mandaba volando en otra dirección. La masa emitía gritos burlones que casi se convirtieron en alaridos cuando siete sombreros de paja se pusieron a volar, como meteoros, sobre la ladera llena de gente.

—¡Mira eso! —exclamó Owen—. ¿Verdad que es divertido?

—No —repuso Kate, dejando hablar por una vez a su pequeño *alter ego*, a pesar de su voluntad de ser feliz—, no me gusta. En realidad aborrezco a las masas.

Como socialista, Owen no lo aprobó, y como hombre feliz, se sintió desconcertado. Porque su propio y verdadero ser, en la medida en que le quedaba, detestaba la vulgaridad tanto como Kate.

—¡Pero tiene mucha gracia! —replicó, tratando de simpatizar con la plebe—. ¡Mira, mira eso!

—Sí, tiene gracia, pero me alegro de que no sea mi sombrero —observó Villiers.

—Oh, sólo es un juego —generalizó Owen.

Pero estaba inquieto. Llevaba un gran sombrero de paja como los nativos, llamativo en el comparativo aislamiento de las filas inferiores. Después de algún nerviosismo, se quitó el sombrero y lo puso sobre sus rodillas. Pero, por desgracia, tenía una calva muy visible en su cabeza tostada por el sol.

Detrás y arriba se veía una densa muchedumbre en la parte no reservada. Ya empezaban a tirar cosas. *¡Bum!*, hizo una naranja destinada a la calva de Owen y que le dio en el sombrero. Dirigió una mirada furibunda hacia atrás, a través de sus grandes gafas de concha.

—Yo volvería a ponerme el sombrero si estuviera en tu lugar —dijo la fría voz de Villiers.

—Sí, creo que es más prudente —asintió Owen con fingida despreocupación, poniéndose otra vez el sombrero.

En seguida cayó una piel de plátano sobre el limpio y primoroso panamá de Villiers, quien se dio media vuelta y miró con frialdad, como un ave decidida a atacar con el pico a la primera oportunidad pero que se alejaría volando ante la primera amenaza.

—¡Cuánto los detesto! —exclamó Kate.

Hubo una distracción cuando entraron por el otro lado las bandas militares, con sus instrumentos de plata y bronce bajo el brazo. Había tres bandas. La principal se instaló a la derecha, en el gran espacio de cemento reservado a las Autoridades. Los músicos llevaban uniformes gris oscuro adornados con detalles de color rosa, que casi tranquilizaron a Kate, dándole la impresión de que estaba en Italia y no en Ciudad de México. Una banda de plata con uniformes de color crema se colocó justo enfrente de nuestro trío, muy arriba, al otro lado de la hueca distancia, y la tercera «música» se dirigió a la izquierda, a la remota ladera del anfiteatro. Los periódicos habían dicho que asistiría el Presidente. Pero actualmente son escasos los presidentes en las corridas de toros de México.

Las bandas ocuparon su lugar, con toda la pompa de que eran capaces, pero no empezaron a tocar. El gentío llenaba ahora las gradas, pero aún quedaban espacios vacíos, especialmente en la parte de las Autoridades. A poca distancia de la fila de Kate había una masa de gente, amenazadora, por así decirlo; una sensación muy incómoda.

Eran las tres, y el gentío tuvo una nueva diversión. Las bandas, que debían empezar a tocar a las tres, seguían en su lugar arrogantes, pero sin tocar una sola nota.

—¡La música, la música!* —vociferó la muchedumbre con la autoridad de las masas. Eran el Pueblo, y las revoluciones habían sido sus revoluciones, y las había ganado todas. Las bandas eran sus bandas, presentes para su diversión.

Pero las bandas eran bandas militares, y era el ejército quien había ganado todas las revoluciones, por lo que las revoluciones eran *sus* revoluciones, y estaban presentes para su propia y única gloria.

Música pagada toca mal tono.

Espasmódicamente, el insolente griterío de la plebe subía y bajaba de tono. ¡La música! ¡La música!* El grito se volvía brutal y violento. Kate lo recordó siempre. ¡La música!*. La banda hacía gala de su indiferencia. El grito era un inmenso alarido: ¡La degenerada plebe de Ciudad de México!

Al final, cuando quisieron, las bandas, con vueltas y bocamangas rosas en su uniforme gris, empezaron los primeros acordes: claros, marciales, límpidos.

—¡Estupendo! —exclamó Owen—. ¡Lo hacen muy bien! Es la primera vez que oigo a una buena banda en Ciudad de México, una banda de verdad.

La música era buena, pero fue breve. Apenas había comenzado cuando la pieza tocó a su fin. Los músicos se sacaron los instrumentos de la boca con un gesto final. Habían tocado para que no se dijera lo contrario, pero reduciéndolo al mínimo.

Música pagada toca mal tono.

Hubo un intervalo disonante, tras el cual la banda de plata empezó a tocar. Y ya eran las tres y media, o más.

Entonces, como obedeciendo a una señal, las masas de los asientos medianos, no reservados, estallaron de repente y bajaron como una marea a los asientos reservados de la parte inferior. Fue como la rotura de un dique; el populacho vestido con sus negros trajes domingueros se lanzó hacia abajo, en torno a nuestro sorprendido y alarmado trío. Y al cabo de dos minutos todos estaban inmóviles. Sin haber empujado siquiera; todo el mundo cuidadoso, dentro de

9

lo posible, de no tocar a nadie. Uno no propina un codazo al vecino si éste lleva una pistola al cinto y un cuchillo sobre el vientre. De modo que todos los asientos de las hileras inferiores se llenaron en una sola embestida, como una ola.

Ahora Kate se hallaba entre la plebe. Por suerte, su asiento daba a uno de los pasillos que rodeaban la arena, por lo que al menos no tenía a nadie sentado entre sus rodillas.

Por este pasillo bajo los pies iban y venían hombres preocupados, deseosos de sentarse junto a sus amigos pero sin atreverse a pedirlo. Tres asientos más allá, en la misma hilera, se encontraba un bolchevique polaco que anteriormente le había sido presentado a Owen. Se inclinó y preguntó al vecino mexicano si podía cambiar de sitio con él.

—No —contestó el mexicano—, me quedaré en mi asiento.

—*Muy bien, señor, muy bien** —dijo el polaco.

El espectáculo no comenzaba y aún seguían recorriendo algunos hombres, como perros perdidos, el pasillo que había a los pies de Kate. Empezaron a aprovecharse del reborde de cemento sobre el que descansaban los pies de nuestro trío, para acurrucarse allí.

Se sentó un tipo muy grueso, justo entre las rodillas de Owen.

—Espero que no se sienten sobre mis pies —dijo Kate con ansiedad.

—No se lo permitiremos —declaró Villiers con decisión algo ridícula—. ¿Por qué no te sacas a ése de encima, Owen? ¡Dale un empujón!

Y Villiers miró con ira al mexicano que se había instalado entre las piernas de Owen. Este se sonrojó y emitió una risita tímida. No servía para empujar a la gente. El mexicano empezó a mirar a las tres airadas personas blancas.

Y un momento después, otro grueso mexicano vestido de negro y tocado con un pequeño sombrero negro hizo ademán de sentarse entre los pies de Villiers. Pero éste fue más rápido que él y juntó los pies bajo las posaderas del individuo, que descansaron incómodamente sobre un par de botas, mientras una mano empujaba con determinación al intruso por el hombro.

—¡No! —gritó Villiers en buen americano—. ¡Este lugar es para mis pies! ¡Váyase! ¡Levántese!

Y continuó, tranquila pero enfáticamente, empujando al mexicano para que se apartara.

El mexicano se incorporó y dirigió una mirada asesina a Villiers. Se avecinaba la violencia física, y el único final era la muerte. Pero el rostro del joven americano eran tan frío y abstracto, sólo mostrando en los ojos un fuego primitivo, que el mexicano se quedó estupefacto. Y los ojos de Kate lanzaban chispas de desprecio irlandés.

El individuo luchaba con su complejo de inferioridad de mexicano de la urbe. Murmuró en español que sólo se sentaría un momento, hasta que pudiera reunirse con sus amigos, y agitó una mano en dirección a una fila inferior. Villiers no entendió una palabra, y reiteró:

—No me importan tus explicaciones. Este lugar es para mis *pies* y tú no vas a ocuparlo.

¡Oh, patria de la libertad! ¡Oh, patria de los hombres libres! ¿Cuál de estos dos hombres ganaría en la lucha por la libertad? ¿Era el gordinflón libre de sentarse entre los pies de Villiers, o era Villiers libre de conservar un lugar para sus pies?

Hay muchas clases de complejos de inferioridad, y el mexicano de la urbe tiene una clase muy fuerte que le hace mucho más agresivo cuando se siente provocado. Por lo tanto, el intruso bajó las posaderas con energía sobre los pies de Villiers, y éste, por pura repugnancia, tuvo que retirar los pies de semejante compresión. El rostro del joven palideció en torno a la nariz y sus ojos adoptaron la mirada abstracta de la cólera democrática. Empujó con más decisión los gruesos hombros, repitiendo:

—¡Vete! ¡Vete! No puedes sentarte aquí.

El mexicano, ya sentado y dueño de su propia base, se dejaba empujar, impasible.

—¡Qué insolencia! —exclamó Kate—. ¡Qué insolencia!

Lanzó una furiosa mirada a la espalda de la tirante chaqueta negra, que parecía hecha por una modista. ¿Cómo podía llevar un hombre un cuello tan mal hecho, tan *en famille*?

Villiers seguía con la expresión fija y abstracta en su rostro delgado, que parecía el de un muerto. Toda su voluntad americana estaba en tensión y el águila calva del norte tenía todas las plumas erizadas. Este tipo *no debía* sentarse aquí. Pero... ¿cómo echarle?

El joven ardía en deseos de aniquilar a este repugnante intruso, y Kate usó toda su malicia irlandesa para ayudarle.

—¿No te has preguntado quién será su sastre? —preguntó con voz burlona.

Villiers echó una ojeada a la chaqueta negra del mexicano e hizo una mueca socarrona a Kate.

—Yo diría que no tiene ninguno. Quizá se la ha hecho él mismo.

—¡Muy probable! —rió venenosamente Kate.

Era demasiado. El hombre se levantó y se fue, bastante humillado, a otro lugar.

—¡Triunfo! —exclamó Kate—. ¿No puedes hacer lo mismo, Owen?

Owen rió, incómodo, mirando al hombre que tenía entre las rodillas como quien mira a un perro rabioso cuando está de espaldas.

—Me parece que todavía no, por desgracia —repuso con cierta reserva, volviendo la cara—, ya que el mexicano le estaba utilizando como una especie de respaldo.

Hubo una exclamación. Dos jinetes de alegres uniformes y blandiendo largas picas habían entrado de repente en el ruedo. Dieron una vuelta a la arena y entonces ocuparon sus puestos, como sendos centinelas, a ambos lados de la entrada del túnel por el que habían aparecido.

Entró una pequeña columna de cuatro toreros, con uniformes muy ajustados llenos de bordados en plata. Se dividieron y desfilaron gallardamente en direcciones opuestas, de dos en dos, alrededor de la plaza, hasta que llegaron a un punto, enfrente de las Autoridades, donde saludaron.

¡De modo que esto era una corrida de toros! Kate sentía ya un escalofrío de repugnancia.

En los asientos de las Autoridades había muy poca gente, y desde luego ninguna dama con peineta de concha y mantilla de encaje. Unas cuantas personas de aspecto vulgar, burgueses sin nada de buen gusto, y un par de oficiales de uniforme. El Presidente no había venido.

No había fascinación, ni hechizo. Unas cuantas personas vulgares en un espacio de cemento eran los elegidos, y abajo, cuatro hombres grotescos y afeminados, con ropas ceñidas y adornadas, eran los héroes. Con sus traseros algo gruesos, sus ridículas coletas y caras bien afeitadas, parecían eunucos, o mujeres embutidas en estrechos pantalones, estos preciosos toreros.

La última de las ilusiones que Kate se había hecho en torno a las corridas de toros se desvaneció. ¡Estos eran los mimados de la plebe! ¡Estos eran los gallardos toreros! ¿Gallardos? Tanto como los empleados de una carnicería. ¿Tenorios? ¡Ja!

La muchedumbre estalló en un ¡Ah! de satisfacción. En el ruedo apareció de improviso un toro pardo más bien pequeño, con largos y arqueados cuernos. Salió corriendo a ciegas, como si saliera de la oscuridad, y pensando probablemente que ya era libre. Entonces se detuvo en seco, viendo que no era libre sino que se hallaba rodeado de una forma desconocida. Estaba totalmente desconcertado.

Un torero se adelantó e hizo ondear una capa rosa, como un abanico, ante el hocico del toro. Este dio un salto juguetón, limpio y bonito, y embistió suavemente la capa. El torero la pasó por encima de la cabeza del animal, y el pequeño toro dio una vuelta al ruedo, buscando la salida.

Viendo la barrera en torno a la plaza y descubriendo que podía ver lo del otro lado, pensó que valdría la pena intentar el salto, y así lo hizo, yendo a parar al pasillo o corredor que circundaba la plaza y en el que se encontraban los servidores de la arena.

Con la misma agilidad, estos servidores saltaron la barrera y cayeron de pie en la arena, donde ahora no estaba el toro.

El toro trotó por el pasillo, desorientado, hasta que llegó a una abertura y se volvió a encontrar en la plaza.

Y otra vez saltaron al pasillo los servidores, donde de nuevo se apostaron para mirar.

El toro trotó un poco, vacilante y algo irritado. Los toreros le hacían señas con sus capas, y él embestía. Hasta que su vacilante curso le llevó al lugar donde uno de los jinetes con picas se encontraba inmóvil sobre el caballo.

Al instante, llena de alarma, Kate se dio cuenta de que el caballo llevaba los ojos vendados con una gruesa tela negra. Sí, y lo mismo ocurría con el caballo del otro picador.

El toro trotó, desconfiado, hasta el caballo inmóvil montado por el hombre que sostenía la larga pica; un caballo flaco y viejo que jamás caminaría hasta el día del juicio final si alguien no le empujaba.

¡Oh, sombras de Don Quijote! ¡Oh, los cuatro jinetes españoles del Apocalipsis! Este era seguramente uno de ellos.

El picador hizo dar media vuelta a su débil montura para enfrentarse al toro, y lentamente se inclinó hacia delante y clavó la punta de la pica en el hombro del toro. Este, como si el caballo fuese una gran avispa que le hubiera picado con fuerza, bajó de pronto la cabeza en un gesto de sorpresa y levantó los cuernos dentro del abdomen del caballo. Y sin más, caballo y jinete rodaron por el suelo como un monumento derribado.

El jinete salió de debajo del caballo y se alejó corriendo con su pica. El viejo caballo, totalmente aturdido, trató de ponerse en pie, como vencido por una muda incomprensión. Y el toro, con una mancha roja en el hombro, que rezumaba un hilo de sangre oscura, se quedó mirando a su alrededor con un asombro igualmente mudo.

Pero la herida le dolía. Vio la extraña forma del caballo tratando de levantarse del suelo, y olió a sangre e intestinos.

Por eso, vagamente, sin saber muy bien lo que debía hacer, el toro levantó una vez más la cabeza y clavó sus agudos y vigorosos cuernos en el vientre del caballo, moviéndolos allí dentro de arriba abajo con una especie de vaga satisfacción.

Kate no había tenido una sorpresa mayor en toda su vida. A pesar de todo se había aficionado a la idea de un espectáculo vistoso. Y antes de que empezara la fiesta, se hallaba contemplando a un toro que sangraba por la herida infligida por la garrocha, corneando el vientre de un caballo viejo, postrado y de aspecto lastimero.

El golpe casi la anonadó. Había venido a presenciar una fiesta brava, había pagado por verla. ¡Cobardía humana y crueldad, olor de sangre, un nauseabundo hedor de intestinos reventados! Volvió la cara hacia un lado.

Cuando miró de nuevo, fue para ver al caballo abandonando la arena, débil y aturdido, con una gran pelota de sus propios intestinos colgando de su vientre, chocando entre sus propias patas mientras se movía automáticamente.

Y una vez más, el asombro casi le hizo perder el conocimiento. Oyó el pequeño aplauso divertido de la muchedumbre. Y aquel polaco, al que Owen la había presentado, se inclinó y le dijo en horrible inglés:

—¡Ahora, señora Leslie, está usted viendo la Vida! Ahora tendrá algo que comentar en sus cartas a Inglaterra.

Kate miró su rostro malsano con total repulsión y deseó que Owen no la presentara a individuos tan sórdidos.

Miró a Owen. Su nariz parecía más afilada, como la de un niño que está a punto de vomitar pero contempla fijamente la carnicería, sabiendo que está prohibido.

Villiers, la generación joven, parecía intenso y abstraído, sorbiendo la sensación. Ni siquiera sentía asco. Estaba absorbiendo la excitación, pero sin emocionarse, fría y científicamente, muy atento.

Y Kate sintió una punzada de verdadero odio contra este americanismo fría y escrupulosamente sensacionalista.

—¿Por qué no se mueve el caballo? ¿Por qué no huye del toro? —preguntó a Owen con repugnado asombro.

Owen carraspeó.

—¿No lo has visto? Tenía los ojos tapados —explicó.

—Pero ¿no puede *oler* al toro? —preguntó ella.

—Por lo visto, no. Traen aquí a los rocinantes para acabar con ellos. Sé que es horrible, pero es parte del juego.

Cuánto odiaba Kate frases como «parte del juego». ¿Qué significan, después de todo? Se sentía totalmente humillada, abrumada por una sensación de indecencia humana, de cobardía de la humanidad bípeda. En esta fiesta «brava» sólo sentía una cobardía repugnante. Su educación y su orgullo natural estaban siendo ultrajados.

Los servidores del ruedo limpiaron toda la suciedad y echaron más arena. Los toreros jugaban con el toro, desplegando sus ridículas capas. Y el animal, con la herida roja sangrando en el hombro, hacía tontas cabriolas, persiguiéndoles de un lado a otro.

Por primera vez, Kate consideró tonto al toro. Siempre le habían inspirado miedo, un miedo mezclado con reverencia ante el animal mitraico. Y ahora veía que era estúpido, pese a sus largos cuernos y maciza virilidad. Ciego y estúpido, embestía la capa una y otra vez, y los toreros le esquivaban contoneándose como jovencitas de caderas anchas. Probablemente requería habilidad y valor, pero *parecía* tonto.

Ciego e insensato, el toro embestía cada vez la capa, sólo porque ésta se movía.

—¡Embiste a los *hombres,* idiota! —gritó Kate en su tensa impaciencia—. Embiste a los hombres, no a las capas.

—Nunca lo hacen, ¿verdad que es curioso? —observó Villiers con interés frío y científico—. Dicen que ningún torero quiere enfrentarse a una vaca, porque la vaca siempre le ataca a él y no a la capa. Si los toros hicieran esto, no habría corridas. ¡Imagínate!

Ahora Kate se aburría. La agilidad y los regates de los toreros la aburrían. Incluso cuando uno de los banderilleros se puso de puntillas, con el trasero gordinflón muy en evidencia, y, muy erguido, clavó dos puntiagudas banderillas en la parte superior del hombro del toro, limpia y certeramente, Kate no sintió admiración. De todos modos, una de las banderillas se desprendió, y el toro siguió corriendo con la otra agitándose en otra herida sangrante.

Ahora el toro quería de verdad escaparse. Volvió a saltar la barrera, sorprendiendo a los servidores, que debieron saltar de nuevo a la arena. El toro trotó por el pasillo y poco después, con un bonito salto, regresó al ruedo. Los servidores saltaron una vez más al pasillo. El toro dio la vuelta a la plaza, sin mirar a los toreros, y saltó por tercera vez al pasillo. Nuevamente escaparon los servidores.

Kate empezaba a divertirse ahora que los hombres cobardes tenían que correr para ponerse a salvo.

El toro volvió al ruedo y corrió tras las dos capas, tontamente. Se preparaba un banderillero con dos banderillas más. Pero primero otro picador se adelantó con nobleza sobre su viejo y ciego caballo. El toro hizo caso omiso de ellos y volvió a alejarse, como buscando algo, buscando sin cesar y con excitación. Se inmovilizó y escarbó en la arena como si quisiera algo. Un torero avanzó e hizo ondear la capa y el toro brincó, con la cola al aire, y embistió con un salto juguetón... al trozo de tela, claro. El torero lo esquivó con una pirueta afeminada y se alejó a pasos rápidos. ¡Muy bonito!

El toro, en el curso de sus trotes, saltos y escarbaduras, se había acercado una vez más al osado picador. El osado picador adelantó su decrépita montura, se inclinó hacia delante y clavó la punta de su pica en el hombro del toro. Este miró hacia arriba, irritado e inmovilizado. ¡Qué diablos!

Vio el caballo y el jinete. El caballo se mantenía con aquella débil monumentalidad del caballo repartidor de leche, paciente entre las lanzas mientras su amo reparte la leche. Qué extrañeza le debió causar que el toro, dando un salto pequeño como el de un perro, bajara la cabeza y elevara los cuernos para perforarle el vientre, donde se removieron hasta que caballo y jinete rodaron por el suelo como un tenderete de feria.

El toro contempló con irritable asombro la incomprensible confusión de montura y jinete pataleando en el suelo a pocos metros de él. Se acercó a investigar. El jinete logró ponerse en pie y emprendió una veloz carrera. Y los toreros, al acudir corriendo con sus capotes, atrajeron al toro, que les siguió caracoleando y embistiendo los trapos forrados de seda.

Mientras tanto, un empleado había puesto en pie al caballo y le conducía hacia el pasillo y de allí a la salida, bajo las Autoridades. El caballo se arrastraba penosamente. El toro, corriendo de un capote rojo al otro, sin coger nunca nada, se estaba excitando e impacientando con el juego de la capa. Volvió a saltar al pasillo y empezó a correr, ¡ay!, hacia donde el caballo herido se dirigía renqueando a la salida.

Kate sabía la continuación. Antes de que pudiera desviar la vista, el toro había embestido al renqueante caballo por detrás, los empleados habían huido y el caballo fue liquidado de un modo absurdo, con uno de los cuernos del toro entre sus patas traseras, hundido con mucha profundidad. El caballo se cayó, derrumbándose primero por su parte delantera, pues la trasera estaba todavía levantada, con el cuerno del toro retorciéndose vigorosamente en su interior, mientras él yacía con el cuello doblado. Y salió un enorme montón de intestinos. Y un fétido olor. Y se oyeron gritos complacidos entre la muchedumbre.

Este bonito suceso tuvo lugar en el lado del ruedo donde se encontraba Kate, y no lejos de ella, directamente debajo. La mayoría de gente se había levantado y estiraba el cuello para no perderse la conclusión de este delicioso espectáculo.

Kate sabía que si seguía mirando se pondría histérica. Ya empezaba a estar fuera de sí.

Dio una rápida ojeada a Owen, que parecía un muchacho culpable y hechizado.

—¡Me voy! —le dijo, levantándose.

—¿Te vas? —gritó él, con asombro y desaliento, sonrojadas la cara, la calva y la frente, mirándola.

Pero ella ya había dado media vuelta y se alejaba en dirección a la boca del túnel de salida.

Owen la siguió corriendo, turbado y aturdido.

—¿De verdad te vas? —preguntó con consternación cuando ella alcanzó el túnel de elevada bóveda.

—Sí, tengo que irme —gritó ella—. No me acompañes.

—¿De verdad? —preguntó él, sin saber qué hacer.

La escena estaba creando una actitud muy hostil en el auditorio. Dejar una corrida es un insulto nacional.

—¡No vengas! ¡De verdad! Tomaré un tranvía —dijo ella apresuradamente.

—¿Sí? ¿Crees que estarás bien?

—Perfectamente. No te muevas. ¡Adiós! No puedo seguir oliendo esta pestilencia.

Owen se volvió como Orfeo mirando hacia el infierno y, vacilante, se dirigió de nuevo a su asiento.

No era tan fácil, porque mucha gente se había levantado y atestaba el túnel de salida. La lluvia, que hasta entonces sólo había consistido en unas gotas, cayó de repente a raudales. La gente corrió a guarecerse; pero Owen, abstraído, se abrió camino hasta su asiento y se sentó sobre su gabardina, con la lluvia cayendo a cántaros sobre su calva. Se hallaba casi tan histérico como Kate. Pero estaba convencido de que esto era la vida. Estaba viendo la VIDA, y, ¿qué más puede hacer un americano?

«Igual podrían sentarse a disfrutar de la diarrea ajena», fue el pensamiento que cruzó la mente trastornada pero todavía irlandesa de Kate.

Se hallaba en la gran bóveda de cemento bajo el estadio, aprisionada por el sucio gentío que se apiñaba allí. Mirando delante de sí, podía ver la recta cortina de lluvia, y un poco más lejos, las grandes puertas de madera que se abrían a la calle libre. ¡Oh, estar fuera, lejos de esto, ser libre!

Pero caía una lluvia tropical. Los pequeños soldados de burdo uniforme se agrupaban para guarecerse bajo el portal de ladrillos. Y las puertas estaban entornadas. Quizá no la dejarían salir. ¡Qué horror!

Se quedó, titubeando, frente a los raudales de lluvia. Habría salido corriendo de no ser por la idea desalentadora del aspecto que ofrecería cuando su vestido de fina gasa se adhiriera a su cuerpo, empapado por la lluvia. Casi en la salida, titubeó.

Detrás de ella, la gente entraba a oleadas en el túnel del estadio. Horrorizada y sola, miraba hacia la libertad. La muchedumbre se hallaba en un estado de excitación, privada de su deporte y nerviosa por si se perdía algo. Gracias a Dios, el grueso gentío se encontraba en la entrada del túnel y ella estaba al borde de la salida, a punto de echar a correr.

La lluvia caía con fuerza y regularidad.

Esperaba en el borde del túnel, lo más lejos posible de la gente. Su rostro tenía la expresión contraída y vaga de la mujer que está próxima a la histeria. No podía olvidar aquella última imagen del caballo tendido con el cuello doblado y las ancas elevadas por el cuerno del toro que rasgaba sus intestinos lenta y rítmicamente. El caballo estaba tan pasivo y grotesco. Y todos los intestinos resbalaban hasta el suelo.

Pero la muchedumbre del túnel era otro terror. La gran bóveda se estaba llenando, pero aun así la gente no se acercaba a ella. Se apiñaban hacia la salida interior.

Eran en su mayoría hombres toscos en traje de ciudad, los mestizos de una ciudad mestiza. Dos de ellos orinaban contra la pared en el intervalo de su excitación. Un padre bondadoso había traído a sus hijos a la fiesta y se mantenía cerca de ellos con descuidada y pegajosa benevolencia paternal; eran niños pálidos, el mayor de unos diez años, ataviados con sus ropas domingueras. Y necesitaban una urgente protección de aquella paternal benevolencia, porque estaban oprimidos, tristes y un poco pálidos de tantos horrores. Por lo menos, para aquellos niños, las corridas de toros no eran un gusto natural, y tendrían que adquirirlo con el tiempo. Sin embargo, había otros niños, y también gruesas mamás con vestidos de satén negro, grasientos y grises en los bordes por un exceso de polvos faciales. Estas mamás gordinflonas tenían una expresión complacida y excitada en los ojos, casi sexual, y muy desagradable en contraste con sus cuerpos suaves y pasivos.

Kate se estremeció con su fino vestido, pues la lluvia tenía un aliento gélido. Miraba fijamente la cortina de agua que caía sobre el desvencijado portal del recinto que rodeaba al anfiteatro, a los soldaditos acurrucados, con sus desaseados uniformes de algodón blanco y rosa, y a la escuálida calle, repleta ahora de sucios arroyos marrones. Todos los vendedores se habían refugiado en grupos en las tiendas de pulque, una de las cuales tenía el siniestro nombre de: *A Ver que Sale**.

Ahora lo repulsivo le daba más miedo que cualquier otra cosa. Había estado en muchas ciudades del mundo, pero México tenía una fealdad subterránea, una especie de malignidad, que hacía de Nápoles una ciudad casi elegante en comparación. Tenía miedo, temía la idea de que algo pudiera tocarla en esta ciudad y contagiarle su rastrera maldad. Pero sabía que lo primero que debía hacer era no perder la cabeza.

Un pequeño oficial uniformado, que llevaba una gran capa de color azul pálido, se abrió paso entre el gentío. Era bajo, moreno y lucía una pequeña perilla negra. Venía desde la entrada interior y se abría camino con una discreción quieta y silenciosa, pero con el peculiar y pesado ímpetu de los indios. Sólo tocando delicadamente a la gente con la mano enguantada y murmurando con voz casi inaudible la fórmula *¡Con permiso!**, parecía mantenerse alejado de todo contacto. Además, era valiente: porque cabía la posibilidad de que algún patán le disparase un tiro a causa de su uniforme. La gente le conocía; Kate lo adivinó por el destello de una sonrisa burlosa y tímida que se dibujó en muchas caras, y por la exclamación:

—¡General Viedma! ¡Don Cipriano!

Fue hacia Kate, saludando e inclinándose con una timidez insegura.

—Soy el general Viedma. ¿Desea usted irse? Permítame facilitarle un automóvil —dijo en un inglés muy inglés que sonó extraño viniendo de su rostro oscuro—, y un poco rígido en su lenguaje suave.

Tenía los ojos oscuros, rápidos, con la vidriosa oscuridad que ella consideraba tan molesta. Pero los distinguía una curiosa oblicuidad, bajo las cejas arqueadas y negras que le conferían un raro aspecto de alejamiento, como si mirase la vida con las cejas levantadas. Sus modales eran superficialmente seguros, tal vez medio salvajes en el fondo, tímidos, hoscos y modestos.

—Muchas gracias —repuso ella.

Llamó a un soldado que estaba en la puerta.

—La enviaré en el automóvil de mi amigo —explicó—. Será mejor que un taxi. ¿No le ha gustado la corrida?

—¡No! Horrible —respondió Kate—. Pero consígame un taxi. Es muy seguro.

—Bueno, ya han ido a buscar el automóvil. Usted es inglesa, ¿verdad?

—Irlandesa —corrigió Kate.

—¡Ah, irlandesa! —repitió él con el destello de una sonrisa.

—Habla usted muy bien el inglés —elogió ella.

—¡Sí! Me eduqué allí. Pasé siete años en Inglaterra.

—¿De verdad? Yo soy la señora Leslie.

—¡Ah, Leslie! Conocí a un James Leslie en Oxford. Lo mataron en la guerra.

—Sí. Era hermano de mi marido.

—¡Vaya!

—¡Qué pequeño es el mundo! —exclamó Kate.

—¡Sí que lo es! —convino el general.

Hubo una pausa.

—Y los caballeros que van con usted son...

—Americanos —repuso Kate.

—¡Ah, americanos! ¡Ah, sí!

—El mayor es mi primo, Owen Rhys.

—¡Owen Rhys! ¡Ah, sí! Creo que leí en el periódico que estaban en la ciudad... visitando México.

Hablaba con una voz peculiar, tenue, bastante contenida, y sus ojos rápidos la miraron, y miraron a su alrededor, como los de un hombre que sospecha perpetuamente una emboscada. Pero su rostro tenía cierta hostilidad silenciosa, bajo su bondad. Estaba salvando la reputación de su patria.

—Lo publicaron en una nota no muy entusiasta —comentó Kate—. Creo que no les gusta que nos alojemos en el Hotel San Remo. Es demasiado pobre y extranjero. Pero ninguno de nosotros es rico, y además lo preferimos a los otros hoteles.

—¿El Hotel San Remo? ¿Dónde está?

—En la Avenida del Perú. ¿Quiere visitarnos allí y conocer a mi primo y al señor Thompson?

—¡Gracias! ¡Gracias! Casi nunca voy de visita. Pero iré a verles si me lo permite, y después quizá ustedes vengan a verme a casa de mi amigo, el señor Ramón Carrasco.

—Iremos encantados —dijo Kate.

—Muy bien. ¿Les visitaré, entonces?

Ella mencionó una hora y añadió:

—No debe sorprenderse al ver el hotel. Es pequeño, desde luego, y casi todos son italianos. Pero probamos algunos de los grandes y tenían un aspecto vulgar, ¡horrible! No puedo soportar el ambiente de prostitución. Y encima, la barata insolencia de los criados. No, mi pequeño San Remo puede ser sencillo, pero es bondadoso y humano, y no está corrompido. Es como Italia tal como la recuerdo, decente, y con un poco de generosidad humana. Creo que la ciudad de México es mala por dentro.

—Bueno —repuso él—, los hoteles son malos. Es triste, pero los extranjeros parecen ver a los mexicanos peores de lo que son en realidad. Y México, o algo que hay en el país, hace a los extranjeros peores de lo que son en su casa.

Hablaba con cierta amargura.

—Quizá no debería venir nadie —dijo ella.

—¡Quizá! —repitió él, levantando un poco los hombros—. Pero no lo creo.

Se sumió en un vago silencio. Era peculiar que sus sentimientos pudieran verse reflejados en su rostro: cólera, timidez, nostalgia, seguridad y otra vez ira, todo con pequeños rubores, de un modo algo ingenuo.

—Ya no llueve tanto —observó Kate—. ¿Cuándo vendrá el coche?

—Ya está aquí. Hace un rato que espera —repuso él.

—Entonces, me iré.

—Bueno —contestó él, mirando hacia el cielo—, todavía llueve y su vestido es muy fino. Debe cubrirse con mi capa.

—¡Oh! —exclamó ella, indecisa—. Son sólo dos metros.

—Pero aún llueve con bastante fuerza. Será mejor que espere o que me permita prestarle mi capa.

Se quitó la capa con un movimiento rápido y se la alargó,

desplegada. Casi sin darse cuenta, ella se puso de espaldas para que él la colocara sobre sus hombros. Entonces se envolvió en la prenda y corrió hacia la puerta, como si escapara. Él la siguió con pasos ligeros pero marciales. Los soldados saludaron con bastante indolencia y él respondió brevemente.

Un Fiat no muy nuevo esperaba ante la puerta, con un chófer que lucía una chaqueta a cuadros rojos y negros. Abrió la portezuela y Kate se quitó la capa mientras subía al coche y la devolvió. Él se la colgó del brazo.

—¡Adiós! —dijo Kate—. Muchas gracias. Le veremos el martes. Cúbrase con la capa.

—El martes, sí. Hotel San Remo. Calle del Perú —indicó él al chófer, y, volviéndose hacia Kate, preguntó—: Va al hotel, ¿no?

—Sí —asintió ella, y casi al instante se retractó—: No, lléveme a Sanborn, donde podré sentarme en un rincón y consolarme con una taza de té.

—¿Consolarse de la corrida de toros? —inquirió él con otra rápida sonrisa—. A Sanborn, González.

Saludó, se inclinó y cerró la portezuela. El coche se puso en marcha.

Kate se recostó en el asiento, aliviada. Aliviada por haber abandonado aquel espantoso lugar. Aliviada también por haberse librado de aquel simpático joven, Era muy simpático, pero le inspiraba el deseo de alejarse de él. Rebosaba aquella sombría fatalidad mexicana que tanta inquietud le producía. Su silencio, su peculiar seguridad, casi agresiva; y, al mismo tiempo, un nerviosismo, una incertidumbre. Su tenebrosidad, y en contraste, su sonrisa rápida, ingenua, infantil. Aquellos ojos negros, como joyas negras, a los que no se podía mirar de frente, que eran tan vigilantes; ¡y que, no obstante, esperaban tal vez una señal de reconocimiento y calor! ¡Tal vez!

Volvió a sentir, como ya lo había sentido antes, que México estaba incluido en su destino casi como una fatalidad. Era algo tan denso, tan opresivo como los dobleces de una enorme serpiente que apenas fuera capaz de levantarse.

Se alegró de sentarse en un rincón del salón de té y de sentirse de nuevo en el mundo cosmopolita, bebiendo su té, comiendo tarta de fresas e intentando olvidar.

CAPITULO II

LA HORA DEL TE EN TLACOLULA

Owen volvió al hotel a eso de las seis y media, cansado, excitado, un poco culpable y muy arrepentido de haber dejado sola a Kate. Y ahora que todo había pasado, bastante deprimido.

—Oh, ¿cómo te ha ido? —gritó en cuanto la vio, pesaroso como un muchacho por su propio pecado de omisión.

—Me ha ido estupendamente. He tomado el té en Sanborn y comido tarta de fresas... ¡buenísima!

—¡Oh, cuánto me alegro! —rió él, lleno de alivio—. ¡Entonces, no estabas *demasiado* impresionada! Lo celebro. He tenido horribles remordimientos después de dejarte ir, imaginando todas las cosas que suelen ocurrir en México, como que el chófer te llevara a una región remota para robarte y todo lo demás, aunque en el fondo *sabía* que no te pasaría nada. ¡Oh, lo mal que lo he pasado yo, con la lluvia y toda esa gente tirándome objetos a la calva, y aquellos caballos... qué horrible, ¿verdad? Me extraña seguir todavía vivo —y rió, cansado y excitado, llevándose la mano al estómago y poniendo los ojos en blanco.

—¿No estás empapado? —inquirió ella.

—¿Empapado? —repitió él—. Lo estaba, pero ya me he secado. El impermeable no me sirve de nada, no sé por qué no me compro otro. ¡Vaya tiempo! La lluvia caía a *chorros* sobre mi calva y la chusma empezó a tirarme naranjas. Y, para colmo, *sangraba* en mi interior por haberte dejado ir sola. Pero era la única corrida de toros que tendré ocasión de ver en mi vida. Me fui antes de que terminara. Bud no ha querido venir; supongo que aún sigue allí.

—¿Ha sido tan horrible como al principio? —preguntó Kate.

—¡No! ¡No! El principio fue lo peor, con aquel horror de los caballos. Oh, mataron dos más. ¡Y *cinco* toros! Sí, una verdadera carnicería. Pero en algún momento vimos cosas bonitas; los toreros hicieron algunas vistosas proezas. Uno se inmovilizó sobre el capote mientras el toro le embestía.

—Creo —observó Kate— que si supiera que uno de esos toreros iba a ser lanzado al aire por el toro, iría a ver otra corrida. ¡Uf, cómo las detesto! Cuanto más tiempo vivo, más odiosa me resulta la especie humana. ¡Los toros son *mucho* más agradables!

—Sí, ¡desde luego! —asintió vagamente Owen—. Exacto. Pero

aun así, hubo pases muy logrados, muy bonitos. Y se requiere un gran valor.

—¡Bah! —exclamó Kate—. ¡Valor! Todos armados con cuchillos, lanzas, capas y banderillas... y saben exactamente cómo se portará el toro. Es sólo un espectáculo de seres humanos atormentando a animales, de unos tipos vulgares jactándose de su maestría en torturar a un toro. Unos niños sucios mutilando moscas... eso es lo que son. Sólo que son adultos, bastardos, y no niños. ¡Oh, me gustaría ser un toro durante cinco minutos! ¡Bastardos, así es como les llamo!

—¡Vaya! —rió, incómodo, Owen—. Yo no diría tanto.

—¡Llamarlo hombría! —exclamó Kate—. Entonces doy gracias a Dios por ser una mujer y reconocer la cobardía y la maldad cuando las veo.

Nuevamente Owen rió, lleno de confusión.

—Sube a cambiarte —le dijo ella— o te morirás.

—Creo que será lo mejor. De hecho, me siento como si fuese a morirme de un momento a otro. Bueno, pues hasta la hora de cenar. Llamaré a tu puerta dentro de media hora.

Kate estaba tratando de coser, pero sus manos temblaban. No podía olvidar la plaza de toros, y algo sufría en su interior.

Se enderezó y exhaló un suspiro. En realidad, también estaba muy enfadada con Owen, que en general era muy bueno y sensible, pero padecía la insidiosa enfermedad moderna de la tolerancia. Tenía que tolerarlo todo, incluso lo que le repugnaba. ¡Lo llamaba vivir! Estaría convencido de haber *vivido* esta tarde. Sentía avidez de todas las sensaciones, por sórdidas que fueran.

Mientras que ella se sentía como si hubiera comido algo que le produjera envenenamiento por tomaínas. ¡Si *aquello* era la vida!

—¡Ah, los hombres, los hombres! Todos tenían esa suave podredumbre del alma, esa extraña perversidad que les hacía considerar como parte de la *vida* a las cosas más ruines y repulsivas. ¡La vida! ¿Y qué es la vida? ¿Una chinche acostada, pataleando? ¡Uf!

Hacia las siete, Villiers llamó a su puerta. Estaba pálido, cansado, pero parecía un ave que ha logrado picotear en un montón de basura.

—¡Oh, ha sido MAGNIFICO! —exclamó, apoyándose sobre una cadera—. ¡MAGNIFICO! Han matado *siete* TOROS.

—Por suerte, no eran terneros —observó Kate, furiosa otra vez.

El hizo una pausa para digerir esta observación, y entonces se echó a reír. La ira de Kate sólo era otro ligero y divertido sensacionalismo para él.

—No, no eran terneros —dijo—. Los terneros han vuelto a casa para que les engorden. Pero mataron a más caballos después de que te fueras.

—No quiero oírlo —replicó fríamente Kate.

El rió, sintiéndose bastante heroico. Después de todo, había que saber mirar con calma la sangre y los intestinos reventados; incluso con cierta emoción. ¡El joven héroe! Pero tenía oscuras ojeras, como un pervertido.

—¡Oh! —exclamó, con una mueca afectada—. ¿Pero quieres oír lo que hice después? Fui al hotel del mejor torero y le vi acostado en la cama con su traje de luces, fumando un grueso cigarro. Casi como una Venus masculina que jamás se desnudara. ¡Tan gracioso!

—¿Quién te llevó allí? —inquirió ella.

—El polaco, ¿te acuerdas de él? Y un español que hablaba inglés. El torero estaba magnífico, echado con su traje de luces, aunque descalzo, y rodeado de un montón de hombres que comentaban la corrida: *blablablablablabla*. ¡Nunca había oído semejante alboroto!

—¿No estás mojado? —preguntó Kate.

—No, en absoluto. Estoy perfectamente seco. Llevaba el impermeable. Sólo la cabeza, claro. El pelo me chorreaba por toda la cara. —Se pasó la mano por los cabellos con un humor bastante tímido—. ¿No ha venido Owen? —preguntó.

—Sí, se está cambiando.

—Pues me voy arriba. Supongo que ya casi es hora de cenar. ¡Oh, si ya ha *pasado*! —Y este descubrimiento le alegró como si hubiera recibido un regalo.

—Oh, a propósito, ¿cómo te ha ido? Fue bastante feo por nuestra parte dejarte marchar sola —observó con la mano en la puerta entornada.

—Nada de eso —repuso ella—. Queríais quedaros y yo ya he aprendido a cuidar de mí misma, a mi edad.

—¡Bue-eno! —exclamó él con la lenta pronunciación americana—. ¡Supongo que sí! —Entonces rió—. ¡Pero *tendrías* que haber visto a todos aquellos hombres chillando en aquel dormitorio, levantando los brazos, y el torero acostado en la cama como Venus fumando un cigarro y ¡escuchando a sus amantes!

—Celebro no haberlo visto —replicó Kate.

Villiers desapareció con una sonrisa traviesa.

Y ella se quedó temblando de cólera e incredulidad. ¡Amoral! ¿Cómo se podía ser a-moral o in-moral cuando se tenía repugnancia en el alma? ¿Cómo se podía ser como estos americanos, que picoteaban en la basura de las sensaciones y se alimentaban de ellas como aves de carroña? En este momento, tanto Owen como Villiers le parecían aves de carroña, repulsivos.

Además, tenía la sensación de que los dos la odiaban ante todo porque era una mujer. Todo iba bien mientras les daba la razón en todo, pero en cuanto discrepaba en algo, aunque fuera una insignificancia, la odiaban mecánicamente porque era una mujer. Odiaban su feminidad.

Y en este México, con su corriente oculta de mezquindad y malevolencia de reptil, esto le resultaba difícil de soportar.

En realidad sentía afecto por Owen. Pero ¿cómo podía respetarle? Estaba vacío, y esperaba que las circunstancias le llenaran. Le embargaba la desesperación americana de haber vivido en vano, o de no haber vivido *realmente*. De haberse perdido algo. Y esta terrible duda le hacía ir de un lado a otro como atraído por un imán, siempre hacia cualquier reunión callejera. Y toda su poesía y filosofía terminaban con la colilla que tiraba al suelo, y, con el cuello en tensión, hacía frenéticos esfuerzos para *ver,* sólo para *ver.* Ocurriera lo que ocurriese, él tenía que verlo, pues de lo contrario podía perderse algo. Y más tarde, después de haber visto a una vieja atropellada por un automóvil y sangrando en el suelo, volvía al lado de Kate pálido, mareado, afligido, pero, eso sí, contento de haberlo visto. ¡Era la Vida!

—En fin —dijo Kate—, siempre doy gracias a Dios por no ser Argos. Dos ojos llegan incluso a ser demasiados para mí, entre tantos horrores. No me alimento de accidentes callejeros.

Durante la cena procuraron hablar de cosas más agradables que las corridas de toros. Villiers se había vestido con esmero y hacía gala de unos modales perfectos, pero ella sabía que se guardaba una risita burlona en la manga porque Kate no había podido soportar la carnicería de la tarde. Él tenía ojeras oscuras, pero eso era porque había «vivido».

El punto culminante llegó con el postre. Apareció el polaco y aquel español que hablaba americano. El polaco tenía un aspecto malsano y lúbrico. Kate le oyó decir a Owen, quien, naturalmente, se había levantado con automática cordialidad:

—Se nos ha ocurrido venir a cenar aquí. ¿Cómo están?

Kate ya tenía la carne de gallina, pero un momento después volvió a oír aquella voz vulgar, que hablaba vulgarmente tantos idiomas, interpelarla con familiaridad:

—Ah, señorita Leslie, se perdió usted lo mejor. ¡Se perdió lo más divertido! Oh, imagínese que...

La cólera enardeció el corazón de Kate y puso fuego en su mirada. Se levantó de repente y plantó cara al individuo, que estaba detrás de su silla.

—¡Gracias! —exclamó—. No quiero oírlo. No quiero que usted me hable. No quiero conocerle.

Le miró otra vez, le dio la espalda y se sentó de nuevo, alargando la mano hacia el frutero para coger una pitahaya.

El individuo se puso verde y permaneció un momento sin habla.

—¡Oh, muy bien! —dijo mecánicamente, volviéndose hacia el español que hablaba americano.

—Bien, ¡nos veremos otro rato! —se despidió Owen, bastante apresurado, y volvió a su asiento en la mesa de Kate.

Los dos tipos se sentaron en otra mesa. Kate comió la fruta de cactus en silencio y esperó el café. Ahora ya no estaba tan enfadada, sino muy tranquila. E incluso Villiers ocultaba su alegría por una nueva sensación bajo un aspecto de total compostura.

Cuando le hubieron servido el café, Kate miró a los dos hombres de la otra mesa y a los dos hombres de su propia mesa.

—Ya estoy harta de *canaille,* de cualquier clase —dijo.

—Oh, lo comprendo perfectamente —aprobó Owen.

Después de cenar, Kate subió a su habitación. Y no pudo dormir en toda la noche. Escuchó los ruidos de la Ciudad de México y luego el silencio y el horrible temor que con tanta frecuencia inspira la oscuridad de la noche mexicana. En el fondo de su ser, aborrecía Ciudad de México. Incluso la temía. Durante el día podía tener cierto hechizo, pero de noche emergía el terror y la maldad oculta.

Por la mañana Owen anunció que no había dormido.

—Oh, pues yo he pasado la mejor noche desde que estoy en México —dijo Villiers— con la mirada triunfante de un ave que acaba de picar un buen bocado del cubo de la basura.

—¡Fíjate en el frágil y estético muchacho! —exclamó Owen con voz hueca.

—Su fragilidad y esteticismo se me antojan de mal agüero —declaró Kate en tono trágico.

—Y su juventud. ¡Otra mala señal! —añadió Owen con una risita cruel.

Pero Villiers se limitó a emitir un pequeño gruñido de fría y complacida satisfacción.

Alguien llamaba a la señorita Leslie al teléfono, dijo la camarera mexicana. Era la única persona que Kate conocía en la capital (o en el Distrito Federal): una tal señora Norris, viuda hacía treinta años de un embajador inglés. Poseía una vieja y pretensiosa casa en el pueblo de Tlacolula.

—¡Sí! ¡Sí! Soy la señora Norris. ¿Cómo está usted? Me alegro, me alegro. Oiga, señora Leslie, ¿querría venir esta tarde a tomar el té y ver el jardín? Espero que pueda. Vienen a visitarme dos amigos: don Ramón Carrasco y el general Viedma, ambos hombres *encantadores,* y don Ramón es además un gran erudito. Le aseguro que son la gran excepción entre los mexicanos. ¡Oh, sí, una gran excepción! Así que, mi *querida* señora Leslie, ¿podrá venir con su primo? Se lo ruego.

Kate recordó al pequeño general: era bastante más bajo que ella. Recordó su figura erguida, alerta como un pájaro, y el rostro de ojos oblicuos y cejas arqueadas, y la pequeña perilla en el mentón: una cara peculiar, de rasgos algo chinos pero que no era china en absoluto. Un hombre extraño, indiferente y a la vez arrogante, un verdadero indio que hablaba el inglés de Oxford con una voz rápida, suave y musical y una entonación de extraordinaria dulzura. Y sin embargo, ¡aquellos ojos negros e inhumanos!

Hasta ese momento no había podido recordarle, obtener de él una impresión concreta. Ahora ya la tenía. Se trataba de un indio puro y simple. Y Kate sabía que en México había más generales que soldados. Viajaban tres generales en el pullman que venía de El Paso, dos, más o menos educados, en el «salón», y el tercero, un auténtico campesino indio, viajaba con una mujer medio blanca, de cabellos rizados, que parecía haberse caído dentro de un saco de harina, tan empolvados tenía los cabellos, la cara y el vestido de seda marrón. Ni este «general» ni su mujer habían estado antes en un pullman. Pero el general era más listo que la mujer. Se trataba de un tipo alto y anguloso, de rostro enrojecido, marcado por la viruela, y ojos negros, pequeños y vivaces. Siguió a Owen al vagón de fumadores y se fijó en cómo se hacían las cosas. No tardó en aprenderlo. Pronto dejaba la palangana tan seca y aseada como cualquier otro. Había en él algo del verdadero hombre. En cambio, la pobre mujer mestiza, cuando quería ir al lavabo de señoras, se perdía en el pasillo y gemía en voz alta: «¡No sé adónde ir! *¡No sé adónde! ¡No sé adónde!*»*, hasta que el general enviaba al mozo del pullman a indicárselo.

Pero había molestado a Kate ver a este general y a esta mujer comiendo pollo, espárragos y jalea en el vagón, y pagando quince pesos por una cena bastante escasa, cuando por un peso y medio por cabeza podrían haber comido mejor, y platos auténticos mexicanos, en la estación. Mientras la gente pobre y descalza gritaba en el andén, el «general», que era un hombre de su misma clase, degustaba finamente sus espárragos al otro lado de la ventanilla.

Pero es así como salvan al pueblo, en México y otros lugares. Algún individuo duro se eleva sobre la pobreza y procede a salvarse a sí mismo. Quién paga los espárragos, la jalea y los polvos faciales es algo que nadie pregunta porque todo el mundo lo sabe.

Y no hablemos más de los generales mexicanos; en general, una clase que es preferible evitar.

Kate era consciente de todo esto. No le interesaba mucho ninguna clase de funcionario mexicano. Hay tantas cosas en el mundo que uno prefiere evitar, como las pulgas que se pasean por los cuerpos no lavados.

Como era bastante tarde, Owen y Kate fueron a Tlacolula en un taxi marca Ford. Fue un trayecto bastante largo, a través de los peculiares y míseros suburbios de la ciudad y luego por una carretera recta entre árboles hasta bien adentrado el valle. El sol de abril era brillante y había montones de nubes en varios puntos del cielo, donde debían estar los volcanes. El valle se extendía hasta las sombrías colinas, en una cuenca llana y seca, requemada, excepto donde había irrigación por estar cultivada una pequeña parcela. La tierra era extraña, seca, negruzca, humedecida artificialmente, y vieja. Los árboles eran altos, y tenían ramas desnudas o una sombra escasa. Las construcciones podían ser nuevas e internacionales, como el Club de Campo, o descascarilladas y ruinosas, con el yeso medio desprendido. La caída de gruesos pedazos de yeso de los edificios ruinosos casi llegaba a ser audible.

Tranvías amarillos corrían a toda velocidad por sus carriles cercados, en dirección a Xochimilco o Tlapalm. La carretera asfaltada se extendía fuera de estas cercas, y sobre el asfalto se deslizaban autobuses Ford increíblemente desvencijados, llenos a rebosar de nativos oscuros vestidos con sucias ropas de algodón y tocados con grandes sombreros de paja. Paralelos a la carretera, por las polvorientas sendas bajo los árboles, pasaban lentos asnos cargados con enormes fardos que se dirigían a la ciudad, conducidos por hombres de caras ennegrecidas y piernas desnudas y también ennegrecidas. El tráfico corría en tres vías: el estruendo de los tranvías, el rumor de los automóviles y la lucha de los asnos y los individuos de aspecto extranjero.

Flores ocasionales ponían una nota de color en una ruina de yeso desprendido. Mujeres ocasionales de brazos fuertes y morenos lavaban trapos en un canal de desagüe. Un jinete ocasional galopaba hacia el rebaño de ganado inmóvil, blanco y negro, que pacía en el campo. Ocasionales campos de maíz ya empezaban a verdear. Y los pilares que marcan los conductos de agua pasaban uno por uno.

Atravesaron la plaza llena de árboles de Tlacolula, donde los nativos estaban en cuclillas, vendiendo frutas o dulces, y bajaron por un camino bordeado de altos muros. Se detuvieron por fin ante un gran portal desde el que se veía una maciza casa rosa y amarilla, y más allá de la casa, cipreses altos y oscuros.

En el camino había ya dos coches aparcados, lo cual significaba otras visitas. Owen llamó a las puertas tachonadas como las de una fortaleza; se oyeron unos imbéciles ladridos. Al final abrió silenciosamente un pequeño criado de bigote negro.

El patio interior, cuadrado y oscuro, con sol en los pesados arcos de un lado, tenía macetas de flores rojas y blancas, pero era triste, como si hubiera muerto hacía siglos. Parecía reinar una fuerza o belleza pesada y muerta, incapaz de desvanecerse, incapaz de liberarse y descomponerse. Había un estanque de piedra lleno de agua clara pero inmóvil, y los pesados arcos rojizos y amarillos rodeaban el patio con fatalismo de guerreros, sumidas las bases en una profunda sombra. Una casa maciza y muerta de los Conquistadores, con el destello de un frondoso jardín al fondo y cipreses aztecas de extraña y tenebrosa altura. Y un silencio muerto, como la roca de lava negra, porosa y absorbente. Salvo cuando pasaban los viejos tranvías frente al sólido muro.

Kate subió por la escalera de piedra, parecida a un surtidor, y franqueó las puertas de cuero. La señora Norris cruzó la terraza del patio superior para recibir a sus invitados.

—Estoy tan contenta, querida, de que haya venido. Debí llamarla antes, pero he tenido problemas con el corazón. ¡El médico quería enviarme a una altitud menor! Yo le dije que me faltaba paciencia. «Si me va a curar, cúreme a una altitud de dos mil metros o admita inmediatamente su incompetencia». Es ridículo eso de hacerte ir de una altitud a otra. He vivido a esta altitud todos estos años y me niego en redondo a ser enviada a Cuernavaca o cualquier otro lugar que no me guste. Y usted, querida, ¿qué me cuenta?

La señora Norris era una anciana, bastante parecida a un conquistador con su vestido de seda negra, su pequeño chal negro de fina cachemira, con un corto fleco de seda, y sus adornos de esmalte negro. Tenía la cara ligeramente gris y la nariz afilada y morena, y su voz tenía un sonido casi metálico, con una música propia, lenta, clara y peculiar. Era arqueóloga y había estudiado las ruinas aztecas durante tanto tiempo que en su rostro se había grabado algo de la roca de lava gris negruzca y algunas de las experiencias de los ídolos aztecas, de nariz afilada, ojos algo prominentes y una expresión de fúnebre burla. Hija solitaria de la cultura, de mente resuelta y densa voluntad, había curioseado toda su vida en torno a las duras piedras de los restos arqueológicos, pero retenido al mismo tiempo un fuerte sentido de humanidad y una visión algo humorista y fantástica de sus semejantes.

Desde el primer momento, Kate la respetó por su aislamiento y su intrepidez. El mundo se compone de una masa de gente y unos pocos individuos. La señora Norris era uno de estos últimos. Cierto que no había renunciado nunca al juego social, pero estaba desparejada, y ella sola podía poner en jaque a todas las parejas.

—Pero ¡entren! ¡Entren, por favor! —exclamó después de haber entretenido a sus dos invitados en la terraza, llena de ídolos negros y polvorientas canastas nativas, escudos, flechas y tapa, como un museo.

En el oscuro salón que miraba a la terraza había visitas: un anciano con levita negra y barba y cabellos blancos, y una mujer con un vestido de *crêpe-de-chine* negro y el inevitable sombrero de su clase sobre sus cabellos grises: un rígido satén vuelto hacia arriba en tres lados, con un airón negro debajo. Tenía la cara infantil, los ojos azules inexpresivos y el acento del medio oeste también inevitables.

—El juez y la señora Burlap.

El tercer visitante era un hombre más bien joven, muy correcto y no del todo seguro. Era el mayor Law, agregado militar americano en aquel momento.

Estas tres personas observaron a los recién llegados con cautelosa suspicacia. Podían ser personas dudosas. De hecho hay en México tantas personas dudosas que se da por sentado, si uno llega a la capital sin anunciarse y de repente, que uno se presenta bajo un nombre supuesto y tiene algún negocio sucio entre manos.

—¿Hace mucho que están en México? —inquirió el juez; el interrogatorio policial había comenzado.

—¡No! —repuso Owen con voz resonante, adelantando la garganta—. Unas dos semanas.

—¿Son ustedes americanos?

—Yo soy americano —contestó Owen— y la señora Leslie es inglesa... o, mejor dicho, irlandesa.

—¿Han estado ya en el club?

—No —dijo Owen—, no lo he visitado. Los clubs americanos no son una de mis debilidades. Aunque Garfield Spence me dio una carta de presentación.

—¿Quién? ¿Garfield Spence? —El juez dio un respingo como si le hubieran picado—. Pero si ese tipo es un bolchevique. ¡Si incluso fue a Rusia!

—A mí también me gustaría ir a Rusia —replicó Owen—. Probablemente es el país más interesante del mundo hoy en día.

—Pero, ¿no acaba de decirme —intervino la señor Norris con su voz límpida, metálica y musical— que adora a China, señor Rhys?

—*Adoraba* a China —repuso Owen.

—Y estoy segura de que obtuvo magníficas colecciones. Dígame, ¿qué fue lo que más le gustó?

—Después de todo, tal vez el jade.

—¡Ah, el jade! ¡Sí, el jade es hermoso! ¡Aquellos maravillosos países de ensueño que tallan en jade!

—¡Y la piedra en sí misma! Es su delicadeza lo que me fascinó —dijo Owen—, la calidad que tiene.

—¡Ah, sí, maravillosa, maravillosa! Y dígame ahora, querida señora Leslie, ¿qué ha hecho desde que nos vimos?

—Fuimos a una corrida de toros y me horrorizó —respondió Kate—, al menos a mí. Nos sentamos en el Sol, cerca del ruedo, y fue todo horrible.

—Horrible, estoy segura. Yo no he ido jamás a una corrida en México. Sólo en España, donde hay un magnífico colorido. ¿No ha visto nunca una corrida de toros, mayor?

—Sí, varias veces.

—¡Conque sí! Entonces ya las conoce bien. ¿Y le gusta México, señora Leslie?

—No mucho —contestó Kate—, me parece malévolo.

—¡Es cierto, da esta impresión! —exclamó la señora Norris—. ¡Ah, si lo hubiera conocido antes! ¡México antes de la revolución! Era diferente, entonces. ¿Cuáles son las últimas noticias, mayor?

—Más o menos las mismas —contestó el mayor—. Se rumorea que el nuevo presidente será derrocado por el ejército a los pocos días de su ascenso al poder. Pero nunca se sabe.

—Creo que sería una verdadera lástima que no le dieran esta oportunidad —intervino Owen con calor—. Parece un hombre sincero, y sólo quieren eliminarle porque es un honesto laborista.

—Ah, mi querido señor Rhys, *todos* hablan con mucha nobleza antes de ser elegidos. Si cumplieran lo que prometen, México sería el cielo en la tierra.

—En vez del infierno en la tierra —terció el juez.

Un hombre joven y su esposa, también americanos, fueron presentados como el señor y la señora Henry. El era vivaz y simpático.

—Estábamos hablando del nuevo presidente —explicó la señora Norris.

—¡Ah! ¿Por qué no? —exclamó animadamente el señor Henry— Acabo de llegar de Orizaba, y ¿saben qué dicen las pintadas de la pared? *¡Hosanna! ¡Hosanna! ¡Hosanna! ¡Viva el Jesús Cristo de México, Sócrates Tomás Montes!**

—¡Vaya! ¡Qué ocurrencia! —exclamó la señora Norris.

—*¡Hosanna! ¡Hosanna! ¡Hosanna!* ¡Viva el nuevo presidente laborista! Yo lo encuentro genial —declaró Henry.

El juez golpeó el suelo con su bastón en un mudo acceso de ira.

—Pues en mis maletas —dijo el mayor— escribieron lo siguiente mientras me paseaba por Veracruz: *La degenerada clase media será regenerada por mí, Montes**.

—¡Pobre Montes! —exclamó Kate—. Al parecer no le permitirán realizar su trabajo.

—¡Desde luego que no! —convino la señora Norris—. Pobre hombre, me gustaría que accediese pacíficamente al poder y gobernara al país con mano dura. Pero me temo que no hay mucha esperanza.

Se produjo un silencio, durante el cual Kate sintió aquella amarga desesperanza que domina a las personas que conocen bien a México. Una desesperanza amarga y estéril.

—¿Cómo es posible que un laborista, aunque tenga un título académico, pueda gobernar con mano dura? —replicó el juez—. ¡Pero si su primer grito fue *Abajo con la mano dura!* —Y de nuevo el anciano golpeó el suelo con su bastón, irritado en extremo.

Esta era otra característica de los antiguos residentes de la ciudad: un estado de irritación intensa, aunque contenida muy a menudo; una irritación que reyaba con la rabia.

—Oh, ¿pero no puede ser que cambie un poco sus opiniones cuando ostente el poder? —inquirió la señora Norris—. Muchos presidentes lo han hecho.

—Yo diría que es muy probable, si llega al poder —observó el joven Henry—. Tendrá tanto trabajo salvando a Sócrates Tomás que no le quedará mucho tiempo para salvar a México.

—Es un tipo peligroso y se convertirá en un villano —pronosticó el juez.

—Pues yo —dijo Owen—, a juzgar por lo que se dé de él, creo que es un hombre sincero y le admiro.

—Yo encontré muy bonito —terció Kate— que le recibieran en Nueva York con la vibrante música de la Banda de Basureros. ¡Enviaron a la Banda de Basureros al muelle para recibirle!

—Ya ve —dijo el mayor—. No cabe duda de que los propios laboristas deseaban enviarle esa banda.

—¡Pero ser presidente electo y que te reciba la Banda de los Basureros! —exclamó Kate—. ¡No, no puedo creerlo!

—Oh, no es más que laborista recibiendo a laborista —aclaró el mayor.

—El último rumor —confió Henry— es que el ejército apoyará *en bloc* al general Angulo hacia el día veintitrés, una semana antes de la toma de posesión.

—Pero ¿cómo es posible —inquirió Kate—, siendo Montes tan popular?

—¡Montes, popular! —gritaron todos al unísono.

—¡Qué dice! —exclamó el juez—. Es el hombre más impopular de México.

—¡No en el partido laborista! —protestó Owen, casi acorralado.

—¡El partido laborista! —escupió el juez—. No existe. ¿Qué es el partido laborista en México? Un hatajo de obreros diseminados aquí y allí, sobre todo en el estado de Veracruz. ¡El partido laborista! Ya han hecho lo que podían. Les conocemos.

—Esto es cierto —corroboró Henry—. Los laboristas han intentado todos los juegos. Cuando ya estaba en Orizaba, marcharon hacia el Hotel Francia para matar a todos los gringos y gachupines. El director del hotel tuvo el ánimo suficiente para arengarlos, y se fueron al hotel más próximo. Cuando allí apareció el director para hablar con ellos, le mataron de un tiro antes de que pudiera decir una palabra. ¡En realidad, es gracioso! Si uno ha de ir al ayuntamiento y lleva un traje decente, le hacen esperar durante horas en un banco duro. Pero si entra un basurero, con sucios calzones de algodón, le saludan: «*¡Buenos días, señor! ¡Pase usted! ¿Quiere usted* *algo?*»*; mientras a uno le hacen esperar cuanto se les antoja. Oh, es muy gracioso.

El juez tembló de irritación, como si tuviera un ataque de gota. Los reunidos permanecieron en un sombrío silencio, dominados por ese sentido de fatalidad y desesperación que parece dominar a todas las personas que hablan seriamente de México. Incluso Owen guardaba silencio. El también había venido a través de Veracruz y tenido su sobresalto: los mozos le habían cobrado veinte pesos por llevar su baúl del barco al tren. Veinte pesos eran diez dólares, por un trabajo de diez minutos. Y después Owen vio cómo el hombre era arrestado y condenado a ir a la cárcel, a una cárcel mexicana, por negarse a pagar el impuesto, «el impuesto legal», que Owen había pagado sin una palabra.

—El otro día entré en el Museo Nacional —dijo en voz baja el mayor—, solo en la sala que da al patio y que está llena de piedras. Era una mañana bastante fría, con viento del norte. Hacía unos diez minutos que me encontraba allí cuando alguien me dio una repentina palmada en el hombro. «¿Habla inglés?», me preguntaron. Contesté «Sí», y me volví. Un patán de botas ceñidas me indicó que me quitara el sombrero. «¿Por qué?», inquirí, y volví a darle la espalda para contemplar sus ídolos; el montón de cosas más horribles que hay en el mundo, diría yo. Entonces se acercó aquel tipo con el cuidador, éste, naturalmente, con la gorra puesta. Empezaron a decir que esto era el Museo Nacional y que debía descubrirme ante sus monumentos nacionales. Imagínese: ¡esas piedras sucias! Me reí de ellos, me metí más el sombrero y salí del museo. En realidad son unos monos en lo referente al nacionalismo.

—¡Exactamente! —gritó Henry—. Cuando se olvidan de la Patria, de México y de todas esas pamplinas, son un pueblo simpático como hay pocos. Pero en cuanto se sienten nacionalistas, se vuelven monos. Un hombre de Mixcoatl me contó una bonita historia. Mixcoatl es una capital del sur y hay en ella una especie de oficina laborista. Los indios bajan de las colinas, salvajes como conejos. Y los laboristas, los agitadores, les meten en esa oficina y les dicen: «Vamos a ver, señores, ¿tienen algo que declarar sobre su pueblo natal? ¿No ocurre nada que les gustaría reformar?». Entonces, como es natural, los indios empiezan a quejarse los unos de los otros, y el secretario dice: «¡Un momento, caballeros! Permítanme telefonear al gobernador para informarle de esto». De modo que levanta el auricular y marca un número. «¡Oiga! ¿Es el Palacio? ¿Está ahí el gobernador? Dígale que el señor Fulano desea hablar con él». Los indios le miran con la boca abierta. Para ellos, es un milagro. «¡Ah! ¿Es usted, gobernador? ¡Buenos días! ¿Cómo está? ¿Me puede atender un momento? ¡Muchas gracias! Verá, tengo aquí a unos caballeros de Apaxtle, que está en las colinas: José

García, Jesús Querido, etc., los cuales desean informarle de lo siguiente. ¡Sí, sí! ¡Eso es! ¡Sí!¿Qué?¿Que se ocupará de que se haga justicia y todo se resuelva felizmente? ¡Ah, señor, muchas gracias! En nombre de estos caballeros de las colinas, del pueblo de Apaxtle, muchas gracias».

Los indios se quedan mirándole como si los cielos se hubieran abierto y la Virgen de Guadalupe se hallara de puntillas sobre sus mentones. ¿Y qué ha sucedido? Pues que el teléfono no funciona, ni siquiera está conectado. ¿No es asombroso? Pues así es México.

Un momento de pausa fatal siguió a esta graciosa historia.

—¡Oh, esto es una maldad! —exclamó Kate—. Una gran maldad. Estoy segura de que los indios estarían muy bien si les dejaran en paz.

—Bueno —dijo la señora Norris—, México es diferente de cualquier otro lugar del mundo.

Pero en su voz había desesperanza y temor.

—Dan la impresión de *querer* traicionarlo todo —observó Kate—. Parecen *encantados* con los criminales y las cosas horribles. Les gustan las cosas feas, les gustan que ocupen un lugar bien visible. Quieren que toda la podredumbre del fondo ascienda a la superficie. Parece gustarles. Parecen disfrutar afeándolo todo. ¿No es curioso?

—Sí que lo es —asintió la señora Norris.

—Pero es la realidad —recalcó el juez—. Quieren convertir al país en un gran crimen. No les gusta nada más. No les gusta la honradez ni la decencia ni la limpieza. Quieren fomentar las mentiras y el crimen. Lo que aquí llaman libertad es sólo libertad para cometer crímenes. Tal es el significado del partido laborista y lo que todos quieren. El crimen libre, nada más.

—Me pregunto por qué no se van todos los extranjeros —se extrañó Kate.

—Tienen sus ocupaciones aquí —adujo el juez.

—Y los demás se van. Ya se han ido casi todas las personas que tenían otro lugar adónde ir —dijo la señora Norris—. Los que tenemos nuestras propiedades aquí, y también nuestra vida, y conocemos el país, nos quedamos por una especie de tenacidad. Pero sabemos que no hay solución. Cuanto más cambia, más empeora. Ah, aquí están don Ramón y don Cipriano. Encantada de verles. Permítanme presentarles.

Don Ramón Carrasco era un hombre alto, robusto y guapo que daba la impresión de corpulencia. De edad mediana, llevaba unos grandes bigotes negros y tenía ojos altivos bajo cejas horizontales. El general vestía de paisano y parecía muy bajo al lado del otro hombre, pero estaba muy bien proporcionado y era casi petulante.

—Vengan —invitó la señora Norris—. Tomaremos un poco de té.

El mayor se disculpó y abandonó el salón.

La señora Norris se envolvió bien en su pequeño chal y condujo a sus invitados a través de una oscura antesala hasta una pequeña terraza por cuyas paredes bajas trepaban enredaderas y se abrían numerosas flores. Había una campanilla aterciopelada y roja como la sangre casi seca; racimos de rosas blancas; y montones de buganvillas color púrpura.

—¡Qué hermoso es esto! —admiró Kate—. Con aquel fondo de grandes árboles oscuros.

Pero sentía una especie de temor.

—Sí, *es* hermoso —asintió la señora Norris con el orgullo de ser la poseedora—. Me da mucho trabajo separar a estas dos. —Y, abrigada con su chal negro, fue hacia la buganvilla para separarla de las campanillas purpúreas, acariciando a la vez a las pequeñas rosas blancas para que intervinieran.

—Creo que los dos rojos juntos son interesantes —dijo Owen.

—¿De verdad lo cree? —preguntó la señora Norris automáticamente, sin hacer caso de la observación.

El cielo era azul sobre sus cabezas, pero en el horizonte había una niebla espesa y nacarada. Las nubes habían desaparecido.

—Nunca se ve el Popocatepetl ni el Ixtaccihuatl —observó Kate, desengañada.

—No, en esta estación, no. Pero, fíjese, ¡a través de aquellos árboles se ve el Ajusco!

Kate miró hacia la sombría montaña, visible entre los oscuros y enormes árboles.

Sobre el pequeño parapeto de piedra había objetos aztecas, cuchillos de obsidiana, ídolos en cuclillas hechos con lava negra, y un extraño bastón de piedra, bastante grueso. Owen lo estaba balanceando: parecía violento incluso al tacto.

Kate se volvió hacia el general, que estaba cerca de ella, sin expresión en el rostro, pero alerta.

—Los objetos aztecas me oprimen —le dijo.

—*Son* oprimentes —repuso él en su bello y culto inglés, que sin embargo recordaba un poco al parloteo de un loro.

—No hay esperanza en ellos —añadió Kate.

—Quizá los aztecas no pidieron nunca esperanza —insinuó él, algo automáticamente.

—¿Acaso no es la esperanza lo que nos hace vivir?

—A usted, tal vez. Pero no al azteca, ni al indio de hoy.

El hablaba como alguien que se reserva algo, que sólo escucha a medias lo que oye, incluso sus propias respuestas.

—¿Qué tienen, si carecen de esperanza? —preguntó ella.

—Quizá disponen de otra fuerza —contestó él, evasivo.

—Me gustaría darles esperanza. Si la tuvieran, no estarían tan tristes, y serían más limpios, no tendrían chinches.

—Esto sería bueno, desde luego —dijo él con una breve sonrisa— pero no creo que estén tan tristes. Se ríen mucho y son alegres.

—No —replicó ella—. Me oprimen, como un peso en el corazón. Me irritan hasta que deseo marcharme.

—¿De México?

—Sí. Siento que quiero marcharme y no volver jamás. Es tan opresivo y cruel.

—Quédese un poco más —dijo él—. Quizás entonces sentirá algo diferente. Aunque tal vez no —añadió con vaguedad.

Kate sintió que había en él una especie de deseo de ella, como si su corazón masculino le estuviera transmitiendo una llamada, emitiendo oscuros rayos de búsqueda y anhelo. Lo notó ahora por primera vez, completamente aparte de la conversación, y le hizo sentir timidez.

—¿Y todo en México la oprime? —añadió él, casi apocado, pero con un matiz de burla, mirándola con un rostro ingenuo y preocupado que era fuerte y resistente bajo la superficie.

—¡Casi todo! —exclamó ella—. *Siempre* me siento triste. Como los ojos de los hombres que llevan grandes sombreros: yo los llamo peones. Sus ojos no tienen pupilas. Son guapos y fornidos bajo sus grandes sombreros, pero en realidad no están ahí. No tienen centro, un yo real. Su centro es un gran agujero negro, como el de un torbellino.

Miró con sus ojos grises y preocupados a los ojos negros, oblicuos, vigilantes y calculadores del hombre bajo que estaba ante ella. Tenía una expresión dolida, perpleja, como la de un niño, y al mismo tiempo obstinada y madura, de una madurez demoníaca, que se oponía a ella de una forma animal.

—Quiere decir que no somos personas reales, que no poseemos nada, salvo el asesinato y la muerte —dijo él con voz completamente normal.

—No lo sé —murmuró Kate, asombrada de esta interpretación—. Sólo he dicho lo que me hace sentir.

—Es usted muy inteligente, señora Leslie —sonó detrás de ella la voz tranquila pero muy provocadora de don Ramón—. Lo que ha dicho es muy cierto. Cuando un mexicano grita ¡*Viva!**, no tarda en gritar. ¡*Muera!**. Cuando dice ¡*Viva!*, quiere decir en realidad ¡*Muera éste o el otro!* Pienso en todas las revoluciones mexicanas y veo a un esqueleto precediendo a gran número de personas y haciendo ondear una bandera negra con ¡*Viva la muerte!** escrito en grandes letras blancas. ¡*Viva la muerte!* No ¡*Viva Cristo Rey!** sino ¡*Viva Muerte Rey! ¡Vamos! ¡Viva!**

Kate se volvió. Don Ramón hacía centellear sus sabios y pardos ojos españoles, y una pequeña sonrisa sarcástica brillaba bajo sus bigotes. Al instante, Kate y él, europeos en esencia, se comprendieron mutuamente. El aún agitaba el brazo del último ¡Viva!*

—Pero yo no quiero decir ¡Viva la muerte!* —dijo Kate.

—Pero cuando se es un verdadero mexicano... —empezó él, con sorna.

—Yo jamás podría serlo —contestó Kate con calor—, y él se echó a reír.

—Me temo que ¡Viva la muerte!* es la definición exacta —intervino la señora Norris despiadadamente—. Pero, ¿no entran a tomar el té? ¡Vengan!

Bien envuelta en su chal y con los cabellos grises bien peinados, les precedió como un conquistador, volviéndose después a mirarlos con sus ojos aztecas a través de los quevedos, para ver si todos la seguían.

—Ya venimos —dijo don Ramón en español, bromeando. Majestuoso con su traje negro, la siguió por la pequeña terraza, y Kate fue detrás de él, acompañada por el bajo y arrogante don Cipriano, también vestido de negro, que se mantenía extrañamente a su lado.

—¿Le llamo general o don Cipriano? —preguntó ella, volviéndose hacia él.

Una pequeña y divertida sonrisa iluminó rápidamente el rostro de él, aunque sus ojos no sonreían, sino que le dirigían una mirada misteriosa y penetrante.

—Como desee —contestó—. Sabe que general es un término desacreditado en México. ¿Qué le parece don Cipriano?

—Bien, me gusta mucho más —repuso ella.

Y él pareció satisfecho.

La mesa de té era redonda y el servicio, de plata brillante; la tetera recibía el calor de una pequeña llama, y había un adorno de adelfas rosas y blancas. El joven y pulcro criado repartía las tazas de té con guantes de algodón blanco. La señora Norris servía el té y cortaba grandes trozos de tarta.

Don Ramón se sentó a su derecha y el juez a su izquierda. Kate se hallaba entre el juez y el señor Henry. Todos, excepto don Ramón y el juez, estaban un poco nerviosos. La señora Norris ponía siempre nerviosos a sus invitados, como si fueran cautivos y ella la capitana que les había capturado. Gozaba de la situación, y presidía la mesa autoritaria y arqueológicamente. Pero era evidente que don Ramón, la persona más notable entre los presentes, le profesaba afecto. Cipriano, por su parte, permanecía mudo y disciplinado, perfectamente familiarizado con la rutina del té, superficialmente a sus anchas, pero en el fondo, remoto y desconectado. Miraba de vez en cuando a Kate.

Esta era una mujer hermosa, a su modo inconvencional, y de cierta exuberancia. Cumpliría cuarenta años la semana próxima. Habituada a todas las sociedades, observaba a las personas como quien lee las páginas de una novela, con cierta diversión desinteresada. Nunca estaba *dentro* de una sociedad: demasiado irlandesa, demasiado experimentada.

—Como es natural, nadie vive sin esperanza —decía la señora Norris en tono travieso a don Ramón—, aunque sólo sea la esperanza de un *real* para comprar un poco de pulque.

—¡Ah, señora Norris! —replicó él con voz tranquila y a la vez curiosamente profunda, como un violoncello—. ¡Si el pulque es la mayor felicidad!

—En tal caso, somos afortunados, porque un *toston*[1] compraría el paraíso —respondió ella.

—Ha sido un *bon mot, señora mía** —dijo don Ramón, riendo, y tomó un sorbo de té.

—Vamos, ¿no quieren probar estos pastelitos nativos que contienen semillas de sésamo? —preguntó la señora Norris a la mesa en general—. Los hace mi cocinera y su patriotismo se siente satisfecho cuando alguien los alaba. Tome uno, señora Leslie.

—Muy bien —aceptó Kate—. ¿Hay que decir Ábrete, Sésamo?

—Si se desea —repuso la señora Norris.

—¿Quiere usted uno? —preguntó Kate, pasando la bandeja al juez Burlap.

—No, no quiero ninguno —rechazó éste, apartando la cara como si le ofrecieran una bandeja de mexicanos y dejando a Kate con la bandeja en el aire.

La señora Norris se la arrebató con un gesto de finalidad.

—El juez Burlap tiene miedo de la semilla de sésamo y prefiere que la cueva siga cerrada —dijo, pasando la bandeja a Cipriano, que observaba la mala educación del anciano con ojos negros de reptil.

—¿Ha visto ese artículo de Willis Hope en el *Excelsior?* —inquirió de pronto el juez a su anfitriona.

—Sí, y lo he encontrado muy sensato.

—Lo único sensato que se ha dicho sobre esas leyes agrarias. ¡Ya lo creo que es sensato! Rice Hope fue a visitarme y le expuse unas cuantas cosas. Pero su artículo lo dice *todo,* no olvida ninguna cuestión de importancia.

—¡Cierto! —convino la señora Norris con una atención bastante rígida—. Ojalá las palabras pudieran cambiar las cosas, juez Burlap.

1. Moneda portuguesa y brasileña que valen 100 reis.

—¡Las palabras equivocadas tienen la culpa de todo! —exclamó el juez—. Los hombres como Gardield Spence, que vienen a pronunciar sus arengas criminales. ¡Pero si la ciudad ya está llena de socialistas y *sinvergüenzas** de Nueva York!

La señora Norris se ajustó los quevedos.

—Por suerte no vienen a Tlacolula, por lo que podemos olvidarnos de ellos. Señora Henry, tome otra taza de té.

—¿Lee usted en *español*? —espetó el juez a Owen. Este, con sus grandes gafas de concha, era al parecer el capote rojo para su irritable compatriota.

—¡No! —replicó Owen, rotundo como un cañonazo.

La señora Norris volvió a ajustarse los quevedos.

—Es un alivio tan grande saber que alguien ignora completamente el español y no está avergonzado —dijo—. Mi padre nos hizo aprender cuatro lenguas antes de que cumpliéramos doce años, y ninguno de nosotros se ha recobrado todavía. Era toda una marisabidilla antes de que me recogiera los cabellos. ¡A propósito! ¿Cómo le van sus paseos, juez? ¿Se enteró de mi percance con el tobillo?

—¡Claro que nos enteramos! —gritó la señora Burlap, pisando por fin terreno seguro—. Yo intenté por todos los medios venir a visitarla, para saber cómo seguía. Nos *afligimos* tanto.

—¿Qué ocurrió? —preguntó Kate.

—Pues que pisé tontamente una piel de naranja en la ciudad... en la esquina de San Juan de Letrán y Madero. Y me caí redonda al suelo. Naturalmente, lo primero que hice cuando me levanté fue dar un puntapié a la piel de naranja para enviarla al arroyo. Y, no podrán creerlo, pero ese hatajo de mex... —se contuvo—, ese hatajo de holgazanes agrupados en la esquina se rieron de mí cuando me vieron hacer eso. Lo encontraron muy gracioso.

—Claro —explicó el juez—: estaban esperando que pasara otra persona y se cayera.

—¿No la ayudó nadie? —preguntó Kate.

—¡Oh, no! Si alguien sufre un accidente en este país, *jamás* debe pedir ayuda. Quienquiera que le toque, puede ser arrestado por provocar el accidente.

—¡Esta es la ley! —exclamó el juez—. Si se le toca antes de que llegue la policía, le arrestan a uno por complicidad. Dejarlos que se desangren es lo obligado.

—¿Es eso cierto? —preguntó Kate a don Ramón.

—Bastante cierto —replicó éste—. Sí, es cierto que no se debe tocar a un herido.

—¡Qué odioso! —exclamó Kate.

—¡Odioso! —gritó el juez—. Hay muchas cosas odiosas en este país, como averiguará si se queda el tiempo suficiente. Yo casi me maté por culpa de una piel de plátano; yací durante días en una habitación oscura, entre la vida y la muerte, y quedé lisiado para toda la vida.

—¡Qué horrible! —exclamó Kate—. ¿Qué hizo usted cuando cayó?

—¿Que qué hice? Me rompí el hueso de la cadera.

Realmente había sido un terrible accidente, y el juez había sufrido mucho.

—No puede culpar a México por una piel de plátano —declaró Owen, exaltado—. Yo pisé una en la Avenida Lexington, aunque, por suerte, sólo me magullé una parte blanda.

—No fue su cabeza, ¿verdad? —inquirió la señora Henry.

—No —rió Owen—, el otro extremo.

—Habremos de añadir las pieles de plátano a la lista de amenazas públicas —dio el joven Henry—. Yo soy americano y cualquier día me puedo hacer bolchevique para salvar mis pesos, de modo que puedo repetir lo que oí decir a un hombre ayer por la mañana. Dijo que sólo hay dos grandes enfermedades en el mundo de hoy: el bolchevismo y el americanismo; y el americanismo es la peor de las dos, porque el bolchevismo sólo destroza tu casa, tu negocio o tu cráneo, mientras que el americanismo destroza tu alma.

—¿Quién era? —gruñó el juez.

—Lo he olvidado —replicó Henry, malévolo.

—Me pregunto —observó la señora Norris— qué querría decir por americanismo.

—No lo definió —contestó Henry—. El culto del dólar, supongo.

—Bueno —dijo la señora Norris—, el culto del dólar es, según mi experiencia, mucho más intenso en los países que no tienen el dólar que en los Estados Unidos.

Kate pensó que la mesa era como un disco de acero al que todos estaban, como víctimas, imantados y sujetos.

—¿Dónde está su jardín, señora Norris? —preguntó.

Todos salieron a la terraza, jadeantes de alivio. El juez les siguió cojeando y Kate tuvo que retrasarse para hacerle compañía.

Se detuvieron en la pequeña terraza.

—¿No es extraño este objeto? —inquirió Kate cogiendo uno de los cuchillos de piedra azteca que había sobre el parapeto—. ¿Se trata de una especie de jade?

—¡Jade! —rezongó el juez—. El jade es *verde*, no negro. Esto es obsidiana.

—El jade puede ser negro —contradijo Kate—. Yo tengo una bonita tortuga china de jade negro.

—Imposible. el jade es de un verde brillante.

—Pero también hay jade blanco. Lo sé con certeza.

El juez calló, exasperado, unos momentos, y luego repitió:

—El jade es verde brillante.

Owen, que tenía el oído de un lince, lo oyó todo.

—¿Qué dicen? —preguntó.

—¡Creo que el jade tiene más colores que el verde! —exclamó Kate.

—¡Claro! —gritó Owen—. ¡Muchos más! Hay jades de todos los tonos imaginables: blanco, rosa, lavándula...

—¿Y negro —preguntó Kate.

—¿Negro? Oh, sí, es muy común. Debería usted ver mi colección. ¡Tengo la más hermosa gama de colores! *¡Sólo jade verde!* ¡Ja, ja, ja! —y explotó en carcajadas algo extrañas.

Habían llegado a las escaleras, que eran de vieja piedra, encerada y pulida hasta adquirir un tono negro brillante.

—Me apoyaré en su brazo para bajar —dijo el juez al joven Henry—. Esta escalera es una trampa mortal.

La señora Norris lo oyó sin comentarios. Sólo empujó los queve dos sobre su nariz afilada.

En el arco del pie de las escaleras, don Ramón y el general se despidieron. Los demás se dirigieron al jardín.

Caía la tarde. El jardín se hallaba algo elevado, bajo los enormes y sombríos árboles y la casa rojiza y amarilla. Era como estar en un perfumado jardín del fondo de los infiernos. Las flores del hibisco, escarlatas, sacaban sus lenguas amarillas y rugosas. Algunas rosas esparcían pétalos a la luz del crepúsculo, y claveles de aspecto solitario pendían de débiles tallos. De un denso y enorme arbusto colgaban las misteriosas campanillas blancas de la datura, grandes y mudas, como los mismos fantasmas del sonido. Y la fragancia de la datura se extendía, fuerte y silenciosa, en torno al arbusto y hacia las pequeñas avenidas.

La señora Burlap se había pegado a Kate y con su cara de niña tonta y sociable le dirigía preguntas inoportunas.

—¿En qué hotel se hospeda?

Kate se lo dijo.

—No lo conozco. ¿Dónde está?

—En la avenida del Perú. Es natural que no lo conozca. Se trata de un pequeño hotel italiano.

—¿Se quedará aquí mucho tiempo?

—No estamos seguros.

—¿Es periodista el señor Rhys?

—No, es poeta.

—¿Se gana la vida escribiendo poesías?

—No, ni lo intenta.

Era la clase de investigación del servicio secreto a que suelen ser sometidas las personas dudosas en la capital de personas dudosas.

41

La señora Norris se hallaba junto a un arco florido de diminutas flores blancas.

Se veía brillar una luciérnaga. Ya era de noche.

—Bueno, ¡adiós, señora Norris! ¿Vendrá a almorzar con nosotros? No quiero decir en nuestra casa. Avíseme y almorzaremos juntas en cualquier lugar de la ciudad.

—¡Gracias, querida! ¡Muchas gracias! ¡Ya veremos!

La señora Norris era casi regia, con la rígida majestad azteca.

Por fin todos se despidieron y las grandes puertas se cerraron tras ellos.

—¿Cómo ha venido? —preguntó la señora Burlap con impertinencia.

—En un viejo taxi Ford, pero ¿dónde se ha metido? —dijo Kate, mirando en la oscuridad—. Debería encontrarse bajo los fresnos de enfrente, pero no está.

—¡Qué curioso! —exclamó Owen, y desapareció en la noche.

—¿Hacia dónde van? —preguntó la señora Burlap.

—Al Zócalo —repuso Kate.

—Nosotros hemos de tomar un tranvía que va en dirección opuesta —explicó la marchita e infantil mujer del Medio Oeste.

El juez cojeaba por la acera como un gato sobre ladrillos calientes. Al otro lado del camino había un grupo de nativos con grandes sombreros y ropas de percal blanco, en su peor momento por la cantidad de pulque ingerido. Más cerca, a este lado, había otro grupo, de trabajadores vestidos de ciudad.

—Ahí los tienen —dijo el juez, blandiendo su bastón con gesto vengativo—. Ahí están los dos lotes.

—¿Qué lotes? —inquirió Kate, sorpendida.

—Los peones y los *obreros**, todos borrachos. ¡Todos ellos borrachos! —Y en un espasmo de puro y frustrado odio, volvió la espalda a Kate.

Al mismo tiempo vieron las luces de un tranvía que serpenteaba como un dragón por el camino oscuro, entre la alta pared y los enormes árboles.

—¡Aquí está nuestro tranvía! —exclamó el juez—, empezando a correr, apoyándose en su bastón.

—Sube por el otro lado —le lanzó la avejentada mujer de cara infantil y sombrero de tres picos de satén—, agitándose para marcharse como si fuera a salir nadando a la acera.

La pareja trepó ávidamente al vagón de primera clase, muy bien iluminado; cojeando. Los nativos se hacinaron en la segunda clase.

El *tren** se alejó con un zumbido. El matrimonio Burlap no había dicho siquiera buenas noches. Les aterraba tener que conocer a alguien a quien no debieran conocer; cuya amistad no les reportara nada bueno.

—¡Vulgar mujerzuela! —apostrofó Kate en voz alta, mirando hacia el tranvía—. Horrible pareja de mal educados.

Tenía un poco de miedo de los nativos, algo borrachos, que esperaban el tranvía que vendría de la dirección opuesta, pero más fuerte que su miedo era cierta simpatía hacia esos hombres morenos y silenciosos, tocados con grandes sombreros de paja y vestidos con sus ingenuos blusones de algodón. Por lo menos tenían sangre en las venas: eran columnas de sangre oscura.

¡Mientras que aquella pareja exangüe y agria del medio oeste, con su repugnante blancura...!

Recordó la pequeña historia que cuentan los nativos. Cuando el Señor creó a los primeros hombres, los hizo de arcilla y los puso a cocer al horno. Salieron negros. «¡Están demasiado cocidos!», exclamó el Señor. Así que hizo otra hornada, y éstos le salieron blancos. «¡No están bastante cocidos!», exclamó, por lo que realizó un tercer intento. Estos hombres salieron con un bonito color tostado. «¡Estos están en su punto!», dijo el Señor.

La pareja del medio oeste, aquella ajada cara infantil y aquel juez renqueante, no estaban cocidos, habían salido apenas a medio cocer.

Kate miró las caras oscuras iluminadas por el farol. La asustaban, eran una especie de amenaza para ella. Pero sentía que al menos estaban bien cocidos y su color era en cierto modo satisfactorio.

El taxi llegó a sacudidas, con Owen sacando la cabeza por la ventanilla y abriendo la puerta.

—He encontrado al chófer en una *pulquería** —explicó—, pero no creo que esté *del todo* borracho. ¿Te arriesgas a volver con él? La pulquería se llamaba *La Flor de un Día** —añadió Owen con una risa aprensiva.

Kate vaciló, mirando al hombre.

—Qué remedio —dijo.

El viejo Ford dio un respingo y se alejó a toda velocidad hacia el Infierno.

—Dile que no corra tanto —imploró Kate.

—No sé cómo decírselo —vaciló Owen, que al final gritó en buen inglés—: ¡Eh! ¡Chofer! ¡No tan de prisa! ¡No corra tanto!

—*No presto. Troppo presto. ¡Va troppo presto!* —gritó Kate.

El hombre les miró con los ojos negros y dilatados de una total incomprensión. Entonces pisó a fondo el acelerador.

—¡Aún va más de prisa! —rió nerviosamente Owen.

—¡Oh, déjale! —exclamó Kate, agotada.

El hombre conducía como el demonio personificado, como si tuviera al diablo en el cuerpo, pero también conducía con la despreocupada habilidad del diablo. No habría otro remedio que dejarle correr.

—¿No ha sido una horrible reunión? —preguntó Owen.

—¡Horrible! —coreó Kate.

CAPITULO III

CUADRAGESIMO CUMPLEAÑOS

Kate se despertó una mañana con cuarenta años. No se ocultó a sí misma el hecho, pero lo mantuvo en secreto ante los demás.

En realidad, era un golpe. ¡Tener cuarenta años! Había que cruzar una línea divisoria. A este lado estaba la juventud, la espontaneidad y la «felicidad». Al otro lado había algo diferente: reserva, responsabilidad, cierto rechazo de lo «divertido».

Era viuda y una mujer solitaria ahora. Como se había casado joven, sus dos hijos ya eran adultos. El chico tenía veintiún años y la chica, diecinueve. Vivían casi siempre con su padre, de quien ella se había divorciado diez años atrás a fin de casarse con James Joachim Leslie. Ahora Leslie había muerto y aquella mitad de la vía había terminado.

Subió al tejado del hotel. Era una mañana espléndida y, por una vez, bajo el cielo azul de la distancia, el Popocatepetl se erguía solitario, una densa y gigantesca presencia bajo el cielo, con una cima elevada. Y despedía un largo y oscuro rizo de humo parecido a una serpiente.

El Ixtaccihuatl, la Mujer Blanca, centelleaba y parecía cercana, pero la otra montaña, el Popocatepetl se mantenía apartado y a la sombra, como un puro cono de sombra atmosférica, con destellos de nieve. Ahí estaban, los dos monstruos, vigilando, gigantescos y terribles sobre la elevada y sangrienta cuna de hombres, el Valle de México. Hostiles, voluminosas, las montañas de nívea cumbre parecían emitir un sonido profundo y ronroneante, demasiado profundo para el oído humano y no obstante audible en la sangre, como un sonido de terror. No había elevación ni exaltación, como en las nevadas montañas de Europa, sino un peso tremendo, de hombros blancos, presionando terriblemente la tierra y murmurando como dos leones vigilantes.

Superficialmente, México podía estar muy bien, con sus suburbios de villas, sus bonitas calles centrales, sus millares de automóviles, sus pistas de tenis y sus salones de bridge. El sol brillaba todos los días y los árboles estaban cuajados de grandes y polícromas flores. Era una fiesta.

Hasta que uno se quedaba a solas con él. Y entonces el tono latente era como el fiero gruñido de un jaguar moteado de noche.

Había un peso denso e insistente sobre el espíritu: los grandes anillos del dragón de los aztecas, del dragón de los toltecas atenazaban y aplastaban el alma. Y sobre los brillantes rayos de sol había el vapor oscuro de una sangre airada e impotente, y las flores parecían enraizadas en sangre. El espíritu del lugar era cruel, aniquilador, destructivo.

Kate podía comprender muy bien al mexicano que le había dicho: *El grito mexicano es siempre el grito del odio**. Las famosas revoluciones, como había dicho don Ramón, empezaban con *¡Viva!* pero terminaban siempre con *¡Muera!* Muera esto, muera aquello; ¡todo era muerte! ¡Muerte, muerte! Tan insistente como los sacrificios aztecas. Algo terriblemente cruel y macabro.

¿Por qué había venido a esta altiplanicie de la muerte? Como mujer, sufría aún más que los hombres; y, al final, prácticamente todos los hombres sucumben. En otro tiempo México había tenido un elaborado ritual de muerte. Ahora tiene sólo la muerte, andrajosa, sórdida, vulgar, sin siquiera la pasión de su propio misterio.

Se sentó en el apoyo del viejo tejado. La calle de abajo era como un abismo negro, pero a su alrededor había la tosca superficie de tejados planos e irregulares, atravesados por hilos de teléfono, y los repentinos, profundos y oscuros pozos de los *patios**, llenos de flores abiertas en la sombra.

Justo detrás había una iglesia vieja y enorme, de tejado cilíndrico que parecía un animal al acecho, con cúpulas semejantes a burbujas hinchadas, cuyas tejas amarillas, azules y blancas resplandecían contra el azul intenso del cielo. Silenciosas mujeres nativas, vestidas con las largas faldas, se movían en los tejados, tendiendo la ropa o extendiéndola sobre las piedras. Había polluelos posados aquí y allí. De vez en cuando volaba por encima un ave de gran tamaño, seguida por su sombra. Y no muy lejos se alzaban los pardos y chatos campanarios de la catedral, cuya profunda y antigua campana temblaba tan suavemente que era casi inaudible en el aire.

Tendría que haber sido todo alegre, *allegro, allegretto,* entre aquel centelleo del aire brillante y las viejas superficies de los tejados. ¡Pero, no! Siempre había aquel tono sombrío, aquella fatalidad de reptil.

Era inútil que Kate se preguntara por qué había venido. En Inglaterra, en Irlanda, en Europa, había oído el *consummatum est* de su propio espíritu. Se había extinguido en una especie de agonía mortal. Pero aun así, este pesado Continente de muerte sombría era más de lo que podía soportar.

Tenía cuarenta años: había pasado la mitad de su vida. La brillante página, con sus flores y su amor y sus estaciones de la cruz, terminaba en una tumba. Ahora debía volver la página, y la siguiente era negra, negra y vacía.

La primera mitad de su vida había sido escrita sobre el brillante y suave pergamino de la esperanza, con letras mayúsculas muy bonitas sobre un campo de oro. Pero el hechizo se había ido extinguiendo entre una y otra estación de la cruz, y la última iluminación era la tumba.

Ahora había vuelto la página brillante y ante ella se extendía la página oscura. ¿Cómo escribir en una página tan profundamente negra?

Bajó, pues había prometido ir a ver los frescos de la universidad y las escuelas. Owen, Villiers y un joven mexicano la estaban esperando. Se introdujeron en las bulliciosas calles de la ciudad, donde corren desbocados los automóviles y esos pequeños autobuses llamados camiones* y donde los nativos, con sus ropas de algodón blanco, sandalias y grandes sombreros, pasean como lentos fantasmas entre la burguesía, las jóvenes vestidas con crêpe de chine rosa pálido y calzadas con zapatos de altos tacones, y los hombres con pequeños zapatos y sombreros de paja americanos. Un bullicio continuo bajo el resplandor del sol.

Mientras cruzaban la gran plaza* sin sombra frente a la catedral, donde los tranvías se congregan como en un corral y se separan en dirección a diversas calles, Kate volvió a detenerse para mirar las cosas expuestas para su venta sobre la acera: pequeños juguetes, calabazas pintadas con una especie de laca brillante, las novedades* de Alemania, frutas, flores. Y los nativos en cuclillas junto a sus mercancías, hombres de miembros grandes, silenciosos, de ojos negros, sin centro, que hablaban con voz muy suave y enseñaban con manos pequeñas y sensibles los pequeños juguetes que habían hecho y pintado tan cuidadosamente. Una súplica y una añoranza extrañas, suaves; extrañas voces masculinas, tan profundas, y a la vez tan bajas y serenas. O las mujeres, las pequeñas y rápidas mujeres con sus rebozos* azules, mirando con ojos oscuros y hablando con voces rápidas e insinuantes. El hombre que estaba colocando sus naranjas, limpiándolas antes con un paño, cuidadoso, casi tierno, y formando después con ellas brillantes y diminutas pirámides, todas perfectas y exquisitas. Cierta ternura sensitiva de la densa sangre, cierto encanto en el gorjeo de las mujeres parecidas a pájaros, tan silenciosas y tiernas en el capullo de su femineidad. Y al mismo tiempo, los sucios harapos y la piel sin lavar, las pulgas y el peculiar brillo hueco de los ojos negros, tan temibles y tan atractivos a la vez.

Kate conocía a los vendedores de frutas italianos, que frotaban vigorosamente sus naranjas contra las mangas de su chaqueta. Era grande el contraste con el corpulento y apuesto indio, sentado con suavidad y como solitario al borde de la acera, limpiando sus naranjas amarillas suave y lentamente, hasta que brillaban, y disponiéndolas con lentitud y delicadeza en pequeños montones, las pirámides que valían dos o tres centavos cada una.

Extraño trabajo para un hombre fornido, guapo de aspecto viril. Pero parecen preferir estas pueriles tareas.

La universidad era un edificio español que había sido remozado hasta dejarlo flamante y entregado para su decoración a los artistas jóvenes. Desde la revolución, en ningún lugar se había derrocado tan definitivamente a la autoridad y la tradición como en los campos mexicanos de la ciencia y el arte. La ciencia y el arte son el deporte de los jóvenes. ¡Adelante, muchachos!

Los muchachos habían obedecido. Pero incluso entonces, el único artista distinguido ya no era un muchacho y había pasado por un largo aprendizaje en Europa.

Kate había visto reproducciones de algunos de los frescos de Rivera. Ahora recorrió los patios de la universidad, mirando los originales. Eran interesantes: el hombre conocía su oficio.

Pero el impulso era el impulso del odio del artista. En los numerosos frescos de los indios había simpatía hacia el indio, pero siempre desde el punto de vista ideal, social. Nunca la espontánea réplica de la sangre. Estos indios pintados eran símbolos en el gran documento del socialismo moderno, eran figuras del patetismo de las víctimas de la industria y el capitalismo modernos. No eran utilizados más que para esto: como símbolos en el aburrido documento del socialismo y la anarquía.

Kate pensó en el hombre que daba brillo a sus naranjas hacía media hora: su peculiar belleza, cierta exuberancia física, un gran poder de la sangre en su interior, y una impotencia, una incredulidad profunda que era fatal y demoníaca. Y ni toda la libertad, ni todo el progreso, ni todo el socialismo del mundo podrían ayudarle. No, sólo contribuirían a su destrucción.

Por los pasillos de la universidad caminaban muchachas de pelo muy corto y amplios chalecos, con la barbilla muy alta en el gesto característico de la ávida juventud de nuestros días. Muy conscientes de su propia juventud y avidez. Y muy americanas. Pasaban jóvenes profesores, amables y de apariencia inofensiva.

Los artistas trabajaban en los frescos, y Kate y Owen les fueron presentados. Pero eran hombres (o muchachos) cyos mismos pigmentos parecían existir exclusivamente para *épater le bourgeois*. Y Kate estaba harta del *épatisme*, tanto como de la burguesía. No estaba interesada en *épater le bourgeois*. Los *épateurs* eran tan aburridos como los burgueses, dos mitades de un mismo aburrimiento.

El pequeño grupo se dirigió después al viejo convento de los jesuitas, ahora usado como escuela secundaria. Albergaba más frescos.

Pero eran obra de otro hombre y se trataba de unas caricaturas tan burdas y feas que Kate sintió repulsión. La intención era escandalizar, pero tal vez la misma intención les impide ser tan escandalosas como pretenden. Eran feas y vulgares, estridentes caricaturas del Capitalista y la Iglesia, de la Mujer Rica y de Mammón, pintadas en tamaño natural y con la mayor violencia posible alrededor de los patios del viejo y gris edificio donde los jóvenes son educados. Para cualquiera que posea una chispa de equilibrio humano, esas caricaturas son una fechoría.

—¡Oh, pero, qué maravillosas! —exclamó Owen.

Como su susceptibilidad estaba herida, sentía, igual que la corrida de toros, cierta satisfacción. Pensó que era nuevo y estimulante decorar de este modo los edificios públicos.

El joven mexicano que les acompañaba era profesor de la universidad: algo bajo, de unos veintisiete años, escribía la inevitable poesía sentimental, había formado parte del Gobierno, incluso como miembro de la Cámara de Diputados, y anhelaba ir a Nueva York. Había en él algo fresco y suave, un poco petulante. A Kate le gustaba. Sabía reír con un humor auténtico y ardiente, y no era nada tonto.

Hasta que trató de estas maníacas ideas de socialismo, política y la Patria. Entonces fue mecánico como una trampa para ratones. Muy tedioso.

—¡Ah, no! —exclamó Kate frente a las caricaturas—. Son demasiado feas. Destruyen sus propios fines.

—Pero es que han de ser feas —explicó el joven García—. Porque el capitalismo es feo, y Mammón es feo, y el sacerdote que alarga la mano para sacar dinero a los pobres indio es feo. ¿No? —y rió de forma algo desagradable.

—Pero —objetó Kate— estas caricaturas son demasiado intencionales. Son como un insulto vulgar, no tienen nada de arte.

—¿No es eso cierto? —preguntó García, señalando la fea imagen de una mujer gorda con un vestido corto y ajustado, caderas y pechos como protuberancias, andando sobre las caras de los pobres—. Así es como son, ¿no?

—¿Quién es así? —inquirió Kate—. Me aburre. Hay que guardar cierto equilibrio.

—¡En México, no! —exclamó el joven mexicano con rubor en sus redondas mejillas—. En México no es posible guardar el equilibrio porque las cosas están tan mal. En otros países, sí, tal vez sea posible permanecer equilibrado, porque las cosas no están tan mal como aquí. Pero aquí están tan mal, que no se puede ser humano. Hay que ser mexicano. Hay que ser más mexicano que humano, ¿no? No se puede hacer otra cosa. Hay que odiar al capitalista, en México es preciso, o nadie puede vivir. Nosotros no podemos vivir.

Nadie puede vivir. Si uno es mexicano, no puede ser humano, es imposible. Tiene que ser un mexicano socialista, o un capitalista mexicano, y odiar. ¿Qué otra cosa se puede hacer? Odiamos al capitalista porque arruina al país y al pueblo. *Tenemos* que odiarle.

—Pero, dígame —contestó Kate—, ¿qué hay de los doce millones de pobres, en su mayoría indios, de los que habla Montes? Es imposible enriquecerlos a todos, por mucho que se intente. Y ni siquiera comprenden las palabras capital y socialismo. Son México, en realidad, y nadie les mira jamás, excepto para hacer de ellos un *casus belli*. Humanamente, nunca existen para ustedes.

—¡No pueden existir humanamente, son demasiado ignorantes! —gritó García—. Pero cuando podamos matar a todos los capitalistas, entonces...

—Encontrarán a alguien que les matará a *ustedes* —replicó Kate—. No, no me gusta. *Usted* no es México en realidad. Ustedes son medio españoles llenos de ideas europeas, y sólo les importa alardear de sus ideas y nada más. No tienen auténtica compasión. No sirven.

El joven escuchó con los ojos redondos, palideciendo. Al final levantó los hombros y extendió los brazos en un ademán seudo-mediterráneo.

—¡Bueno! ¡Puede ser! —dijo con burlona impertinencia—. Quizás usted lo sabe todo. ¡Quizá! Los extranjeros suelen saberlo todo sobre México. —Y terminó con una risita entre dientes.

—Yo sólo sé lo que *siento* —replicó Kate—. Y ahora quiero un taxi y marcharme de aquí. No quiero ver más dibujos feos y estúpidos.

Y se fue al hotel, una vez más llena de indignación. Estaba asombrada de sí misma. En general era tan plácida y amable. Pero había algo en este país que la irritaba y le inspiraba una ira tan violenta que se sentía morir. Una ira candente, furiosa.

Y tal vez, pensó, los mexicanos blancos y medio blancos sufrían una peculiar reacción en su sangre que les mantenía casi siempre en un estado de irritación e ira contenidas para las que debían encontrar una válvula de escape. *Tenían* que pasar su vida en un complicado juego de frustración, frustración de vida en su flujo y reflujo.

Tal vez la tierra, o el dragón de la tierra, emanaba algo, algún efluvio, alguna vibración que luchaba contra la misma composición de la sangre y los nervios de los seres humanos. Tal vez procedía de los volcanes. O tal vez, incluso, de la silenciosa y enigmática resistencia de reptil de aquellas masas de graves nativos cuya sangre era principalmente la vieja, pesada y resistente sangre india.

¿Quién sabe? Pero algo había, y algo muy potente. Kate, tendida sobre la cama, reflexionaba sobre su propia cólera orgánica. ¡No podía evitarla!

Pero el joven García era realmente simpático. Fue a verla por la tarde y le envió su tarjeta. Kate, que se sentía ofendida, le recibió de mala gana.

—He venido para decirle —empezó con cierta rígida dignidad, como un embajador en una misión— que a mí tampoco me gustan esas caricaturas. No me gusta que los jóvenes, chicos y chicas, ¿no?, las vean continuamente. A mí tampoco me gusta. Pero creo que aquí en México no podemos evitarlo. La gente es mala, ambiciosa, ¿no? Sólo quiere ganar dinero aquí, y lo demás no le importa. De modo que tenemos que odiarles. Sí, no hay más remedio. Pero a mí tampoco me gustan.

Sostenía el sombrero con las dos manos, y sacudía los hombros en una confusión de sentimientos.

De improviso, Kate se echó a reír, y él la secundó, aunque en su risa había algo de dolor y confusión.

—Ha sido muy amable por su parte venir a decirme esto —agradeció Kate, sintiendo simpatía hacia él.

—No, no es amabilidad —dijo él, frunciendo el ceño—, pero es que no sabía qué hacer. Quizás usted piense que soy... diferente, que no no soy lo que aparento. Y no lo quiero.

Se sonrojó, incómodo. Había en él una sinceridad curiosa, ingenua, ya que era sincero. De haber querido fingir, lo habría hecho mejor. Pero con Kate quería ser sincero.

—Le comprendo, de verdad —rió Kate—; siente algo muy parecido a lo que siento yo. Sé que sólo está simulando ser violento y duro.

—¡No! —exclamó él, echando de pronto chispas por los ojos—. También me siento violento. Odio a esos hombres que no hacen más que quitar cosas a México... dinero y... ¡todo, todo! —Extendió los brazos con decisión—. Los odio porque *tengo* que odiarlos, ¿no? Pero al mismo tiempo lo lamento... lamento tener que odiar tanto. Sí, creo que lo lamento.

Frunció el ceño, bastante tenso. Y en su rostro redondo, joven y fresco había una expresión de resentimiento y odio, también muy sinceros.

Kate se daba cuenta de que no lo lamentaba realmente. Sólo dos estados de ánimo, el flujo, natural, suave, sensual, y el profundo odio y resentimiento, alternaban dentro de él como el sol y la sombra en un día nublado, en sucesión rápida e inevitable. Lo agradable de él era su sencillez, pese a la complicación de los sentimientos, y el hecho de que su resentimiento no era personal, sino que trascendía a las personas, incluso a él mismo.

Kate fue con él a tomar el té, y mientras estaba fuera, don Ramón acudió a visitarla y dejó tarjetas con las esquinas dobladas y una invitación a cenar para ella y Owen. Había una corrección casi anticuada en aquellas tarjetas.

Hojeando el periódico, encontró un artículo algo raro. Leía el español sin mucha dificultad; lo difícil era hablarlo, pues lo confundía con el italiano, y esto era causa de un tropiezo continuo. Echó un vistazo a la página inglesa del *Excelsior* y del *Universal* por si había alguna noticia, y luego hojeó las páginas españolas en busca de algo interesante.

El pequeño artículo se encontraba entre la información española y se titulaba: Los Dioses de la Antigüedad Regresan a México.

«Ayer por la mañana, hacia mediodía, hubo gran agitación en el pueblo de Sayula, Jalisco, a orillas del lago de Sayula, a causa de un incidente de naturaleza más o menos cósmica. Las mujeres que habitan las orillas del lago bajan todos los días al amanecer hasta el borde del agua con grandes fardos. Se arrodillan sobre las rocas y piedras, en pequeños grupos, como aves acuáticas, y lavan la ropa sucia en las suaves aguas del lago, descansando cuando una vieja canoa pasa frente a ellas con su grande y única vela. La escena ha cambiado poco desde los días de Moctezuma, cuando los nativos del lago adoraban el espíritu de las aguas y sumergían en ellas pequeñas imágenes e ídolos de barro cocido, que el lago devuelve a veces a los descendientes de los difuntos idólatras, para recordarles las prácticas aún no del todo olvidadas.

»Cuando el ardiente sol se eleva en el cielo, las mujeres extienden la ropa limpia sobre la arena y los guijarros de la orilla y se retiran a la sombra de los sauces que crecen con tanta gracia y retienen su exuberante verdor hasta en la estación más seca del año. Mientras descansaban así después de su tarea ayer por la mañana, estas humildes y supersticiosas mujeres quedaron asombradas al ver a un hombre de gran estatura emerger desnudo del lago y avanzar hacia la orilla. Su rostro, dijeron, era moreno y barbudo, pero su cuerpo brillaba como el oro.

»Como inconsciente de los ojos que le observaban, el hombre avanzó tranquila y majestuosamente hacia la orilla. Una vez allí, se detuvo un momento y, después de seleccionar con la mirada un par de los anchos pantalones de algodón que llevan los campesinos en los campos y que estaban extendidos al sol, se agachó y procedió a cubrir su desnudez con la prenda mencionada.

»La mujer que vio así robar ante sus ojos la indumentaria de su marido, se levantó, interpelando al hombre y llamando a las otras mujeres. Entonces el hombre volvió hacia ellas su rostro moreno y dijo con voz tranquila: 'Por qué gritáis? ¡Callad! Se os devolverá. Vuestros dioses están dispuestos a regresar a vuestro lado. Quetzalcóatl y Tlaloc, los antiguos dioses, tienen intención de volver a vuestros lares. Guardad silencio, no permitáis que os encuentren llorando y lamentándoos. He salido del lago para anunciaros que los dioses regresarán a México, que están dispuestos a volver a su propio hogar'.

»Poco confortada por este discurso, la mujer que había perdido su colada calló, llena de turbación. Entonces el extranjero se apropió de un blusón, que se puso por la cabeza, y desapareció.

»Al cabo de un rato, las sencillas mujeres cobraron valor para volver a sus humildes hogares. La historia llegó así a oídos de la policía, que en seguida inició las pesquisas para encontrar al ladrón.

»Pero la historia no acaba aquí. El marido de la pobre mujer que lavaba en la orilla se dirigía a las puertas del pueblo al atardecer, una vez terminadas sus labores del campo, pensando, sin duda, en el descanso y la cena. Un hombre cubierto por un sarape negro salió a su encuentro desde las sombras de un muro ruinoso y le preguntó: '¿Tienes miedo de venir conmigo?'. El campesino, que era un hombre valiente, replicó con prontitud: '¡No, señor!'. Y siguió al desconocido por el agujero del muro y los arbustos de un jardín abandonado. En una obscura habitación, o bodega, ardía una pequeña luz, revelando una gran palangana de oro que cuatro enanos, más bajos que niños, estaban llenado de agua perfumada. El asombrado campesino recibió ahora la orden de lavarse y vestir nuevas ropas, a fin de estar preparado para el regreso de los dioses. Le sentaron en la palangana de oro y lavaron con jabón perfumado, mientras los enanos le rociaban con agua. *Este* —dijeron— *es el baño de Quetzalcóatl. El baño de fuego aún ha de venir'*. Le dieron prendas limpias de puro algodón blanco y un sombrero nuevo con estrellas bordadas, y sandalias con tiras de cuero blanco. Pero, además, una manta nueva, blanca con franjas azules y negras, y flores como estrellas en el centro, y dos piezas de plata. *'Ve* —le dijeron—, *y cuando te pregunten de dónde has sacado esta manta, contesta que Quetzalcóatl vuelve a ser joven'*. El pobre hombre se dirigió a su casa muerto de miedo por si la policía le arrestaba bajo la acusación de hurto.

»El pueblo está muy excitado, y don Ramón Carrasco, nuestro eminente arqueólogo e historiador, cuya hacienda se encuentra en las proximidades, ha anunciado se intención de acudir cuanto antes al lugar para examinar el origen de esta nueva leyenda. Mientras tanto, la policía sigue atentamente el desarrollo de los acontecimientos, sin tomar, por ahora, ninguna medida. No cabe duda de que estas pequeñas fantasías crean una agradable diversión en medio de la rutina de bandidaje, asesinatos y violaciones que es nuestra obligación reseñar».

Kate se preguntó qué habría detrás de todo esto y si sería solamente una historia. Una luz diferente de lo habitual parecía iluminar las palabras de este artículo periodístico.

Quería ir a Sayula. Quería ver el gran lago en el que habían vivido los dioses y del que volverían a emerger. Entre toda la amargura que México producía en su espíritu, persistía un extraño destello de admiración y misterio, casi de esperanza. Un destello de oscuras irisaciones, de maravilla y de magia.

El nombre de Quzalcóatl también la fascinaba. Habia leído algunas cosas sobre este dios. Quetzal es el nombre del pájaro que vive entre las nieblas de las montañas tropicales y tiene en la cola unas plumas muy bellas, preciosas para los aztecas. Coatl es una serpiente. Quetzalcóatl es la Serpiente Emplumada, tan horrible en la piedra contorsionada de dientes y plumas del Museo Nacional.

Pero Kate recordaba vagamente que Quetzalcóatl era una especie de dios hermoso y barbudo; el viento, el aliento de la vida, los ojos que ven y no son vistos, como las estrellas de día. Los ojos que vigilan detrás del viento, como las estrellas detrás del azul del día. Y Quetzalcóatl tuvo que alejarse de México para sumergirse de nuevo en el profundo baño de la vida. Era viejo. Se había ido hacia el este, tal vez al mar, tal vez al cielo, como un meteoro que vuelve desde la cima del volcán de Orizaba; se había ido como un pavo real sumergiéndose en la noche, o como un ave del paraíso, con la cola centelleante como la estela de un meteoro. ¡Quetzalcóatl! ¿Quién sabe qué significó para los difuntos aztecas y para los indios antiguos, que le conocieron antes de que los aztecas elevaran a su deidad a cumbres de horror y venganza?

Todo una confusión de significados contradictorios. Quetzalcóatl. ¿Por qué no? El espíritu irlandés de Kate estaba harto de significados definidos y de un Dios de significación fija. Los dioses deberían ser iridiscentes, como el arco iris en la tormenta. El hombre crea a un Dios a su propia imagen, y los dioses envejecen junto con los hombres que los crearon. Pero las tormentas claman en el cielo, y la noción de Dios está siempre alta y airada sobre nuestras cabezas. Los dioses mueren con los hombres que los han concebido, pero la noción de Dios permanece eternamente, rugiendo como el mar, cuyo sonido es demasiado vasto para ser captado. Rugiendo como el mar embravecido, que se estrella contra las rocas de hombres vivos y rígidos, a fin de destruirlos. O como el mar del centelleante y etéreo plasma del mundo, que baña los pies y las rodillas de los hombres como la savia de la tierra baña las raíces de los árboles. Hemos de nacer otra vez. Incluso los dioses han de nacer otra vez. Todos hemos de nacer otra vez.

A su manera vaga y femenina, Kate sabía esto. Había vivido su vida. Había tenido a sus amantes, a sus dos maridos. Tenía a sus hijos.

A Joachim Leslie, su marido muerto, le había amado tanto como una mujer puede amar a un hombre: es decir, hasta los límites del amor humano. Entonces se había dado cuenta de que el amor humano tiene sus límites. Ya no estaba enamorada del amor. Ya no anhelaba el amor de un hombre, ni siquiera el amor de sus hijos. Joachim, al morir, había pasado a la eternidad de la vida. Y allí, la nostalgia del compañerismo, la simpatía y el amor humano la habían abandonado, y algo infinitamente intangible pero infinitamente bendito había ocupado su lugar: una paz que trasciende a la comprensión.

Al mismo tiempo se libraba una salvaje y enfurecida batalla entre ella y lo que *Owen* llamaba vida: como la corrida de toros, las reuniones, las diversiones; como las artes en su moderno aspecto de explosión de odio. Aquél algo degenerado y poderoso llamado vida que la envolvía con uno u otro de sus tentáculos.

Y esto cuando podía escapar hacia su verdadera soledad, el influjo de paz y potencia suave, como de flor, que estaba más allá de la comprensión. Desaparecía con sólo pensar en ella, tan delicada era, tan exquisita. Y no obstante, la única realidad.

Hemos de volver a nacer. Tras escapar de la lucha con el pulpo de la vida, con el dragón de existencia degenerada o incompleta, había que conquistar este delicado brote de vida que resulta dañado sólo por un contacto.

No, ya no quería amor ni excitación ni algo con que llenar su vida. Tenía cuarenta años, y en el delicado y persistente amanecer de la madurez, la flor de su alma abría sus pétalos. Sobre todas las cosas tenía que preservarse de los contactos mundanos. Sólo necesitaba el silencio de otras almas tranquilas a su alrededor, como un perfume. La presencia de aquello que jamás se expresa.

Y en el horror y la culminación del estertor de la muerte que es México, pensó que podía ver en los ojos negros de los indios. Sintió que tanto don Ramón como don Cipriano habían oído la llamada inaudible entre el espanto de los estertores.

Quizá era esto lo que la había traído a México: lejos de Inglaterra y de su madre, lejos de sus hijos, lejos de todo el mundo. Estar sola con la flor de su propia alma, en el delicado y rítmico silencio que está en el centro de las cosas.

Lo que llamamos «Vida» no es más que un error producto de nuestras mentes. ¿Por qué persistir por más tiempo en el error?

Owen era el propio error: y también Villiers: y también esta Ciudad de México.

Quería escapar, desembrollarse otra vez.

Habían prometido ir a cenar a casa de don Ramón. La esposa de éste se hallaba en Estados Unidos con sus dos hijos, uno de los cuales había estado enfermo, aunque no de seriedad, en su universidad de California. Pero la tía de don Ramón haría las veces de anfitriona.

La casa estaba en Tlalpam. Era mayo, hacía calor, las lluvias aún no habían empezado. El chaparrón de la corrida de toros había sido una especie de accidente.

—No sé si debo ponerme el smoking —dijo Owen—. En realidad me siento muy humillado cada vez que me he de vestir de gala.

—¡Entonces no lo hagas! —exclamó Kate—que se impacientaba al ver a Owen nervioso por estos pequeños pinchazos sociales mientras se estaba tragando todo el puerco espín.

Ella bajó con un sencillo corpiño de terciopelo negro y una amplia falda de fina gasa con brocados de un tornasol verde, amarillo y negro. También lucía un largo collar de jade y cristal.

Tenía la facultad de parecer una diosa osiánica, como si en la propia tela de su vestido resplandeciesen cierta fuerza y suavidad femenina. Pero no iba nunca «a la moda».

¡Vaya, te has vestido de punta en blanco! —gritó Owen, consternado, tirando de su cuello blando—. ¡A pesar de los hombros desnudos!

Se dirigieron al distante suburbio en el tranvía, que hendía velozmente la noche, cuajada de grandes y claras estrellas que parecían emitir un brillo amenazador. En Tlalpam había una densa fragancia de flores nocturnas, un ambiente de profunda oscuridad y las chispas intermitentes de las luciérnagas. Y siempre la fuerte llamada de las perfumadas flores nocturnas. Kate creía oler ligeramente a sangre en todas las flores de fragancia tropical: a sangre o sudor.

Era una noche calurosa. Llamaron al portal de hierro de la entrada, ladraron unos perros y un *mozo** les abrió, cauteloso, y cerró de nuevo el portal en cuanto hubieron entrado en el oscuro jardín de árboles.

Don Ramón llevaba un smoking blanco; don Cipriano, lo mismo. Pero había otros invitados: el joven García, otro joven pálido llamado Mirabal, y un anciano llamado Toussaint que lucía un corbatín negro. Había sólo otra mujer, doña Isabel, tía de don Ramón. Llevaba un vestido negro con un alto cuello de encaje negro y varias vueltas de perlas, y parecía tímida, asustada y ausente como una monja frente a tantos hombres. Pero con Kate era muy buena y cariñosa y hablaba inglés con voz débil y lastimera. Para esta mujer enclaustrada y entrada en años, esta cena era una mezcla de suplicio y ritual.

Pero pronto resultó evidente que estaba temblando de temerosa alegría. Amaba a Ramón con una adoración ingenua y sin reservas. Era obvio que apenas oía la conversación; las palabras rozaban la superficie de su conciencia sin llegar a penetrarla. Por dentro

56

temblaba por hallarse en medio de tantos hombres y por la excitación casi sagrada de servir como anfitriona a don Ramón.

La casa era una villa bastante espaciosa, amoblada con discreción y sencillez y un gusto natural.

—¿Viven siempre aquí? —preguntó Kate a don Ramón—. ¿Nunca en su *hacienda?**.

—¿Cómo sabe que tengo una hacienda? —preguntó él a su vez.

—Cerca de Sayula... Lo vi en el periódico.

—¡Ah! —exclamó él, riendo con los ojos—. Leyó lo del regreso de los Dioses de la Antigüedad.

—Sí —asintió ella—. ¿No cree que es interesante?

—Sí que lo es.

—Amo la *palabra* Quetzalcóatl.

—¡La *palabra*! —repitió él.

Sus ojos no dejaban de reírse de Kate, traviesamente.

—¿Qué opina usted, señora Leslie? —gritó el joven pálido, Mirabal, en un inglés de curiosa resonancia, con acento francés—. ¿No cree que sería maravilloso que los dioses volvieran a México, nuestros propios dioses? —Quedó en una intensa expectativa—, con los ojos azules fijos en la cara de Kate y la cuchara de sopa en el aire.

La cara de Kate expresó incomprensión.

—¡No esos horrores aztecas! —exclamó.

—¡Los horrores aztecas! ¡Los horrores aztecas! Pues, tal vez no eran tan horribles, y si realmente lo eran, se debe a que los aztecas no tenían salida. Se encontraban en un *cul-de-sac*, por lo que no venían otra cosa que la muerte. ¿Qué cree usted?

—¡No sé lo suficiente! —repuso Kate.

—Nadie sabe mucho más. Pero si le gusta la *palabra* Quetzalcóatl, ¿no cree que sería maravilloso que volviera? ¡Ah, los *nombres* de los dioses! ¿No cree que los *nombres son como semillas, están llenos de magia, de la magia inexplorada? ¡Huitzilopochtli! ¡Qué maravilla! ¡Y Tlaloc! ¡Ah, los adoro! Los repito una y otra vez, como repiten Mani padma Om en Tibet. Creo en la fertilidad del sonido. Itzapapalotl... ¡la mariposa Obsidiana! ¡Itzapapalotl! Dígalo, dígalo, y verá qué bien le hace a su alma. ¡Itzapapalotl! ¡Tezcatlipocá!* Eran viejos cuando llegaron los españoles; necesitaban otra vez el baño de vida. Pero ahora, bañados de nuevo en la juventud, ¡qué maravillosos deben ser! ¡Piense en Jehová! ¡Jehová! ¡Piense en Jesucristo!* ¡Qué pobres y huecos suenan! ¡O Jesús Cristo!*. Son nombres muertos, marchitos, sin vida. Ah, ya es hora de que Jesús vuelva al lugar de la muerte de los dioses y se sumerja en el largo baño de la nueva juventud. Es un joven dios muy, muy viejo, ¿no cree usted? —Miró largamente a Kate, y se dedicó de nuevo a su sopa.

Kate abrió mucho los ojos, asombrada ante este torrente del joven Mirabal. Entonces se echó a reír.

—¡Creo que es demasiado abrumador! —exclamó, evasiva.

—¡Ah, sí! ¡Exactamente! ¡Exactamente! ¡Pero qué bueno es sentirse abrumado! ¡Qué espléndido que algo me abrume! ¡Oh, estoy tan contento!

La última palabra sonó con fuerte resonancia francesa. Entonces el joven se volvió de nuevo hacia la sopa. Era delgado y pálido, pero ardía con una energía intensa y desordenada.

—Compréndalo —dijo el joven García, levantando hacia Kate sus ojos brillantes y oscuros, medio agresivos, medio vergonzosos—, hemos de hacer algo por México. Si no hacemos algo, desaparecerá, ¿no? Usted dice que no le gusta el socialismo. Creo que a mí tampoco. Pero si no hay otra cosa que socialismo, tendremos socialismo. Si no hay nada mejor. Pero tal vez lo haya.

—¿Por qué tendría que desaparecer México? —inquirió Kate—. Hay montones de niños por todas partes.

—Sí. Pero el último censo de Porfirio Díaz contabilizó diecisiete millones de habitantes en México, y el censo del año pasado dio sólo trece millones. Quizá la cuenta no fue correcta, pero si en veinte años hay cuatro millones de personas menos, dentro de sesenta años no habrá mexicanos, sólo extranjeros, que no se mueren.

—¡Oh, pero las cifras siempre mienten! —exclamó Kate—. Las estadísticas son siempre desorientadoras.

—Quizá dos y dos no sean cuatro —contestó García—, no lo sé. Pero sé que dos menos dos equivale a cero.

—¿Cree usted que México podría desaparecer? —preguntó Kate a don Ramón.

—¡Claro! —replicó éste—. Claro que podría. Desaparecer y ser americanizado.

—Comprendo muy bien el peligro de la americanización —intervino Owen—. Eso sería espantoso. Casi peor que la extinción.

Owen era tan americano, que decía invariablemente estas cosas.

—¡No sé! —dijo Kate—. ¡Los mexicanos parecen tan fuertes!

—Son fuertes para llevar grandes pesos —respondió don Ramón—, pero mueren con facilidad. Comen todo lo que no les conviene, beben lo que no les conviene y no les importa morir. Tienen muchos hijos y les quieren mucho, pero cuando muere uno de ellos, los padres dicen: «¡Ah, será un angelito!». Y así se alegran y piensan que les han hecho un regalo. A veces creo que les gusta ver morir a sus hijos. A veces creo que les gustaría trasladar *en bloc* a México al Paraíso, o lo que sea que exista tras los muros de la muerte. ¡Estaría mejor allí!

Hubo un silencio.

—¡Qué triste está usted! —exclamó Kate, asustada.

Doña Isabel estaba dando apresuradas órdenes al criado.

—¡Quienquiera que conozca al México de debajo de la superficie tiene que estar triste! —declaró Julio Toussaint, sentenciosamente, por encima de su corbatín negro.

—Pues a mí, por el contrario —declaró Owen—, me parece un país alegre. Un país de niños alegres e irresponsables. O, mejor dicho, que *serían* alegres si se les tratara debidamente. Si tuvieran casas cómodas y un sentido de verdadera libertad. Si sintieran que podían controlar sus vidas y su propio país. Pero, claro, después de estar durante cientos de años sometidos a gente forastera, la vida no puede parecerles digna de ser vivida. Es natural que no les importe vivir o morir. No se sienten *libres*.

—Libres, ¿para qué? —inquirió Toussaint.

—Para apropiarse de México. Para no ser tan pobres y estar a merced de los extraños.

—Están a merced de algo peor que personas extrañas —dijo Toussaint—. Déjeme explicarle. Están a merced de sus propias naturalezas. Ocurre lo siguiente: el cincuenta por ciento de la población de México es india pura: más o menos. Del resto, una pequeña porción son extranjeros o españoles. Después hay la masa que está por encima, los mestizos, indios y españoles, principalmente. Estos son los mexicanos, los mestizos. Fíjese ahora en los que nos sentamos a esta mesa. Don Ramón es casi español puro, pero es probable que también corra por sus venas la sangre de los indios Tlaxcala. El señor Mirabal es mitad francés, mitad español. El señor García debe tener una mezcla de sangre india y española. Yo tengo sangre francesa, española, austríaca e india. ¡Muy bien! Cuando se mezcla sangre de la misma raza, todo puede ir bien; los europeos son todos de raza aria, la raza es la misma. Pero cuando se mezcla al europeo con el indio americano, se mezclan razas de sangre diferente y se obtiene el mestizo. Y el mestizo es una calamidad. ¿Por qué? No es ni una cosa ni otra, está desunido de sí mismo. La sangre de una raza le dice una cosa, la sangre de la otra raza le indica otra cosa. Es un desgraciado, una calamidad para sí mismo. Y la cuestión no tiene remedio.

»Y esto es México. Los mexicanos de sangre mixta son un caso perdido. ¿Qué hacer? Hay sólo dos soluciones. Que se marchen todos los extranjeros y mexicanos y dejen el país a los indios, a los indios de pura raza. Pero ya tenemos una dificultad. ¿Cómo distinguir al indio de pura raza después de tantas generaciones? La otra solución es que los mestizos o mexicanos de sangre mixta, que han estado siempre encumbrados, continúen destruyendo al país hasta que los americanos de los Estados Unidos vengan a invadirnos. Estamos como están actualmente California y Nuevo México, cubiertos por el mar blanco y muerto.

»Pero permita que le diga otra cosa. Espero que no seamos puritanos. Espero poder decir que depende del momento del coito. En el momento del coito, o bien el espíritu del padre se funde con el espíritu de la madre, para crear un nuevo ser dotado de alma, o sólo se funde el germen de la procreación.

»Ahora, reflexione. ¿Cómo habrán sido engendrados durante siglos estos mexicanos de sangre mixta? ¿Con qué espíritu? ¿Cómo fue el momento del coito? Contésteme a esto y me habrá revelado la razón de este México que nos desespera y continuará desesperando a todos hasta que se destruya a sí mismo. ¿Con qué espíritu engendraron hijos los españoles y otros padres extranjeros en las mujeres indias? ¿Qué clase de espíritu fue? ¿Qué clase de coito? Y entonces, ¿qué clase de raza espera usted?

—Pero ¿qué clase de espíritu hay entre hombres blancos y mujeres blancas? —preguntó Kate.

—Al menos —replicó el didacta Toussaint—, la sangre es homogénea, por lo que la conciencia se desarrolla automáticamente en continuidad.

—Detesto este desarrollo en automática continuidad —dijo Kate.

—¡Tal vez! Pero hace posible la vida. Sin una continuidad en el desarrollo de la conciencia, reinaría el caos. Y esto viene de la sangre mezclada.

—Y supongo que los indios aman a sus mujeres. Los hombres parecen muy viriles y las mujeres, muy dulces y femeninas.

—Es posible que los niños indios sean de pura raza y haya una continuidad de la sangre. Pero la conciencia india está hundida bajo el agua estancada de la conciencia de Mar Muerto del hombre blanco. Benito Juárez, por ejemplo, un indio puro. Invade a su vieja conciencia de nuevas ideas blancas, y surge toda una selva de verborrea, nuevas leyes, nuevas constituciones y todo lo demás. Pero es una mala hierba. Crece como una hierba en la superficie, destruye la fuerza de la tierra india y ayuda al proceso de ruina. ¡No, señora! No hay esperanza para México, a menos que ocurra un milagro.

—¡Ah! —exclamó, Mirabal, levantando su copa de vino—. ¿No es maravilloso que sólo pueda salvarnos un milagro? ¿Que debemos producir un milagro? *¡Nosotros!* *¡Nosotros!* ¡Nosotros tenemos que producir el milagro! —Se dio una fuerte palmada en el pecho—. ¡Ah creo que es algo maravilloso! —Y volvió a su pavo con salsa negra.

—¡Fíjense en los mexicanos! —prosiguió Toussaint, ardoroso—. No les importa nada. Comen alimentos tan cargados de chile, que les agujerean las entrañas. Y no les nutren. Viven en casas donde un perro se avergonzaría de vivir, y se acuestan temblando de frío.

Pero no *hacen* nada. Podrían hacer con gran facilidad una cama de hojas de maíz, u otras similares, pero no la hacen. No hacen nada. Se envuelven en un gastado sarape y se echan sobre una delgada estera en el duro suelo, tanto si está mojado como seco. Y las noches mexicanas son frías. Pero se echan como perros, como si se acostaran para morir. ¡Digo perros, aunque éstos siempre buscan un lugar resguardado! Los mexicanos, no. ¡En cualquier parte, nada, nada! Es terrible, ¡terrible! ¡Es como si quisieran castigarse por el hecho de estar vivos!

—Pero, entonces, ¿por qué tienen tantos hijos? —quiso saber Kate.

—¿Por qué? Pues por lo mismo, porque no les importa. No les importa el dinero, no les importa nada, absolutamente nada. Sólo las mujeres les procuran alguna emoción, más o menos como el chile. Les gusta sentir la pimienta roja quemando sus entrañas, y les gusta sentir lo otro, el sexo, quemándoles por dentro. Pero un momento después, ya no les importa, nada les importa.

»Y esto es malo. Perdone que se lo diga, pero todo, todo, depende del momento del coito. En aquel momento, muchas cosas pueden alcanzar su punto crucial: la esperanza del hombre, su honor, su fe, su confianza, su fe en la vida, la creación y Dios, todas estas cosas pueden alcanzar su punto crucial en el momento del coito. Y así pasarán en continuidad al niño. Créame, soy un maniático de esta idea, pero es cierta. Absolutamente cierta.

—Yo también creo que es cierta —afirmó Kate con algo de frialdad.

—¡Ah, lo cree! ¡Muy bien! ¡Fíjese en México! Las únicas personas *conscientes* son mestizas, las de sangre mixta, engendradas en la lujuria y la egoísta brutalidad.

—Hay gente que cree en la mezcla de sangres —apuntó Kate.

—¡Conque sí! ¡Dígame quién!

—Algunos de sus hombres notables. Dicen que el mestizo es mejor que el indio.

—¡Mejor! ¡Bueno! El indio tiene su desesperanza. El momento del coito es su momento de desesperanza suprema, cuando se lanza al abismo de la desesperación.

La sangre austríaca, europea, que alienta el fuego de la comprensión consciente, volvió a su cauce, dejando a la sangre mexicana de Julio Toussaint sumida en impenetrables tinieblas.

—Es cierto —dijo Mirabal entre las tinieblas—. Los mexicanos dotados de algún sentimiento se prostituyen siempre, de un modo u otro, por lo que nunca llegan a *hacer* algo. Y los indios tampoco pueden hacer nada, porque no esperan nada. Pero la oscuridad es siempre más profunda antes del amanecer. Debemos hacer que se produzca el milagro. El milagro es superior incluso al momento del coito.

Pareció, no obstante, que lo decía por un esfuerzo de voluntad.

La cena terminaba en silencio. Durante el remolino de la conversación, o de las apasionadas declaraciones, los criados habían servido la comida y el vino. Doña Isabel, completamente ajena a lo que se hablaba, dirigía a los criados con nerviosa ansiedad y excitación, con las manos enjoyadas trémulas e inquietas. Don Ramón había atendido al bienestar material de sus invitados y escuchando al mismo tiempo como desde el fondo de su mente. Sus grandes ojos pardos eran inescrutables, su rostro, impasible. Pero cuando tenía algo que decir, era siempre con una risa ligera y un acento burlón. Y, sin embargo, su mirada era tenebrosa y ardía con un fuego incomprensible y despiadado.

Kate sentía que estaba en presencia de hombres. La rodeaban unos hombres que no se enfrentaban con la muerte y la autoinmolación, sino con una cuestión vital. Por primera vez en su vida sintió algo parecido al miedo frente a unos hombres que trascendían lo que ella conocía, que escapaban a su comprensión.

Cipriano, con las pestañas algo cortas pero muy negras y curvadas casi tapando sus ojos oscuros, miraba su plato y sólo de vez en cuando dirigía una mirada negra y brillante a quienquiera que estuviese hablando, o a don Ramón, o a Kate. Su rostro estaba impasible e intensamente serio, con una seriedad casi infantil. Pero la curiosa oscuridad de sus pestañas se alzaba de forma tan peculiar, descubriendo los ojos de una intensa e inconsciente virilidad, y el movimiento de su mano era tan singular, rápido y ligero mientras comía, tan parecido al movimiento para disparar o para hundir un cuchillo en el cuerpo de un adversario, y sus labios oscuros eran tan salvajes mientras comía o pronunciaba una breve frase, que Kate sentía un vuelco en el corazón. Había en él algo intenso y no desarrollado, la intensidad y la crudeza del semisalvaje. Kate podía comprender muy bien la potencia de la serpiente que gobernaba la imaginación azteca y maya. Algo suave, no desarrollado, y sin embargo, vital que había en este hombre sugería la presencia de la densa sangre de los reptiles en sus venas. Eso era, la densa sangre de poderosos reptiles, el dragón de México.

Por eso, inconscientemente, Kate se estremecía cuando aquellos ojos grandes, negros y brillantes se posaban en ella unos momentos. No eran *oscuros*, como los de don Ramón. Eran negros, negros como joyas a las que no podía mirar sin una sensación de temor. Y la fascinación que sentía Kate estaba impregnada de miedo. Se sentía un poco como se siente el pájaro cuando es observado por la serpiente.

Casi se preguntaba si don Ramón no tendría miedo. Porque

había advertido que, en general, cuando un indio miraba a un hombre blanco, ambos procuraban evitar el contacto visual, el encuentro de sus miradas. Dejaban entre ellos un amplio espacio de territorio neutral. Pero Cipriano miraba a Ramón con una curiosa intimidad, centelleante, firme, guerrera, y que al mismo tiempo revelaba una confianza casi amenazadora en el otro hombre.

Kate se dio cuenta de que Ramón tenía que ser continuamente digno de esta confianza. Pero siempre había una sonrisa burlona en su rostro, y mantenía baja la hermosa cabeza de cabellos negros salpicados de plata, como si quisiera correr un velo sobre su semblante.

—¿Usted cree que es posible realizar este milagro? —le preguntó Kate.

—El milagro siempre está ahí —dijo Ramón— para el hombre que pueda introducir la mano y apoderarse de él.

Terminaron de cenar y salieron a sentarse en la terraza que daba al jardín, donde la luz de la casa caía misteriosamente sobre los árboles en flor, los oscuros arbustos de yuca y los grandes, extraños y contorsionados troncos del laurel de la India.

Cipriano se sentó a su lado, fumando un cigarrillo.

—¡Qué extraña es la oscuridad mexicana! —exclamó Kate.

—¿Le gusta? —inquirió él.

—Aún no lo sé —repuso ella—. ¿Y a usted?

—Sí. ¿Por qué no? El perfume de las flores nocturnas puede inspirar miedo, pero es un miedo benigno. Agradable, ¿no cree?

—A mí el miedo me asusta —repuso ella.

El rió brevemente.

—Habla usted un inglés tan inglés —dijo Kate—. Casi todos los mexicanos que hablan inglés, hablan americano. Incluso don Ramón.

—Sí. Don Ramón se graduó en la Universidad de Columbia. Pero a mí me enviaron a Inglaterra, primero a un colegio de Londres y luego a Oxford.

—¿Quién le envió?

—Mi padrino, que era inglés: el obispo Severn, obispo de Oaxaca. ¿Ha oído hablar de él?

—No —repuso Kate.

—Era un hombre muy conocido. Murió hace sólo unos diez años. Era muy rico antes de la revolución; tenía una gran *hacienda** en Oaxaca, con una magnífica biblioteca. Pero se lo quitaron todo durante la revolución y vendieron las cosas o las rompieron. No conocían su valor, claro.

—¿Y él le adoptó?

—¡Sí! En cierto modo. Mi padre era uno de los capataces de la hacienda. Cuando yo era muy pequeño, fui un día corriendo a mi padre, que estaba con el obispo, con algo en las manos... ¡así! —y ahuecó la mano—. Yo no lo recuerdo, pero me lo contaron. Debía tener tres o cuatro años. Lo que guardaba en la mano era un escorpión amarillo, uno de los pequeños, muy venenoso, ¿no?

Y levantó la mano ahuecada, pequeña, oscura, delicada, como para enseñar el animal a Kate.

—Pues bien, el obispo hablaba con mi padre y vio antes que él lo que yo llevaba en la mano. Me dijo en seguida que lo metiera en su sombrero, en el sombrero del obispo, ¿no? Como es natural, hice lo que me ordenaba; dejé caer el escorpión en su sombrero, y no me mordió. Si me hubiera mordido, yo habría muerto, claro. Pero no lo sabía, por lo que supongo que el *alacrán** no estaba interesado. El obispo era un hombre muy bueno, muy bondadoso. Tenía afecto a mi padre, así que fue mi padrino. Después se interesó siempre por mí y me envió a la escuela y después a Inglaterra. Esperaba que tuviera vocación de sacerdote; siempre decía que la única esperanza de México residía en tener buenos sacerdotes nativos —terminó con cierta nostalgia.

—¿Y usted no quiso ser sacerdote? —preguntó Kate.

—¡No! —dijo él con tristeza—. ¡No!

—¿Nunca?

—¡No! En Inglaterra, todo era diferente de México. Incluso Dios era diferente, y la Virgen María. Estaban tan cambiados que casi no podía reconocerles. Después empecé a comprenderlo mejor, y cuando comprendí, perdí la fe. Solía pensar que las imágenes de Jesús, la Virgen y los Santos eran la causa de todo cuanto ocurría en el mundo. Y el mundo me parecía tan extraño, ¿no? No podía ver que fuese malo cuando era un niño, en México, porque todo era extraño y misterioso, pero en Inglaterra aprendí las leyes de la vida y algo de ciencia. Y entonces, cuando supe por qué el sol salía y se ponía, y cómo era el mundo en realidad, me sentí muy diferente.

—¿Sufrió su padrino un gran desengaño?

—Tal vez sí. Pero me preguntó si prefería ser soldado, y yo dije que sí. Entonces llegó la revolución y tuve que regresar a México. Tenía veintidós años.

—¿Sentía afecto por su padrino?

—Sí, mucho. Pero la revolución acabó con todo. Yo quería hacer lo que deseaba mi padrino, pero comprendía que México no era el México en el que él creía. Era diferente. Y él era demasiado inglés y demasiado bueno para comprenderlo. En las revoluciones siempre he intentado ayudar al hombre que consideraba el mejor, así que, ya ve, he sido medio sacerdote y medio soldado.

—¿No se casó nunca?

—No, no podía casarme, porque siempre sentía a mi padrino cerca de mí y pensaba que le había prometido ser sacerdote... en fin, cosas como ésta. Cuando murió me dijo que siguiera a mi propia conciencia y recordase que México y todos los indios estaban en manos de Dios, y me hizo prometer que jamás iría contra Dios. Era un anciano cuando murió. Tenía setenta y cinco años.

Kate podía imaginarse el hechizo ejercido por la fuerte personalidad del anciano obispo sobre el impresionable indio. Se imaginaba el curioso retroceso hacia la castidad, tal vez característico del salvaje. Y al mismo tiempo sintió el intenso deseo masculino, unido a cierta ferocidad varonil, que debía albergar el pecho de aquel hombre.

—¿Su marido fue James Joachim Leslie, el famoso dirigente irlandés? —le preguntó él, y añadió—: ¿No tuvieron hijos?

—No. Deseé mucho tener hijos de Joachim, pero no tuve ninguno. Pero tengo un hijo y una hija de mi primer matrimonio. Mi primer marido era abogado y me divorcié de él para casarme con Joachim.

—¿Le quería... al primero?

—Sí, le quería, pero nunca sentí nada profundo por él. Me casé siendo muy joven y él era mucho mayor que yo. Le quería, en cierto modo, pero nunca supe lo que era estar enamorada de un hombre hasta que conocí a Joachim. Creía que así debía ser, que a mí me gustara un hombre y él estuviera enamorado de mí. Tardé años en comprender que una mujer *no* puede amar a un hombre (al menos una mujer como yo no puede) sólo porque es un ciudadano bueno y decente. Con Joachim comprendí que una mujer como yo *sólo* puede amar a un hombre que luche por *cambiar* el mundo, para hacerlo más libre, más vivo. Los hombres como mi primer marido, buenos, dignos de confianza y que trabajan para conservar al mundo en el mismo estado en que lo encontraron, decepcionan terriblemente. Te sientes vendida. Todo se reduce a una especie de comercio que te hace sentir tan humillada. Una mujer que no sea del todo corriente sólo puede amar a un hombre que luche por algo más importante que la propia vida.

—Y su marido luchó por Irlanda.

—Sí, por Irlanda y por algo que nunca comprendió del todo. Perdió la salud. Y cuando se estaba muriendo, me dijo: *Kate, tal vez te he decepcionado. Tal vez no he ayudado realmente a Irlanda. Pero no podía evitarlo. Me siento como si te hubiera llevado hasta el umbral de la vida y abandonado allí. Kate, no dejes que la vida te decepcione por mi culpa. En realidad, no he llegado a ninguna parte, no he llegado a ninguna parte. Tengo la impresión de haber cometido un error. Pero quizá cuando haya muerto podré hacer más por ti de lo que he hecho en mi vida. ¡Di que nunca te sentirás decepcionada!*

Hubo una pausa. El recuerdo del hombre amado volvió a asaltarla, y con él, todo su dolor.

—Y no me siento decepcionada —añadió con voz temblorosa—. Pero le amaba, y fue muy amargo que tuviera que morir pensando que no había... que no había...

Se cubrió el rostro con las manos y las lágrimas rodaron por entre sus dedos.

Cipriano estaba inmóvil como una estatua, pero de su pecho brotaba una oleada de aquella oscura y apasionada ternura de que son capaces los indios. Quizá pasaría, dejándole de nuevo indiferente y fatalista. Pero de momento se sentía envuelto en una oscura y ardiente nube de apasionada y varonil ternura. Miró las manos blancas, suaves y húmedas que cubrían el rostro de Kate, y la gran esmeralda que refulgía en un dedo, con una especie de asombro. El asombro, el misterio y la magia que solían invadirle de niño y de muchacho cuando se arrodillaba ante la figura infantil de Santa María de la Soledad, volvieron a dominarle. Estaba en presencia de la diosa de manos blancas, misteriosa, resplandeciente en su poder y en la intensa potencia de su aflicción.

Entonces Kate retiró las manos de su rostro con ademán apresurado y, bajando la cabeza, buscó su pañuelo. Naturalmente, no lo llevaba encima. Cipriano le prestó el suyo, pulcramente doblado. Ella lo cogió sin una palabra y se secó la cara y se sonó.

—Quiero ir a mirar las flores —dijo con voz ahogada.

Y se alejó a toda prisa hacia el jardín con el pañuelo en la mano. El se levantó y apartó la silla para dejarla pasar, y entonces se quedó unos momentos mirando el jardín antes de volver a sentarse y encender un cigarrillo.

CAPITULO IV

QUEDARSE O NO QUEDARSE

Owen tenía que regresar a Estados Unidos y preguntó a Kate si quería quedarse en México.

Esto la puso ante un dilema. No era un país fácil para una mujer sola. Y Kate ya había comenzado a batir las alas en un esfuerzo para alejarse. Se sentía como un pájaro en torno a cuyo cuerpo se ha enroscado una serpiente: México era la serpiente.

Aquella curiosa influencia del país, que la iba debilitando, debilitando. Había oído a un viejo americano, que residía en la República desde hacía cuarenta años, declarar a Owen: «Nadie que no posea una gran fuerza moral debería aposentarse en México. Si lo hace, se desmoronará, moral y físicamente. Lo he visto en centenares de americanos jóvenes».

Desmoronar. Esto era lo que el país intentaba sin descanso, con la lenta insistencia de reptil: desmoronar. Impedir la elevación del espíritu. Arrebatar el exaltado sentido de la libertad.

—No existe la libertad —oía repetir a la voz tranquila, profunda y peligrosa de don Ramón—, no existe la libertad. Los grandes libertadores suelen ser esclavos de una idea. Las personas más libres son esclavas de las convenciones y la opinión pública, y, más aún, esclavas de la maquinaria industrial. No existe lo que llamamos libertad. Sólo se cambia una dominación por otra. Lo único que se puede hacer es elegir al amo y señor.

—Pero seguramente eso *es* la libertad... para la masa de la gente.

—Ellos no eligen. Se les tiende la trampa de una nueva servidumbre, nada más. Van de mal en peor.

—Y usted..., ¿no es usted libre? —preguntó Kate.

—¿Yo? —rió él—. Pasé mucho tiempo tratando de fingir. Pensaba que podría hacer mi voluntad. Hasta que me di cuenta de que hacer mi voluntad sólo significaba correr de un lado a otro olfateando todo lo que encontraba en la calle, como un perro que busca comida. Yo no tengo ningún camino propio; nadie lo tiene. Todo el que sigue un camino ha de ser impulsado por una de estas tres cosas: un apetito, y clasifico la ambición entre los apetitos; una idea; o una inspiración.

—Yo solía pensar que mi marido estaba inspirado por Irlanda —dijo Kate, vacilante.

—¿Y ahora?

—¡Sí! Tal vez puso su vino en botellas viejas y rotas que no podían contenerlo. ¡No! La libertad es una bota vieja y podrida que ya no puede contener nuestro vino de inspiración o de pasión —repuso ella.

—¡Y México! —exclamó don Ramón—. México es otra Irlanda. Ah, no, ningún hombre puede ser su propio dueño. Si he de servir, no serviré a una idea, que se resquebraja y gotea como una vieja bota de vino. Serviré al Dios que me da la virilidad. No hay libertad para un hombre, aparte del Dios de su virilidad. Un México libre es una bravata, y el México antiguo, colonial y eclesiástico era otra clase de bravata. Cuando el hombre no puede alardear más que de su *voluntad*, aunque sea su buena voluntad, se trata siempre de una bravata. El bolchevismo también es una bravata, el capitalismo, otra; y la libertad es un cambio de cadenas.

—Entonces, ¿qué se puede hacer? —inquirió ella—. ¿Nada?

Y con su propia voluntad, no quería que se hiciera nada. ¡Que cayeran los cielos!

—Uno es conducido, al fin, hacia la remota distancia, para buscar a Dios —dijo Ramón, inquieto.

—Me fastidia bastante esta cuestión de buscar a Dios y la religiosidad —confesó Kate.

—¡Lo sé! —dijo él, riendo—. Ya padecí una vez esta especie de arrogante religión.

—¡Y es imposible «encontrar a Dios»! —exclamó ella—. Es un sentimentalismo y un retroceso a las viejas conchas vacías.

—¡No! —contradijo Ramón con lentitud—. No puedo *encontrar a Dios* en el sentido antiguo y sé que es un sentimentalismo fingir lo contrario. Pero me da náuseas la humanidad y la voluntad humana; incluso la mía propia. He comprendido que *mi voluntad*, por muy inteligente que sea, no es más que otro estorbo sobre la faz de la tierra en cuanto empiezo a ejercerla. Y las *voluntades* de los demás son todavía peores.

—¡Oh! ¡Qué horrible es la vida humana! —exclamó de nuevo Kate—. ¡Todos los seres humanos ejerciendo su voluntad continuamente, sobre los demás y sobre sí mismos, y casi siempre como fariseos!

Ramón hizo una mueca de repugnancia.

—Para mí —dijo—, ¡en esto reside justamente el cansancio de la vida! Durante algún tiempo puede resultar divertido: ejercer la propia voluntad y resistirse a todas las demás voluntades que quieren imponerse sobre la tuya. Pero al llegar a cierto punto, una especie de náusea me acomete: mi *alma* siente náuseas. Mi alma siente náuseas, y ante mí sólo espera la muerte, a menos que encuentre otra cosa.

Kate escuchaba en silencio. Conocía el camino recorrido por él, pero ella aún no había llegado a su final. De momento seguía fuerte en su orgullo, en el orgullo de su propia *voluntad*.

—¡Oh, la gente es repulsiva! —gritó.

—Mi propia voluntad acaba resultándome aún más repulsiva —replicó él—. Mi propia voluntad en sí me resulta aún más repugnante que las voluntades ajenas. Después de ser el dios de mi propia máquina, tengo que abdicar, o morir de asco, y lo que es peor, de asco de mí mismo.

—¡Qué divertido! —exclamó Kate.

—Es bastante gracioso —dijo él con sarcasmo.

—¿Y luego? —preguntó ella, mirándole con cierto desafío malévolo.

El le dirigió una lenta mirada, iluminada por un resplandor irónico.

—¡Luego! —repitió— ¡Luego! Yo pregunto: ¿qué otra cosa hay en el mundo además de voluntad humana y apetito humano? Porque ideas e ideales sólo son instrumentos de la voluntad y el apetito humanos.

—No del todo —corrigió Kate—. Pueden ser desinteresados.

—¿De veras? Si el apetito *no* es interesado, la voluntad sí lo es.

—¿Por qué no? —se burló ella—. No podemos ser simples bloques aislados.

—Me repugna... Yo busco otra cosa.

—¿Y qué encuentra?

—¡Mi propia virilidad!

—¿Qué significa eso? —gritó ella, sarcástica.

—Si usted buscara y encontrara su propia femineidad lo sabría.

—¡Pero ya *tengo* mi propia femineidad! —exclamó Kate.

—Y entonces, cuando encuentre su propia virilidad, su femineidad —prosiguió él, sonriendo levemente—, sabrá que no es suya para hacer con ella lo que quiera. No la tiene por propia voluntad, sino que procede del... del centro, del Dios. Más allá de mí, en el centro, está el Dios. Y el Dios me da mi virilidad, y luego me deja con ella. No tengo nada más que mi virilidad. El Dios me la da y me deja seguir adelante.

Kate no quiso escuchar nada más. Escapó con unas frases banales.

La cuestión inmediata era para ella quedarse o no quedarse en México. En realidad no le preocupaba el alma de don Ramón, ni siquiera la suya propia. Le preocupaba su futuro inmediato. ¿Debía quedarse en México? México significaba los hombres morenos vestidos de algodón, tocados con grandes sombreros; los campesinos, peones, *pelados**, indios, comoquiera que se llamasen. Los simples nativos.

Aquellos pálidos mexicanos de la capital, políticos, artistas, profesionales y hombres de negocios, no le interesaban. Como tampoco le interesaban los *hacendados** y los rancheros, con sus pantalones ceñidos y sensualidad débil y blanda, pálidas víctimas de su propia falta de disciplina emocional. México continuaba significando para ella la masa de silenciosos peones. Y volvió a pensar en ellos, en estos hombres silenciosos, de espalda rígida, que conducían sus recuas de asnos por los caminos, en el polvo de la infinita sequedad de México, frente a paredes ruinosas, casas ruinosas y *haciendas** ruinosas, a lo largo de la interminable desolación causada por las revoluciones; frente a los vastos campos de maguey, el gigantesco cactus, o áloe, con su enorme rosetón de hojas erguidas y puntiagudas, cuyas hileras férreas cubren kilómetros y kilómetros de suelo en el valle de México, cultivado para fabricar esa maloliente bebida, el pulque. El Mediterráneo tiene la uva oscura, la vieja Europa tiene la cerveza malteada y China tiene el opio de la amapola blanca. Pero del suelo mexicano brota un ramillete de espadas negruzcas, y un gran capullo cerrado del monstruo que antes florecía empieza a horadar el cielo. Cortan el gran capullo fálico y exprimen el jugo parecido a la esperma para hacer el pulque. *¡Agua miel! ¡Pulque!**

Pero hay un pulque mejor que el ardiente coñac blanco destilado del maguey: *mescal, tequila**, o en las tierras bajas, el horrible coñac de caña de azúcar, el *aguardiente**.

Y el mexicano quema su estómago con esos terribles aguardientes y cauteriza las quemaduras con el ardoroso chile. Traga un fuego infernal para extinguir el anterior.

Altos campos de trigo y maíz. Campos más altos y brillantes de la verde caña de azúcar. Y caminando vestido de algodón blanco, el eterno peón de México, de rostro oscuro y medio visible, con grandes calzones de percal blanco hinchándose en torno a sus tobillos o enrollados sobre sus oscuras y bien formadas piernas.

¡Los hombres salvajes, sombríos y erguidos del norte! ¡Los hombres tan a menudo degenerados del valle de México, con las cabezas sobre la abertura de sus *ponchos**! ¡Los corpulentos hombres de Tlaxcala, que venden helados o enormes bollos medio endulzados y panes caprichosos! ¡Los indios bajos y veloces, veloces como arañas, del pueblo de Oaxaca! ¡Los nativos de extraño aspecto, medio chinos, de las proximidades de Veracruz! ¡Las caras oscuras y los grandes ojos negros de la costa de Sinaloa! ¡Los apuestos hombres de Jalisco, con la manta escarlata doblada sobre un hombro!

Pertenecían a muchas tribus y muchas lenguas, y eran mucho más diferentes entre sí que los franceses, ingleses y alemanes. ¡México! En realidad, ni siquiera es el principio de una nación: de ahí el rabioso nacionalismo de unos pocos. Y no es una raza.

No obstante, es un pueblo. Existe cierta cualidad india que lo impregna todo. Ya sean hombres vestidos con monos azules, de andar indolente, de la ciudad de México, u hombres de piernas enfundadas en ceñidos pantalones, o campesinos ataviados con prendas amplias de algodón blanco, todos tienen, misteriosamente, algo en común. El andar erguido y saltarín, que empieza en la base de la espina dorsal y termina en las rodillas levantadas y los pasos cortos. El airoso balanceo de los enormes sombreros. Los hombros echados hacia atrás con un sarape doblado como un manto real. Y la mayoría guapos, con la piel suave y viva, entre bronce y dorada, la cabeza altiva, los cabellos negros y brillantes como plumas salvajes. Con ojos negros y brillantes que miran con curiosidad y carecen de centro. Con una sonrisa repentina y atrayente si uno les sonríe antes. Pero sin cambio en los ojos.

Sí, y también había que recordar una amplia proporción de hombres más bajos, a veces de aspecto insignificante, algunos recubiertos por escamas de suciedad, que miraban con un antagonismo glacial y fangoso mientras pasaban con movimientos felinos. Hombres venenosos, flacos y rígidos, fríos y muertos como los escorpiones e igualmente peligrosos.

Y después, las caras realmente terribles de algunos seres de la ciudad, algo hinchadas por el veneno del *tequila**, y de ojos negros, apagados e inquietos, despidiendo maldad pura. Kate no había visto nunca caras tan brutalmente malignas, frías y rastreras como las que podían verse en la ciudad de México.

El campo le inspiraba una extraña sensación de desesperanza y valor. Indómito, eternamente resistente, era un pueblo que vivía sin esperanza y sin preocupación. Alegre, incluso; de risa indiferente y despreocupada.

Eran algo parecido a los propios irlandeses de Kate, pero habían llegado a extremos mucho mayores. Y conseguían lo que raramente consiguen los cohibidos y pretensiosos irlandeses: encendía en su espíritu un extraño fuego de compasión.

Al mismo tiempo, les temía. Acabarían aplastándola, la aplastarían hasta el oscuro abismo de la nada.

Sucedía lo mismo con las mujeres. Descalzas, con faldas largas y amplias y con el gran pañuelo o chal azul oscuro llamado *rebozo** cubriendo sus cabezas pequeñas y femeninas y envolviendo sus hombros, eran la imagen de la sumisión salvaje, la primitiva femineidad del mundo, que es tan conmovedora y tan rara. ¡Las mujeres arrodilladas en una iglesia oscura, bien cubiertas con sus rebozos azules, la palidez de sus faldas sobre el suelo y las cabezas y los hombros tapados mientras se mecían con devoción, llenas de temor y éxtasis! Una iglesia atestada de mujeres tocadas con tela oscura, absortas en su humilde y temerosa súplica, salvajes y felices, llenaba a Kate de ternura y repulsión. Se agachaban como personas todavía no creadas del todo.

¡Sus cabellos negros, suaves y despeinados, que rascaban en busca de piojos; el niño de ojos redondos moviéndose como una calabaza dentro del chal atado al cuello de la mujer; los pies y tobillos nunca lavados, también con cierta cualidad de reptil, bajo la falda de algodón larga, manchada y voluminosa; y por fin, una vez más, los ojos oscuros de mujeres a medio crear, suaves, atrayentes, pero con una curiosa y vacía insolencia! ¡Algo furtivo donde debería estar el centro femenino; furtivo, rastrero! ¡Miedo! El miedo de no poder llegar a la creación total. Y la inevitable desconfianza e insolencia, la insolencia ante una creación más elevada; lo mismo que hay en el ataque de una serpiente.

Kate, como mujer, temía más a las mujeres que a los hombres. Las mujeres eran pequeñas e insidiosas, los hombres más fuertes y más temerarios. Pero en los ojos de ambos géneros, había el centro no creado donde acechaba la maldad y la insolencia.

A veces Kate se preguntaba si América no sería en realidad el gran continente de la muerte, el gran ¡No! al ¡Sí! europeo y asiático, e incluso africano. ¿Sería realmente el gran crisol donde se fundían hombres de los continentes creadores, no para formar una nueva creación, sino una homogeneidad de la muerte? ¿Sería el gran continente de la aniquilación, y todos sus pueblos, los agentes de la destrucción mística? Estos agentes arrancaban al hombre su alma creada hasta dejarle sin el germen, haciendo así de él un ser mecánico, de reacciones automáticas, con sólo una inspiración: el deseo de arrancar la esencia de todo ser vivo y espontáneo.

¿Sería ésta la clave de América?, se preguntaba a veces. ¿Sería el gran continente de la muerte, el continente que destruía lo que los otros continentes habían creado? ¿aquel cuyo espíritu de lugar luchaba simplemente para arrancar los ojos del rostro de Dios? ¿Sería aquella América?

¿Y serían los pueblos que iban allí, europeos, negros, japoneses, chinos, todos los colores y razas, los pueblos agotados en los que se había extinguido el impulso de Dios, por lo que marchaban hacia el gran continente de la negación, donde la voluntad humana se declara «libre» de aplastar el alma del mundo? ¿Sería así? ¿Y explicaría esto el gran éxodo hacia el Nuevo Mundo, el éxodo de las almas agotadas al bando de la democracia sin Dios, de la negación energética? La negación que es el aliento vital del materialismo. ¿Y sería la última gran negación de los americanos destrozar el corazón del mundo?

Este pensamiento cruzaba la mente de Kate de vez en cuando.

Ella misma, ¿por qué había venido a América?

Porque el flujo de su vida se había interrumpido, y sabía que no podría hacerlo fluir de nuevo en Europa.

¡Estos apuestos nativos! ¿Sería su condición de adoradores de la muerte y de Moloch lo que les confería su belleza y arrogancia? Su mero reconocimiento de la muerte y su intrépida admisión de la nada les mantenía erguidos e indiferentes.

Los hombres blancos habían tenido alma y la habían perdido. Una vez extinto su fuego esencial, sus vidas habían empezado a girar en sentido contrario, al revés.

Pero los morenos nativos, con la suave y extraña llama de su vida girando sobre un abismo oscuro... ¿carecían también ellos de centro, giraban también al revés, como tantos hombres blancos de la actualidad?

La extraña y suave llama de valor que hay en los ojos negros mexicanos. Pero no brillaba en torno a un centro, aquel centro que es el alma del hombre en el hombre.

Y todos los esfuerzos de los hombres blancos para subyugar el alma de los morenos hombres de México han tenido como resultado el derrumbamiento del hombre blanco. Contra el suave y oscuro flujo del indio, el hombre blanco acaba derrumbándose; con su Dios y su energía, se derrumba. Al tratar de adaptar al indio al modo de vida del hombre blanco, éste ha caído en el vacío que pretendía llenar. Al tratar de salvar el alma de otro hombre, el hombre blanco ha perdido la suya y se ha derrumbado sobre sí mismo.

¡México! El gran país, salvaje, escarpado, seco, con una hermosa iglesia en cada paisaje, surgiendo como quien dice de la nada. Un paisaje destrozado por las revoluciones, con iglesias altas, bellas, fascinadoras, cuyas cúpulas parecen globos a punto de estallar, y cuyos pináculos y campanarios son como las trémulas pagodas de una raza irreal. Magníficas iglesias que esperan, sobre las cabañas y chozas de paja de los nativos, como fantasmas dispuestos a evaporarse.

Y nobles *haciendas** en ruinas, con ruinosas avenidas que conducen a su decadente esplendor.

Y las ciudades de México, grandes y pequeñas, que los españoles conjuraron de la nada. Las piedras viven y mueren con el espíritu de los constructores. Y el espíritu de los españoles de México muere, y las mismas piedras del edificio mueren. Los nativos vuelven a merodear por el centro de la *plaza**, y, con indescriptible cansancio, los edificios españoles la rodean, en una especie de seco agotamiento.

¡La raza conquistada! Cortés llegó con su talón de hierro y su voluntad de hierro, un conquistador. Pero una raza conquistada, a menos que le inyecten una inspiración nueva, acaba siempre chupando la sangre de los conquistadores, en el silencio de una noche extraña y la densidad de una voluntad desesperada. Por eso, ahora, la raza de los conquistadores es en México blanda y débil, como niños que lloran, indefensos y desesperados.

¿Sería la oscura negación del continente?

Kate no podía mirar las piedras del Museo Nacional de México sin depresión y miedo. Serpientes enroscadas como excrementos, serpientes con dientes y plumas, peores que todas las pesadillas. Y eso era todo.

Las voluminosas pirámides de San Juan Teotihuacan, la Casa de Quetzalcóatl adornada con la serpiente de todas las serpientes, cuyos dientes son blancos y puros hoy como en los remotos siglos cuando sus hacedores vivían. El no ha muerto. No está muerto como las iglesias españolas. Este dragón del horror de México sigue viviendo.

¡Cholula, con su iglesia donde se hallaba el altar! Y la misma pesadez, la misma indescriptible sensación de peso y presión hacia abajo de la pirámide roma. Presión hacia abajo y depresión. Y la gran plaza del mercado, con su persistente temor y fascinación.

Mitla bajo sus colinas, en el valle agostado donde el viento arrastra el polvo y las almas muertas de la raza extinta con terribles ráfagas. Los patios esculpidos de Mitla, con su dura e intrincada fascinación, hecha de ángulos agudos, y que es la fascinación del miedo y la repulsión. Dura y cortante Mitla, cuadrada, de ángulos agudos, zigzagueantes Mitla, como golpes continuos de un hacha de piedra. Sin suavidad ni gracia ni encanto. ¡Oh!, América, con tu indescriptible carencia de encanto, ¿cuál es, pues, tu significado final? ¿Será siempre el cuchillo del sacrificio, mientras enseñas la lengua al mundo?

¡Arida América! Con tu belleza dura y vengativa, ¿esperas acaso batir a la muerte? ¿Será el mundo tu eterna víctima?

Sí, mientras consientas en serlo.

¡Y, no obstante! ¡Y, no obstante! Las voces suaves de los nativos. La voz de los muchachos, ¡como pájaros gorjeando entre los árboles de la plaza de Tehuacán! El tacto suave, la delicadeza. ¿Sería la calma de dedos oscuros de la muerte y habría en sus voces la música de la presencia de la muerte?

Kate pensó de nuevo en lo que le había dicho don Ramón.

—¡Te aplastan! ¡México te aplasta, la gente te aplasta como un gran peso! Pero es posible que te aplaste como lo hace la fuerza de la gravedad de la tierra, para que puedas guardar el equilibrio sobre tus pies. Quizá te aplaste como aplasta la tierra las raíces del árbol, para hundirlas bien en el suelo. Los hombres son todavía parte del Arbol de la Vida, y las raíces llegan hasta el centro de la tierra.

Hojas sueltas y aeroplanos vuelan por el aire, en lo que llaman libertad. Pero el Arbol de la Vida tiene raíces fijas y profundas.

«Es posible que usted necesite ser aplastada, hasta que sus raíces se hundan en lugares profundos. Entonces, más tarde, podrá enviar la savia y las hojas apuntarán al cielo.

»Y, para mí, los hombres de México son como árboles, bosques talados por el hombre blanco. Pero las raíces de los árboles son profundas y vivas, y siempre están enviando nuevos brotes.

»Y cada brote que surge, derriba una iglesia española o una fábrica americana. Y pronto el oscuro bosque se levantará otra vez, y borrará los edificios españoles de la faz de América.

»Lo único que me importa son las raíces que se hunden más allá de toda destrucción. Las raíces y la vida están ahí. Sólo se necesita la palabra para que el bosque empiece a crecer de nuevo. Y algún hombre entre los hombres debe pronunciar la palabra».

¡El extraño y fatal sonido de las palabras de don Ramón! Pero a pesar del sentido fatalista de su corazón, Kate no se marcharía aún. Se quedaría más tiempo en México.

CAPITULO V

EL LAGO

Owen se marchó y Villiers se quedó unos días más para acompañar a Kate hasta el lago. Si a ella le gustaba y podía encontrar una casa, se quedaría allí sola. Conocía a las suficientes personas en México y Guadalajara para no sentirse solitaria. Pero todavía le asustaba viajar sin compañía por el país.

Quería dejar la ciudad. El nuevo presidente había ascendido al poder entre una calma razonable, pero existía una desagradable sensación de altanería en las clases bajas, como si el último perro quisiera trepar suciamente hasta la cima. Kate no tenía nada de snob: hombre o mujer, no le importaba en absoluto la clase social. Pero odiaba la mezquindad y la sordidez. Odiaba a los arribistas; todos eran sucios, todos estaban llenos de envidia y malicia, muchos tenían la rabia. Ah, era preciso guardarse de aquellos perros de mezquino gruñido y dientes amarillentos.

Tomó el té con Cipriano antes de irse.

—¿Cómo le va con el Gobierno? —le preguntó.

—Represento a la ley y la Constitución —repuso él—. Saben que no me interesan los *cuartelazos** o revoluciones. Don Ramón es mi jefe.

—¿En qué aspecto?

—Lo sabrá más adelante.

Tenía un secreto, importante para él, que guardaba con mucho celo. Pero la miraba con ojos brillantes, como queriendo decir que ella no tardaría en compartir el secreto y entonces él sería mucho más feliz.

La observaba de forma curiosa, por debajo de sus cautelosas y negras pestañas. Kate era una de las irlandesas algo redondeadas, y tenía suaves cabellos castaños, ojos color de avellana y una serenidad hermosa, un poco distante. Su gran encanto era esa suave serenidad, y su inaccesibilidad dulce e inconsciente. Era más alta y corpulenta que Cipriano, el cual parecía casi un muchacho. Pero éste tenía una enorme energía, y sus cejas se movían con bárbaro orgullo sobre los grandes ojos negros, casi insolentes

La observaba continuamente, con una especie de fascinación: el mismo hechizo que habían ejercido sobre él, cuando era un muchacho, las pequeñas y absurdas figuras de la Madonna. Ella era el misterio, y él el adorador hechizado por el misterio. Pero cuando se puso en pie, se levantó con el mismo engreimiento de antes de arrodillarse: con toda su adoración en el bolsillo. Aunque tenía un considerable poder magnético; su educación no lo había disminuido. Su educación era como una película de blanco aceite sobre el lago negro de su bárbara conciencia. Por esta razón, las cosas que decía no tenían gran interés. Sólo lo que *era*. Hacía que el aire de su entorno pareciese más oscuro, pero más denso y rico. A veces su presencia era extraordinariamente benéfica, como una curación de la sangre. Y a veces representaba una carga intolerable para ella, que jadeaba para alejarse de él.

—¿Siente un gran afecto por don Ramón? —le preguntó.

—Sí —repuso él, observándola con sus ojos negros—. Es un hombre excelente.

¡Qué triviales sonaban las palabras! Esta era otra de las cosas que la fastidiaban de él: su inglés parecía tan trivial. No estaba expresándose realmente, sólo daba ligeros golpecitos al aceite blanco que cubría su superficie.

—¿Le gusta más que su padrino, el obispo?

El levantó los hombros en un gesto forzado y cohibido.

—¡Igual! —contestó—. ¡Me gustan los dos igual!

Entonces desvió la mirada con cierta altivez e insolencia.

—Muy diferentes, ¿no? —siguió diciendo—. Pero iguales en ciertos aspectos. El conoce mejor a México; me conoce mejor a mí. El obispo Severn no conocía el verdadero México. ¡No podía, era un católico sincero! En cambio don Ramón conoce el verdadero México, ¿no?

—¿Y cuál es el verdadero México? —inquirió ella.

—Bueno... habrá de preguntarlo a don Ramón. Yo no sé explicarlo.

Consultó a Cipriano su plan de ir al lago.

—¡Sí! —exclamó—. ¡Puede ir! Le gustará. Vaya primero a Orilla, ¿no? Compre un billete de tren a Ixtlahuacan. Y en Orilla hay un hotel cuyo director es alemán. Entonces, de Orilla puede ir a Sayula en unas pocas horas en lancha. Y allí encontrará una casa para vivir.

Kate vio claramente que él deseaba que hiciera esto.

—¿A qué distancia de Sayula está la hacienda de don Ramón? —inquirió.

—¡Cerca! Alrededor de una hora en lancha. Ahora se encuentra allí. Y a principios de mes yo iré con mi división a Guadalajara, donde hay un nuevo gobernador. Así que yo también estaré muy cerca.

—Me alegro —dijo ella.

—¿De verdad? —preguntó él en seguida.

—Sí —asintió ella, en guardia, mirándole lentamente—. Lamentaría perder el contacto con usted y don Ramón.

Había una pequeña tensión en la frente de él, altiva, reacia, vanidosa, y, al mismo tiempo, anhelante.

—¿Le gusta mucho don Ramón? —preguntó—. ¿Quiere conocerle mejor?

Había una peculiar ansiedad en su voz.

—Sí —respondió Kate—. Hoy día se conoce a muy pocas personas en el mundo a quienes se pueda respetar... y temer un poco. Don Ramón me da un poco de miedo: y siento el *mayor* respeto por él —terminó con una ardorosa nota de sinceridad.

—¡Está bien! —exclamó él—. Muy bien. Puede respetarle más que a cualquier hombre del mundo.

—Tal vez sea cierto —murmuró ella—, volviendo lentamente la mirada hacia él.

—¡Sí! ¡Sí! —insistió Cipriano con impaciencia—. Es cierto. Ya lo comprobará más adelante. Y a Ramón le gusta usted. Me encargó que le pidiera que visitara el lago. Cuando vaya a Sayula, cuando esté de camino, escríbale, y sin duda él podrá encontrarle una casa y todo lo demás.

—¿Le escribo? —inquirió ella, vacilante.

—Sí. ¡Sí! Claro. Nosotros decimos lo que pensamos.

Era un hombre curioso, con extraña e inflamable altanería y presunción, y algo que ardía en su interior, sin concederle la paz. Tenía una fe casi pueril en el otro hombre. Y no obstante, Kate no estaba segura de que en algún rincón de su alma no sintiera cierto resentimiento hacia él.

Kate emprendió el viaje al oeste con Villiers, en el tren nocturno. El único Pullman estaba lleno de gente que iba a Guadalajara, Colima y la costa. Había tres oficiales del ejército, bastante tímidos con sus uniformes nuevos, y bastante fanfarrones al mismo tiempo, mirando al aire como si se sintieran de más y sentándose con rapidez como si desearan disimular su presencia. Había dos campesinos o rancheros, con pantalones ceñidos y sombreros con remaches de plata. Uno era alto y bigotudo y el otro más bajo e insignificante. Pero los dos tenían las piernas bellas y ágiles de los mexicanos, y las caras tranquilas. Había una viuda cubierta de crespón, acompañada por una *criada**. El resto era mexicanos en viaje de negocios, a la vez tímidos e irritables, discretos y presumidos.

El Pullman estaba limpio y aseado, y tenía asientos de caliente felpa verde. Pero, aun estando lleno de gente, parecía vacío en comparación con un Pullman de los Estados Unidos. Todo el mundo guardaba silencio, y estaba quieto y en guardia. Los granjeros doblaron sus bellos sarapes y los colocaron cuidadosamente sobre los asientos, sentándose luego como si estuvieran aislados de todo. Los oficiales doblaron sus capas y ordenaron docenas de pequeños paquetes, sombrereras de cartón y paquetes heterogéneos bajo los asientos y encima de ellos. Los hombres de negocios llevaban un equipaje muy raro; unas bolsas de lona con largos y tiernos lemas bordados en lana.

Había en todos un toque de cautela, suavidad y discreción: una curiosa y suave *sensibilité,* matizada de miedo. Ya era bastante conspicuo viajar en el Pullman; había que estar en guardia.

Por una vez, la noche era gris: la estación de las lluvias se estaba acercando. Un viento repentino barrió el polvo y unas gotas de lluvia. El tren salió de las áreas informes, secas y polvorientas que bordeaban la ciudad y serpenteó suavemente durante unos minutos, para acabar deteniéndose en la calle mayor de Tacubaya, un pueblo suburbial. A la luz del crepúsculo, el tren se detuvo pesadamente en la calle, y Kate se asomó para mirar a los grupos de hombres, que llevaban los sombreros inclinados contra el viento y los sarapes doblados sobre los hombros, tapándoles casi hasta los ojos, inmóviles entre el polvo, como fantasmas sombríos de los que sólo era visible el destello de los ojos entre el oscuro sarape y la gran ala del sombrero; mientras, los hombres conductores de asnos corrían frenéticamente en una nube de polvo con los brazos levantados como demonios, pronunciando breves y agudos gritos para evitar que los asnos se metieran entre los vagones del tren. Perros silenciosos entraban y salían de debajo del tren; mujeres envueltas en sus rebozos azules ofrecían *tortillas** dobladas dentro de un paño para mantenerlas calientes, o pulque en una jarra de barro, o pedazos de pollo ahogados en una salsa roja, espesa y grasienta; o naranjas, o plátanos, o *pitahayas,* cualquier cosa. Y cuando la gente compraba poco, a causa del polvo, las mujeres ocultaban sus mercancías bajo el brazo, bajo el rebozo azul, se cubrían la cara y contemplaban el tren, inmóviles.

Debían ser las seis. La tierra estaba totalmente seca y agostada. Alguien encendía carbón de leña delante de una casa. Unos hombres caminaban apresurados bajo el viento, manteniendo curiosamente en equilibrio sus grandes sombreros. Unos cuantos jinetes montados en pequeños caballos delicados y veloces, con las escopetas colgadas de la silla, trotaron hasta el tren, dieron unas vueltas y luego se alejaron rápidamente en la oscuridad.

Y el tren continuaba parado en la calle. Kate y Villiers se apearon. Contemplaron las chispas del fuego de carbón que una niña encendía en la calle para cocer tortillas.

El tren tenía un vagón de segunda clase y otro de primera. El de segunda clase estaba atestado de campesinos, indios, apiñados como polluelos con sus paquetes, cestos y botellas, un sinfín de cosas. Una mujer llevaba un bonito pavo real bajo el brazo. Lo dejó en el suelo y trató de retenerle bajo sus voluminosas faldas, pero no lo consiguió. Volvió a cogerle y lo mantuvo sobre sus rodillas, mirando el revoltijo de tarros, cestos, calabazas, melones, escopetas, fardos y seres humanos.

Delante iba un vagón blindado con una guardia de pequeños soldados vestidos con sucios uniformes de algodón. Algunos de ellos estaban encaramados encima del tren con sus fusiles: los centinelas.

Y el tren entero, palpitante de vida, estaba curiosamente quieto, silencioso. Quizás es el perpetuo sentido del peligro lo que hace al pueblo tan callado, sin clamor ni estridencias. Y hay una extraña y silenciosa cortesía entre ellos. Una especie de mundo demoníaco.

Por fin el tren se puso en marcha. Si se hubiera detenido para siempre, nadie se habría asombrado mucho. Porque, ¿qué podía acecharles en el camino? Rebeldes, bandidos, puentes volados, cualquier cosa.

Sin embargo, tranquila y furtivamente, el tren se adentró en el vasto y cansado valle. Las montañas circundantes, tan despiadadas, eran invisibles salvo las más cercanas. En algunas ruinosas chozas de adobe ardía el fuego. El adobe era de un gris negruzco, de polvo de lava, deprimente. Los campos se extendían en la distancia, secos, menos en algunas franjas de verde irrigación. Había una hacienda en ruinas con columnas que no sostenían nada. Caía la noche, el polvo seguía levantándose en la oscuridad; el valle parecía contenido en una penumbra seca, vieja y fatigada.

De pronto cayó un fuerte chaparrón. El tren estaba atravesando una hacienda de pulque. Las hileras del gigantesco maguey exhibían sus púas de hierro en la oscuridad.

También de repente se encendieron las luces y el empleado del Pullman llegó apresuradamente para bajar las cortinas, con objeto de que el resplandor de las ventanillas no atrajera balas de la oscuridad exterior.

Se sirvió una exigua cena a un precio exorbitante, y una vez se hubo retirado el servicio, el empleado acudió para hacer las camas y bajó de un tirón las literas de arriba. Eran sólo las ocho, y los pasajeros le miraron con resentimiento. Pero no sirvió de nada. El mexicano encargado, que tenía cara de perro dogo, y su ayudante picado de viruela, se introdujeron con insolencia entre los asientos insertaron la llave en la cerradura de arriba y dejaron caer con estrépito las literas. Y los pasajeros mexicanos se deslizaron humildemente hacia el vagón de fumadores o el retrete, como perros apaleados.

A las ocho y media todo el mundo se acostaba, en silencio y con discreción. No había nada de la ruidosa actividad con los gemelos

80

del cuello y la llana familiaridad de los Estados Unidos. Como animales domesticados, todos se retiraron detrás de sus verdes cortinas de estameña.

Kate detestaba los Pullman, la discreta indiscreción, la horrible proximidad de otras personas, como muchas larvas en sus correspondientes huecos, detrás de las cortinas de saga verde. Sobre todo, horrible intimidad de los ruidos que hacen al acostarse. Detestaba desnudarse, luchando en el horno de su litera. Como el empleado estaba abrochando los botones de la parte exterior de la cortina, le propinó involuntariamente un codazo en el estómago.

Y sin embargo, cuando estuvo en la cama y pudo apagar su luz y subir la cortina, tuvo que admitir que era mejor que un *wagon-lit* europeo; es tal vez lo mejor que pueden hacer los pasajeros que han de viajar toda la noche en tren.

Allí arriba, en la altiplanicie, soplaba un viento frío después de la lluvia. Había aparecido la luna y el cielo estaba despejado. Rocas, altos cactos carnosos y más kilómetros de maguey. Entonces el tren se detuvo en una estación pequeña y oscura al borde de la pendiente, en la que unos hombres envueltos en oscuros sarapes sostenían unas linternas rojizas que no iluminaban ninguna cara, sólo huecos de oscuridad. ¿Por qué se detenía tanto rato el tren? ¿Ocurría algo?

Por fin volvió a moverse. Kate vio a la luz de la luna una larga ladera de rocas y cactos, y en la distancia, muy abajo, las luces de un pueblo. Se quedó quieta en la litera contemplando cómo el tren bajaba lentamente por la salvaje y escarpada pendiente. Entonces se adormeció.

Para despertarse en una estación que parecía un tranquilo infierno: caras oscuras se acercaban a las ventanillas, con los ojos brillantes a la media luz; mujeres tapadas con los rebozos corrían a lo largo del tren con platos de carne, *tamales**, *tortillas** en una mano, y hombres de caras oscuras vendían frutas y dulces, y todos gritaban formando un alboroto intenso y apagado. Vio a través de la cortina del Pullman unos ojos extraños y fijos, y unas manos repentinas ofreciendo una mercancía. Kate bajó la ventanilla: la cortina no era suficiente.

El andén estaba a oscuras, pero al final del tren se veía el resplandor de las ventanillas de primera clase, que iluminaban la pequeña estación. Y un hombre que vendía frutas confitadas gritaba: *¡Cajetas! ¡Cajetas de Celaya!**.

Estaba a salvo dentro del Pullman, sin nada que hacer más que escuchar alguna tos ocasional detrás de las cortinas verdes, y sentir la ligera e inquieta aprensión de todos los mexicanos que ocupaban las oscuras literas. Todo el Pullman estaba lleno de una silenciosa aprensión, por si se producía algún ataque al tren.

Kate se durmió y despertó en una estación iluminada: probablemente Queretaro. Los árboles verdes parecían teatrales bajo la luz eléctrica. *¡Ópalos!**, oyó gritar a un hombre. Si Owen hubiera estado allí, se habría asomado en pijama para comprar ópalos. La tentación habría sido demasiado fuerte.

Durmió a ratos entre las sacudidas del vagón, vagamente consciente de las estaciones y la noche profunda del campo abierto. De pronto se despertó con un sobresalto: el tren estaba quieto y no se oía el menor sonido. Y entonces hubo un súbito y tremendo tirón mientras el Pullman cambiaba de vía. Debían estar en Irapuato, donde había el empalme para dirigirse al oeste.

Kate llegaría a Ixtlahuacan poco después de las seis de la mañana. El empleado la despertó al alba, antes de que saliera el sol. Una región seca con arbustos de mezquita al amanecer: luego trigo verde alternando con trigo maduro. Y hombres ya entre este último, cortando con sus hoces pequeños puñados de las cortas espigas. Un cielo brillante, con una sombra azulada en la tierra. Laderas requemadas con ásperos rastrojos de maíz. Luego una solitaria hacienda con un hombre a caballo, envuelto en una manta, conduciendo un silencioso rebaño de vacas, ovejas, toros, cabras y corderos, un poco fantasmales al amanecer, por debajo de un resquebrajado arco. Un largo canal junto a la vía férrea, un largo canal cubierto de brillantes hojas verdes entre las que asomaban las cabezas malvas del *lirio* acuático. El sol se levantaba, rojo. Al cabo de un momento reinó el pleno y deslumbrante oro de la mañana mexicana.

Kate ya estaba vestida y preparada, sentada frente a Villiers, cuando llegaron a Ixtlahuacan. El empleado les bajó las maletas. El tren se detuvo ante una estación desierta. Se apearon. Era un nuevo día.

A la poderosa luz de la mañana, bajo un cielo azul turquesa, Kate contempló la abandonada estación, las líneas férreas, unos camiones parados, y una remota falta de vida. Un muchacho agarró las maletas y corrió por las vías hacia el patio de la estación, pavimentado de adoquines pero lleno de malas hierbas. A un lado había un viejo tranvía con dos mulas, como una reliquia. Uno o dos hombres, envueltos hasta los ojos en mantas escarlatas, caminaban con silenciosas piernas blancas.

—¿*Adónde?** —preguntó el muchacho.

Pero Kate fue a ver cómo bajaban las maletas grandes. No faltaba ninguna.

—Al hotel Orilla —contestó.

El muchacho dijo que debían tomar el tranvía, y así lo hicieron. El conductor dio algunos latigazos a las mulas, que empezaron a bajar a la luz quieta y densa de la mañana por un camino de piedras salpicado de baches, entre paredes ruinosas y bajas casas de adobe negro, todo ello inmerso en la peculiar, *vacua* depresión de una

82

pequeña localidad mexicana, en dirección a la plaza. ¡La extraña vaciedad, todo carente de vida!

Algúno que otro jinete pasaba de pronto con estrépito, algunos hombres altos de sarapes escarlatas caminaban sin ruido bajo los grandes sombreros. Un muchacho montado en una gran mula repartía leche que llevaba en grandes jarras de color rojo y forma de globo colgadas a ambos lados de la montura. La calle era pedregosa, irregular, vacua, estéril. Las piedras parecían muertas, el pueblo parecía hecho de piedra muerta. La vida humana se movía con una indolencia lenta y estéril, a pesar de la cercana potencia del sol.

Al final llegaron a la plaza, donde brillantes árboles en flor ardían en un fuego de puro color escarlata, y otros de color lavándula alrededor de unas pilas de agua lechosa. Esta agua lechosa burbujeaba en las pilas, y las mujeres, adormiladas, sin peinar, salían de las ruinosas arcadas de los *portales** y cruzaban la acera destrozada para llenar sus jarras de agua.

El tranvía se detuvo y ellos se apearon. El muchacho bajó con las maletas y les dijo que debían dirigirse al río para tomar el barco.

Le siguieron, obedientes, por la calle desigual, donde en cualquier momento podían torcerse el tobillo o romperse una pierna. Por doquier la misma cansada indiferencia y abandono, una sensación de suciedad y desesperación, la impotencia de una profunda desgana, bajo el perfecto sol matutino y la pureza del aire mexicano. La sensación de una vida en retroceso que deja tras de sí unas cuantas ruinas secas.

Llegaron al borde del pueblo y a un puente arqueado y polvoriento, un muro ruinoso y un río de color marrón que bajaba lleno. Bajo el puente, un grupo de hombres.

Todos querían alquilarle su barca. Ella pidió una lancha motora: la lancha del hotel. Ellos dijeron que no estaba allí. Kate no les creyó. Entonces un tipo de rostro oscuro, un mechón de cabellos negros sobre la frente y cierta intensidad en la mirada, dijo: Sí, sí, el hotel tenía una lancha, pero estaba estropeada. Tendría que alquilar un bote de remos. El la llevaría a su destino en una hora y media.

—¿En cuánto tiempo? —preguntó Kate.

—Una hora y media.

—¡Con lo hambrienta que estoy! —exclamó Kate—. ¿Cuánto cobra?

—Dos *pesos* —repuso el hombre, levantando dos dedos.

Kate dijo que sí y él corrió hacia su bote. Entonces ella advirtió que era un lisiado con los pies hacia dentro. ¡Pero qué rápido y fuerte!

Bajó con Villiers por la escarpada orilla hasta el río, y en seguida estuvieron en el bote. Sauces de un verde pálido bordeaban el agua parda y abundante. El río no era muy ancho, pero tenía márgenes altas. Se deslizaron bajo el puente y a lo largo de una singular barcaza, alta, con hileras de asientos. El barquero dijo que iba por el río hasta Jocotlan, y agitó la mano para indicar la dirección. Remaba a favor de la corriente, entre solitarias márgenes de sauces.

El barquero lisiado remaba con mucha fuerza y energía. Cuando ella le hablaba con su español deficiente y él encontraba difícil comprenderla, fruncía ansiosamente el ceño. Y cuando ella reía, él le sonreía con hermosa dulzura, sensible, melancólico, rápido. Ella sintió que era de naturaleza honesta y franca, además de generosa. Había cierta belleza en estos hombres, una belleza nostálgica y una gran fuerza física. ¿Por qué había odiado tan amargamente al país?

La mañana aún era joven en el río amarillento, entre las silenciosas márgenes de tierra. Había una niebla azulada en el aire y las aves acuáticas, negras, corrían de prisa y abajo de la orilla del río, por las márgenes secas y requemadas que ahora no tenían árboles y eran más anchas. Habían entrado en un río más caudaloso, dejando el estrecho del principio. El tono azulado y la humedad de la noche disuelta parecían demorarse bajo los aislados molles de la orilla opuesta.

El barquero remaba con golpes fuertes y breves sobre el agua lisa y tornasolada, como esperma, sólo deteniéndose de vez en cuando para secar el sudor de su rostro con un trapo viejo que tenía sobre el banco, a su lado. El sudor corría como agua por su piel bronceada, y el pelo negro de su cabeza india, alta de atrás, despedía vapor la humedad.

—No hay prisa —le dijo Kate, sonriéndole.

—¿Qué ha dicho la señorita?

—Que no hay prisa —repitió ella.

El hizo una pausa, sonriendo, respirando con fuerza, y explicó que ahora remaba contra la corriente. Este río más ancho procedía del lago, que salía de él lleno e impetuoso. ¡Vea! En cuanto descansaba un momento, el bote empezaba a girar y alejarse. Tomó rápidamente los remos.

El bote se movía con lentitud en el silencio de la noche reciente, sobre el agua parda y rumorosa que empujaba pequeños trozos de lirios acuáticos. En la orilla había algunos sauces y pimenteros de delicado follaje verde. Más allá de los árboles y el nivel de las orillas se levantaban grandes colinas de cumbres altas y romas, increíblemente resecas, como galleta. El cielo azul se posaba, desnudo, sobre ellas; no tenían hojas ni vida, salvo las espadas verdes del cacto carnoso, que brillaba negra, pero atmosféricamente, en la ocre aridez. Esto era México una vez más, seco y luminoso con una luz potente, cruel e irreal.

En una llanura próxima al río, un peón, encaramado sobre su asno, conducía lentamente a cinco lustrosas vacas a beber a la orilla. Los grandes animales blancos y negros avanzaban a paso soñoliento por entre los pimenteros, como piezas vivientes de luz y sombra; las vacas pardas iban detrás, en el increíble silencio y resplandor de la mañana

La tierra, el aire y el agua estaban silenciosos bajo la luz nueva, mientras el último azul de la noche se disolvía como un soplo. Ningún sonido, ni siquiera ninguna vida. La gran luz era más fuerte que la vida misma. Sólo, en el azul del cielo, algunos zopilotes revoloteaban con alas de bordes sucios, como por doquier en México.

—¡No vaya de prisa! —replicó Kate al barquero, que de nuevo se secaba la cara mientras el sudor le bajaba de los cabellos negros—. Podemos ir más despacio.

El hombre sonrió con modestia.

—Si la señorita quiere sentarse más atrás.

Al principio Kate no comprendió su petición. El hombre había remado hacia un recodo de la orilla derecha, para esquivar la corriente. Kate había visto algunos hombres bañándose en la orilla izquierda: hombres cuya hiel mojada lanzaba hermosos destellos de color rosa y bronce, los hermosos destellos de los nativos desnudos; y entre ellos había un hombre rechoncho con la curiosa piel crema de los mexicanos que residen en la ciudad. Desde la otra orilla del río, Kate observó el brillo de los hombres desnudos medio inmersos en el agua.

Se levantó para pasar a la popa, donde se encontraba Villiers. Una vez levantada, vio la cabeza oscura y los hombros rojizos de un hombre que nadaba hacia el bote. Kate se tambaleó, y cuando estuvo sentada, el hombre se irguió sobre el agua y se acercó, mientras el agua se rizaba contra su taparrabos. Tenía la piel suave, mojada y de un hermoso color, y el físico exuberante y de músculos suaves de los indios. Fue hacia el bote, apartando el cabello de su frente.

El barquero le observó, inmóvil, sin sorpresas, con una sutil media sonrisa, quizá de burla, en torno a la nariz. ¡Como si le hubiera estado esperando!

—¿Adónde vais? —preguntó el indio del agua, con las aguas marrones del río ciñendo con suavidad sus fuertes caderas.

El barquero esperó un momento a que sus clientes contestaran, pero al ver que guardaban silencio, repuso con desgana:

—A Orilla.

El hombre del agua se agarró a la popa del bote, mientras el barquero tocaba suavemente el agua con los remos para mantener la embarcación en línea recta; el recién llegado agitó sus largos cabellos negros con cierta insolencia.

—¿Sabe usted a quién pertenece el lago? —preguntó con la misma insolencia.

—¿Qué ha dicho? —preguntó a su vez Kate con gesto altivo.

—Si sabe a quién pertenece el lago —repitió el joven indio.

—¿A quién? —inquirió Kate, confundida.

—A los antiguos dioses de México —dijo el desconocido—. Tiene que rendir un tributo a Quetzalcóatl, si viaja por el lago.

¡Qué extraña y tranquila era su insolencia! Pero verdaderamente mexicana.

—¿Cómo? —interrogó Kate.

—Puede darme algo.

—Pero ¿por qué he de darle algo a usted, si se trata de un tributo a Quetzalcóatl? —murmuró ella.

—Soy un hombre de Quetzalcóatl —replicó él con tranquilo descaro.

—¿Y si no le doy nada? —dijo Kate.

El levantó los hombros y extendió su mano libre, tambaleándose un poco al perder pie en el agua.

Si desea enemistarse con el lago... —replicó fríamente mientras recobraba el equilibrio.

Y entonces la miró a los ojos por primera vez, y al hacerlo, el demoníaco descaro se evaporó de nuevo y la peculiar tensión americana remitió y le dejó.

Hizo un pequeño ademán de concesión con la mano libre y empujó suavemente el bote hacia delante.

—Pero no importa —dijo, sacudiendo un poco la cabeza hacia un lado en un gesto de insolencia, y con una sonrisa leve y descarada—. Esperaremos a que salga el Lucero del Alba.

El barquero empezó a remar con suavidad y fuerza, y el hombre del agua permaneció quieto, con el sol sobre su potente pecho, siguiendo al bote con la mirada abstraída. Sus ojos tenían de nuevo la peculiar y brillante mirada de ensoñación, suspendida entre las realidades, que, Kate descubrió de repente, era la mirada central de los ojos nativos. El barquero, mientras remaba, se volvía a mirar al hombre que seguía en el agua, y también su rostro tenía la expresión abstraída y transfigurada de un hombre perfectamente suspendido entre las dos vigorosas alas de energía del mundo. Una expresión de belleza extraordinaria, cautivadora, el centro silencioso y vulnerable de toda la vida palpitante, como el núcleo que brilla en tranquilo suspenso, dentro de una célula.

—¿Qué ha querido decir —preguntó Kate— con «Esperaremos a que salga el Lucero del Alba»?

El hombre sonrió con lentitud.

—Es un nombre —dijo.

Y pareció que no sabía más. Pero era evidente que el simbolismo tenía el poder de sosegarle y sostenerle.

—¿Por qué ha venido a hablarnos? —inquirió Kate.

—Es uno de los del dios Quetzalcóatl, señorita.

—¿Y usted? ¿Es usted también uno de ellos? —interrogó Kate.

—¡Quién sabe! —exclamó el hombre, ladeando la cabeza. Entonces añadió—: Creo que sí. Somos muchos.

Observó el rostro de Kate con aquella semiabstracción fulgurante e intensa, un fulgor que se mantenía fijo en sus ojos negros y que de improviso recordó a Kate la estrella de la mañana, o la estrella vespertina, suspendida, perfecta, entre la noche y el sol.

—Usted tiene el Lucero del Alba en los ojos —dijo al hombre.

El le dirigió una sonrisa de extraordinaria belleza.

—La señorita comprende —murmuró.

Su rostro volvió a ser una máscara marrón, como una piedra traslúcida, y empezó a remar con todas sus fuerzas. Delante de ellos, el río se ensanchaba, y las márgenes se hacían más bajas, hasta el nivel del agua, como bancos plantados de sauces y juncos. Sobre los sauces se veía una vela blanca cuadrada, como erigida sobre la tierra.

—¿Tan cerca está el lago? —preguntó Kate.

El hombre secó con rapidez su rostro sudoroso.

—¡Sí, señorita! Los veleros esperan el viento para venir al río. Nosotros pasaremos por el canal.

Indicó, echando la cabeza hacia atrás, un estrecho y sinuoso pasillo de agua entre tupidos juncos, que hizo pensar a Kate en el pequeño río Anapo; el mismo misterio insondable. El barquero seguía remando con todas sus fuerzas, y en su rostro impasible y bronceado había surcos mitad de tristeza, mitad de exaltación. Aves acuáticas nadaban entre los juncos o levantaban el vuelo en el aire azul. Algunos sauces pendían su húmedo e intenso verdor en el campo requemado. El canal era estrecho y sinuoso. Con un movimiento despreocupado, primero de la mano derecha, luego de la izquierda, Villiers guiaba al barquero para impedir que embarrancase en las orillas del canal.

Y esto, tener algo práctico y algo mecánico que hacer, hizo sentir a Villiers a sus anchas. Una vez más daba la nota americana de dominio mecánico.

Todo lo demás le había parecido incomprensible, y cuando interrogaba a Kate, ésta fingía no oírle. Kate intuía cierto misterio tierno y delicado en el río, en el hombre desnudo en el agua y en el barquero, y no podía soportar meterlo a la tosca impertinencia americana. Estaba harta del automatismo americano y la dura superficialidad americana. Le inspiraban náuseas.

—Un tipo muy bien hecho, el que se agarró al bote. ¿Qué demonios quería? —insistió Villiers.

—¡Nada! —replicó Kate.

Pasaban entre márgenes pedregosas, del color de la arcilla, y de pronto, tras cruzar una franja de espuma, entraron en la luz ancha y blanca del lago. Soplaba la brisa desde el este, desde la altiva mañana, y la superficie del agua parda y tornasolada estaba en movimiento. Los bancos se rizaban, muy próximos. Grandes velas blancas y cuadradas avanzaban con ligereza, y más allá del pálido desierto de agua se levantaban las azules, puntiagudas y remotas colinas del otro lado, de un azul pálido por la distancia, pero de forma contrastada y nítida.

—Ahora es más fácil —dijo el barquero, sonriendo a Kate—. Ahora estamos fuera de la corriente.

Remaba rítmicamente por el agua apenas rizada, parecida a la esperma, con una sensación de paz. Y Kate sintió por primera vez que había captado el misterio de los nativos, la extraña y misteriosa suavidad existente entre una Escila y un Caribdis de la violencia; el cuerpo pequeño, equilibrado, perfecto del pájaro que agita alas de trueno y alas de fuego y noche en su vuelo. Pero en el centro, entre el relámpago del día y la negrura de la noche, entre la luz del rayo y el estallido del trueno, el inmóvil y suave cuerpo del pájaro, equilibrado y planeando, eternamente. El misterio de la estrella vespertina, brillante en el silencio y la distancia, entre la violenta inmersión del sol y la vasta y rumorosa irrupción de la noche. La magnificencia del vigilante Lucero del Alba, que acecha entre la noche y el día y es la clave resplandeciente de los dos fenómenos opuestos.

Esta era la clase de frágil y pura armonía que sentía en aquel momento entre ella y el barquero, entre ella y el hombre que le había hablado desde el agua. Y no iba a permitir que la pisotearan los chistes americanos de Villiers.

Hubo un sonido de oleaje. El barquero se alejó y señaló una canoa nativa que yacía de costado. Había embarrancado por culpa del viento y ahora tenía que esperar que otra ráfaga de viento la apartara de la orilla. Otra embarcación se acercaba, impulsada por la brisa, navegando cuidadosamente entre los bancos en dirección al río. Iba cargada hasta los topes de *petates**, las esteras de hojas hechas por los nativos. Y a bordo corrían hombres de piernas desnudas, con los blancos calzones enrollados y los pechos morenos al descubierto, impeliendo la barca con pértigas cada vez que se aproximaban a un banco, y guardando el equilibrio de sus enormes sombreros con pequeñas sacudidas de cabeza.

Más allá de las embarcaciones, lago adentro, había rocas salientes y extraños pájaros, parecidos a pelícanos, posados de perfil, inmóviles.

Habían cruzado una bahía próxima y se estaban acercando al hotel, que se levantaba en la margen reseca sobre el agua parda, un edificio largo y bajo rodeado del tierno verdor de plátanos y pimenteros. Las orillas eran por doquier pálidas y cruelmente secas, y en las pequeñas colinas, los oscuros cactos carnosos se balanceaban sobre la nada.

Había un destartalado embarcadero, y una caseta de botes en la distancia, y alguien que llevaba pantalones de franela blanca se hallaba sobre la destrozada mampostería. En el agua tornasolada flotaban como corchos patos y aves acuáticas. El fondo del agua era pedregoso. De pronto el barquero hizo retroceder el bote y dio media vuelta. Se subió la manga y se echó sobre la proa para meter el brazo en el agua. Agarró algo con un rápido movimiento y volvió a enderezarse. En la pálida palma de la mano sostenía un pequeño pote de barro, recubierto por una costra de sedimentos del lago.

—¿Qué es? —preguntó Kate.

—Una *ollita** de los dioses —repuso él—, de los dioses antiguos y muertos. Tómela, señorita.

—Tiene quie permitirme que la pague —dijo ella.

—No, señorita. Es suya —protestó el hombre con aquella sinceridad masculina y sensitiva que a veces surge con tanta espontaneidad de los nativos.

Era un pote pequeño, tosco y redondo con protuberancias.

—¡Mire! —exclamó el hombre, apoderándose otra vez del pote. Lo invirtió, y Kate vio ojos grabados y las orejas salientes de una cabeza de animal.

—¡Un gato! —exclamó—. Es un gato.

—¡O un coyote!

—¡Un coyote!

—¡Veamos! —intervino Villiers—. ¡Vaya, qué interesante! ¿Crees que será antiguo?

—¿Es antiguo? —preguntó Kate.

—Del tiempo de los antiguos dioses —respondió el barquero. Y añadió con una súbita sonrisa: —Los dioses muertos no comen mucho arroz, sólo necesitan pequeñas cacerolas mientras son huesos bajo el agua. —Y la miró a los ojos.

—¿Mientras son huesos? —repitió ella. Y se dio cuenta de que él se refería a los esqueletos de dioses que no pueden morir.

Estaban en el embarcadero; o, mejor dicho, sobre el montón de resquebrajada mampostería que en un tiempo fuera el embarcadero. El indio saltó y sostuvo el bote mientras Kate y Villiers desembarcaban. Entonces bajó a tierra todas las maletas.

Apareció el hombre de los pantalones blancos y un *mozo**. Era el director del hotel. Kate pagó al barquero.

¡*Adiós**, señorita! —dijo éste con una sonrisa—. Quede usted con Quetzalcóatl.

—¡Sí! —exclamó ella—. ¡Adiós!

Subieron por la pendiente bordeada de viejos plátanos, cuyas hojas dentadas producían un sonido apagado y distante bajo la brisa. La verde fruta se curvaba en rugosos racimos, y el capullo de color púrpura pendía rígidamente.

El director alemán era un hombre joven, de unos cuarenta años, de grandes ojos azules, opacos e insensibles detrás de las gafas, aunque las pupilas eran penetrantes. Un alemán que al parecer había pasado muchos años en México... y en los lugares solitarios. Tenía el aspecto algo rígido, la ligera expresión de miedo en el *alma*, no de miedo físico, y también de derrota características del europeo sometido durante largo tiempo al implacable espíritu del lugar. Pero la derrota estaba en el alma, no en la voluntad.

Acompañó a Kate a su habitación en el ala aún no terminada y encargó su desayuno. El hotel era un viejo rancho de una planta con una galería, donde se hallaba el comedor, el salón, la cocina y la despensa. Después había un ala nueva de dos pisos, con un lujoso cuarto de baño por cada dos dormitorios, dotado de los más modernos adelantos: muy incongruente.

Pero el ala nueva no estaba terminada, hacía doce años o más que se había abandonado la continuación de la obra, a raíz de la huida de Porfirio Díaz. Ahora era probable que nunca se terminara.

Y esto es México. Por muchas pretensiones y adelantos modernos que llegue a tener fuera de la capital, son todos toscos y están destrozados o sin terminar, llenos de oxidados huesos de hierro asomando por todas partes.

Kate se lavó las manos y bajó a desayunar. Delante de la larga galería del antiguo rancho, los verdes pimenteros desfallecían como luces verdes, y pequeños pájaros cardenales de cuerpos escarlatas y cabezas impertinentes como botones de amapola lanzaban destellos entre los granos rosados del pimentero, doblando sus alas marrones sobre la audacia de su ardiente color rojo. Una hilera de gansos pasó bajo el calcinante sol, automática, en dirección al tornasol del agua parda que temblaba más allá de las piedras.

Era un lugar de extraño ambiente: pedregoso, duro, quebrantado, con colinas redondas y crueles y numerosos racimos del carnoso cacto detrás de la vieja casa, y una vieja carretera cercana, cubierta de polvo antiguo. Un matiz de misterio y crueldad, la impasibilidad del miedo, una venerabilidad persistente y cruel.

Kate esperó, hambrienta, y se alegró cuando el mexicano en mangas de camisa y pantalones llenos de remiendos, otra reliquia del tiempo de don Porfirio, le sirvió los huevos y el café.

Èra mudo como todo en el lugar parecía mudo, incluso las

mismas piedras y el agua. Sólo aquellas amapolas aladas, los pájaros cardenales, daban una sensación de vida: y eran enigmáticos.

¡Con qué rapidez cambiaban los estados de ánimo! En el bote había entrevisto la soberbia quietud del Lucero del Alba, el conmovedor destello intermedio de su silencio entre las energías del cosmos. Lo había visto en los ojos negros de los nativos, en el amanecer del quieto y espléndido cuerpo del hombre, del indio cálido.

Y ahora el silencio volvía a ser vacuo, inmóvil y cruel: se sentía la misteriosa, vacía e insoportable presencia de muchas mañanas mexicanas. Kate ya estaba inquieta, y sufría el malestar que tortura interiormente a las personas en aquel país de cactos.

Subió a su habitación, deteniéndose ante la ventana del pasillo para mirar las pequeñas y agrestes colinas que se levantaban detrás del hotel en montones desecados, con los bultos verdes del cacto carnoso sobresaliendo al sol, mecánicos, siniestros y sombríos. Grises ardillas listadas pasaban sin cesar, deslizándose como ratas. ¡Siniestras, extrañamente oscuras y siniestras bajo los ardientes rayos del sol!

Subió a su habitación para estar sola. Bajo su ventana, entre los ladrillos y escombros de la construcción interrumpida, un enorme gallo blanco, de una blancura apagada, paseaba, altanero, con sus gallinas. Y de vez en cuando estiraba sus rosadas carnosidades y emitía fieros y potentes gañidos, como los fuertes ladridos de un perro; o bien erizaba todas las plumas como una gran peonía blanca, y silbaba contra el metal de su plumaje.

Más abajo, el eterno temblor de las aguas pálidas e irreales, mucho más allá de las cuales se elevaba la rígida resistencia de unas montañas que ya perdían la pureza de su azul. Claras y frágiles distancias muy lejanas en el aire seco, vagas, y al mismo tiempo definidas y ribeteadas de amenaza.

Kate se bañó en el agua opaca que apenas parecía agua. Después se fue a sentar sobre los trozos de mampostería, a la sombra de la caseta de botes de la orilla. Pequeños patos blancos flotaban sobre el agua, o se sumergían, levantando nubes de polvo submarino. Se acercó una canoa de remos; el hombre era flaco y tenía largas y musculosas piernas. Contestó al saludo de Kate con la reservada prontitud del indio, aseguró su canoa dentro de la caseta y se alejó, silencioso y descalzo, por las piedras verdosas, dejando una sombra fría como el pedernal en el aire que quedaba a sus espaldas.

La mañana no tenía otros sonidos que el débil chasquido del agua y los ocasionales gritos del pavo macho. Silencio, un silencio vacío, aborigen, como de vida *retenida*. La vacuidad de una mañana mexicana. Coreando a veces al pavo macho.

Y la inmensa y linfática extensión de agua, como un mar, temblorosa, temblorosa, temblorosa hasta una gran distancia, hasta las montañas de sustancial inexistencia.

Muy cerca, desiguales hileras de plátanos, colinas desnudas con cactos móviles, y, a la izquierda, una hacienda con los cuadrados cajones de barro de los peones, en lugar de casas. Un ranchero ocasional con pantalones ceñidos y gran sombrero trotaba por el polvo sobre un pequeño caballo, o peones a lomos de sus asnos, parecidos a fantasmas con sus amplias prendas de algodón blanco.

Siempre algo fantasmal. La mañana pasaba como en una sola pieza, vacía, vacua. Todos los sonidos retenidos, toda la vida retenida, todo *inmovilizado*. La tierra tan seca que parecía invisible, el agua, opaca como la tierra, como si no fuera agua. La leche linfática de los peces, dijo alguien.

CAPITULO VI

VIAJE POR EL LAGO

En tiempos de Porfirio Díaz, las orillas del lago empezaron a ser la Riviera de México, y Orilla sería la Niza, o por lo menos el Menton del país. Pero las revoluciones volvieron a estallar y, en 1911, don Porfirio huyó a París llevando en el bolsillo, según se dice, treinta millones de pesos de oro: siendo el valor del peso medio dólar, casi media corona. Pero no hay que creer todo lo que se dice, y menos si lo dicen los enemigos de un hombre.

Durante las revoluciones subsiguientes, Orilla, que había empezado a ser un paraíso de invierno para los americanos, volvió a la barbarie y a la ruina. En 1921 se intentó un nuevo y débil esfuerzo.

El lugar pertenecía a una familia germano-mexicana que poseía además la hacienda adyacente. Habían comprado la propiedad a la American Hotel Company, que había iniciado la urbanización de las orillas del lago y se había arruinado durante las diversas revoluciones.

Los propietarios germano-mexicanos no eran populares entre los nativos. Ni un ángel del cielo había sido popular aquellos años, de habérsele conocido como propietario del lugar. Sin embargo, en 1921 el hotel volvió a abrirse modestamente, con un director americano.

Hacia finales de año, José, hijo del propietario germano-mexicano, llegó para instalarse con su esposa e hijos en la nueva ala del hotel. José era un poco tonto, como suelen ser la mayoría de los extranjeros después de la primera generación en México. Como tenía negocios que resolver, se fue al banco de Guadalajara y volvió con mil pesos de oro en una bolsa, convencido de que todo había quedado en el más absoluto secreto.

Todos se habían acostado, en una estrellada noche de invierno, cuando aparecieron dos hombres en el patio llamando a José: querían hablar con él. José, sin sospechar nada, dejó a su esposa y dos hijos y bajó. Al cabo de un momento, llamó al director americano, quien, pensando que se trataba de un negocio, bajó también al patio. Cuando salió, dos hombres le agarraron por los brazos y murmuraron: «¡No hagas ningún ruido!».

—¿Qué ocurre? —preguntó Bell, que había construido Orilla y vivido veinte años junto al lago.

Entonces advirtió que otros dos hombres sujetaban a José. «Vamos», le dijeron.

Eran cinco mexicanos (indios, o mestizos) y los dos cautivos. Se dirigieron, los cautivos en zapatillas y mangas de camisa, a la pequeña oficina que se encontraba en el extremo de la parte del hotel que había sido el viejo rancho.

—¿Qué queréis? —preguntó Bell.

—Danos el dinero —respondieron los bandidos.

—Oh, está bien —dijo el americano. Sólo había unos cuantos pesos en la caja fuerte. La abrió, se la enseñó, y ellos cogieron el dinero.

—Ahora danos el resto —dijeron.

—No hay más —contestó el director con toda sinceridad; porque José no le había confiado lo de los mil pesos.

Entonces los cinco peones empezaron a registrar la pequeña oficina. Encontraron un montón de mantas rojas, que se apropiaron, y unas cuantas botellas de vino tinto, que bebieron.

—Ahora —repitieron—, danos el dinero.

—No puedo daros lo que no hay —repuso el director.

—¡Muy bien! —exclamaron, y sacaron los horribles machetes, los pesados cuchillos de los mexicanos.

José, intimidado, sacó la maleta que contenía los mil pesos. Envolvieron el dinero en el extremo de una manta.

—Ahora, venid con nosotros —ordenaron los bandidos.

—¿Adónde? —preguntó el director, empezando por fin a estar asustado.

—Sólo hasta la colina, donde os dejaremos, para que no tengáis tiempo de telefonear a Ixtlahuacan antes de que nosotros hayamos huido —explicaron los indios.

Afuera, bajo la brillante luz de la luna, hacía frío. El americano tembló, pues sólo llevaba los pantalones, la camisa y un par de zapatillas.

—Dejadme coger un abrigo —dijo.

—Toma una manta —concedió el indio alto.

Tomó una manta y, sujetado por los dos hombres, siguió a José, igualmente apresado, a través de la pequeña verja, por el polvo de la carretera y por la acentuada pendiente de la colina redonda donde los cactos carnosos proyectaban su siniestra masa, como haces de crueles dedos, bajo la luz de la luna. La colina era pedregosa y escarpada, y la marcha, lenta. José, un joven grueso de veintiocho años, protestaba con el débil talante de los mexicanos acomodados.

Por fin alcanzaron la cumbre de la colina. Tres hombres se llevaron aparte a José, dejando solo a Bell junto a un grupo de cactos. La luna brillaba en un perfecto cielo mexicano. Abajo, el gran lago centelleaba ligeramente, extendiéndose hacia el oeste. El aire era tan diáfano que las montañas del otro lado, a cuarenta y cinco kilómetros de distancia, se perfilaban con claridad a la luz de la luna. ¡Y ni un solo movimiento o sonido en ninguna parte! Al pie de la colina estaba la hacienda, y los peones dormidos en sus chozas. Pero ¿qué ayuda podían prestar ellos?

José y los tres hombres habían desaparecido tras un árbol de cacto que crecía derecho como una gran gavilla de palos negros, equilibrado sobre un pie central y proyectando una sombra férrea y definida. El americano podía oír las voces, bajas y rápidas, pero no distinguía las palabras. Sus dos guardas se apartaron un poco de él para oír lo que decían los que se hallaban detrás del cacto.

Y el americano, que conocía la tierra que pisaba y el cielo que se cernía sobre él, volvió a sentir la negra vibración de la muerte en el aire, la negra emoción del ansia de matar. La sintió vibrar en el aire, inconfundible, como puede sentirla cualquier hombre en México. Y la extraña y primitiva crueldad se despertó ahora en los cinco bandidos, comunicándose a su sangre.

El americano, aflojándose la manta, escuchó tensamente a la luz de la luna. Y oyó el ruido sordo de un machete hundiéndose con avidez en un cuerpo humano, y luego la extraña voz de José: «¡Perdóname!»*. Fue el último grito del hombre asesinado mientras caía.

El americano no esperó más. Tiró la manta al suelo y corrió a ocultarse tras un cacto, se agachó y se lanzó cuesta abajo como un conejo. Los disparos sonaron a su alrededor, pero los mexicanos no suelen apuntar bien. Perdió las zapatillas y, descalzo, flaco y ligero, continuó bajando por entre las piedras y los cactus en dirección al hotel.

Cuando llegó, encontró a todo el mundo despierto y gritando.

¡Están matando a José! —chilló— corriendo hacia el teléfono y esperando a cada momento ver a los cinco bandidos detrás de él.

El teléfono estaba en el viejo edificio del rancho, en el comedor. Nadie le contestó, nadie, nadie le contestó. En su pequeño dormitorio de encima de la cocina, la cocinera, que era la traidora, profería alaridos. A poca distancia, en el ala nueva, la esposa mexicana de José gritaba. Apareció uno de los criados.

—Trata de ponerte en contacto con la Policía de Ixtlahuacan —le dijo el americano, y corrió al ala nueva para coger su escopeta y construir una barricada detrás de las puertas. Su hija, huérfana de madre, lloraba junto a la esposa de José.

Nadie contestó al teléfono. Al amanecer, la cocinera, diciendo que los bandidos no harían daño a una mujer, se dirigió a la hacienda a buscar a los peones. Y cuando salió el sol, mandaron a un hombre a avisar a la Policía.

Encontraron el cuerpo de José con catorce agujeros. El americano fue llevado a Ixtlahuacan, donde le acostaron para que dos mujeres nativas le arrancaran de los pies las espinas de los cactos.

Los bandidos huyeron por los pantanos. Meses después fueron identificados en Michoacan gracias a las mantas robadas; y, al verse perseguidos, uno de ellos traicionó a los demás.

Después de esto el hotel volvió a cerrarse, y sólo hacía tres meses que estaba nuevamente abierto cuando llegó Kate.

Pero Villiers había oído otra historia. El año pasado los peones habían asesinado al director de una de las fincas del otro lado del lago. Le habían dejado desnudo, echado boca arriba, con los órganos sexuales dentro de la boca y la nariz partida, con las dos mitades clavadas a las mejillas con largas espinas de cacto.

—¡No me digas nada más! —exclamó Kate.

Sentía que la muerte estaba escrita en el mismo cielo, la muerte y el horror.

Escribió a don Ramón, a Sayula, diciendo que quería volver a Europa. Era cierto que ella misma no había visto más horrores que la corrida de toros. Y había disfrutado de momentos exquisitos, como la venida a este hotel en el bote. Para ella, los nativos poseían cierto misterio y belleza. Pero no podía soportar la inquietud, y la última sensación de horror.

Cierto, los peones eran pobres. Solían trabajar por veinticinco centavos americanos al día, y ahora el precio establecido era cincuenta centavos, o un peso. Pero en otros tiempos recibían un salario seguro todo el año, y ahora sólo ganaban en la época de la cosecha o de la siembra. Y durante la larga estación seca, como casi no había trabajo, no ganaban nada.

—De todos modos —dijo el director alemán del hotel—, un hombre que tenía una plantación de caucho en Tabasco, otra de azúcar en el Estado de Veracruz y una hacienda donde se cultivaba trigo, maíz y naranjas, en Jalisco—, la cuestión no es el dinero de los peones. No tiene su principio en los peones, sino en Ciudad de México, con un grupo de descontentos que quieren alcanzar el poder y adoptan piadosas consignas para atrapar a los pobres. No es nada más que esto. Entonces los agitadores van de un lado a otro y enardecen a los peones. Todo esto de la revolución y el socialismo no es más que una enfermedad infecciosa como la sífilis.

—Pero ¿por qué nadie opone resistencia? —inquirió Kate—. ¿Por qué no luchan contra ellos los *hacendados**, en lugar de esconderse y huir?

—¡Ah, el *hacendado** mexicano! —Los ojos del alemán lanzaron chispas—. El caballero mexicano es tan valiente, que mientras el soldado está violando a su esposa en la cama, él se esconde debajo y contiene el aliento para que no le encuentren. Es así de valiente.

Kate desvió la mirada, cohibida.

—Todos quieren que intervenga Estados Unidos. Odian a los americanos, pero quieren que intervenga para salvar su dinero y sus propiedades. ¡Esta es su valentía! Odian a los americanos de forma personal, pero les aman porque son capaces de defender el dinero y las propiedades. Y por eso quieren que Estados Unidos se anexione a México, la amada *patria**; ¡abandonar la maravillosa bandera verde, blanca y roja, y el águila con la serpiente entre sus garras, para salvar las apariencias y el honor! Están hinchados de honor, pero de esta clase.

Siempre la misma amargura violenta, pensó Kate. Y estaba tan harta de ella. ¡Qué harta estaba de política, de las mismas palabras «laboral» y «socialismo»! La ahogaban.

—¿Ha oído hablar de los hombres de Quetzalcóatl? —preguntó.

—¡Quetzalcóatl! —exclamó el director, pronunciando la última «l» con el peculiar chasquido de los nativos—. Esa es otra treta de los bolcheviques. Pensaron que el socialismo necesitaba un dios, de modo que van a pescarlo del lago. Servirá de piadosa consigna para otra revolución.

El hombre se alejó, incapaz de soportar más el tema.

«¡Oh, Dios mío! —pensó Kate—. No cabe duda de que es difícil de soportar».

Pero ansiaba saber más de Quetzalcóatl.

—¿Sabe usted —preguntó un poco más tarde al director, enseñándole el pequeño pote— que encuentran estas cosas en el lago?

—¡Son muy comunes! —repuso el hombre—. Solían echarlos al agua en los tiempos idólatras. Que yo sepa, tal vez continúen echándolas, para extraerlas después y venderlas a los turistas.

—Las llaman *ollitas** de Quetzalcóatl.

—Esta es una nueva invención.

—¿Con qué objeto, cree usted?

—Están tratando de iniciar algo nuevo, eso es todo. Tienen aquí en el lago esta sociedad de los Hombres de Quetzalcóatl y se pasean entonando canciones. Otro truco en favor del socialismo nacional, eso es todo.

—¿Qué hacen los Hombres de Quetzalcóatl?

—No creo que hagan nada, excepto hablar y admirar su propia importancia.

—Pero ¿qué idea persiguen?

—No sé decirlo. Quizá ninguna. Pero si persiguen alguna, no se la confiarán a usted. Usted es una gringa, o, como máximo una *gringuita**, y esto es para los mexicanos puros. Para los *señores**, los obreros, y los *caballeros**, los peones. Cada peón es un *caballero* hoy en día, y cada obrero, un *señor*. De modo que supongo que van a procurarse un dios especial, para tener otro motivo de orgullo.

—¿Cuándo empezó este asunto de Quetzalcóatl?

—En Sayula. Dicen que don Ramón Carrasco está detrás de ello. Tal vez quiera ser el próximo presidente... o quizá apunta más alto y pretende ser el primer faraón mexicano.

¡Ah!, qué cansada hacía sentir a Kate esta desesperanza, esta sordidez, este cinismo y este vacío. Sentía deseos de pedir a gritos que los dioses desconocidos devolvieran la magia a su vida, a fin de salvarla de la podrida esterilidad del mundo.

Pensó otra vez en volver a Europa. Pero ¿de qué serviría? ¡La conocía a fondo! Todo allí era política o jazz o misticismo sensiblero o sórdido espiritualismo. Y la magia había desaparecido. La generación joven, tan lista e *interesante*, pero tan falta de misterio, de experiencia. Cuanto más joven la generación, tanto mayor era la carencia de impulso, de milagro.

No, no podía regresar a Europa.

¡Y, no! Se negaba a aceptar la opinión del director del hotel sobre Quetzalcóatl. ¿Cómo podía juzgar un director de hotel, aunque no lo fuera realmente, sino capataz de rancho? Ella conocía a Ramón Carrasco y a Cipriano. Y eran hombres. Querían algo más. Creería en ellos. Cualquier cosa antes que esta esterilidad que era el mundo y hacia la que su vida se estaba precipitando.

Haría que Villiers se marchara. Era simpático, le gustaba, pero también él giraba al revés, descubriendo las sensaciones de desintegración y antivida. Sí, tenía que apartarle de su lado. Tenía que liberarse de estas conexiones mecánicas.

Cada uno de ellos era, como Villiers, una rueda dentada en contacto con la cual todas las funciones se invertían. Todo lo que decía, todo lo que hacía, invertía el flujo vital de Kate, la obligaba a ir contra el sol.

Y ella no quería ir contra el sol. Después de todo, pese a los horrores latentes de México, cuando se lograba apartar a esta gente morena de contactos perjudiciales como agitadores y el socialismo, le hacían sentir a una que la vida era vasta, aunque temible, y la muerte, insondable.

Era posible que a veces ocasionaran horrores. Pero algo ha de estallar de vez en cuando, si los hombres no son máquinas.

¡No! ¡no! ¡no! ¡no! —gritó en su alma—. *Dejadme seguir creyendo en algún contacto humano. ¡Que no todo me sea arrebatado!*

Pero decidió estar sola y prescindir de todos los contactos mecánicos e invertidos. Villiers debía regresar a Estados Unidos. Ella se quedaría sola en su propio *milieu*. Para que no la tocara ni una sola rueda dentada. Estar sola, sin contactos. Ocultarse y permanecer oculta, y que nadie le dirigiera realmente la palabra.

No obstante, al mismo tiempo, mientras su sangre fluía suavemente en la dirección del sol, dejar que la comprensión afín de personas desconocidas la penetrara. Cerrar puertas de hierro contra el mundo mecánico, pero dejar que el mundo amigo del sol se acercara a ella y añadiera su movimiento al suyo, el movimiento de la tensión de la vida, con el gran sol y las estrellas como un árbol que extiende sus hojas.

Quería una vieja casa española, con un *patio** interior de flores y agua. Vuelto hacia adentro, hacia las pocas flores cercadas por la sombra. Dar la espalda al mundo de las ruedas dentadas. No mirar más hacia aquella horrible máquina del mundo. Contemplar el propio surtidor tranquilo y los propios naranjos, con sólo el cielo sobre la cabeza.

Y así, después de haber consolado a su corazón, escribió de nuevo a don Ramón para decirle que iba a Sayula a buscar una casa. Envió a Villiers a su país. Y al día siguiente salió con un criado en la vieja lancha motora del hotel, en dirección al pueblo de Sayula.

Era un viaje de cincuenta kilómetros por el lago, pero en cuanto partió, se sintió en paz. Un hombre alto y moreno estaba sentado en la popa de la lancha, manteniendo el curso y cuidando del motor. Kate se sentó sobre unos cojines en el centro. El joven criado iba acurrucado en la proa.

Salieron antes del amanecer, cuando el lago estaba bañado de luz inmóvil. Extraños grupos de lirios flotaban sobre la suave agua, semejante a la esperma, manteniendo en alto su hoja verde como la vela de un barco y balanceando la delicada flor de un malva azulado.

¡Dame el misterio y deja que el mundo viva otra vez para mí! —gritó Kate para sus adentros—. *Y líbrame del automatismo del hombre.*

Salió el sol, y una blancura de luz jugó con las cimas de las montañas. La lancha costeaba la orilla norte, dando la vuelta al promontorio donde veinte años atrás habían empezado a surgir altivamente las villas y que ahora volvía al estado salvaje. Todo estaba silencioso e inmóvil bajo la luz. A veces se veían puntos blancos en las resecas colinas: ¿pájaros? No, hombres vestidos de algodón blanco, peones cavando. Eran tan diminutos y claros que parecían pájaros blancos.

En la orilla había los manantiales de agua caliente, la iglesia y el pueblo inaccesible de los indios puros, que no hablaban el español. Había algunos árboles verdes bajo la empinada y seca ladera.

Y así continuó navegando la lancha con su incesante ruido corto y explosivo, y el hombre de la proa continuó enroscado como una serpiente, vigilando; el agua lechosa centelleaba y emitía una luz densa que desdibujaba las montañas del otro lado. Y Kate, bajo la toldilla, quedó sumida en una especie de sueño.

Pasaban por delante de la isla, con sus ruinas de fortaleza y prisión. Era toda roca y sequedad, muros derruidos y el esqueleto de una iglesia entre las afiladas piedras y las malas hierbas de tono grisáceo. Durante mucho tiempo, los indios la habían defendido contra los españoles. Luego los españoles usaron la isla como fortaleza contra los indios, y más tarde, como penal. Ahora el lugar era una ruina, repelente, lleno de escorpiones, y sin ninguna otra forma de vida. Sólo uno o dos pescadores vivían en la minúscula cueva que miraba hacia la tierra firme, y un rebaño de cabras, motas de vida trepando entre las rocas. Y un tipo infeliz destinado allí por el gobierno para registrar el tiempo.

No, Kate no quería desembarcar. El lugar parecía demasiado siniestro. Comió algo de la canasta y se adormeció.

En este país estaba asustada. Pero, más que el cuerpo, era el alma la que sentía miedo. Kate había comprendido por primera vez, de modo contundente y definitivo, la índole de la ilusión que la dominaba. Había creído que cada individuo tenía una personalidad completa, un alma completa, un Yo determinado. Y ahora se daba cuenta, con tanta claridad como si se hubiera convertido en otra persona, que esto no era así. Hombres y mujeres tenían personalidades incompletas, formadas por trozos ensamblados de cualquier manera, un poco al azar. El hombre no se creaba ya terminado. Hoy día los hombres estaban a medio hacer, y también las mujeres. Eran seres que existían y funcionaban con cierta regularidad, pero que caían en un desesperado caos de inconsecuencia.

A medio hacer, como insectos que pueden correr de prisa y estar muy ocupados, y de pronto les crecen alas, pero aun así no dejan de ser gusanos alados. Un mundo lleno de seres a medio hacer, dotados de dos piernas, que comían y degradaban el único misterio de que disponían: el sexo. Tejían un montón de palabras y se enterraban dentro de los capullos de palabras e ideas que hacen girar en torno a sí mismos, para perecer dentro de los capullos, inertes y abrumados.

Seres a medio hacer, raramente más que medio responsables y medio conscientes, que actuaban en terribles enjambres, como langostas.

¡Horrible pensamiento! Y con una voluntad colectiva, de insecto, para evitar la responsabilidad de alcanzar una identidad más perfeccionada. El odio extraño y rabioso a cuanto significara una elevación hacia un ser más puro. La morbosa fascinación de lo no integrado.

En la grandiosa y agitada luminosidad del lago, frente a las terribles montañas azuladas de México, Kate se sentía engullida por un horrible esqueleto, presa en la jaula de su anatomía de la muerte. Tenía un miedo místico del hombre acurrucado en la proa, con sus muslos suaves y caderas elásticas, como una serpiente de ojos siempre vigilantes. Un ser hecho a medias, con una voluntad de desintegración y muerte. Y el hombre alto que se hallaba al timón a sus espaldas tenía bajo las pestañas negras los ojos grises y fosforescentes que se encuentran a veces entre los indios. Era guapo, y silencioso, y al parecer, completo. Pero en su rostro acechaba aquella peculiar media sonrisa demoníaca, la expresión medio burlona de algo hecho a medias, que conoce su poder de destruir al ser más puro.

Y, no obstante, pensó Kate, estos hombres eran tipos viriles. No la molestarían, a menos que ella les comunicara su pensamiento, y, por cierta cobardía, les provocara. Sus almas eran incipientes, no había en ellas una maldad fija, podían inclinarse hacia ambos lados.

Así que gritó en su alma al mayor misterio, al poder más elevado que flotaba en los intersticios del cálido aire, rico y fuerte. Era como si pudiera levantar las manos y agarrarse a la silenciosa y serena potencia que acechaba en todas partes, esperando. «¡Ven, entonces!», instó, con una inspiración lenta y prolongada, dirigiéndose al silencioso aliento vital que se ocultaba en la atmósfera, esperando.

Y mientras la lancha seguía navegando, y sus dedos rozaban la cálida agua del lago, sintió una vez más descender sobre ella la plenitud, la paz y el poder. La plenitud llenó su alma como la riqueza de las uvas maduras. Y pensó: «¡Oh, qué gran error ha sido no volverme antes hacia la otra presencia, no aspirar antes el aliento vital! Qué error he cometido al tener miedo de estos dos hombres».

Hizo lo que antes no se había atrevido a hacer: les ofreció los bocadillos y naranjas que aún quedaban en la canasta. Y los dos la miraron; los ojos grises la miraron a los ojos y los ojos negros la miraron a los ojos. Y el hombre de los ojos grises como el humo, que era más hábil que el otro hombre, y más orgulloso, le dijo con los ojos: *¡Estamos vivos! Yo conozco tu sexo y tú conoces el mío. Un misterio en el que celebramos no inmiscuirnos. Tú me dejas mi honor natural, y yo te agradezco la gracia.*

En su mirada, tan rápida y altiva, y en su tranquilo *¡Muchas gracias!**, Kate oyó el matiz de reconocimiento masculino de un hombre contento de conservar su honor y de sentir la comunión de la gracia. Quizá fue la palabra española *¡gracias!* Pero, en su alma, Kate pensó en la comunión de la gracia.

Con el hombre de ojos negros ocurrió lo mismo. Era más humilde. Pero mientras pelaba la naranja y tiraba al agua la piel amarillenta, Kate observó la serenidad, la humildad y el patetismo de la gracia que había en él; algo muy hermoso y verdaderamente masculino, muy difícil de encontrar en un hombre civilizado. No era del espíritu. Era de la sangre oscura, fuerte, indomable, la flor del espíritu.

Entonces pensó: «Después de todo, es bueno estar aquí. Es muy bueno estar en esta lancha sobre este lago con estos dos hombres silenciosos y semibárbaros. Saben recibir el don de la gracia y podemos compartirlo como una comunión, ellos y yo. Me alegro mucho de estar aquí. Es mucho mejor que el amor: el amor que conocí con Joachim. Esto es la plenitud de la vida».

—¡Sayula! —gritó el hombre de proa, señalando frente a él

Kate vio, lejano, un lugar donde había árboles verdes, una playa llana y un gran edificio.

—¿Qué edificio es ése? —preguntó.

—La estación ferroviaria.

Kate quedó impresionada, porque era una estructura de aspecto nuevo e importante.

Un pequeño barco a vapor despedía humo, solitario frente a un espigón de madera, y varias embarcaciones negras, cargadas, pasaron por su lado y se acercaron a la playa. El barco a vapor hizo zonar la sirena y, lentamente, pero con ruido, se puso en movimiento, describiendo una línea inclinada sobre el lago, en cuya orilla opuesta sobresalían las minúsculas y blancas torres gemelas de Tuliapán, minúsculas y lejanas.

Habían pasado de largo el espigón, y una vez hubieron rodeado los alfaques, donde crecían sauces llorones, Kate divisó Sayula; las blancas torres gemelas de la iglesia, en forma de obelisco sobre los pimenteros; más allá, una colina enana y solitaria, moteada de matas secas, claras y de aspecto japonés; y aún más allá, las arrugadas montañas de México, de laderas planas, ribeteadas de azul.

Parecía delicado, pacífico, casi japonés. A medida que se iban acercando, Kate vio la playa con la ropa extendida sobre la arena; los verdes sauces y pimenteros, y las villas rodeadas de follaje y flores, con cortinas purpúreas de buganvilla, puntos rojos de hibisco, la rosada abundancia de altas plantas de adelfa; y ocasionales palmeras más altas que todo el resto.

La lancha estaba rodeando un espigón de piedra en el cual se veía pintado en letras negras un anuncio de neumáticos para coches. Había unos cuantos bancos, algunos árboles lanudos que crecían en la arena, un tenderete de bebidas, un pequeño paseo y barcos blancos sobre la arena de la playa. Unas cuantas mujeres sentadas bajo sendas sombrillas, unos pocos bañistas en el agua, y árboles frente al reducido número de villas ocultas tras un follaje verde o ardientes flores escarlatas.

«Esto está muy bien —pensó Kate—. No es demasiado salvaje ni civilizado en exceso. No está en ruinas, pero sí algo destartalado. Está en contacto con el mundo, pero el mundo tiene una influencia muy débil aquí».

Fue al hotel, como le había aconsejado don Ramón.

—¿Viene usted de Orilla? ¿Es la señora Leslie? Don Ramón Carrasco nos ha hablado de usted en una carta.

Había una casa. Kate pagó a sus barqueros y les estrechó la mano. Lamentaba separarse de ellos, y ellos a su vez le miraron con un poco de pesar al marcharse. Kate dijo para sus adentros:

«Hay algo rico y vivo en esta gente. Quieren se capaces de respirar el Gran Aliento. Son como niños, indefensos. Y también son como demonios. Pero creo que en el fondo necesitan más que nada el aliento de vida y la comunión de los valientes».

Se asombró de sí misma al oírse empleando de improviso este lenguaje. Pero su cansancio y sentido de la devastación habían sido tan completos, que el Otro Aliento que había en el aire y el poder oscuro y azulado de la tierra eran, casi de repente, más reales para ella que lo que llamamos realidad. La realidad concreta, estridente, exasperante, se había desvanecido, y un suave mundo de potencia ocupaba su lugar, el aterciopelado y oscuro flujo de la tierra, el delicado pero supremo aliento de vida del aire interior. Detrás del violento sol vigilaban los ojos oscuros de un sol más profundo, y entre los azules ribetes de las montañas latía secretamente un poderoso corazón, el corazón de la tierra.

Su casa era lo que quería: un edificio bajo y enlosado, en forma de L, con toscos suelos rojos y una profunda galería, y los otros dos lados del *patio** estaban acompañados por el pequeño y espeso bosque de mangos que crecía junto al bajo muro. El cuadrilátero del patio, que se hallaba dentro del recinto de la casa y los árboles de mango, era alegre gracias a los hibiscos y adelfas, y tenía un estanque de agua en la sedienta hierba. Las macetas que bordeaban la galería rebosaban de geranios y flores desconocidas. En un extremo del patio picoteaban unos polluelos bajo la silenciosa inmovilidad de los plátanos.

Allí la tenía; su casa de piedra, oscura y fresca, con todas las habitaciones mirando a la galería; su profunda y sombreada galería, o *piazza*, o corredor, de cara al resplandeciente sol, las brillantes flores y la hierba amarillenta, el agua tranquila y los plátanos dorados, y el oscuro esplendor de los mangos, densos de sombra.

Con la casa iba incluida una Juana mexicana, con dos hijas de espesa cabellera y un hijo. Esta familia vivía en un cuchitril adosado a la pared trasera del mirador saliente del comedor. Allí, medio tapados por una cortina, estaban el pozo y el retrete, además de una cocinita y un dormitorio donde la familia dormía sobre esteras colocadas en el suelo. Por allí se paseaban los flacos polluelos y los plátanos murmuraban cuando soplaba el viento.

Kate tenía cuatro dormitorios para elegir. Eligió aquel cuya ventana baja y enrejada daba a la tosca calle de hierba a medio empedrar, cerró puertas y ventanas y se acostó, pensando antes de dormirse: «ahora estoy sola y lo único que tengo que hacer es evitar que me atrapen las ruedas dentadas del mundo y procurar no perder el contacto con ese algo oculto y más elevado».

La dominaba un extraño agotamiento; sentía que era incapaz de realizar otro esfuerzo. Se despertó a la hora del té, pero no había té. Juana fue apresuradamente al hotel para comprar un poco.

Juana era una mujer de unos cuarenta años, bastante baja, de cara redonda y morena, ojos oscuros sin centro, cabellos despeinados y un cojeo al andar. Hablaba con rapidez, en un español enrevesado, añadiendo una «n» a todas sus palabras. Una persona desaliñada hasta en su modo de hablar.

—*No, niña, no hay masn** —decía; *masn* en vez de *más*. Y llamaba a Kate *niña* según la vieja costumbre mexicana. Se trata de un título honorífico para el ama.

Juana prometía ser un poco difícil. Era una viuda de dudosos antecedentes, una criatura apasionada, sin mucho control, fuerte y con una especie de indiferencia y dejadez. El propietario del hotel aseguró a Kate que era honrada, pero que si Kate prefería buscar otra *criada**, no había inconveniente.

Sería necesaria una pequeña batalla entre las dos mujeres. Juana era obstinada y distraída; el mundo no la había tratado muy bien. Y había en ella algo de la insolencia del humilde.

Pero también tenía arranques de calor apasionado y la peculiar generosidad desinteresada de los nativos. Sería honrada por desafío e indiferencia, siempre que no se hallara en un estado de antagonismo.

Pero de momento, tanteaba cuidadosamente el terreno con sus ojos negros llenos de malicia y suspicacia. Y Kate sentía que el apelativo de *Niña* con que se dirigía a ella contenía una ligera nota de malévola burla.

Pero no podía hacer otra cosa que seguir adelante y confiar en la mujer de rostro moreno y sin centro.

El segundo día, Kate tuvo la energía de desechar un tresillo de caña de su *salón** y quitar cuadros y pequeños adornos.

Si existe un instinto social más aburrido que todos los demás instintos sociales del mundo, es el mexicano. En el centro del salón de baldosas rojas de Kate había dos tresillos: un sofá de caña negra flanqueado por cuatro sillones de caña negra, y justo enfrente, un sofá de caña marrón flanqueado por cuatro sillones de caña marrón. Era como si los dos sofás y los ocho sillones estuvieran ocupados por los fantasmas de todas las banalidades mexicanas jamás pronunciadas, sentadas una frente a otra con las rodillas juntas y los pies sobre la terrible alfombra de rosas verdes y rojas que cubría el aburrido centro del salón. Sólo su vista era aterradora.

Kate rompió esta simetría e hizo que las dos muchachas, María y Concha, ayudadas por la irónica Juana, se llevaran los sillones de caña marrón y las mesitas de bambú a uno de los dormitorios. Juana observaba cínicamente y ayudaba con solicitud. Pero cuando Kate abrió su baúl y sacó un par de alfombras ligeras, unos cuantos chales de encaje y algunos objetos para que el lugar ofreciese un aspecto más humanos, la *criada* empezó a exclamar:

—*¡Qué bonita! ¡Qué bonita, Niña! ¡Mira qué bonita!*

CAPITULO VII

LA PLAZA

Sayula era un pequeño lugar de recreo; no para los ricos ociosos, porque a México le quedan muy pocos, sino para los comerciantes de Guadalajara, que iban allí los fines de semana. Pero ni siquiera éstos eran numerosos.

No obstante, quedaban dos hoteles de la época tranquila y segura de don Porfirio, así como la mayoría de las villas. Las villas más apartadas estaban cerradas, y algunas de ellas ya presentaban signos de abandono. Las situadas en el pueblo vivían en un estado de perpetuo temor. Había muchos terrores, pero los dos predominantes eran los bandidos y los bolcheviques.

Los bandidos son simplemente hombres de distantes pueblos que, a menudo sin dinero, sin trabajo y sin perspectivas de tenerlo, se dedican durante un tiempo (o durante toda la vida) a robar y asesinar, como si fuera una profesión. Viven en sus salvajes pueblos hasta que van tropas a detenerles, y entonces se retiran a las salvajes montañas o a los pantanos.

Los bolcheviques, por su parte, parecen haber nacido en la vía férrea. Dondequiera que haya trenes y los pasajeros viajen de un lado a otro en vagones de ferrocarril, el espíritu de desarraigo, de transitoriedad, de compartimentos separados de primera y segunda clase, de envidia y malicia, y de las jadeantes y demoníacas locomotoras de hierro, parece procrear a los lógicos hijos del materialismo, los bolcheviques.

Sayula tenía su pequeño ramal de vía férrea, su único tren al día. El ferrocarril no era rentable y luchaba contra la extinción. Pero era suficiente.

Sayula tenía también aquella verdadera demencia de Norteamérica, el automóvil. Así como antes los hombres querían un caballo y una espada, ahora quieren un coche. Así como antes las mujeres solían anhelar un hogar y un palco en el teatro, ahora anhelan una «máquina». Y también el pobre diablo de clase media. Había un tráfico perpetuo de «máquinas», automóviles y autobuses (llamados camiones) por la única carretera que unía a Sayula con Guadalajara. Una esperanza, una fe, un destino: viajar en camión, poseer un automóvil.

Hubo un escarceo con los bandidos cuando Kate llegó al pueblo, pero no hizo mucho caso. Por la tarde salió a la plaza, para estar con la gente. La plaza tenía grandes árboles y un viejo estrado para orquesta en el centro; la rodeaba un pequeño paseo y desembocaban en ella las calles adoquinadas por las que pasaban los mulos y los camiones. En el lado norte había un espacio dedicado al mercado.

La banda ya no tocaba en Sayula, y la *elegancia** ya no paseaba por la acera interior de la plaza, bajo los árboles. Pero la acera seguía en buen estado, y los bancos se conservaban bastante bien. ¡Oh, la época de don Porfirio! Y ahora eran los peones y los indios, con sus mantas y blancas ropas, los que llenaban los bancos y monopolizaban la plaza. Por cierto que seguía en vigor la ley que obligaba a los peones a llevar pantalones en la plaza y no los amplios calzones de los campos. Los peones también *querían* llevar pantalones en lugar de los calzones que constituían el atuendo de su humilde labor.

Ahora la plaza pertenecía a los peones, que tomaban asiento en los bancos o paseaban lentamente con sus sandalias y mantas. Al otro lado de la calle adoquinada, en la parte norte, los pequeños tenderetes donde se vendía sopa y platos calientes estaban rodeados de una gran muchedumbre a partir de las seis de la tarde; era más barato cenar fuera al final de la jornada. En casa, las mujeres comerían *tortillas**, despreciando el caldo. Ante los puestos que vendían tequila, hombres, mujeres y chicos ocupaban los bancos y apoyaban los codos sobre el mostrador. Un grupo jugaba a las cartas; el hombre del centro destapó las suyas y en toda la plaza resonó su voz: «¡Cinco de Espadas! ¡Rey de Copas!»*. Una mujer corpulenta e imperturbable, con un cigarrillo en los labios y peligro en sus negros ojos entornados, permanecía sentada hasta bien entrada la noche, vendiendo tequila. El hombre de las frutas garrapiñadas se mantenía junto a su mostrador y vendía las frutas a un *centavo** la pieza. Y sobre la acera, pequeñas antorchas de hojalata diminutas pilas de mangos o dulzonas ciruelas rojas tropicales, a dos o tres centavos el montón, mientras la vendedora, una mujer de amplia falda, o un vendedor de curiosa y paciente humildad, estaban en cuclillas a la espera de un comprador, con la extraña y fatalista indiferencia y aquella clase de paciencia tan enigmática para un extranjero. Tener ciruelas rojas por valor de treinta centavos para vender; amontonarlas sobre la acera en pequeñas pirámides, cinco en cada pirámide; y esperar todo el día y hasta media noche en cuclillas sobre la acera y mirar de los pies hasta la lejana cabeza del transeúnte y comprador potencial, es, al parecer, una ocupación y un medio de vida. Por la noche, junto al resplandor de la antorcha de hojalata, cuya llama oscila al viento.

En general había un par de jóvenes más bien bajos con guitarras de tamaños diferentes, enfrentándose el uno al otro como dos gallos de pelea que entonasen un largo e interminable canto del cisne, cantando con voces tensas y apagadas las baladas eternas, no muy musicales, tristes, prolongadas, intensas, sólo audibles desde muy cerca; continuando hasta que se les irritaba la garganta. Y unos cuantos hombres morenos y altos, con mantas rojas, paseando arriba y abajo, escuchando casualmente y, muy de tarde en tarde, como algo insólito, contribuyendo con un centavo.

Entre los tenderetes de comida solía haber otro trío, éste de dos guitarras y un violín, y dos de los músicos eran ciegos; los ciegos cantaban en voz muy alta, con toda rapidez, pero de una forma poco audible. El mismo canto parecía secreto, los cantores se ponían muy juntos, cara contra cara, como intentando reservar el eco de la salvaje y melancólica balada para sus propios pechos, y de espaldas al mundo.

Y el pueblo entero estaba en la plaza; era como un campamento, lleno del leve y rápido sonido de voces. Raramente, muy raramente, una voz se elevaba por encima del profundo murmullo de los hombres, el trino musical de las mujeres, el gorjeo de los niños. Raramente se veía un movimiento brusco; el lento paseo de hombres calzados con sandalias, llamadas *buaraches**, producía un ligero sonido de cucaracha sobre la acera. A veces corrían entre los árboles, chicos de piernas desnudas que jugueteaban fuera y dentro de la sombra, fuera y dentro de las personas quietas. Eran los incontenibles limpiabotas, que abundan como enjambres de fastidiosas moscas en un país de gente descalza.

En el lado sur de la plaza, justo al otro lado de los árboles y en la esquina del hotel, había el dudoso intento de un café al aire libre, con pequeñas mesas y sillas sobre la acera. Aquí, en días laborables, los pocos que se atrevían a exhibir su prestigio se sentaban a beber una cerveza o una copa de tequila. Eran forasteros en su mayoría. Y los peones, sentados, inmóviles, en los bancos del fondo, miraban con ojos de basilisco desde debajo de los enormes sombreros.

Pero los sábados y domingos había algo parecido a un espectáculo. Los camiones y automóviles irrumpían silbando y dando tumbos. Y, como pájaros exóticos, esbeltas y preciosas chicas vestidas de organdí, empolvadas y con el pelo muy corto se apeaban y revoloteaban por la plaza. Paseaban del brazo, con vestidos de alegre organdí rojo, gasa azul y muselina blanca y otras finas telas rosas, malvas y anaranjadas, el pelo negro muy ahuecado, los esbeltos brazos entrelazados y los rostros morenos curiosamente macabros por el excesivo maquillaje, que se aproximaba al blanco, pero al blanco de un payaso o un cadáver.

En un mundo de hombres fornidos y apuestos, estas jovencitas descocadas destacaban por su fragilidad de mariposa e incongruente estridencia, y por su falta de pareja. La proporción de *fifís**, los jóvenes elegantes considerados dignas parejas de las jovencitas descocadas, era reducida. Sin embargo, aparecían algunos *fifís*, con pantalones de franela blanca, zapatos blancos, chaquetas oscuras, correctos sombreros de paja y bastones. Los *fifís* eran más delicados que las atrevidas jovencitas, y mucho más nerviosos y remilgados. Pero fifís, al fin, galantes, fumando cigarrillos con poses decorativas, hablando, en lo posible, un castellano elegante, y dando la impresión de que iban a ser sacrificados a algún dios mexicano al cabo de doce meses, cuando serían debidamente engordados y perfumados. El cebado de los becerros para el sacrificio.

El sábado, los fifís y las jovencitas descocadas y los automovilistas de la ciudad (sólo unos cuantos infelices, después de todo) intentaban ser alegres como una mariposa en el siniestro México. Contrataban a los músicos de guitarras y violín, y la música de jazz empezaba a vibrar, un poco demasiado tierna, sin el suficiente efecto estimulante.

Y en la acera, bajo los árboles de la *alameda**, bajo los árboles de la plaza, cerca de las pequeñas mesas y sillas del café, las jóvenes parejas empezaban a girar *a la mode*. Los vestidos de organdí rojo, amarillo, rosa y azul giraban con todos los pantalones de franela blanca disponibles, y algunos de los pantalones de franela blanca tenían elegantes zapatos, blancos con tirillas negras o listas de color canela. Y algunos de los vestidos de organdí tenían piernas y pies verdes, otros, piernas *à la nature* y pies blancos. Y los brazos esbeltos y morenos rodeaban los hombros azules de los fifís, o azules con un entramado blanco. Y las caras desmedidamente suaves de los varones sonreían con tímido paternalismo a las pequeñas caras empolvadas, bonitas y atrevidas de las hembras; sonrisas suaves, paternales y sensuales que sugerían la sensualidad de la víctima.

Pero bailaban en la acera de la plaza, y en esta acera los peones se paseaban lentamente o permanecían agrupados, observando con ojos inescrutables los enigmáticos contoneos de los bailarines. ¿Quién sabe qué estarían pensando? ¿Sentirían admiración o envidia o sólo una silenciosa, fría y secreta oposición? Oposición no faltaba.

Los jóvenes peones de pequeñas blusas blancas, con el sarape escarlata doblado airosamente sobre un hombro, paseaban lentamente bajo sus pesados y enormes sombreros, decididos a hacer caso omiso de los bailarines. Con lentitud y un equilibrio pesado y tranquilo, se movían irresistiblemente a través del baile como si el baile no existiera. Y los fifís de pantalones blancos, con organdí en los brazos, conducían a su pareja lo mejor que podían para evitar el denso e implacable paso de los jóvenes peones, que seguían hablando entre sí, sonriendo y mostrando el centelleo de sus sanos dientes blancos con una tenebrosa sangre fría que se posaba como una sombra incluso sobre la música. Los bailarines y los peones no se tocaban nunca, no se rozaban siquiera. En México no se tropieza con la gente de forma accidental. Pero el baile chocaba contra la invisible oposición.

Los indios de los bancos también observaban durante un rato a los bailarines. Pero luego volvían contra ellos la densa negación de la indiferencia, como una piedra sobre el espíritu. La misteriosa facultad de los indios para matar, sin moverse, cualquier vida exuberante, para extinguir cualquier luz y policroma efervescencia.

De hecho existía una pequeña sala de baile para los nativos. Pero estaba encerrada entre cuatro paredes. Y todo el ritmo y significado era diferente, denso, como un matiz de violencia. E incluso allí, los bailarines eran artesanos y mecánicos o mozos de andén, trabajadores semi-urbanos. No había peones, o casi ninguno.

Por lo que las mariposas de organdí y los fifís de pantalones de franela no tardaban en renunciar, en sucumbir, una vez más aplastados por la densa pasividad de resistencia de los demoníacos peones.

La curiosa radical oposición de los indios a eso que nosotros llamamos espíritu. Es el espíritu lo que hace que la coqueta revolotee con sus alas de organdí como una mariposa. Es el espíritu lo que arruga los pantalones de franela del fifí y le hace actuar con una fanfarronería algo patética. Intentan expresar las elegancias y la superficialidad del espíritu moderno.

Pero sobre todo ello, como una carga de obsidiana, cae la pasiva negación de los indios. Comprenden el alma, que es de la sangre. Pero el espíritu, que es superior y la cualidad de nuestra civilización, merece su repudio más bárbaro y sombrío. Hasta que se convierte en artesano o tiene alguna conexión con la maquinaria, no se apodera de él el espíritu moderno.

Y tal vez sea este denso repudio del espíritu moderno lo que hace a México tal como es.

Pero tal vez el automóvil practicará carreteras incluso a través del alma inaccesible del indio.

A Kate le entristeció un poco ver fracasar el baile. Se hallaba sentada ante una pequeña mesa, con Juana como *dueña**, bebiendo una copita de ajenjo.

Los automóviles que volvían a la ciudad se marcharon temprano, en un pequeño grupo. Si los bandidos aparecían, era mejor ir juntos. Incluso los fifís llevaban pistolas en el cinto.

Pero era sábado, así que algunos jóvenes «elegantes» se quedaban hasta el día siguiente, para bañarse y revolotear por la arena.

Era sábado, por lo que la plaza estaba muy llena, y por las calles adoquinadas que partían de la plaza ardían y fluctuaban sobre el suelo muchas antorchas, iluminando a un vendedor moreno y una colección de sombreros de paja, o una pila de esteras de paja llamadas *petates**, o pirámides de naranjas del otro extremo del lago.

Era sábado, y el domingo por la mañana había mercado. Así, como quien dice, de repente, la vida de la plaza se hizo densa por su carga de potencia. Los indios habían acudido desde todos los pueblos, y desde puntos muy lejanos del lago, y con ellos traían la curiosa potencia de vida que parece latir cada vez con más fuerza cuando se reúnen.

Por la tarde habían venido por el lago, con el viento del sur, las *canoas** de casco negro y una única gran vela, cargadas con los productos para el mercado y los nativos que iban a venderlos o simplemente se dirigían al lugar de reunión. Todos los pueblos que se veían como puntos blancos en la orilla opuesta y en las distantes laderas habían contribuido a formar la multitud.

Era sábado, y el instinto indio para vivir hasta bien entrada la noche, cuando es parte de una muchedumbre, se despertó en todos ellos. Nadie se iba a la cama. Aunque el mercado comenzaría al amanecer, los hombres no pensaban en el sueño.

A eso de las nueve, después del fracaso del baile de los fifís, Kate oyó un sonido nuevo, el sonido de un tambor, o tam-tam, y vio que los indios se reunían en el lado oscuro de la plaza, donde mañana se abriría el mercado. Ya habían sido ocupados algunos lugares y montado pequeños tenderetes; enormes canastas en forma de huevo, lo bastante grandes para contener a dos hombres, se balanceaban contra la pared.

Hubo una vibración y el latido del tambor, extrañamente impresionante en el aire de la noche, y después la larga nota de una flauta tocando una especie de melodía salvaje y nada emocional, acompañada por el tambor, que añadía su ritmo sincopado. Kate, que había escuchado los tambores y el salvaje canto de los Pieles rojas en Arizona, Nuevo México, sintió instantáneamente aquella eterna y primitiva pasión de las razas prehistóricas, con su complicado sentido religioso, flotando en el aire.

Miró inquisitivamente a Juana, y los ojos negros de Juana le dirigieron una mirada furtiva.

—¿Qué es esto? —preguntó Kate.

—Músicos, cantores —repuso Juana, evasiva.

—Pero esto es *diferente* —observó Kate.

—Sí, es nuevo.

—¿Nuevo?

—Sí, empezó a oírse hace poco tiempo.

—¿De dónde procede?

—¡Quién sabe! —exclamó Juana, encogiéndose de hombros.

—Quiero oírlo —dijo Kate.

—Es sólo para hombres —advirtió Juana.

—Bueno, podemos apartarnos un poco.

Kate se dirigió hacia el denso y silencioso grupo de hombres cubiertos por grande sombreros. Todos estaban de espaldas a ella.

Kate se quedó en el escalón de una de las casas y vio un pequeño espacio en el centro del denso grupo de hombres, bajo el muro de piedra sobre el que pendían flores de buganvilla y dentelaria, iluminado por las pequeñas antorchas de madera olorosa que sostenía un muchacho con las dos manos.

El tambor estaba en el centro de este espacio, y el hombre que lo tocaba se hallaba de cara a la multitud. Iba desnudo de la cintura para arriba, y llevaba calzones de algodón blancos como la nieve, muy amplios, sujetos a la cintura con una faja de color rojo y atados a los tobillos con cordones rojos. En torno a su cabeza descubierta llevaba un cordón rojo que sujetaba en la parte posterior tres plumas rectas de color escarlata, y sobre la frente un ornamento que formaba un círculo azul con una turquesa redonda en el centro. El flautista también iba desnudo hasta la cintura, pero sobre el hombro lucía doblado un bello sarape blanco con bordes de un azul oscuro y un fleco. Entre el gentío se movían unos hombres de torso desnudo que repartían pequeñas hojas escritas. Y todo el tiempo, alta y pura, la extraña flauta de arcilla repetía una melodía salvaje y bastante difícil, y el tambor ponía su ritmo de sangre.

Más y más hombres se iban añadiendo al corro. Kate bajó de su atalaya y avanzó con gran timidez; quería una de las hojas. El hombre se la alargó sin mirarla, y ella fue hacia la luz para leerla. Era una especie de balada, pero sin rima, en español. En la parte superior de la hoja estaba toscamente impresa un águila dentro del círculo de una serpiente que se mordía la cola; una curiosa desviación del emblema mexicano, que es un águila posada sobre un nopal, un cacto de grandes hojas planas, con una serpiente contorsionada en las garras y el pico.

Esta águila estaba posada, muy esbelta, sobre la serpiente, dentro del círculo de la serpiente, que tenía marcas negras en el lomo, como cortos rayos negros señalando hacia dentro. A poca distancia, el emblema sugería un ojo.

> En el lugar del oeste,
> En paz, allende el látigo de la cola brillante del sol,
> En la quietud donde nacen las aguas.
> He dormido yo, Quetzalcóatl.

En la cueva llamada Ojo Oscuro,
Detrás del sol, mirando a través de él como una ventana,
Está el lugar. Allí brotan las aguas,
Allí nacen los vientos.

De las aguas de la vida futura
Me elevé de nuevo, para ver caer una estrella y sentir un
[aliento en el rostro.

El aliento dijo: «¡Ve!», ¡Y, mirad!
Estoy viniendo.

La estrella fugaz palidecía se moría.
La oí cantar como un ave moribunda:
Mi nombre es Jesús, soy Hijo de María.
Voy a mi casa.
Mi madre la Luna es oscura.
Oh, hermano, Quetzalcóatl,
Detén al dragón del sol,
Atale con sombra mientras paso
De camino a casa. Déjame ir a casa.

Até las brillantes garras del sol
Y lo detuve mientras Jesús pasaba
Hacia la sombra sin párpados,
Hacia el ojo del Padre,
Hacia el seno refrescante.

Y el aliento sopló sobre mí otra vez.
Así que tomé las sandalias del Salvador
Y empecé a bajar la larga pendiente,
Pasando de largo el monte del sol.
Hasta que vi a mis pies
Los blancos pezones de mi México,
Mi novia.

Jesús el Crucificado
Duerme en las aguas curativas
El largo sueño,
Duerme, duerme, hermano mío, duerme.
Mi novia, entre los mares.
Peina sus cabellos negros,
Diciéndose a sí misma: Quetzalcóatl.

Ahora había congregada una densa multitud, y desde el centro se elevaba, cálido y fuerte, el resplandor de las antorchas de ocote, y en el aire flotaba la dulce fragancia de la resina parecida al cedro. Kate no podía ver nada tras la masa de grandes sombreros.

La flauta había dejado de tocar y el tambor latía con un sonido lento y regular que actuaba directamente en la sangre. El incomprensible y hueco sonido del tambor era como un hechizo sobre la mente, que hacía estallar el corazón a cada golpe y oscurecía la voluntad.

Los hombres empezaron a calmarse y se sentaron o pusieron en cuclillas en el suelo, con los sombreros entre las rodillas. Y ahora se formó un pequeño mar de oscuras y altivas cabezas un poco inclinadas hacia delante sobre los suaves y fuertes hombros masculinos.

Cerca del muro había un claro círculo, con el tambor en el centro. El hombre que lo tocaba, con el torso desnudo, lo inclinaba hacia sí, y sus hombros suaves brillaban y tenían reflejos rojizos por el resplandor de las antorchas. Junto a él estaba otro hombre que sostenía una bandera atada a un delgado palo. Sobre el campo azul de la bandera había un sol amarillo con un centro negro, y entre los cuatro rayos amarillos de mayor tamaño emergían cuatro rayos negros, por lo que el sol parecía una rueda que girase con deslumbrante movimiento.

Cuando todos los hombres se hubieron sentado, los seis indios de torso desnudo que habían repartido las hojas y puesto orden entre la muchedumbre se sentaron ahora formando un anillo, del que el hombre del tambor, en cuclillas ante su instrumento, era la pieza clave. A su derecha se sentaba el que portaba la bandera, y a su izquierda, el flautista. Había nueve hombres en el anillo, y el muchacho, que se hallaba sentado aparte, vigilando las dos antorchas de ocote, que había colocado sobre una piedra equilibrada sobre un largo trípode de caña, era el décimo.

La noche parecía haberse inmovilizado. El curioso murmullo ronco de las voces que llenaban la plaza se había extinguido. Bajo los árboles, por las aceras, seguía pasando gente desinteresada, pero parecían figuras extrañamente solitarias y aisladas, perdidas en la penumbra de los árboles eléctricos, y como si se dirigieran a resolver algún asunto excepcional. Parecían estar fuera del núcleo de la vida.

Lejos, en el lado norte, los tenderetes seguían iluminados y la gente estaba ocupada, comprando y vendiendo. Pero también este sector parecía solitario y aislado de la verdadera realidad, casi como un recuerdo.

Cuando los hombres se sentaron, las mujeres comenzaron a aproximarse tímidamente, y se sentaron en el suelo al borde del corro, con las amplias faldas de algodón como una flor en torno a

ellas y los oscuros rebozos muy apretados sobre sus cabezas pequeñas, redondas y tímidas. Algunas, demasiado vergonzosas para
acercarse, se demoraban en los bancos más próximos de la plaza. Y
otras ya se habían ido. De hecho, numerosos hombres y mujeres
habían desaparecido desde que empezó a oírse el tambor.

De modo que la plaza estaba curiosamente vacía. Había el denso
grupo de gente en torno al tambor, y luego el mundo exterior, que
parecía ajeno y hostil. Sólo en la oscura callejuela que daba a la
oscuridad del lago se encontraban algunas personas medio iluminadas, como fantasmas, los hombres con los sarapes contra la cara,
vigilantes, erguidos, silenciosos y ocultos en las sombras.

Pero Kate, que había vuelto al umbral, con Juana sentada a sus
pies en el escalón, seguía fascinada por el silencioso anillo de
hombres medio desnudos bajo la luz de las linternas. Sus cabezas
eran negras, sus cuerpos suaves y rojizos, con la peculiar belleza
india que tiene al mismo tiempo algo terrible. Los torsos suaves,
corpulentos y atractivos de hombres silenciosos que mantenían la
cabeza un poco inclinada hacia delante; los hombros suaves, muy
anchos y que reposan sobre una espina dorsal tan poderosa; hombros algo caídos, con el relajamiento de un poder adormecido y
sereno; la hermosa piel rojiza, de delicados reflejos oscuros; los
fuertes pechos, tan varoniles y tan profundos, pero sin la dureza
muscular del hombre blanco; y las caras oscuras y herméticas,
cerradas sobre una conciencia oscurecida, con los negros bigotes y
delicadas barbas enmarcando el hondo silencio de los labios; todo
esto resultaba impresionante y removía en el alma extrañas y
temibles emociones. Aquellos hombres sentados allí en su oscura
ternura física, tan quietos y suaves, se antojaban al mismo tiempo
temibles. Había algo tenebroso, denso, de reptil, en su silencio y su
suavidad. Sus mismos torsos desnudos estaban vestidos con una
sutil sombra, con cierta oscuridad secreta. De encontrarse allí
sentados el mismo número de hombres blancos, habrían sido mus-
culosos y francos, abiertos hasta en su físico, en cierta presencia
ostensible. Pero no así estos hombres. Su misma desnudez revelaba
las suaves y densas profundidades de su laconismo natural, su
eterna invisibilidad. No pertenecían al reino de aquello que se
aparece.

Todo el mundo se mantenía muy quieto; el silencio expectante se
convirtió en una especie de silencio nocturno, muerto. Los hombres
de torso desnudo permanecían inmóviles, ensimismados, escuchando con los oscuros oídos de la sangre. La faja de color rojo les ceñía
la cintura; los anchos calzones blancos, rígidos por el almidonado,
estaban sujetos a los tobillos con cordones rojos, y a la luz de las
antorchas, los pies morenos parecían casi negros, metidos en *buaraches** de cintas rojas. ¿Qué querían de la vida estos hombres senta-

dos con tanta suavidad y mansedumbre, pero cuyo peso eran tan poderoso e impresionante?

Kate se sentía atraída y repelida al mismo tiempo. Le atraía, casi la fascinaba, el extraño poder *nuclear* de los hombres que formaban aquel círculo. Era como un vivo y ardiente núcleo de nueva vida. Le repelía la extraña densidad, el enterramiento del espíritu en la tierra, como agua oscura. También le repelía la oposición silenciosa y densa a la pálida dirección espiritual.

Y sin embargo, a Kate le parecía que era aquí, y sólo aquí, donde la vida ardía con un fuego nuevo y profundo. El resto de la vida, tal como ella la conocía, se le antojaba pálida, descolorida y estéril. ¡La palidez y el cansancio de su propio mundo! Y aquí, estas figuras rojizas al resplandor de las antorchas, como el centro del fuego sempiterno. ¡Seguramente se trataba de un nuevo enardecimiento de la humanidad!

Sabía que así era. Pero prefería quedarse al margen, fuera de todo contacto. No podría soportar entrar en un contacto real.

El hombre que llevaba la bandera del sol levantó la cara como si estuviera a punto de hablar. Sin embargo, no habló. Era viejo; en su barba rala había cabellos grises, cabellos grises sobre su gruesa y oscura boca. Y su rostro tenía, junto con varias arrugas profundas, el peculiar grosor de los viejos de este pueblo. En cambio los cabellos crecían vigorosos y viriles sobre su frente y su cuerpo era liso y fuerte. Sólo, tal vez, un poco más liso, pesado y suave que los hombros de los jóvenes.

Sus ojos negros miraron sin ver durante un rato. Quizás era realmente ciego; o quizá se trataba de una profunda abstracción, de un recuerdo que le acaparaba y hacía que su rostro pareciera invidente.

Entonces empezó a hablar con una voz lenta, clara y distante que parecía corear el extinguido palpitar del tambor:

—¡Escuchadme, hombres! ¡Escuchadme, mujeres de estos hombres! Hace mucho tiempo, el lago empezó a requerir hombres en el silencio de la noche. Y no había hombres. Los pequeños *charales** nadaban en torno a la playa, buscando algo, y los *gágaris** y otros grandes peces saltaban fuera del agua para mirar a su alrededor. Pero no había hombres.

»Entonces, uno de los dioses de caras ocultas salió del agua y subió a la colina —señaló con la mano a la noche, hacia la invisible colina redonda que se alzaba detrás del pueblo— y miró a su alrededor. Miró hacia el sol, y a través del sol vio el sol oscuro, el mismo que hizo el sol y el mundo, y lo engullirá otra vez como un trago de agua.

»Dijo: "¿Es la hora?". Y de detrás del brillante sol los cuatro brazos oscuros del sol supremo se extendieron, y en la sombra se levantaron los hombres, que pudieron ver en el cielo los cuatro brazos oscuros del sol. Y empezaron a andar.

»El hombre que se hallaba en la cumbre de la colina, que era un dios, miró las montañas y las llanuras y vio a los hombres muy sedientos, con la lengua fuera, de modo que les dijo: "¡Venid! ¡Venid aquí, donde está mi agua dulce!".

»Acudieron como perros con la lengua fuera y se arrodillaron en la orilla del lago. Y el hombre de la cumbre de la montaña les oyó jadear por haber bebido demasiada agua. Les dijo: "¿Habéis bebido demasiado? ¿No están vuestros huesos bastante secos?".

»Los hombres construyeron casas en la orilla, y el hombre de la colina, que era un dios, les enseñó a plantar maíz y alubias y a construir barcos. Pero les dijo: "Ningún barco os salvará cuando el sol oscuro deje de extender en el cielo sus brazos oscuros".

»El hombre de la colina dijo: "Yo soy Quetzalcóatl, que respiré humedad en vuestras bocas secas. Llené vuestros pechos con el aliento del otro lado del sol. Soy el viento que sopla desde el corazón de la tierra, los pequeños vientos que soplan como serpientes alrededor de vuestras piernas y vuestros muslos y que levantan la cabeza de la serpiente de vuestro cuerpo, en la que reside vuestro poder. Cuando la serpiente de vuestro cuerpo levante la cabeza, ¡cuidado! Seré yo, Quetzalcóatl, quien se levante en vosotros, elevándome hasta más allá del día resplandeciente, hasta el sol de la oscuridad, donde por fin hallaréis vuestro hogar. De no ser por el sol oscuro que hay detrás del sol diurno, de no ser por los cuatro brazos oscuros de los cielos, vosotros seríais huesos, y las estrellas serían huesos, y la luna, una concha vacía sobre una playa seca, y el sol amarillo, una copa vacía, como el hueso fino y seco de la cabeza de un coyote muerto. Así que, ¡cuidado!

»Sin mí no sois nada. Del mismo modo que yo, sin el sol que hay detrás del sol, no soy nada.

»Cuando el sol amarillo esté alto en el cielo, decid: "Quetzalcóatl levantará su mano y me protegerá de este sol para que no me queme y la tierra no se agoste".

»Porque, digo yo, en la palma de mi mano está el agua de la vida, y en el dorso de mi mano hay la sombra de la muerte. Y cuando los hombres me olviden, levantaré el dorso de mi mano: ¡adiós! Adiós, y la sombra de la muerte.

»Pero los hombres me olvidaron. Sus huesos estaban húmedos, sus corazones eran débiles. Cuando la serpiente de su cuerpo levantó la cabeza, dijeron: "Esta es la serpiente mansa que hace lo que nosotros queremos". Y cuando no pudieron soportar el fuego del sol, dijeron: "El sol está enfadado. Quiere engullirnos. Démosle la sangre de las víctimas".

»Y así ocurrió; las oscuras ramas de la sombra desaparecieron del cielo, y Quetzalcóatl se entristeció y envejeció mientras se cubría el rostro con la mano para ocultarlo de los hombres.

»Se entristeció y dijo: "Me iré a casa. Soy viejo, soy casi hueso. El hueso triunfa en mí, mi corazón es una calabaza seca. Estoy cansado de México".

»Así que llamó al Sol Supremo, el oscuro, de nombre ignorado: "Estoy emblanqueciendo como una calabaza podrida. Me estoy volviendo hueso. Estos mexicanos me han negado. Estoy cansado y viejo. Llévame de aquí".

»Entonces el sol oscuro extendió un brazo y levantó a Quetzalcóatl hasta el cielo. Y el sol oscuro hizo una seña con un dedo y trajo hombres blancos del este, los cuales llegaron con un dios muerto sobre la Cruz, diciendo: "¡Atención! ¡Este es el Hijo de Dios!". ¡Está muerto, es sólo hueso! Escuchad, vuestro dios ha muerto desangrado, es sólo hueso. Arrodillaos y llorad por él. Por vuestras lágrimas, él os volverá a consolar y os sacará de entre los muertos para daros un lugar entre los rosales sin perfume de la otra vida.

»¡Atención! Su madre llora, y las aguas del mundo están en sus manos. Ella os dará de beber y os curará y conducirá a la tierra de Dios. En la tierra de Dios ya no volveréis a llorar. Más allá del umbral de la muerte, cuando hayáis pasado de la casa de hueso al jardín de rosas blancas.

»Así, pues, la afligida Madre llevó a su Hijo muerto en la Cruz a México, para que viviera en los templos. Y el pueblo ya no miró más hacia arriba, diciendo: "La Madre llora. El Hijo de su seno es hueso. Esperemos el lugar del oeste, donde los muertos encuentran la paz entre los rosales sin perfume, en el Paraíso de Dios".

»Porque los sacerdotes decían: "Es hermoso después de la tumba".

»Y luego los sacerdotes envejecieron y las lágrimas de la Madre se agotaron, y el Hijo gritó desde la Cruz al sol oscuro que hay mucho más allá del sol: *¿Qué me habéis hecho? ¿Estoy muerto para siempre, y sólo muerto? ¿Estoy muerto para siempre, soy sólo hueso en una Cruz de hueso?*

»Y este grito fue oído en el mundo, y más allá de las estrellas de la noche, y más allá del sol diurno.

»Jesús dijo de nuevo: *¿Es la hora? Mi Madre es vieja como la luna baja, su viejo hueso no puede llorar más ¿Hemos perecido sin remisión?*

»Entonces el mayor de los grandes soles habló en voz alta desde detrás del sol: "Recibiréis a mi Hijo en mi seno, recibiré a su Madre en mi regazo. Como una mujer, los pondré en mi vientre, como una madre, les acostaré para que duerman, con piedad les sumergiré en el baño de la paz y la renovación".

»Esto es todo. Así que escuchad ahora, vosotros los hombres y vosotras las mujeres de estos hombres.

»Jesús se va a su mansión, al Padre, y María vuelve para dormir en el vientre del Padre. Y ambos vencerán a la muerte durante el largo, largo sueño.

»Pero el Padre no quiere dejarnos solos. No nos ha abandonado.

»El Padre ha mirado a su alrededor y ha visto el Lucero del Alba, intrépido entre el embate del sol amarillo que se aproxima y el retroceso de la noche. Y así el Supremo, cuyo nombre no ha sido nunca pronunciado, dice: "¿Quién eres tú, brillante vigía?". Y la estrella del amanecer contesta: "Soy yo, el Lucero del Alba, que en México fui Quetzalcóatl. Soy yo, que miro al sol amarillo desde atrás, y tengo el ojo en el lado invisible de la luna. Soy yo, la estrella, a medio camino entre la oscuridad y el derrotero del sol. Yo, llamado Quetzalcóatl, que espero en la fuerza de mis días".

»El Padre contestó: "Está bien. Está bien". Y de nuevo: "Es la hora".

»Así se pronunció la gran palabra a espaldas del mundo. El que no tiene Nombre dijo: "Es la hora".

»Una vez más se ha pronunciado la gran palabra: Es la hora.

»Escuchad, hombres, y mujeres de hombres: Es la hora. Sabed ya que es la hora. Los que nos dejaron van a volver. Los que vinieron se marchan de nuevo. Decid bienvenido, y después, ¡adiós!

»¡Bienvenido! ¡Adiós!

El anciano terminó con grito fuerte y contenido, como interpelando realmente a los dioses:

—¡Bienvenido! ¡Bienvenido! ¡Adiós! ¡Adiós!

Incluso Juana, sentada a los pies de Kate, exclamó sin saber que lo hacía:

—¡Bienvenido! ¡Bienvenido! ¡Adiós! ¡Adiós! ¡Adiós-n!

Detrás del último «adiós» añadió la natural y humana «n».

El tambor empezó a sonar con un ritmo insistente e intensivo, y la flauta, o silbato, levantó su voz rara y distante. Volvía a tocar una y otra vez la peculiar melodía que Kate había oído al principio.

Entonces uno de los hombres del círculo levantó la voz y empezó a cantar el himno. Cantaba al modo de los antiguos Pieles Rojas, con intensidad y reserva, como dirigiéndose a su interior, a su propia alma, y no hacia afuera, al mundo, ni siquiera hacia arriba, a Dios, como cantan los cristianos, sino con una especie de intensidad contenida y hechizada, cantando al misterio interno, no cantando al espacio, sino a la otra dimensión de la existencia humana, donde el hombre se encuentra en el espacio infinito que hay dentro del eje de nuestro espacio transitable. El espacio, como el mundo, no tiene más remedio que moverse. Y, como el mundo, tiene un eje. Y el eje de nuestro espacio mundano, cuando se entra, es una vastedad en la que incluso los árboles van y vienen, y el alma está a gusto en su propio sueño, noble e indiscutida.

El extraño latido interno del tambor, y el cantor cantando interiormente, lanzaban al alma hacia el mismo centro del tiempo, que es más antiguo que la edad. Empezó con una nota alta y remota y, manteniendo la voz a cierta distancia, continuó a un ritmo sutil y fluido, al parecer no medido, pero marcado por el tambor y salpicado de palpitantes cadencias triples. Durante largo rato no pudo reconocerse ninguna melodía; era sólo un grito entrecortado, remoto, algo parecido al distante aullido de un coyote. En realidad era la música del viejo indio americano.

No había un ritmo reconocible, una emoción reconocible; apenas era música. Más bien lejana y perfecta llamada en la noche. Pero penetraba directamente hasta el alma, hasta el alma más antigua y eterna de todos los hombres, donde la familia humana sólo puede reunirse en contacto inmediato.

Kate lo supo en seguida, como una especie de fatalidad. Era inútil resistir. No había impulso ni esfuerzo, ni ninguna especialidad. El sonido tenía su eco en el lugar más recóndito del ser humano, el lugar omnipresente donde no hay esperanza ni emoción, sino la pasión sentada con las alas recogidas en el nido, y la fe es un árbol de sombra.

Como el destino, como la fatalidad. La fe es el propio Arbol de la Vida, inevitable, y las manzanas están sobre nosotros, como las manzanas de los ojos, las manzanas del mentón, la manzana del corazón, las manzanas del pecho, la manzana del vientre, con su profundo centro, las manzanas de las nalgas, las manzanas de las rodillas, las pequeñas y juntas manzanas de los dedos del pie. ¿Qué importa el cambio y la evolución? Somos el Arbol con la fruta eternamente en sus ramas. Y somos fe para siempre. *Verbum sat.*

El cantor había acabado y sólo el tambor seguía sonando, tocando con sutileza y sabiduría la membrana sensitiva de la noche. Entonces otra voz se levantó del círculo, y como pájaros que salen volando de un árbol, una tras otra empezaron a elevarse las voces individuales, hasta que hubo un fuerte, intenso y curiosamente denso clamor de voces masculinas, como una oscura bandada de pájaros volando al unísono. Y todos los oscuros pájaros parecían haber levantado el vuelo desde el corazón, desde la selva interior del pecho masculino.

Y una tras otra se fueron liberando las voces de la muchedumbre, como pájaros que llegan de una gran distancia, presos del encantamiento. Las palabras no importaban. Cualquier verso cualquier palabra, ninguna palabra, todo servía, la canción era la misma: ¡un viento fuerte y profundo que brotaba de las cavernas del pecho, del alma imperecedera! Kate era demasiado tímida y estaba demasiado asombrada para cantar: demasiado acobardada por la desilusión. Pero oyó la respuesta en su alma, como un lejano sinsonte en la noche. Y Juana estaba cantando de un modo involuntario, con una dulce voz femenina, inventando inconscientemente las palabras.

Los hombres medio desnudos empezaron a coger sus sarapes: blancos con bordes listados en azul y marrón, y un tupido fleco. Un hombre se levantó y caminó hacia el lago. Volvió con *ocote** y haces de ramas traídos por un barco, y empezó a encender una hoguera. Al cabo de unos momentos, otro hombre se fue a buscar leña y empezó otro fuego en el centro del círculo, delante del tambor. Entonces una de las mujeres se alejó, descalza y silenciosa, con su amplia falda de algodón, y volvió para hacer una pequeña hoguera entre las mujeres.

El aire se tiñó de bronce con el resplandor de las llamas, y se endulzó con el humo parecido al incienso. La canción subió y bajó de tono, y por fin enmudeció. Subió y se extinguió. El tambor seguía sonando suavemente, tocando con ligereza la oscura membrana de la noche. Y de pronto calló. En el silencio absoluto se pudo oír la tranquila serenidad del oscuro lago.

De repente el tambor volvió a empezar, con un latido nuevo y poderoso. Uno de los hombres sentados, cubierto por su *poncho** blanco de borde azul y negruzco, se levantó, quitándose las sandalias mientras lo hacía, e inició suavemente el paso de danza. Abstraído, bailando con lentitud y una curiosa sensibilidad en los pies, empezó a pisar la tierra con sus plantas desnudas, como si quisiera penetrar dentro de la tierra. Solo, con un curioso ritmo pendular, inclinando un poco hacia delante la fuerte espina dorsal, movía los pies al ritmo del tambor, levantando la blanca rodilla contra el oscuro fleco de su manta, con un extraño y oscuro chasquido. Y otro hombre puso sus huaraches en el centro del círculo, cerca del fuego, y se levantó para bailar. El hombre del tambor elevó su voz en una canción salvaje y ciega. Los hombres se estaban despojando de los ponchos, y pronto, con el resplandor del fuego en sus pechos y rostros abstraídos, todos se pusieron en pie, con torsos desnudos y descalzos, y empezaron a bailar la salvaje danza del pájaro.

¡Quien esté dormido se despertará! ¡Quien esté dormido se despertará! Quien pise la senda de la serpiente en el polvo llegará al lugar; por la senda del polvo llegará al lugar y será vestido con la piel de la serpiente: será vestido con la piel de la serpiente de la tierra, que es padre de la piedra; que es padre de la piedra y la madera de la tierra; de la plata y el oro, del hierro, de la madera de la tierra del hueso del padre de la tierra, de la serpiente del mundo, del corazón del mundo, que late como golpea la serpiente en su movimiento el polvo de la tierra, desde el corazón de la tierra.

«¡Quien esté dormido se despertará! ¡Quien esté dormido se despertará! Quien esté dormido se despertará como la serpiente del polvo de la tierra, de la piedra de la tierra, del hueso de la tierra».

La canción pareció tomar nuevos y salvajes rumbos después de haber ido extinguiéndose poco a poco. Era como las olas que surgen de lo invisible y se forman en el aire con una blancura que desaparece en el rumor de la extinción. Y los bailarines, después de bailar en círculo, sumidos en una lenta y profunda abstracción, cada hombre impasible en su propio lugar, pisando el mismo polvo con el suave chasquido de los pies descalzos, empezaron lenta, lentamente a girar, hasta que el círculo giró lentamente en torno al fuego, siempre con el mismo paso suave, penetrante y giratorio. Y el tambor seguía con el vivo y eterno latido, como un corazón, y la canción se elevaba y caía, extinguiéndose poco a poco hasta que volvía a levantarse.

Y llegó un momento en que los jóvenes peones ya no pudieron resistir más. Se despojaron de sandalias, sombreros y sarapes y, tímidamente, con pies inexpertos que sin embargo conocían el viejo eco del paso, se colocaron detrás de los danzarines y bailaron sin moverse del sitio, hasta que pronto el círculo giratorio tuvo a su alrededor un círculo de hombres fijo pero palpitante.

Entonces, de improviso, uno de los danzarines de torso desnudo del círculo interior pasó al círculo exterior, empezó a girar en dirección inversa a la del círculo interior, por lo que ahora había dos ruedas de baile, una dentro de la otra, que giraban en direcciones opuestas.

Y así continuaron, con el tambor y la canción, girando como ruedas de sombras alrededor del fuego. Hasta que la hoguera se extinguió y el tambor paró de repente, y los hombres, súbitamente dispersos, volvieron a sus puestos y se sentaron.

Hubo un silencio y después un leve murmullo de voces y el sonido de unas risas. Kate había pensado muy a menudo que la risa de los peones brotaba con un sonido casi parecido al dolor. Pero ahora las risas sonaron como pequeñas e invisibles llamas, surgidas de repente del rescoldo de la charla.

Todo el mundo esperaba, esperaba. Sin embargo, nadie se movió en seguida cuando el trueno del tambor volvió a sonar como una orden. Se quedaron hablando, y escuchando con una segunda conciencia. Entonces se levantó un hombre, tirando su manta, y avivó el fuego central. Luego pasó por entre los hombres sentados y fue hacia el lugar donde las mujeres formaban un racimo con la amplitud de sus faldas. Allí esperó, sonriendo, abstraído. Hasta que una muchacha se puso en pie y se le acercó con extrema timidez, sujetando el rebozo sobre la cabeza baja con la mano derecha, y tomando la mano del hombre con la izquierda. Fue ella quien levantó con la suya la mano inmóvil del hombre, tímidamente, con un ademán repentino. El rió y la condujo por entre los hombres ahora levantados hacia la hoguera central. Ella iba con la cabeza baja, ocultando la cara, llena de confusión. Pero de lado y con las manos juntas empezaron a marcar el suave paso de la danza, formando el primer pequeño segmento del círculo interior estacionario.

Y ahora todos los hombres se volvieron hacia fuera, esperando ser elegidos. Y las mujeres, con rapidez, cubiertas por el rebozo, se acercaron para coger la mano derecha del hombre elegido. El círculo interior de hombres y mujeres en parejas, cogidos de la mano, se estaba cerrando.

—¡Venga, Niña, venga! —exclamó Juana, mirando a Kate con ojos negros y brillantes.

—¡Tengo miedo! —objetó Kate. Y decía la verdad.

Uno de los hombres de torso desnudo había cruzado la calle, apartándose del gentío, y esperaba cerca del umbral donde se encontraba Kate, silencioso y con la cara vuelta.

¡Mira, Niña! Este amo la está esperando. ¡Vamos, vaya! ¡Oh, Niña, vaya!

La voz de la criada tenía el tono bajo, acariciador y casi mágico de las mujeres del pueblo, y sus ojos negros resplandecían de un modo extraño mientras observaba el rostro de Kate. Esta, casi hipnotizada, dio unos pasos lentos y reacios hacia el hombre que esperaba con la cara vuelta.

—¿Le importa? —preguntó en inglés, con gran confusión. Y le tocó los dedos con los suyos.

La mano de él, cálida, oscura y salvajemente suave, se cerró apenas, casi con indiferencia, y al mismo tiempo con la suave y bárbara proximidad, sobre los dedos de ella, y la condujo hasta el círculo. Ella bajó la cabeza y deseó poder ocultar la cara. Con su vestido blanco y sombrero de paja verde, se sentía de nuevo virgen, una joven virgen. Esta era la cualidad que estos hombres habían sido capaces de devolverle.

Tímida y torpemente, intentó seguir el paso de la danza. Pero con sus zapatos se sentía inflexible, aislada, y el ritmo no estaba en ella. Se movía con gran confusión.

Pero el hombre que tenía al lado seguía asiendo su mano con la misma ligereza y suavidad, y el lento y palpitante péndulo de su cuerpo oscilaba sin esfuerzo. No hacía caso de ella. Y sin embargo, apretaba sus dedos en un contacto suave y ligero.

Juana se había quitado las botas y medias y, con la oscura y arrugada cara como una máscara de obsidiana y los ojos brillantes con la eterna llama femenina, oscura e inextinguible, marcaba el paso de la danza.

«Como el pájaro del sol pisa la tierra al amanecer del día, como una gallina marrón bajo sus pies, como una gallina y dejando caer con las ramas de su viente las manzanas del nacimiento, los huevos de oro, los huevos que ocultan,el globo del sol en las aguas del cielo, en la bolsa de la cáscara de la tierra que es blanca por el fuego de la sangre; pisa la tierra, y la tierra concebirá como la gallina bajo los pies del pájaro del sol; bajo los pies del corazón, bajo los pies gemelos del corazón. Pisa la tierra, pisa la tierra que está en cuclillas como un polluelo con las alas dobladas en...».

El círculo empezó a girar, y Kate se encontró moviéndose lentamente entre dos hombres silenciosos y absortos cuyos brazos tocaban sus brazos. Y el primero asía sus dedos con suavidad y ligereza, pero con trascendente proximidad. Y la salvaje canción se elevó de nuevo como un pájaro que se posa un segundo, y el tambor cambió incomprensiblemente de ritmo.

La rueda exterior era toda de hombres. A Kate le parecía sentir un extraño y oscuro calor sobre su espalda. Hombres oscuros, colectivos, no individuales. Y ella una mujer que giraba en la gran rueda de la femineidad.

Tanto hombres como mujeres bailaban con las caras bajas y sin expresión, abstractas, sumidas en la profunda absorción de hombres en la mayor virilidad, de mujeres en la mayor femineidad. Era sexo, pero el sexo elevado, no el inferior. Las aguas de la tierra girando sobre las aguas subterráneas de la tierra, como un águila girando en silencio sobre la propia sombra.

Kate sintió su sexo y su femineidad presos e identificados en el océano de lentas revoluciones de la vida naciente, teniendo encima el oscuro cielo de los hombres, más bajo y también giratorio. No era ella misma, ella había desaparecido, así como sus deseos, en el océano del gran deseo. Como el hombre cuyos dedos tocaban los suyos había desaparecido en el océano de la virilidad, inclinado sobre la faz de las aguas.

La lenta, vasta y suave revolución del océano superior sobre el océano inferior, sin ningún vestigio de rumor o espuma. Sólo la pura y deslizante conjunción. Ella, desaparecida en su mayor esencia, y su femineidad consumada en su mayor femineidad. Y donde sus deseos tocaban los dedos del hombre, la chispa silenciosa, como la estrella del amanecer, brillaba entre ella y la mayor virilidad de los hombres.

Qué extraño, estar sumergida en un deseo más allá del deseo, haber desaparecido con el cuerpo más allá del individualismo del cuerpo, con la chispa del contacto encendida como un lucero del alba entre ella y el hombre, su mayor esencia de mujer y la mayor esencia del hombre. Incluso de los dos hombres que estaban a su lado. Qué bella era la lenta rueda de la danza, dos grandes corrientes fluyendo en contacto, en direcciones opuestas.

Kate no conocía el rostro del hombre cuyos dedos asía con los suyos. Sus ojos personales se habían vuelto ciegos, el rostro de él era el rostro del oscuro cielo, y el mero contacto de sus dedos, una estrella que era a la vez de ella y de él.

Los pies de Kate ya distinguían el camino del paso de la danza. Estaba empezando a soltar suavemente su peso, a soltar la exaltación de toda su vida y dejarla fluir lenta, oscuramente, con un chorro menguante, con muchos chorros rítmicos y suaves que iban de sus pies al oscuro cuerpo de la tierra. Erguida, fuerte como el alimento básico de la vida, y no osbtante dejando fluir toda la savia de su fuerza hacia las raíces de la tierra.

Había perdido la noción del tiempo. Pero la propia danza parecía estar girando hacia su fin, aunque el ritmo se mantuvo exactamente igual hasta el mismo final.

La voz paró de cantar y sólo continuó el tambor. De pronto, con un estremecimiento pequeño y rápido, también el tambor enmudeció, y se produjo el silencio. E inmediatamente las manos se soltaron, el baile se deshizo en fragmentos. El hombre dirigió a Kate una rápida y distante sonrisa y se marchó. Kate nunca le reconocería con la vista. Pero por su presencia podría reconocerle.

Las mujeres se apartaron, cubriéndose bien con los rebozos. Los hombres se ocultaron en sus mantas. Y Kate se volvió hacia la oscuridad del lago.

—¿Ya se va, Niña? —inquirió la voz de Juana con leve y reservado desengaño.

—Tengo que irme —repuso Kate apresuradamente.

Y se alejó a grandes pasos hacia la oscuridad del lago. Juana corrió detrás de ella, con los zapatos y medias en la mano.

Kate necesitaba correr a su casa con su nuevo secreto, el extraño secreto de su mayor femineidad, al que no podía acostumbrarse. Tendría que sumergirse en este misterio.

Caminaba apresurada por el camino desigual de la orilla del lago, que estaba en la sombra, aunque las estrellas emitían la luz suficiente para distinguir los oscuros bultos y mástiles de los veleros contra la aterciopelada oscuridad del agua. ¡Noche, noche eterna, sin horas! Kate no quiso mirar su reloj. Lo dejaría boca abajo, para ocultar sus cifras fosforescentes. Se negaría a ser cronometrada.

Y mientras conciliaba el sueño, oyó de nuevo el tambor, como un pulso que latiera dentro de una piedra.

CAPITULO VIII

NOCHE EN CASA

Sobre el portal de la casa de Kate había un gran árbol llamado árbol de *cuentas** porque dejaba caer sus frutos, que eran pequeños, redondos y oscuros como canicas, perfectos de forma, para que los nativos los recogieran e hicieran con ellos collares de cuentas o, en particular, rosarios. Por la noche, el pequeño camino estaba muy oscuro, y la caída de las cuentas sobresaltaba al silencio.

Las noches, que al principio parecían tan amistosas, empezaron a estar llenas de terrores. El miedo había vuelto a extenderse. Una banda de ladrones se había formado en uno de los remotos pueblos del lago, un pueblo cuyos hombres tenían muy mal talante, como si estuvieran dispuestos a convertirse en bandidos de la noche a la mañana. Y esta banda, invisible durante el día, cuando sus componentes eran poseedores del lago y trabajadores del campo, salía de noche a caballo para saquear cualquier casa solitaria o mal protegida.

Y el hecho de que una banda de ladrones estuviera en acción siempre animaba a bandidos y delincuentes aislados. Ocurriera lo que ocurriese, todo era atribuido a los ladrones. Y así, muchos hombres de quienes nadie sospechaba, hombres al parecer honrados, con la vieja codicia en el alma, se deslizaban de noche con su *machete** y tal vez una pistola, para aprovecharse de la oscuridad.

Y de nuevo Kate vio el terror coagulado y denso en el negro silencio de la noche mexicana, hasta el punto en que el sonido de una cuenta al caer era algo terrible. Yacía escuchando la caída de la oscuridad. A poca distancia sonaba el largo y estridente silbato de la guardia de la policía, y al cabo de un rato se oía pasar con ligero estrépito la patrulla montada. Pero en la mayor parte de países, la policía nunca está presente salvo cuando no ocurre nada.

Se acercaba la estación de las lluvias y el viento nocturno se levantaba del lago, haciendo extraños ruidos ente los árboles y sacudiendo las numerosas puertas desvencijadas de la casa. Los criados estaban lejos, en su aislado recinto. Y en México, por la noche, toda pequeña distancia se aísla de modo absoluto, como un hombre envuelto en una capa negra dando la espalda.

Por la mañana llegaba Juana de la plaza, con ojos negros y vagos, y la vieja y cansada expresión simiesca de sujeción al miedo dibujada en su cara de bronce. Una raza de antigua sujeción al miedo, e incapaz de librarse de él. Empezaba inmediatamente, con un chorro balbuceante y sin cohesión, a relatar a Kate la historia de una casa asaltada y una mujer apuñalada. Y añadía que el propietario del hotel había mandado recado de que no era seguro que Kate durmiera sola en la casa. Tenía que ir a dormir al hotel.

Todo el pueblo se hallaba en el estado de curiosa aprensión que domina a la gente de piel oscura. Un pánico, un sentido de maldad y horror densos en el aire nocturno. Cuando llegaba la mañana azul, se animaban. Pero por la noche, el aire volvía a espesarse como sangre coagulada.

Y, como es natural, el miedo se comunicaba de una persona a otra. Kate estaba segura de que si Juana y su familia no estuvieran acurrucadas con terror de reptil en un extremo de la casa, ella no sentiría ningún miedo. Pero Juana parecía un lagarto inmovilizado por el terror.

No había ningún hombre en la casa. Juana tenía dos hijos: Jesús, que contaba con unos veinte años y Ezequiel, de diecisiete. Pero Jesús tenía a su cuidado el pequeño motor de gasolina de la luz eléctrica, y él y Ezequiel dormían juntos en el suelo del pequeño cuarto de máquinas. Así que Juana se acurrucaba con sus dos hijas, Concha y María, en el cuchitril del extremo de la casa, y parecía rezumar el sudor acre del miedo.

El pueblo estaba sumergido. En general la plaza seguía animada hasta las diez de la noche, con las hogueras de carbón de leña encendidas y el hombre de los helados paseando con el cubo sobre la cabeza y gritando sin cesar: *¡Nieve Nieve!**, y la gente charlando por las calles o escuchando a los jóvenes que tocaban sus guitarras.

Ahora, el lugar ya estaba desierto a las nueve, curiosamente paralizado y vacío. Y el *Jefe** hizo saber que se arrestaría a cualquiera que estuviese en la calle después de las diez.

Kate corría hacia su casa y se cerraba con llave. No es fácil resistirse al pánico de un pueblo semibárbaro de ojos negros. El miedo se contagia como una droga que flotase en el aire, y retuerce el corazón y paraliza el alma con un sentido de malignidad negra y horrible.

Kate yacía en la cama en una oscuridad absoluta: la luz eléctrica era cortada completamente y en todas partes a las diez en punto, tras lo cual reinaba una primitiva oscuridad. Y podía sentir el demoníaco aliento del mal propagándose en ondas por el aire.

Pensaba en las espeluznantes historias del país que había oído contar. Y volvía a pensar en el pueblo, exteriormente tan sereno, tan amable, de suave sonrisa. Pero incluso Humboldt había dicho de los mexicanos que pocos pueblos tenían una sonrisa tan suave y, al mismo tiempo, unos ojos tan fieros. No era que sus ojos fuesen exactamente fieros, sino que su negrura era rudimentaria, y la atravesaba una daga de luz blanca. Y en la rudimentaria negrura podía surgir la sed de sangre, procedente del sedimento del pasado increado.

Increado, creado a medias, semejante pueblo se hallaba a merced de las antiguas negras influencias que yacían en un sedimento de su fondo. Mientras estaban serenos, eran mansos y bondadosos, con una especie de diáfana ingenuidad. Pero cuando algo agitaba lo más profundo de su ser, las nubes negras se levantaban y ellos se lanzaban de nuevo a las antiguas y crueles pasiones de muerte, sed de sangre y odio innato. Un pueblo incompleto, y a merced de antiguos y poderosos impulsos.

Kate sentía que en el fondo de sus almas había un insondable resentimiento, como una herida no cicatrizada. El resentimiento denso, de ojos enrojecidos, que sienten los hombres siempre incapaces de ganar un alma para sí mismos, un núcleo, una integridad individual, entre el caos de pasiones, potencias y muerte. Están atrapados en el tráfago de viejos apetitos y actividades como en los anillos de una serpiente negra que estrangula el corazón. El denso y maloliente peso de un pasado no conquistado.

Y bajo este peso viven y mueren, no lamentando realmente morir. Atascados y enredados en los elementos, nunca capaces de liberarse. Ennegrecidos por un sol demasiado fuerte, sobrecargados de la pesada electricidad del aire mexicano y atormentados por el burbujeo de los volcanes que se elevan bajo sus pies. Los tremendos y potentes elementos del Continente americano, que dan a los hombres cuerpos poderosos pero que aplastan el alma e impiden su nacimiento. O, si un hombre llega a tener alma, los maléficos elementos la destrozan progresivamente, hasta que el hombre se descompone en ideas y actividades mecánicas, en un cuerpo lleno de energía mecánica, pero con el alma muerta y putrefacta.

Y así, estos hombres, incapaces de vencer a los elementos, aplastados por la mezcla serpentina de sol, electricidad y erupciones volcánicas, están sujetos a insondables y cíclicas oleadas de resentimiento y a un demoníaco odio hacia la vida misma. Entonces, el ruido sordo de un pesado cuchillo hundiéndose en un cuerpo vivo es lo peor. El apetito carnal por las mujeres no puede igualar a este apetito. ¡Ah, la puñzada de satisfacción cuando el cuchillo se hunde y la sangre brota!

Es la inevitable y suprema satisfacción de un pueblo atrapado en su pasado e incapaz de liberarse. Un pueblo que nunca ha sido redimido, que no ha conocido a un Salvador.

Porque Jesús no es un Salvador para los mexicanos. Es un dios muerto en su tumba. Como un minero queda sepultado bajo tierra por el derrumbamiento de una galería, así naciones enteras quedan

128

sepultadas bajo el sedimento de su pasado. A menos que llegue un Salvador, un Redentor que abra una nueva salida al sol.

Pero los hombres blancos no llevaron la salvación a México. Por el contrario, se hallan finalmente encerrados en la tumba, junto con su dios muerto y la raza conquistada.

Lo cual es el *statu quo*.

Kate yacía en la noche negra, pensando. Al mismo tiempo escuchaba intensamente, con un latido de horror. No podía controlar su corazón, que parecía haber cambiado de sitio y le causaba un dolor real. Estaba, como no había estado nunca en su vida, físicamente asustada, asustada en su sangre. Tenía la sangre inmóvil en una parálisis de miedo.

Durante la guerra y la revolución, en Inglaterra, en Irlanda, había conocido el miedo *espiritual*. El espantoso miedo del populacho; y durante la guerra, las naciones eran casi todas populacho. El terror del populacho que, como híbrido que era, quería destrozar el libre *espíritu* de hombres y mujeres individuales. Se trataba del anhelo frío y colectivo de millones de personas: destrozar el espíritu de individuos notables. Querían destrozar este espíritu para poder iniciar la gran carrera cuesta abajo hasta niveles ínfimos, la antigua adoración del oro y el ansia de matar. El populacho.

En aquellos días Kate había conocido la agonía del miedo frío y social, como si una democracia fuera un enorme y frío ciempiés que, si uno se le resistía, clavaría todas sus uñas en el cuerpo del rebelde. Y la carne se infectaría en torno a cada uña.

Aquello fue su peor tormento de miedo. Y había sobrevivido a él.

Ahora conocía las verdaderas garras del terror físico. Parecía tener el corazón desplazado, tenso de dolor.

Se adormeció, y despertó de repente por un pequeño ruido. Se incorporó en la cama. Las puertas que daban a la galería tenían postigos. Las puertas estaban aseguradas, pero los postigos se quedaban abiertos en su parte superior, que era como una ventana, para que circulase el aire. Y contra el gris oscuro de la noche, Kate vio algo que parecía un gato negro acechando al fondo de esta ventana de la puerta.

—¿Quién es? —dijo automáticamente.

Al instante, la sombra se movió, alejándose, y Kate comprendió que era el brazo de un hombre que se había metido dentro para alcanzar el pestillo de la puerta. Yació por un momento paralizada, a punto de gritar. No hubo ningún movimiento, así que alargó el brazo y encendió una vela.

El curioso pánico era una agonía para ella. La paralizaba y estrujaba su corazón. Yacía postrada en la angustia del terror nocturno. La vela ardía débilmente. Se oía el distante susurro de un trueno. Y la noche era horrible, horrible, y México representaba una pesadilla indescriptible para ella.

No podía relajarse ni hacer que el corazón volviese a su lugar. «Ahora —pensó— estoy a merced de este miedo y me he perdido a mí misma». Y era terrible sentirse perdida, alejada de sí misma por el terror del miedo.

«¿Qué puedo hacer? —pensó, haciendo un esfuerzo—. ¿Cómo puedo ayudarme a mí misma?». Sabía que estaba completamente sola.

Durante mucho rato no pudo hacer nada. Entonces logró sentir cierto alivio al pensar: «Estoy creyendo en el mal. No debo creer en el mal. El pánico y el asesinato no se inician nunca a menos que los dirigentes pierdan el control. No creo realmente en el mal. No creo que el viejo Pan pueda conducirnos a las antiguas formas malignas de conciencia, a menos que lo deseemos. Creo que existe un poder supremo que nos dará una fuerza mayor siempre que creamos en él y en la chispa del contacto. Ni siquiera creo que el hombre que pretendía entrar ahora en mi habitación tenga realmente el poder. Sólo intentaba ser ruin y malvado, pero algo que había en él tendría que someterse a una fe y un poder mayores».

Así se tranquilizó a sí misma, hasta que tuvo el valor de levantarse y cerrar los postigos de la parte superior. Después fue de habitación en habitación, para convencerse de que todo estaba bien cerrado. Y se alegró de comprobar que tenía tanto miedo de un posible escorpión deslizándose por el suelo como del horror del pánico.

Ahora ya había visto que las cinco puertas y las seis ventanas de los dormitorios estaban aseguradas. Se encontraba presa dentro de la oscuridad, con su vela. Para ir a la otra parte de la casa, el comedor y la cocina, tenía que salir a la galería.

Se tranquilizó, encerrada con el débil resplandor de su vela. Y su corazón, aún dolorido por el miedo, pensaba: «Joachim decía que el mal era el retroceso a viejas formas de vida que han sido superadas en nosotros. Esto trae muertes y codicia. Pero los tambores de la noche del sábado son el viejo ritmo, y aquella danza en torno al tambor es la vieja y salvaje forma de expresión. Un retroceso consciente al salvajismo. Así que tal vez es malo».

Pero, nuevamente, surgió su instinto de creer.

«¡No! No es un retroceso involuntario y miedoso. Es algo consciente, cuidadosamente elegido. Tenemos que volver a recuperar viejos hilos. Tenemos que recuperar el viejo y vencido impulso que nos conectará otra vez con el misterio, ahora que estamos en el límite de nuestras fuerzas. Tenemos que hacerlo. Don Ramón tiene razón. Debe ser un gran hombre, en realidad. Pensaba que ya no quedaban grandes hombres: sólo grandes financieros y grandes artistas, pero no grandes *hombres*. Debe ser un gran hombre».

De nuevo se sintió infinitamente consolada por esta idea.

Pero en seguida después de que hubiera apagado la vela, un gran fulgor de luz blanca se introdujo por todas las rendijas de las ventanas, y el trueno estalló como un cañonazo, con aparatoso estrépito. Las descargas parecían caer sobre el corazón de Kate, que yacía absolutamente inmóvil, en una especie de histerismo tranquilo, torturada. Y el histerismo la obligó a seguir escuchando, tensa y abyecta, hasta el amanecer. Y entonces estaba deshecha.

Por la mañana apareció Juana, quien también parecía un insecto muerto, con la frase convencional:

—¿Cómo ha pasado la noche, Niña?

—¡Mal! —respondió Kate, y le contó la historia del gato negro o el brazo del hombre.

—¡*Mira!** —exclamó Juana en voz baja—. La pobre inocente morirá asesinada en su cama. No, Niña, tiene que irse a dormir al hotel. No, no, Niña, no puede dejar abierto el postigo de su ventana. No, no, es imposible. ¿Irá a dormir al hotel? La otra señora lo hace.

—No quiero irme —dijo Kate.

—¿No quiere, Niña? ¡Ah! *Entonces, entonces**, Niña, diré a Ezequiel que duerma delante de su puerta con su pistola. Tiene una pistola, y dormirá ante su puerta, y usted podrá dejar el postigo abierto para tener aire en la noche caliente. Ah, Niña, las pobres mujeres necesitamos a un hombre y una pistola. No debemos quedar solas por la noche. Tenemos miedo, los niños tienen miedo. ¡Imagine que fue un ladrón el que quería abrir su puerta! ¡Imagínelo! No, Niña, se lo diremos a Ezequiel este mediodía.

Ezequiel entró a grandes pasos altivos a mediodía. Era un muchacho tímido y salvaje, muy erguido y orgulloso. Su voz estaba cambiando y tenía una peculiar resonancia.

Escuchó tímidamente mientras le hacían el anuncio. Después miró a Kate con brillantes ojos negros, como un hombre dispuesto a acudir en su socorro.

—¡Sí! ¡Sí! —contestó—. Dormiré aquí en el pasillo. No tenga ningún miedo. Vendré con mi pistola.

Se fue y volvió con la pistola, que tenía un cañón muy largo.

—Dispara cinco balas —explicó, enseñando el arma—. Si abre usted su puerta por la noche, antes ha de decirme una palabra porque si veo que algo se mueve, dispararé cinco veces. ¡Pst! ¡Pst!

Kate vio en el resplandor de sus ojos cuánta satisfacción le causaría disparar cinco balas contra algo que se moviera en la noche. La idea de que le disparasen a *él* no le preocupaba en absoluto.

—Y, Niña —añadió Juana—, si vuelve a casa tarde, después de

apagarse la luz, ha de llamar «¡Ezequiel!». Porque, si no lo hace...
¡*Pum*! ¡*Pum*! ¡Y quién sabe quién podría morir!

Ezequiel se acostó sobre una estera de paja en la galería de ladrillo, justo enfrente de la puerta de Kate, envuelto en su manta y con la pistola a su lado. Y así ella pudo tener el postigo abierto para que entrase aire. Y la primera noche volvió a desvelarse por culpa de los violentos ronquidos de Ezequiel. ¡Jamás había oído un sonido más atronador! ¡Qué pecho debía tener aquel muchacho! Era un sonido de otro mundo, extraño y salvaje. Los ronquidos la mantuvieron despierta, pero había algo en ellos que le gustaba. Una especie de fuerza salvaje.

CAPITULO IX

LA CASA DE LAS CUENTAS

Kate no tardó en encariñarse con la renqueante y desaseada Juana y con sus hijas, Concha, de catorce años, una niña robusta, gruesa y salvaje, de abundante cabellera negra y ondulada, que siempre se estaba rascando, y María, de once, una criatura tímida y delgada, de ojos grandes que casi siempre parecían absorber la luz que la rodeaba.

Era una familia atolondrada. Juana admitía un padre diferente para Jesús, pero, a juzgar por el resto, era plausible sospechar que cada uno de ellos tenía un padre diferente. En toda la familia había una despreocupación básica y sarcástica frente a la vida. Vivían al día, con una indiferencia densa y obstinada, sin interesarles el pasado, ni el presente, ni el futuro. Ni siquiera les interesaba el dinero. Gastaban en un minuto todo lo que tenían, y no volvían a pensar en ello.

Sin fin ni propósito, vivían absolutamente *a terre,* en la tierra oscura y volcánica. No eran animales porque los hombres, las mujeres y los niños *no pueden* ser animales. No nos ha sido concedido. *¡Camina, porque una vez te hayas ido, no podrás volver jamás!,* dice el gran Impulso que nos anima creativamente a seguir adelante. Cuando el hombre intenta regresar brutalmente a los previos niveles de evolución, lo hace en un espíritu de crueldad y desdicha.

Así pues, en los negros ojos de la familia había cierto temor malsano y asombro y desdicha. La desdicha de los seres humanos que esperan en cuclillas frente a sus propios seres inacabados, incapaces de sacar a sus almas del caos e indiferentes a todas las demás victorias.

Las personas blancas también están perdiendo su alma. Pero han conquistado los mundos inferiores del metal y la energía, por lo que se atarean en torno a las máquinas, describiendo círculos alrededor de su propio vacío.

En opinión de Kate, en su familia había un gran patetismo, y también cierta cualidad repulsiva.

Juana y sus hijos, una vez hubieron aceptado como suya a la Niña, fueron honestos con intensidad. Era una cuestión de honor ser honestos hasta la última pequeña ciruela del frutero. Y estaban intensamente ansiosos por servirla.

Indiferentes a lo que les rodeaba, vivían entre la suciedad. La tierra era un gran cubo de basura. Tiraban al suelo todo lo que desechaban, y no les importaba. Casi les gustaba vivir en un *milieu* de pulgas y harapos, trozos de papel, pieles de plátano y huesos de mango. ¡Aquí hay un trozo de mi vestido viejo! Tómalo, tierra. ¡Aquí hay unos pelos de mi cabeza! ¡Tómalos, tierra!

Pero Kate no podía soportarlo. A ella le importaba. E inmediatamente, la familia se sintió muy contenta, muy emocionada porque a *ella* le importaba. Barrieron el patio con la escoba de ramitas hasta que casi no quedó tierra en la superficie. ¡Qué divertido! La Niña tenía sentimientos al respecto.

Para ellas era un fuente de asombro y diversión, pero nunca de clase superior; sólo una persona asombrosa, medio incomprensible, medio divertida.

La Niña quería que el *aguador** llevara dos *botes** de agua caliente de los manantiales, muy de prisa, para lavarse de arriba abajo todas las mañanas. ¡Qué divertido! Vamos, María, di al aguador que corra con el agua de la Niña.

Después casi se ofendían porque se encerraba para bañarse. Era para ellas una especie de diosa que les procuraba diversión y extrañeza; pero tenía que ser siempre accesible. Y Kate descubrió que un dios que ha de ser siempre accesible a los seres humanos está en una posición poco envidiable.

No, no era una sinecura ser una Niña. Al amanecer empezaba en el patio el rascado con la escoba de ramitas. Kate continuaba en la cama, con las puertas cerradas pero los postigos abiertos. ¡Bullicio afuera! Alguien pretendía vender dos huevos. ¿Dónde está la Niña? ¡Durmiendo! El visitante no se marcha. Bullicio continuo afuera.

¡El aguador! ¡Ah, el agua para el baño de la Niña! Está durmiendo, está durmiendo. «¡No!», gritaba Kate, poniéndose una bata y yendo a abrir la puerta. Entraban las niñas con la bañera, entraba el aguador con las dos latas cuadradas de queroseno llenas de agua caliente. ¡Doce centavos! ¡Doce centavos para el aguador! *¡No hay!** No tenemos doce centavos. ¡Después! ¡Después! El aguador se marcha con la vara sobre el hombro. Kate cierra puertas y postigos y empieza a bañarse.

—¡Niña! ¡Niña!

—¿Qué quieres?

—¿Huevos pasados por agua, fritos o *rancheros?** ¿Cuáles prefiere?

—Pasados por agua.

—¿Café o chocolate?

—Café.

—¿O quiere té?

—No, café.

134

Continúa bañándose.

—¡Niña!

—Dime.

—No hay café. Ahora vamos a comprarlo.

—Tomaré té.

—¡No, Niña! Ya me voy. Espérame.

—Ve entonces.

Kate sale a desayunar a la galería. La mesa está puesta, llena a rebosar de fruta, pan blanco y bollos dulces.

—Buenos días, Niña. ¿Cómo ha pasado la noche? ¡Bueno! ¡Gracias a Dios! María, el café. Voy a poner los huevos en el agua. ¡Oh, Niña, espero que no salgan duros! ¡Mira, qué pies de Madonna! ¡Mira qué *bonitos!*

Y Juana se agachó, fascinada, para tocar con un dedo negro los pies blancos y suaves de Kate, metidos en una ligeras sandalias que sólo tenían una tira en diagonal sobre el pie.

El día había comenzado. Juana se consideraba a sí misma dedicada enteramente a Kate. En cuanto podía enviaba a empujones a sus hijas a la escuela. A veces se iban; pero casi siempre se quedaban. La Niña decía que debían ir a la escuela. ¡Escuchad! ¡Escuchadme bien! ¡Dice la Niña que debéis ir a la escuela! ¡Fuera! ¡Andando!

Juana cojeaba arriba y abajo de la larga galería, de la cocina a la mesa del desayuno, llevándose los platos de uno en uno. Luego los fregaba con un violento chapoteo.

¡La mañana! Un sol brillante se derramaba sobre el patio, las flores del hibisco y los frutos amarillos y verdes de los plátanos. Los pájaros iban y venían velozmente, con tropical exuberancia. Bajo la densa sombra del grupo de mangos pasaban como fantasmas indios vestidos de blanco. Flotaba una sensación de sol violento y, aún más impresionante, de sombra oscura e intensa. Había un estremecimiento de vida, pero también un agobiante peso de silencio. Un brillo y un deslumbrante fulgor de luz, pero también la sensación de un peso.

Kate, ya sola, se mecía en la galería, fingiendo coser. De pronto aparecía en silencio un anciano con un huevo alzado misteriosamente, como un símbolo. ¿Quería comprarlo la *patrona** por cinco *centavos?**. La Juana sólo da cuatro centavos. Muy bien. ¿Dónde está Juana?

Juana llega de la plaza con más compras. ¡El huevo! ¡Los cuatro centavos! La cuenta de los gastos. *¡Entonces! ¡Entonces!* *¡Luego!* *¡Luego!** *¡Ah, Niña, no tengo memoria!**. Juana no sabía leer ni escribir. Iba arrastrando los pies hasta el mercado con sus pesos, y compraba montones de pequeñas cosas a un centavo cada una todas las mañanas. Y todas las mañanas hacía la cuenta. ¡Ah! ¿Dónde estamos? No tengo memoria. Bueno... ¡Ah, sí, he comprado tres centavos de ocote! ¿Cuánto? ¿Cuánto, Niña? ¿Cuánto falta ahora?

Era un juego que divería muchísimo a Juana, este contar los centavos hasta que salían las cuentas redondas. Si faltaba un solo centavo, se quedaba paralizada. Reaparecía una y otra vez:

—¡Falta un centavo, Niña! ¡Oh, qué estúpida soy! ¡Pero le daré uno de los míos!

—No te preocupes —decía Kate—. Olvídalo.

—¡No, no! —exclamaba, alejándose compungida.

Hasta que una hora después, un agudo grito sonaba en el extremo opuesto de la casa. Juana acudía agitando un ramillete de hierbas.

—¡Mire, Niña! ¡Compré perejil a un centavo!* ¿Ahora está bien?

—Sí, ya está bien —decía Kate.

Y la vida podía continuar una vez más.

Había dos cocinas, una contigua al comedor, que pertenecía a Kate, y el angosto cobertizo bajo los plátanos, que pertenecía a la servidumbre. Desde la galería Kate podía ver este cobertizo que tenía un agujero negro en lugar de ventana.

¡Clap! ¡Clap! ¡Clap! ¡Clap! «¡Cómo, creía que Concha estaba en la escuela!», se decía Kate.

¡No! Allí, en la oscuridad del agujero, se veía la cara morena y la cabellera de Concha, asomándose como un animal al agujero de su guarida, mientras hacía las tortillas*. Las tortillas son tortas planas de pasta de maíz, asadas sobre el fuego en una fuente de loza. Y su preparación consiste en poner un trozo de pasta en la palma de la mano y pasarla con enérgicas palmadas de una mano a otra, hasta que la tortilla ha adquirido la necesaria delgadez, redondez y presunta ligereza.

¡Clap! ¡Clap! ¡Clap! ¡Clap! El sonido de Concha haciendo tortillas a la hora más calurosa de la mañana, asomándose a su oscuro agujero, era inevitable como el susurro de alguna araña. Y un poco después de mediodía se vería salir humo del agujero; Concha dejaba caer las tortillas crudas en la gran fuente de loza colocada sobre un lento fuego de leña.

Entonces llegaba o no llegaba Ezequiel, muy hombre, con el sarape sobre un hombro y el gran sombrero enrollado de forma muy airosa, para comer las tortillas del mediodía. Si tenía trabajo en el campo a cierta distancia, no aparecía hasta el atardecer. Si aparecía, se sentaba en el escalón de la puerta y las mujeres le servían las tortillas y le llevaban su vaso de agua como si fuera un rey, aunque sólo se tratara de un muchacho. Y su voz ronca y cambiante tenía un tono de mando.

Mando era la palabra. Aunque era tranquilo y amable, y muy concienzudo, había un majestuoso tono de mando en su voz cuando hablaba a su madre y hermanas. La antigua prerrogativa masculina. A Kate le entraban deseos de ridiculizarle.

Llegaba la comida de Kate: una de sus pesadillas. Sopa caliente y bastante grasienta. El inevitable arroz caliente, grasiento y cargado de pimienta. La inevitable carne con salsa caliente, espesa y bastante grasienta. *Calabacitas** o berenjena hervida, ensalada, quizá algún *dulce** confeccionado con leche; y la gran cesta de fruta. Sobre su cabeza, el ardoroso sol tropical de finales de mayo.

Por la tarde, más calor. Juana salía con las niñas y los platos. Fregarían la cajilla y los cubiertos en el lago. En cuclillas sobre las piedras, mojaban platos, cucharas y tenedores uno por uno en la límpida agua del lago, y después los ponían a secar al sol. Tras lo cual Juana podía lavar un par de toallas en el lago y las niñas, bañarse. Pasando el día, pasando el día.

Jesús, el hijo mayor, un muchacho extraño, pesado y grasiento, solía aparecer por la tarde, para regar el jardín. Pero comía y cenaba en el hotel, y en realidad vivía allí, tenía su hogar allí. Aunque en realidad no tenía ningún hogar, como tampoco lo tiene un *zopilote**. Pero dirigía la *planta** y hacía diversas tareas en el hotel y trabajaba todos los días del año hasta las diez y media de la noche, ganando veintidós pesos, once dólares, al mes. Llevaba una camisa negra, y su pelo negro, grueso y abundante, le caía sobre la estrecha frente. Muy cerca de un animal. Y aunque, para dar órdenes, llevaba una camisa negra de fascista, tenía la rara expresión animal y burlona de los socialistas, un instinto de destrucción.

Su madre y él mantenían una curiosa intimidad de pequeñas e indiferentes bromas mutuas. Daba algún dinero a su madre si ésta se encontraba en un apuro. Y había entre ellos el leve vestigio de un lazo sanguíneo. Aparte de esto, una indiferencia completa.

Ezequiel era de tipo más delicado. Esbelto y tan erguido que casi se echaba atrás. Muy tímido, *farouche*, y también orgulloso, y más responsable para con su familia. Nunca iría a trabajar a un hotel. No. Era un trabajador del campo y estaba orgulloso de serlo. Se trataba de un trabajo de hombre. No le iban los equívocos servicios a medias.

Aunque sólo era un jornalero, el hecho de trabajar en el campo le hacía sentir libre de toda servidumbre. Trabajaba para la tierra, no para un amo. En su interior sentía que la tierra era suya, y en cierto modo él pertenecía a la tierra. Tal vez se trataba de un primitivo sentido de propiedad y servicio comunal y tribal.

Cuando había trabajo, podía ganar un peso diario, pero con frecuencia fallaba el trabajo, y muy a menudo sólo ganaba setenta y cinco centavos por día. Cuando la tierra estaba seca, trataba de trabajar en la carretera, aunque no le gustaba. Pero le pagaban un peso diario.

Con mucha frecuencia no había trabajo. A veces durante unos días, a veces durante semanas enteras, tenía que vagar de un lado a otro, sin nada que hacer, sin nada que hacer. Sólo cuando el gobierno socialista empezó a dar trozos de tierra a los campesinos, al dividir las grandes haciendas, a Ezequiel le concedieron un pequeño espacio de tierra en las afueras del pueblo. Iba a limpiarlo de piedras y preparar la construcción de una pequeña choza. Y partía la tierra con una azada, su única herramienta, en la medida de sus fuerzas. Pero no tenía lazos de sangre con este cuadrilátero de tierra antinatural, y no podía entablar relaciones con ella. Era caprichoso y tímido a su respecto. No había incentivo, impulso.

Los días laborables entraba a grandes zancadas alrededor de las seis, y saludaba tímidamente a Kate al pasar. En su barbarie, era un caballero. Luego, en el cuchitril del extremo, doblaba con rapidez tortilla tras tortilla, sentado en el suelo contra la pared, y comía con avidez las correosas tortas que saben a argamasa, porque el maíz se hierve primero con cal para ablandar la chala, y aceptaba después otra pila, servida sobre una hoja, de la cocinera, Concha. Juana, cocinera de la Niña, ya no condescendía a cocinar para su propia familia. Y a veces había en la cacerola un resto de carne picada con chile que Ezequiel rebanaba y comía junto con sus tortillas. Y otras veces no lo había. Pero siempre comía con cierta indiferencia rápida y ciega que también parece ser mexicana. Parecen *comer* incluso con cierta desgana hostil, y muestran una extraña indiferencia hacia lo que comen y cuando lo comen.

Una vez concluida la cena, en general salía de nuevo como un rayo, hacia la plaza, para estar entre hombres. Y las mujeres permanecían sentadas en el suelo, en silencio. A veces Kate llegaba a casa a las nueve y la encontraba vacía: Ezequiel en la plaza, Juana y María desaparecidas y Concha dormida como un montón de harapos sobre la arena del patio. Cuando Kate la llamaba, levantaba la cabeza, pasmada e indiferente; y luego se enderezaba como un perro y se arrastraba hasta el portal. El extraño estupor de aburrimiento e indiferencia que siempre les dominaba era motivo de espanto para Kate.

La peculiar indiferencia hacia todo, incluso entre ellos. Juana lavaba un par de pantalones de algodón y una camisa de algodón para cada uno de sus hijos una vez por semana, y ahí terminaban sus esfuerzos maternales. Apenas les veía, y a menudo no tenía idea de lo que hacía Ezequiel, de dónde trabajaba o en qué. Iba al trabajo nada más.

Y no obstante, a veces daba rienda suelta a violentos accesos de protección maternal, cuando el muchacho era tratado injustamente, como solía ser el caso. Si pensaba que estaba enfermo, se abandonaba a una especie de temor fatalista. Kate tenía que obligarla a reaccionar para que comprara una sencilla medicina.

Como animales, y, sin embargo, no del todo como animales. Porque los animales son completos en su aislamiento y su *insouciance*. En ellos no hay indiferencia. Se trata de autosuficiencia. Pero en la familia reinaba siempre una especie de hemorragia por su estado incompleto y un terrible estupor de aburrimiento.

Las dos niñas no podían separarse: siempre tenían que correr una detrás de otra. No obstante, Concha se burlaba continuamente de la bobalicona e ingenua María. Y ésta siempre estaba llorando. O las dos se tiraban mutuamente piedras, aunque sin ánimo de dar en el blanco. Juana las insultaba con vehemencia repentina, que al cabo de un instante volvía a ser la indiferencia más completa.

Era extraña la salvaje ferocidad con que las niñas empezaban de improviso a tirarse piedras, pero aún era más extraño que siempre las tiraran con intención de *no acertarse*. Kate advirtió lo mismo en los salvajes ataques de los muchachos en la playa, que se lanzaban grandes piedras con intensa y terrible ferocidad. Pero casi siempre apuntando con una mirada curiosa, sólo cerca del blanco.

Pero algunas veces no. Algunas veces se causaban profundos cortes. Y entonces el herido se desplomaba repentinamente, con un alarido, como muerto. Y los otros chicos retrocedían, llenos de miedo silencioso. Y el chico herido permanecía en el suelo, no muy lastimado en realidad, pero como si le hubieran matado.

Después se levantaba de repente con una convulsión asesina en el rostro y perseguía a su adversario con una piedra. Y el adversario huía abyectamente.

Siempre lo mismo entre los jóvenes: una incesante e interminable provocación. Lo mismo que entre los pieles rojas. Pero los indios de Pueblo pasan raramente de la palabra a la violencia; en cambio, los muchachos mexicanos, casi siempre. Y casi siempre el muchacho poseído por la furia perseguía al provocador hasta que le hería, y éste último se desplomaba. Luego solía revivir, y con violento frenesí perseguía al otro, el cual huía, lleno de terror. Uno u otro era siempre cobarde.

Eran un extraño enigma para Kate; sentía que era preciso hacer algo. Ella misma estaba dispuesta a ayudar, así que empezó a ocuparse de las dos niñas una hora todos los días, enseñándoles a leer, coser, dibujar. María quería aprender a leer; eso sí que lo deseaba. En realidad, empezaron bien. Pero pronto, la regularidad y ligera insistencia de Kate en reclamar su atención hicieron que de nuevo optaran aquel peculiar tono de burla, característico del Continente americano. Una burla quieta, invisible, malévola, un deseo de ofender. La empujaban, se introducían en su intimidad y, con extraño descaro, hacían todo lo posible por pisarla. Con sus malévolas voluntades, se esforzaban por humillarla.

—No, no te apoyes en mí, Concha. Apóyate sobre tus propios pies.

La ligera sonrisa maligna del rostro de Concha cuando se apoyó sobre sus propios pies. Entonces:

—¿Tiene piojos en el pelo, Niña?

La pregunta formulada con una sutil insolencia india.

—No —dijo Kate, enfadada de pronto—. Y ahora, ¡marchaos! ¡Vamos, pronto! No volváis a acercaros a mí.

Se escabulleron, abyectas. Así acabó la idea de educarlas.

Kate recibió visitas de Guadalajara: gran excitación. Pero mientras los visitantes tomaban el té con Kate en la galería, en el otro extremo del patio, bien visible, Juana, Concha, María y Felipa, una prima de unos dieciséis años, se pusieron en cuclillas sobre la grava, con sus espléndidas melenas negras sobre sus espaldas y se exhibieron a sí mismas buscándose mutuamente piojos en la cabeza. Querían estar bien a la vista; y lo estaban. Querían poner bajo las narices de aquellas personas blancas el básico hecho de los piojos.

Kate bajó de la galería casi corriendo.

—Si tenéis que buscaros los piojos —dijo a Juana con voz temblorosa por la ira—, buscadlos en vuestro cuarto, donde no se os pueda ver.

Un instante, los ojos negros y primitivos de Juana brillaron con un maligno ridículo al cruzarse con los de Kate. El siguiente, humildes y abyectas, las cuatro se escurrieron hacia el cuchitril con las negras melenas cubriéndoles la espalda.

Pero fue una satisfacción para Juana haber hecho brillar de ira los ojos de Kate. La halagó; sintió cierto poder en sí misma. Desde luego, estaba un poco asustada de esta ira, pero esto era lo que ella quería. No le hubiera interesado una Niña que no le inspirase un poco de miedo. Y quería ser capaz de provocar esta ira, que le hacía sentir una punzada de abyecto temor.

¡Ah, las razas oscuras! La raza irlandesa de Kate se parecía lo suficiente para que ella hubiera vislumbrado algo del misterio. Las razas oscuras pertenecen a un ciclo pasado de humanidad. Han quedado olvidadas en un abismo del que nunca han sido capaces de salir. Y nunca podrán llegar a los niveles del hombre blanco. Sólo pueden seguir como servidores.

Mientras el hombre blanco mantiene el ímpetu de su altiva marcha hacia delante, las razas oscuras ceden y sirven, por fuerza. Pero en cuanto el hombre blanco tenga una sola duda sobre su propio liderazgo, las razas oscuras le atacarán inmediatamente, para hundirle en los antiguos abismos. Para engullirle otra vez.

Que es lo que está sucediendo. Porque el hombre blanco, pese a todas sus bravatas, está lleno de dudas sobre su propia supremacía.

Adelante, pues, la *débâcle,* y a toda velocidad.

Pero en cuanto Kate llegaba a sentir una pasionada revulsión por esta gente humillante y piojosa, volvían a cambiar, y la servían con un anhelo tan auténtico que no podía más que conmoverla. En realidad Juana no se preocupaba por nada, pero no quería romper aquel último hilo de la relación que la conectaba con Kate y el mundo superior de luz diurna y aire fresco. No, no quería echar definitivamente a su Niña. No, no, lo único que quería, en última instancia, era servir a su Niña.

Pero al mismo tiempo abrigaba una profunda y malévola hostilidad hacia la gente rica, la gente blanca, la gente superior. Tal vez el hombre blanco ha traicionado finalmente su propia supremacía. ¡Quién sabe! Pero es una cuestión del alma valiente y emprendedora, y quizá el hombre blanco ya ha traicionado al alma, y por eso las razas oscuras se rebelan contra él.

Juana solía acudir a Kate con historias del pasado, y la expresión burlona y siniestra chispeaba en sus ojos negros, y el rostro cobrizo y arrugado se convertía en la máscara de un reptil mientras continuaba:

—*Usted sabe, Niña, los gringos, los gringuitos se llevan todo...**.

Los gringos son los americanos. Pero Juana incluía a la propia Kate en los gringuitos: los extranjeros blancos. La mujer estaba atacando de nuevo con disimulada insolencia.

—Es posible —decía fríamente Kate—, pero, dime qué me llevo yo de México.

—¡No, Niña, no! —La sutil sonrisa de satisfacción acechaba bajo la máscara cobriza de Juana. Había sabido tocar a la otra mujer en un punto sensible—. ¡No lo digo por usted, Niña! —Pero la protesta era excesiva.

Casi querían obligarla a marcharse: insultarla, humillarla y forzarla a irse. No podían evitarlo. Como los irlandeses, se vengarían aun a costa de sí mismos.

¡Las razas subdesarrolladas!

Al mismo tiempo había en ellos un verdadero patetismo. Ezequiel había trabajado dos meses para un hombre, construyendo una casa, cuando era un muchacho de catorce años, a fin de comprarse un sarape. Al cabo de dos meses el hombre le despidió, y no pudo adquirir el sarape. Aún no lo tenía. Un amargo desengaño.

Pero Kate no era la culpable, y Juana casi parecía señalarla como tal.

Un pueblo sin la energía de *progresar* no podía evitar ser explotado. Habían sido cruelmente explotados durante siglos, y su espina dorsal estaba rígida de malévola resistencia.

«Pero —decía Kate para sus adentros— yo no quiero explotarlos. En absoluto. Por el contrario, estoy dispuesta a dar más de lo que reciba. Pero esos insidiosos insultos no son jugar limpio; yo nunca les insulto. Tengo cuidado de no herirles. Y ellos me atacan como un ciempiés y se alegran cuando me ofendo*.

Pero en este juego sucio reconocía a su propia raza irlandesa, así que era capaz de olvidar a Juana y las niñas y aislarse de ellas. Una vez olvidadas, ellas olvidaban su malevolencia y recordaban las órdenes de Kate. Cuando Kate era amable, no las recordaban. No barrían el patio ni se aseaban ellas mismas. Sólo volvían a recordarlo cuando las alejaba de su lado, aislándolas.

El chico, Ezequiel, parecía tener más honor que las mujeres. Nunca se lanzaba a estos ataques insidiosos.

Y cuando la casa estaba limpia y silenciosa y el aire parecía más puro y el alma renovada, Kate volvía a sentir afecto por la familia. Su curioso ir y venir, como pájaros, el insistente clap, clap de las tortillas, el chasquido de los tomates y el chile siendo aplastados sobre el *metate**, cuando Juana hacía una salsa. El ruido del cubo en el pozo. Jesús, ven a regar el jardín.

¡El juego, el juego continuo! Todo lo que hacían tenía que ser divertido, o no podían hacerlo. No podían abstraerse en una rutina. Jamás. Todo tenía que ser divertido, variado, un poco como una aventura. Era una confusión, pero, al fin y al cabo, una confusión viva, y no algo aburrido y triste. Kate recordaba a sus servidores ingleses en la cocina inglesa: tan mecánicos y, en cierto modo, inhumanos. Pues los de aquí eran el otro extremo.

Aquí no existía la disciplina ni el método. Aunque Juana y su prole querían realmente hacer las cosas que deseaba Kate, tenían que hacerlas a su modo. A veces Kate se desesperaba: era mucho más *fácil* de seguir la conducta mecánica. Pero, en la medida de lo posible, dejaba hacer a la familia. Tuvo que acostumbrarse, por ejemplo, a las extravagancias de su mesa de comedor: una pequeña mesa redonda que siempre estaba en la galería. A la hora del desayuno se encontraba discretamente bajo las *plantas** cercanas al *salón**; a la una, hora de comer, había viajado al otro extremo de la galería; a la hora del té podía estar sobre la hierba, bajo un pequeño árbol. Y después Juana decidía que la Niña debía cenar dos huevos, *rancheros**, en el propio comedor, aislada en un rincón, frente a la larga mesa capaz para catorce comensales.

Lo mismo pasaba con los platos. ¿Por qué, después de lavarlos en los grandes barreños de la cocina durante varios días, acarrearlos de pronto hasta el lago, con las cazuelas sucias en una cesta que Juana llevaba sobre el hombro? Kate no lo supo nunca. Como no fuera porque era divertido.

¡Niños! Pero no, no eran niños. Carecían de la admirada *insou-*

ciance de la niñez. Siempre había en sus almas algo oscuro y consciente: un gran peso de resistencia. Trabajaban a tontas y a locas y podían ser muy diligentes; pero luego venían días en que se echaban por el suelo como cerdos. A veces estaban alegres y se sentaban en corros, como en las noches de Arabia, riendo durante horas. Después, súbitamente, resistiéndose a la misma alegría que llevaban dentro, se sumían en una sorda melancolía. Cuando estaban trabajando, muy atareados, de repente, sin ningún motivo, tiraban la herramienta al suelo como arrepentidos de haberse entregado. De moral acomodaticia, cambiando siempre de amor, los hombres por lo menos se resistían a entregarse realmente a sí mismos. No querían lo que estaban persiguiendo. Eran las mujeres las que les empujaban. Y las parejas que volvían del lago en la oscuridad, bromeando y dándose codazos uno a otro, sorprendían a Kate por lo insólito de su actitud: hombres y mujeres no exhibían nunca su sexo, como hacen los blancos. Y la repentina risa sexual del hombre, un extraño sonido de dolor y deseo, obstinada reserva c incontenible pasión, un sonido como si algo se rasgara en su pecho, era algo difícil de olvidar.

La familia era un peso para Kate. En cierto sentido se le antojaban parásitos que querían vivir de su vida, y hundirla, hundirla. Otras veces eran tan generosos con ella, tan buenos y amables, que les consideraba maravillosos. Y después volvía a chocar con aquella indiferencia densa, inconsciente, de reptil; indiferencia y resistencia.

Para ella, sus criados eran la clave de toda la vida nativa. Los hombres siempre juntos, erguidos, apuestos, manteniendo el equilibrio de los grandes sombreros sobre sus cabezas y, tanto si estaban sentados como en pie o en cuclillas, impasibles como reptiles. Las mujeres juntas en otro grupo, suaves, como *ocultas,* bien envueltas en sus oscuros rebozos. Hombres y mujeres parecían estar siempre dándose la espalda, como si no quisieran verse. No había coqueteo, noviazgo. Sólo una rápida y sombría mirada de vez en cuando, señal de un deseo parecido a un arma, dado y recibido.

Las mujeres parecían, en general, ligeramente insensibles y decididas a hacer su voluntad: cambiar a los hombres, si lo deseaban. Y a los hombres no parecía importarles mucho. Pero eran las mujeres las que deseaban a los hombres.

Las mujeres nativas, con sus largos cabellos negros cayendo sobre las llenas y morenas espaldas, se bañaban en un extremo de la playa, llevando casi siempre su camisa o una pequeña falda. Los hombres no les hacían el menor caso; ni siquiera miraban hacia el otro lado. Eran mujeres bañándose, simplemente. Como si fueran *charales** nadando, una parte natural de la vida del lago. Los hombres dejaban aquel lado del lago a las mujeres, y éstas se

143

sentaban en el bajío, aisladas como aves acuáticas, derramando agua sobre su cabeza y sus brazos morenos con una calabaza hueca.

Las mujeres silenciosas, discretas, pero nunca oprimidas, de la clase de los peones. Vivían aparte, envueltas en sus rebozos como en su propia oscuridad. Caminaban a pasos rápidos y ágiles, haciendo ondear sus amplias faldas de algodón, gorjeando y volando como pájaros. O se sentaban en el lago con su larga cabellera, derramando agua sobre sus cabezas, también como pájaros. O pasaban con una curiosa y lenta inevitabilidad por la orilla del lago, con una pesada jarra escarlata llena de agua sobre un hombro y un brazo sobre la cabeza, sosteniendo el borde de la jarra. Tenían que llevar toda el agua del lago a sus casas. No había suministro municipal. O bien, especialmente las tardes domingueras, se sentaban a la puerta de sus casas, despiojándose mutuamente. Las bellezas más resplandecientes, de magníficas cabelleras negras y onduladas, eran despiojadas con mayor esmero, como si se tratara de un meritorio acto público.

Los hombres eran las figuras protagonistas. Imponen su presencia en el aire. Son los dominantes. En general se reúnen en grupos, hablando en voz baja o guardando silencio: siempre separados, tocándose muy raramente. Es corriente ver a un hombre solo en una esquina de la calle con su sarape, inmóvil durante horas como un poderoso espectro. O a un hombre tendido en la playa como arrastrado hasta allí por las aguas. Impasibles, inmóviles, se sentaban de lado en los bancos de la plaza, sin intercambiar una sola palabra. Cada uno de ellos aislado en su propio destino, con ojos negros y rápidos como los de una serpiente, e igualmente vagos.

Kate tenía la impresión de que lo más elevado que este país podía producir sería una poderosa relación entre hombres. El matrimonio sería siempre una relación casual. Aunque los hombres parecían muy amables y protectores con los niños pequeños, en seguida los olvidaban.

Pero el sexo en sí era algo muy potente, de lo que no se podía hacer alarde y con lo que no se podía jugar. El único misterio. Y un misterio mayor que el individuo. El individuo apenas se tenía en cuenta.

Resultaba extraño para Kate ver las chozas indias de la orilla, pequeños agujeros construidos con paja o cañas de maíz, donde niños medio desnudos se sentaban en el suelo de tierra y una mujer sucia se afanaba a su alrededor; agujeros llenos de trapos y huesos, que olían a excremento humano. La gente no tenía nariz. Y no lejos del agujero del umbral, silencioso y erguido, apuesto e impasible, el hombre. ¿Cómo podía ser que un varón tan bien parecido fuera tan indiferente y se contentara con tan miserable y sucia vivienda?

Pero allí estaba, inconsciente. Parecía desprovisto de vida y pasión. Y Kate sabía que era fuerte. No hay hombres en el mundo capaces de llevar mayores pesos sobre la espalda a distancias mayores que estos indios. Había visto a un indio trotando por una calle con un piano sobre la espalda; sosteniéndolo mediante una cinta que le ceñía la frente. Lo acarreaba con la frente y la columna vertebral y trotaba con su carga. Las mujeres llevan sus cargas con una cinta alrededor del pecho.

De modo que hay fuerza. Y, *al parecer,* vida apasionada. Pero no hay energía. En ninguna parte de México hay signos de energía. Está, por así decirlo, desconectada.

Ni siquiera la nueva clase artesana, aunque imita a la clase artesana de Estados Unidos, tiene verdadera energía. Hay clubes de trabajadores. Estos se engalanan y pasean con una guapa chica colgada de su brazo. Pero parece lo que es, sólo una burda imitación.

La familia de Kate aumentó de forma inesperada. Un día llegó de Ocotlán una hermosa muchacha de unos quince años, envuelta en su rebozo de algodón negro y algo mundana en su humildad de Madonna: María del Carmen. Con ella, Julio, un muchacho fiero y erguido de veintidós años. Acababan de casarse y habían venido a Sayula de visita. Julio era primo de Juana.

¿Podían dormir en el patio con ella y las niñas?, fue la petición de Juana. Sólo se quedarían dos días.

Kate estaba asombrada. María del Carmen debía llevar algo de sangre española; su belleza tenía un aire de España. Parecía incluso refinada y superior. Y sin embargo, dormiría en el suelo como un perro, con su joven marido. Y él, tan erguido y de aspecto orgulloso, no poseía otra cosa en el mundo que un viejo sarape.

—Hay tres dormitorios vacíos —dijo Kate—. Pueden dormir en uno de ellos.

Las camas eran de una plaza. ¿Necesitarían más mantas?, preguntó Kate a Juana.

¡No! Ya se arreglarían con el sarape de Julio.

La nueva familia había llegado. Julio era albañil. Es decir, levantaba las paredes de adobe de las chozas. Pertenecía a Sayula, y había vuelto de visita.

La visita se fue prolongando. Julio entraba a grandes zancadas a mediodía y al atardecer; estaba buscando trabajo. María del Carmen, con su único vestido negro, se ponía en cuclillas en el suelo y hacía tortillas. Se le permitía cocinarlas en la cocina de Juana. Y charlaba y reía con las niñas. Por la noche, cuando Julio llegaba a casa, se echaba en el suelo de espaldas a la pared, impasible, mientras María del Carmen acariciaba sus espesos cabellos negros.

Estaban enamorados. Pero ni siquiera ahora se entregaba él al amor.

Ella quería volver a Ocotlán, donde estaba más a gusto y era más señorita que aquí en Sayula. Pero él se negaba. No había dinero: el joven matrimonio vivía con unos cinco centavos americanos al día.

Kate estaba cosiendo. María del Carmen, que ni siquiera sabía coser una camisa, la observaba con los ojos muy abiertos. Kate le enseñó y compró una pieza de tela de algodón. ¡María del Carmen se estaba haciendo un vestido!

Julio encontró trabajo a un peso por día. La visita continuó. Kate pensaba que Julio no era muy amable con María del Carmen: su voz tranquila tenía tal tono de mando cuando hablaba con ella. Y María del Carmen, que era un poco mundana, no lo tomaba bien. Estaba un poco triste.

La visita ya duraba semanas. Y Juana empezaba a cansarse de su pariente.

Pero Julio había ganado un poco de dinero y alquilado una choza de adobe de una sola habitación a un peso cincuenta por semana. María del Carmen iba a trasladarse a su nuevo hogar.

Kate presenció el amontonamiento del nuevo ajuar. Consistía en una estera de paja, tres sartenes de barro, cinco piezas de vajilla nativa, dos cucharas de madera, un cuchillo y la vieja manta de Julio. Esto era todo. Pero María del Carmen estrenaba casa.

Kate le regaló un viejo edredón, de seda algo gastada, un par de tazones y varios platos de loza. María del Carmen ya estaba equipada.

—¡Qué bien! ¡Qué bien! —la oyó exclamar Kate desde el patio—. ¡Tengo una colcha! ¡Tengo una colcha!

Durante la estación de las lluvias, las noches pueden ser muy frías, debido a la evaporación. Entonces los nativos yacen al amanecer como lagartos, ateridos de frío. Están echados sobre la tierra húmeda, de la que sólo les protege una delgada estera de paja, y se tapan con el borde de una vieja manta. Y la misma terrible inercia hace que lo soporten, sin tratar de introducir ningún cambio. Podrían hacerse una cama con vainas de maíz u hojas secas de plátano. Incluso podrían cubrirse con hojas de plátano.

¡Pero, no! Yacen sobre una fina estera colocada sobre la tierra húmeda y fría, y tiemblan de frío noche tras noche, noche tras noche, noche tras noche.

Pero María del Carmen era un poco más civilizada. *¡Qué bien! ¡Qué bien! ¡Tengo una colcha!*

CAPITULO X

DON RAMON Y DOÑA CARLOTA

Hacía diez días que Kate estaba en Sayula cuando recibió noticias de don Ramón. Había ido de excursión por el lago y visto su casa tras el recodo del promontorio occidental. Era un edificio amarillo y rojizo, de dos plantas, con un pequeño dique de piedra para los barcos y un soto de mangos entre la casa y el lago. Entre los árboles, apartadas del lago, se veían dos hileras de chozas; las chozas de adobe negro de los peones.

En el pasado la hacienda había sido muy grande, pero se irrigaba desde las colinas, y la revolución había destrozado todos los acueductos. Sólo disponía de un pequeño suministro de agua. Luego don Ramón había tenido enemigos en el gobierno, con el resultado de que le despojaron de gran parte de su tierra para dividirla entre los peones. Ahora sólo poseía unas diez hectáreas, habiendo perdido las cuatro hectáreas que se extendían por la orilla del lago. Cultivaba unas cuantas áreas de árboles frutales alrededor de la casa, y caña de azúcar en el valle que había al pie de las colinas. En la ladera de la montaña se veían pequeños campos de maíz.

Pero doña Carlota tenía dinero. Era de Torreón y aún obtenía una buena renta de las minas.

Llegó un *mozo** con una nota de don Ramón. ¿Podría ir a visitar a Kate con su esposa?

Doña Carlota era una mujer delgada, dulce, de ojos grandes, una expresión ligeramente asombrada y suaves cabellos castaños. Era de pura extracción europea, de padre español y madre francesa; muy diferente de la habitual matrona mexicana entrada en carnes, empolvada en exceso, parecida a un buey. El rostro de doña Carlota era pálido, ajado, y no llevaba ningún maquillaje. Su figura delgada parecía inglesa, pero sus ojos extraños, grandes y pardos, no eran ingleses. Sólo hablaba español, o francés. Pero su español era tan lento, claro y un poco plañidero, que Kate la comprendía en seguida.

Las dos mujeres se entendieron rápidamente, pero se sentían algo nerviosas. Doña Carlota era delicada y sensible como un perro Chihuahua, y tenía sus mismos ojos algo prominentes. Kate pensó que nunca había conocido a una mujer de tanta finura y suavidad. Y las dos mujeres se pusieron a hablar. Don Ramón, alto y silencioso, se mantenía en reserva. Era como si las dos mujeres se hubieran apresurado a unirse contra su silencio y su poderosa y diferente significación.

Kate supo en seguida que doña Carlota le amaba, pero con un amor que ahora era casi todo *voluntad*. Le había adorado, y tenido que dejar de adorarle para ponerle en tela de juicio. Y ahora ya no podría dejar de juzgarle.

Por eso él se mantenía un poco apartado, con la hermosa cabeza ligeramente inclinada, y las manos morenas y sensibles colgando entre los muslos.

—¡Me he divertido tanto! —exclamó Kate de repente, dirigiéndose a él—. Bailé una danza en torno al tambor con los Hombres de Quetzalcóatl.

—Me lo dijeron —repuso él con una sonrisa bastante rígida.

Doña Carlota entendía el inglés, aunque no quisiera hablarlo.

—¡Bailó con los hombres de Quetzalcóatl! —exclamó en español con voz algo compungida—. Pero, señora, ¿por qué hizo tal cosa? Oh, ¿por qué?

—Estaba fascinada —respondió Kate.

—No, no debe dejarse fascinar. ¡No, no! No es bueno, se lo digo yo. Lamento *tanto* que mi marido se interese por esto. Lo lamento tanto.

Juana les llevó una botella de vermut: lo único que Kate podía ofrecer por la mañana a sus invitados.

—¿Fue usted a ver a sus hijos a Estados Unidos? —preguntó Kate a doña Carlota—. ¿Cómo estaban?

—Oh, mejor, gracias. Están bien. Es decir, el pequeño es muy delicado.

—¿No le trajo con usted a casa?

—¡No, no! Creo que están mejor en la escuela. Aquí, aquí... hay tantas cosas que les preocupan. Pero vendrán a casa el mes que viene, de vacaciones.

—¡Qué bien! —exclamó Kate—. Entonces les conoceré. ¿Estarán aquí, verdad, en el lago?

—¡Bueno! No estoy segura. Quizá una corta temporada. Verá, yo estoy muy ocupada en México con mi *Cuna*.*

—¿Qué es una Cuna? —inquirió Kate, que sólo conocía el significado corriente de la palabra.

Resultó que era una inclusa, regentada por varias monjas carmelitas. Y doña Carlota era la directora. Esto fue lo que entendió Kate. La esposa de don Ramón era una católica ferviente, casi exaltada. Se exaltaba en la Iglesia y en su trabajo para la Cuna.

—Nacen tantos niños en México —observó doña Carlota—, y muchos de ellos mueren. Si pudiéramos salvarlos y equiparlos para la vida. Nosotras hacemos un poco, todo lo que podemos.

Al parecer, los niños que nadie quería podían abandonarse en el umbral de la Cuna, como paquetes. La madre sólo tenía que llamar a la puerta y entregar el bulto viviente.

—Así se salvan muchos niños a quienes sus madres dejarían morir —explicó doña Carlota—. Entonces hacemos lo que podemos. Si la madre no nos da ningún nombre, yo se lo pongo. Lo hago muy a menudo. Las madres sólo nos dejan al pequeño, desnudo, sin nombre y sin un solo guiñapo que lo cubra. Y nosotras nunca hacemos preguntas.

No todos los niños se quedaban en la inclusa; sólo un pequeño número de ellos. Los demás eran confiados a una mujer india decente, a la que se pagaba para que criase al niño en su casa. Una vez al mes tenía que presentarse en la Cuna para recibir su paga. Los indios son muy raramente crueles con los niños. Negligentes, sí, pero casi nunca crueles.

—En otros tiempos —dijo doña Carlota—, casi todas las damas bien nacidas de México recibían en su casa a uno o más de estos niños abandonados, y les criaban con la familia. Era la amplia generosidad patriarcal innata en los hispanomexicanos. Pero ahora se adoptaban muy pocos niños. Se procuraba educarles para carpinteros, jardineros o criados, y a las niñas, para modistas e incluso maestras.

Kate escuchaba con inquieto interés. Sentía que había mucha humanidad real en esta caridad mexicana, y casi se daba por aludida, como si se le hiciera un reproche. Tal vez doña Carlota hacía lo mejor que podía hacerse en este país imposible, medio salvaje, pero se trataba de una esperanza tan pequeña que Kate se sentía desanimada de antemano.

Y doña Carlota, pese a su confianza en sus buenas obras, tenía cierto aspecto de víctima; de una víctima dulce, sensible y ligeramente asombrada. Como si un enemigo secreto le chupara la sangre.

Don Ramón permanecía impasible, escuchando sin prestar atención, indiferente e inmóvil, y en *contra* del temblor caritativo de su esposa. La dejaba hacer. Pero oponía un silencio denso e invariable a su charla y a su obra. Ella lo sabía y temblaba de nerviosa ansiedad mientras hablaba a Kate de la Cuna, ganando la simpatía de su interlocutora, quien al final tuvo la impresión de que había algo cruel en la pasiva y forzada actitud de don Ramón. Una impasible crueldad masculina, inmutable como un ídolo de piedra.

—¿Vendrá a pasar un día conmigo cuando me encuentre aquí con don Ramón? —preguntó doña Carlota—. La casa es muy pobre y tosca. Ya no es lo que era antes. Pero es suya, si quiere visitarla.

Kate aceptó y añadió que preferiría ir andando. Eran sólo seis kilómetros y suponía que estaría segura si iba con Juana.

—Enviaré a un hombre para que la acompañe —dijo don Ramón—. Quizá no estaría muy segura.

—¿Dónde está el general Viedma? —preguntó Kate.

—Intentaremos hacerle venir cuando usted nos visite —contestó doña Carlota—. Siento un gran afecto por don Cipriano. Hace muchos años que le conozco y es padrino de mi hijo menor. Pero ahora está al mando de la división de Guadalajara y no tiene muchas ocasiones de visitarnos.

—Me pregunto cómo ha llegado a general —observó Kate—. Me parece demasiado humano.

—Oh, lo es, desde luego. Pero también es general; sí, sí, quiere estar al mando de los soldados. Y le diré que es muy fuerte. Tiene un gran poder sobre sus regimientos. Creen en él, oh, sí, creen mucho en él. Tiene ese poder, sabe usted, que tienen algunos de los tipos superiores de indios, que hace que muchos otros quieran seguirle y luchar por él. ¿Comprende usted? Don Cipriano es así. Es imposible cambiarle. Pero creo que una mujer sería maravillosa para él. Ha vivido hasta ahora sin ninguna mujer en su vida. No quiere preocuparse por ellas.

—¿Por qué se preocupa? —inquirió Kate.

—¡Ah! —Doña Carlota se sobresaltó como si la hubieran pinchado—. Entonces miró rápida e involuntariamente a su marido mientras añadía—: En realidad, no lo sé.

—Por los Hombres de Quetzalcóatl —dijo don Ramón con voz sonora y una pequeña sonrisa.

Pero doña Carlota parecía capaz de robarle toda la soltura, todo el sentido del humor. Estaba rígido, y como atontado.

—¡Ah, eso! ¡Eso! Ya lo sabe usted. Los Hombres de Quetzalcóatl... ¡Vaya una cosa por la que preocuparse! Muy bonita, diría yo —se agitó doña Carlota en tono suave, frágil y amonestador. Y Kate comprendió que adoraba a ambos hombres y sufría por su postura equivocada y jamás les daría la razón.

Para don Ramón, esta temblorosa, absoluta y ciega oposición de su esposa, junto con su ciega adoración, significaba un peso terrible.

Una mañana a las nueve apareció un criado para acompañar a Kate hasta la hacienda, que se llamaba Jamiltepec. Llevaba una cesta y había comprado cosas en el mercado. Era un hombre viejo, con cabellos grises en el bigote, pero ojos brillantes y jóvenes y una gran energía. Sus pies desnudos en los buaraches eran casi negros de tan morenos, pero en sus ropas resplandecía la blancura.

Kate se alegró de poder andar. Lo más deprimente de la vida en los pueblos era que no se podía caminar hasta el campo. Siempre existía el peligro de ser detenida o atacada. Y ya había paseado lo más lejos posible por todos los alrededores del pueblo, acompañada casi siempre por Ezequiel. Ahora ya empezaba a sentirse prisionera.

De modo que se alegró de la caminata. La mañana era clara y calurosa, el lago de color marrón pálido estaba inmóvil como un fantasma. En la playa se movían personas, minúsculas por la distancia, como puntos blancos; puntos blancos de hombres siguiendo el ligero polvo de los asnos. Kate se preguntaba a menudo por qué la humanidad era como unos puntos en el paisaje mexicano; simples puntos de vida.

Dejaron la orilla del lago para seguir el camino polvoriento y desigual que se dirigía al oeste entre la empinada ladera de las colinas y una pequeña llanura que había junto al lago. A lo largo de un kilómetro se sucedieron las villas, la mayoría de ellas cerradas a cal y canto, algunas, destrozadas, con las paredes derruidas y las ventanas sin cristales. Sólo las flores crecían en masa sobre los escombros.

En los lugares vacíos había las endebles chozas de paja de los nativos, fortuitas, como depositadas por el viento. Junto al sendero que serpenteaba bajo la colina se levantaban negras chozas de adobe, como cajas, y había algunas aves de corral picoteando de un lado a otro y cerdos marrones o grises con motas negras y niños medio desnudos, de piel marrón anaranjada, que corrían o yacían de bruces en el camino, con los pequeños traseros levantados, profundamente dormidos. Otra vez dormidos.

Muchas de las casas tenían el tejado en obras: les cambiaban la paja o las tejas unos hombres que adoptaban un aire de gran importancia por haber emprendido semejante tarea. Además, fingían darse prisa, porque las lluvias podían empezar de un día a otro. Y en los niveles pedregosos cercanos al lago se araba la tierra con un par de bueyes y un pedazo de madera puntiaguda.

Pero Kate ya conocía esta parte del camino. Conocía la elegante villa que se levantaba sobre el otero con sus grupos de palmeras y avenidas trazadas exactamente igual que las desaparecidas bajo los escombros de las villas ruinosas. Se alegró de haber pasado las villas y estar en el camino que bajaba de nuevo al lago, flanqueado por grandes árboles umbrosos que tenían habas arrugadas y retorcidas. A la izquierda estaba el agua, del color de la tórtola, lamiendo las pálidas piedras. En un remanso de la playa, un grupo de mujeres lavaba afanosamente la colada. En el bajío del lago se bañaban, sentadas, dos mujeres, con la cabellera negra húmeda y densa. Un poco más allá un hombre caminaba por el borde del agua, deteniéndose de vez en cuando para lanzar con destreza al agua su redonda red y agachándose luego para recogerla y sacar los diminutos y centelleantes peces llamados charales. Todo extrañamente silencioso y remoto en la brillante mañana, como si fuera un distante período de tiempo.

Del lago soplaba una ligera brisa, pero el profundo polvo del suelo estaba caliente. A la derecha, la colina se elevaba escarpada, requemada y amarillenta, reflejando el sol y la intensa sequedad, y exhalando el peculiar, ligero y desecado olor de México, que huele como si la tierra hubiese agotado su sudor.

Reatas de mulas no cesaban de trotar por el polvo bajo su carga, y los muleros seguían, erguidos y rápidos, mirando con ojos que parecían agujeros negros pero contestando siempre al saludo de Kate con un respetuoso *¡adiós!** Y Juana contestaba con su lacónico *adiósn.* Cojeaba, y consideraba horrible que Kate caminara seis kilómetros cuando podían haber alquilado un coche, o un bote, o incluso venido a lomos de un asno.

Pero, ¡ir a pie! Kate podía oír todos los sentimientos de su criada en el lento y sarcástico *adiósn.* Pero el hombre que las seguía caminaba a grandes zancadas y saludaba con alegría. Su pistola resaltaba, prominente, en su cinto.

Un risco amarillento se proyectaba sobre el camino, que describía una curva en torno a él y se adentraba en la llanura. Había campos de piedra seca y setos de polvorientos espinos y cactos. A la izquierda, el verde brillante de los sauces ribereños. A la derecha, las colinas se ondulaban tierra adentro, hasta encontrar las laderas escarpadas de las resecas montañas. En la distancia, las colinas se curvaban hacia la orilla, formando una extraña hendidura o nicho. Esta hendidura entre las colinas conducía de la propiedad costera de don Ramón al pequeño valle donde se cultivaba la caña de azúcar. Y donde las colinas volvían a acercarse al lago había un oscuro soto de mangos y se vislumbraba el piso superior del edificio de la hacienda.

—¡Ahí está! —gritó el hombre que las seguía—. Jamiltepec, señorita. *¡La hacienda de don Ramón!**

Y sus ojos brillaban al pronunciar el nombre. Era un peón orgulloso, y parecía realmente feliz.

—¡Mire! ¡Qué lejos! —exclamó Juana.

—Otra vez —dijo Kate— vendré sola o con Ezequiel.

—¡No, Niña! No diga eso. Es sólo que el pie me duele esta mañana.

—Ya. Por eso es mejor no traerte.

—¡No, Niña! ¡Me gusta mucho venir!

Las grandes aspas del molino que sacaba agua del lago giraban alegremente. Un pequeño valle descendía desde el nicho de las colinas, y en el fondo fluía un poco de agua. Hacia el lago, donde este valle se ensanchaba, había un bosquecillo de plátanos, un poco protegidos de la brisa del lago por una verde hilera de sauces llorones. Y en la cima de la ladera, donde el camino discurría a la sombra de unos mangos, había las dos hileras de chozas de adobe, como un pueblo, un poco apartadas del camino.

Entre los árboles pasaban las mujeres que venían del lago con jarras de agua sobre los hombros; en torno a las puertas jugaban niños que se sentaban en el grueso polvo con traseros desnudos; y aquí y allí se veía una cabra atada a un poste. Hombres con sucias ropas blancas se apoyaban contra la esquina de una casa con los brazos cruzados y una pierna delante de la otra, o estaban en cuclillas bajo las paredes. No era ni mucho menos un *dolce far niente*. Parecían estar esperando, eternamente esperando algo.

—¡Por aquí, señorita! —indicó el hombre de la cesta, corriendo al lado de Kate e indicando el camino más liso que descendía entre grandes árboles hacia el portal blanco de la hacienda—. ¡Ya estamos aquí!

Hablando siempre con gran satisfacción, como si el lugar fuese para él fuente de perpetuas maravillas.

Las grandes puertas del *zaguán** estaban abiertas, y a la sombra del portal estaban sentados dos pequeños soldados. Al otro extremo del espacio cubierto de paja corrían dos peones, cada uno con un gran racimo de plátanos sobre la cabeza. Los soldados dijeron algo y los dos peones se detuvieron y volvieron lentamente bajo su carga amarilla y verde para mirar a Kate y Juana y al hombre, Martín, que se acercaban por el camino. Entonces les dieron la espalda y entraron en el patio, descalzos.

Los soldados se levantaron. Martín, que iba otra vez al lado de Kate, le indicó que entrara en el abovedado zaguán, donde se veían los profundos surcos dejados por los carros de bueyes, Juana les seguía con humilde talante.

Kate se encontró en un gran patio vacío. Había altos muros en los tres lados, y se veían cobertizos y establos. El cuarto lado, el de enfrente, era la casa, con ventanas enrejadas que daban al patio, pero sin ninguna puerta. En su lugar había otro zaguán, o corredor provisto de puertas cerradas que conducían a la casa.

Martín se adelantó corriendo para llamar a las puertas cerradas. Kate se quedó mirando el espacioso patio. En uno de los cobertizos, cuatro hombres medio desnudos estaban embalando racimos de plátanos; en la sombra, un peón serraba troncos, y dos hombres descargaban tejas de un asno. En un rincón había un carro de bueyes y un par de animales blancos y negros con las cabezas bajas, esperando.

Las grandes puertas se abrieron y Kate entró en el segundo zaguán, que era un ancho portal con una escalinata a un lado, y se detuvo para mirar a través de las rejas de hierro que había frente a ella hacia un jardín formal limitado por enormes mangos y hacia el lago y el pequeño puerto artificial donde estaban amarrados dos barcos. El lago parecía despedir una luz verde entre las oscuras paredes de los mangos.

Detrás de los recién llegados, una criada cerró las grandes puertas que daban al patio e indicó a Kate las amplias escaleras.

—Por aquí, señorita.

Arriba tintineó una campana. Kate subió las escaleras de piedra, y arriba vio a doña Carlota, vestida de muselina blanca, con medias y zapatos blancos y el rostro curiosamente amarillo por el contraste. Los suaves cabellos castaños cubrían sus orejas. Extendió los morenos y delgados brazos con extraña efusión.

—¡Ya ha llegado! ¿Y ha venido a pie todo el camino? ¡Imagínese, andar con este sol y este polvo! Venga, entre y descanse.

Tomó las manos de Kate y la condujo hacia la terraza que había donde terminaban las escaleras.

—Qué hermoso es esto —admiró Kate.

Se quedó mirando hacia los mangos y el lago. Un lejano velero navegaba a favor de la brisa por las aguas pálidas e irreales. Al otro lado se levantaban las montañas azuladas, con la mancha blanca de un pueblo: estaba lejos en la mañana, como en otro mundo, otra vida, otra forma de tiempo.

—¿Qué pueblo es ése? —preguntó Kate.

—¿Aquél? ¿El de allá? Es San Ildefonso —repuso doña Carlota con su inquieta solicitud.

—¡Es muy hermoso todo esto! —repitió Kate.

—¡*Hermoso, sí!** ¡*Sí, bonito!** —coreó la otra mujer nerviosamente, hablando siempre en español.

La casa, de colores rojizo y amarillento, tenía dos cortas alas que daban al lago. La terraza, bordeada de verdes plantas, se prolongaba por los tres lados; sostenían el tejado grandes pilares cuadrados que se elevaban desde el suelo. Abajo, los pilares formaban una especie de claustro en torno a los tres lados, y en el pequeño patio de piedra había un surtidor. Más allá, el jardín formal, bastante descuidado, bajo un sol fuerte y la sombra profunda de los mangos.

—Venga, ¡necesita descansar! —exclamó doña Carlota.

—Me gustaría cambiarme los zapatos —dijo Kate.

Doña Carlota la hizo entrar en un dormitorio de techo alto, sencillo, con pocos muebles y suelo de azulejos rotos. Allí Kate se puso los zapatos y medias que había traído Juana y descansó un poco.

Mientras descansaba, oyó el ritmo del tambor, pero, a excepción del canto de un gallo en la distancia, no se percibía otro sonido en la brillante pero curiosamente hueca mañana mexicana. Y el tambor, con su insistencia sorda y tenebrosa, la inquietaba. Era como si se acercara ya por el horizonte.

Se levantó y fue al largo y alto salón donde doña Carlota estaba hablando con un hombre vestido de negro. El salón, con sus tres balcones que se abrían a la terraza, su gastado suelo rojo de viejos ladrillos cuadrados, sus altas paredes de un descolorido tono verde, el techo blanco provisto de numerosas vigas y su escaso mobiliario, daba la impresión de ser parte del exterior, como una especie de invernadero. La impresión, común a todas las casas situadas en un clima cálido, de ser simplemente tres paredes entre las cuales uno se demora un momento para salir otra vez.

Cuando Kate entró en la habitación, el hombre vestido de negro se levantó y estrechó la mano de doña Carlota, con una reverencia muy profunda y respetuosa. Luego, con una deferente inclinación de cabeza en dirección a Kate, salió al exterior.

—¡Venga! —invitó doña Carlota a Kate—. ¿Está segura de haber descansado? —Y acercó una de las mecedoras de caña que se habían detenido en la habitación, de camino hacia la nada.

—¡Perfectamente! —contestó Kate—. ¡Qué quietud hay aquí! Exceptuando al tambor. Quizá es el tambor lo que confiere tanta quietud a este lugar. Aunque yo siempre pienso que el lago *despide* una especie de silencio.

—¡Ah, el tambor! —exclamó doña Carlota, levantando la cabeza con un gesto de nerviosa y agotada exasperación—. No puedo escucharlo. No, no puedo, no puedo resistirlo.

Y se meció en un repentino acceso de agitación.

—Desde luego, es algo inquietante —convino Kate—. ¿Por qué lo tocan?

—¡Ah, no me lo pregunte! Es mi marido.

Hizo un gesto de desesperación y se meció hasta quedar casi inconsciente.

—¿Es don Ramón quien toca el tambor?

—¿Él? —Doña Carlota pareció sobresaltarse—. ¡No! ¡Oh, no! Él no toca el tambor; se trajo a dos indios del norte para que lo tocaran.

—¿Ah, sí? —dijo Kate, evasiva.

Pero doña Carlota se estaba meciendo en una especie de trance. De pronto pareció recobrarse.

—¡*Tengo* que hablar con alguien, es preciso! —exclamó, enderezándose de repente, con el rostro arrugado, los suaves cabellos castaños tapando a medias sus orejas, y los ojos pardos extrañamente desesperados—. ¿Puedo hablarle a usted?

—¡Hágalo! —repuso Kate, un poco incómoda.

—¿Sabe lo que está haciendo don Ramón? —preguntó doña Carlota, mirando a Kate con expresión furtiva, casi suspicaz.

—¿Quiere resucitar a los antiguos dioses? —inquirió vagamente Kate.

—¡Ah! —gritó doña Carlota con otro desesperado ademán—. ¡Como si esto fuera posible! ¡Los antiguos dioses! ¡Imagínese, señora! ¡Los antiguos dioses! ¿Por qué, qué son esos dioses? Nada más que ilusiones muertas. ¡Ilusiones feas, repulsivas! ¡Ah! Yo siempre creí que mi marido era un hombre inteligente, tan superior a mí. ¡Ah, es terrible tener que cambiar de idea! Esto es *insensato*. ¡Cómo se atreve! ¡Cómo se atreve a tomar en serio semejante insensatez! ¡Cómo se atreve!

—¿Acaso cree en ello? —preguntó Kate.

—¿El? Pero, señora... —y doña Carlota sonrió con desprecio—. ¡No podría! ¡Como si fuera posible! ¡Después de todo, es un hombre educado! ¿Cómo iba a creer en semejante desatino?

—Entonces, ¿por qué lo hace?

—¿Por qué? ¿Por qué? —Había un tono de indescriptible cansancio en la voz de doña Carlota—. Me gustaría saberlo. Creo que se ha vuelto loco, como les ocurre a muchos mexicanos. Loco como Francisco Villa, el bandido.

Kate pensó, asombrada, en la cara de perro dogo del célebre Pancho Villa, incapaz de conectarle con don Ramón.

—En cuanto se elevan sobre sí mismos, los mexicanos enloquecen —prosiguió doña Carlota—. Su orgullo acaba dominándoles, y entonces no comprenden nada, sólo su propia e insensata voluntad de ser muy, muy importantes. No es más que vanidad masculina. ¿No cree usted, señora, que el principio y el fin de un hombre es su vanidad? ¿No cree que fue precisamente para luchar contra este peligro por lo que Cristo vino al mundo, para enseñar humildad a los hombres? Para enseñarles el pecado del orgullo. Y por eso odian tanto a Cristo y sus enseñanzas. Lo único que quieren es su propia vanidad.

Kate había pensado lo mismo con frecuencia. Su propia conclusión final acerca de los hombres se reducía a que eran *ellos* la vanidad de las vanidades, y sólo vanidad. Había que halagarles y procurar que se sintieran maravillosos. Nada más.

—Y ahora mi marido quiere ir al extremo opuesto de Jesús. Quiere exaltar el orgullo y la vanidad por encima de Dios. ¡Ah, es terrible, terrible! ¡Es insensato como un niño! ¡Ah, qué es un hombre sino un niño necesitado de una niñera y una madre! Ah, señora, no puedo soportarlo.

Doña Carlota se cubrió el rostro con las manos como si fuera a desmayarse.

—Pero también hay algo maravilloso en don Ramón —insinuó Kate, aunque en este momento le detestaba.

—¿Maravilloso? Ah, sí, tiene cualidades. ¡Tiene grandes cualidades! Pero, ¿de qué sirven las cualidades a un hombre que las pervierte?

—Dígame qué es, a su juicio, lo que está persiguiendo —pidió Kate.

—¡Poder! ¡Sólo poder! Sólo insensato y malvado poder. Como si no hubiese habido bastante poder horrible y malvado en este país. Pero él... él quiere ir más lejos que nadie. Quiere... quiere ser adorado. ¡Adorado! ¡Adorado como un Dios! ¡El, a quien he tenido en mis brazos! Es un niño, como son niños todos los hombres. ¡Y ahora quiere... ser adorado...! —Estalló en una risa estridente y salvaje—; se cubrió el rostro con las manos y rió con estridencia, puntuando su risa con huecos y terribles sollozos.

Kate, absolutamente consternada, esperaba que la otra mujer recobrara el dominio de sí misma. La dejaban fría estos histerismos, y echaba mano de toda su voluntad femenina para detenerlos.

Después de todo —dijo, cuando doña Carlota enmudeció, con el rostro todavía cubierto—, no es culpa de usted. Nunca podemos ser responsables de nuestros maridos. Lo *sé* muy bien, ya que mi marido murió y yo no pude evitar que muriera. Y entonces comprendí que por mucho que se ame a otra persona, en realidad no se puede hacer nada, somos inútiles en última instancia. Hay que dejarles solos cuando quieren morir: o cuando quieren hacer cosas que parecen insensatas, oh, tan insensatas, a una mujer.

Doña Carlota levantó la vista hacia Kate.

—Usted amaba mucho a su marido... ¿y murió? —inquirió suavemente.

—Sí, le amaba. Y nunca, nunca volveré a amar a otro hombre. No podría. He perdido el poder.

—Y ¿por qué murió?

—Ah, incluso esto fue realmente culpa suya. Destrozó su alma y su espíritu en esa política irlandesa. Yo sabía que era un error. ¿Qué importa Irlanda, qué importa el nacionalismo y demás tonterías? ¡Y las revoluciones! Son tan, tan estúpidas y *vieux jeu*. ¡Ah! Habría sido mucho mejor que Joachim se hubiese contentado con vivir en paz, conmigo. Pudo ser tan alegre, tan hermoso. Y yo lo intenté, una y otra vez, pero no sirvió de nada. *Quería* matarse con aquella odiosa cuestión irlandesa, y yo traté en vano de impedírselo.

Doña Carlota miraba fijamente a Kate.

—Como la mujer *debe* tratar de impedir que el hombre cometa errores —dijo—. Como yo lo intento con don Ramón. El también se matará, como han hecho todos, incluyendo a Francisco Villa. Y cuando están muertos, ¿de qué ha servido todo?

—Cuando están muertos —repuso Kate— es cuando se *sabe* que no ha servido de nada.

—¡Es cierto! Oh, señora, si cree que puede ayudarme con don Ramón, hágalo. ¡Ayúdeme! Porque esto significa su muerte o la mía. Y yo moriré, aunque sea él el equivocado, a menos que le maten.

—Dígame qué quiere hacer su marido. ¿Qué pretende a fin de cuentas? Mi marido pensaba que quería una Irlanda libre y un glorioso pueblo irlandés. Pero sabía que los irlandeses ya no son un pueblo glorioso y que no es posible darles la libertad. Sólo sirven para destruir, para una mera y estúpida destrucción. ¿Cómo se puede liberar a un pueblo cuando no *es* libre? ¿Cuando hay algo en su interior que le obliga a seguir destruyendo?

—¡Lo sé! ¡Lo sé! Así es Ramón. Quiere destruir incluso a Jesús y la Virgen María, para esta gente. ¡Imagínese! ¡Destruir a Jesús y la Virgen María, lo último que les queda!

—Pero, ¿cómo explica él lo que pretende hacer?

—Dice que quiere crear una conexión nueva entre el pueblo y Dios. Dice que Dios es siempre Dios, pero que el pueblo pierde su conexión con El, y entonces no puede recobrarla jamás a menos que un nuevo Salvador venga a darle la nueva conexión. Y cada nueva conexión es diferente de la anterior, aunque Dios, y el Salvador ya no puede dirigirles hacia El. Tiene que haber un nuevo Salvador con una nueva visión. Pero, ah, señora, esto no es cierto para mí. Dios es amor, y si Ramón se limitara a someterse al amor, sabría que había encontrado a Dios. Pero es perverso. ¡Ah, si pudiéramos estar juntos, amando serenamente, gozando del hermoso mundo, y *esperando en el amor de Dios!* Ah, señora, ¿por qué, por qué no puede verlo? ¡Oh, por qué no puede verlo! En vez de hacer todo esto...

Las lágrimas llenaron los ojos de doña Carlota y resbalaron por sus mejillas. Kate también lloraba y se secaba la cara.

—¡Es inútil! —dijo sollozando—. Sé que todo lo que hagamos será inútil. No *quieren* ser felices y vivir en paz. *Quieren* esta lucha y esas falsas y horribles conexiones. ¡Todo lo que hagamos será inútil! Esto es lo más amargo de todo...

Las dos mujeres continuaron sollozando, sentadas en sus mecedoras. Y mientras sollozaban oyeron unos pasos en la terraza, el ligero murmullo de las sandalias del pueblo.

Era don Ramón, atraído inconscientemente por el trastorno emocional de las dos mujeres.

Doña Carlota se secó apresuradamente los ojos y la nariz. Kate se sonó como una trompeta, y don Ramón apareció en el umbral.

Estaba deslumbrante, vestido de blanco como los peones con el blusón y los anchos pantalones blancos. Pero eran de hilo, y estaban ligeramente almidonados, y su blancura era brillante y casi antinatural. De debajo de la blusa colgaban los extremos de una estrecha faja de lana con rayas azules y negras y un fleco escarlata. Y en sus pies descalzos lucía los buaraches trenzados, de cuero azul y negro, con gruesas suelas teñidas de rojo. Los anchos pantalones estaban sujetos a los tobillos con una trencilla de lana azul, roja y negra.

Kate le miró, erguido al sol, de un blanco tan deslumbrante que los cabellos negros y el rostro moreno parecían un agujero en el aire. Cuando se acercó a ellas, los extremos de la faja se movieron contra sus muslos y las sandalias hicieron un leve susurro.

—Me alegra verla —dijo a Kate mientras le estrechaba la mano—. ¿Cómo ha venido?

Se desplomó en una silla y se quedó muy quieto. Las dos mujeres bajaron la cabeza para ocultar el rostro. La presencia del hombre parecía desorbitar su emoción. El hacía caso omiso de su nerviosismo, descartándolo con su poderosa voluntad. Había cierta fuerza en su presencia. El ambiente se alegró un poco.

—¿No sabía usted que mi marido se ha convertido en miembro del pueblo, en un verdadero peón? ¿En un señor Peón, como el conde Tolstoi se convirtió en un señor Mujik? —inquirió doña Carlota en tono de broma.

—Pues creo que le sienta bien —observó Kate.

—¡Ahí tienes! —replicó don Ramón—. Hay que ser justo hasta con el diablo.

Pero había algo inflexible, implacable en él. Reía y hablaba con las mujeres sólo en la superficie; por debajo, poderoso e inescrutable, no establecía conexión con ellas.

Lo mismo ocurrió durante el almuerzo. Hubo una conversación ligera, con intervalos de silencio. Era evidente que Ramón, durante el silencio, pensaba en otro mundo. Y la densa quietud de su voluntad, que trabajaba en otra esfera, hacía sentirse eclipsadas a las mujeres.

—La señora es como yo —observó doña Carlota—. No puede soportar el sonido de ese tambor. ¿Ha de tocar otra vez esta tarde?

—Sólo a partir de las cuatro.

—¿*Tenemos* que oír ese ruido también hoy? —insistió Carlota.

—¿Por qué no hoy como cualquier otro día? —replicó él. Pero había cierta oscuridad en su mirada, y era evidente que deseaba abandonar la presencia de las dos mujeres.

—Porque la señora está aquí: y yo estoy aquí: y a ninguna de las dos nos gusta. Y mañana la señora no estará aquí, y yo habré vuelto a México. Por lo tanto, ¿por qué no complacernos hoy? Seguramente puedes tener con nosotras esta consideración.

Ramón la miró, y después a Kate. Había cólera en sus ojos. Y Kate casi podía sentir los latidos rápidos por la ira del corazón que albergaba aquel poderoso pecho. Las dos mujeres enmudecieron, pero no dejó de halagarlas el hecho de haber podido enfurecerle.

—¿Por qué no vas a remar por el lago con la señora Leslie? —preguntó él con tranquilo dominio—.

Pero bajo sus cejas oscuras brillaba una intensa cólera.

Entonces él hizo algo que Kate no había visto hacer nunca a nadie: retiró su conciencia de ellas mientras seguían los tres a la mesa, dejando a las dos mujeres, por así decirlo, sentadas ante una puerta cerrada, sin que sucediera nada más. Kate se sintió asombrada y afligida, y después una cólera lenta ardió en sus cálidas mejillas marfileñas.

—Oh, sí —dijo—. Lo aprovecharé para regresar a casa.

—¡No! ¡No! —exclamó doña Carlota con un gemido muy español—. No me deje. Quédese conmigo hasta la noche y ayúdeme a distraer a don Cipriano. Le esperamos a cenar.

CAPITULO XI

SEÑORES DEL DIA Y DE LA NOCHE

Después del almuerzo, don Ramón se retiró a su dormitorio para dormir una hora. Era una tarde calurosa y tranquila. Había nubes erguidas y espléndidas sobre el extremo oeste del lago, como mensajeros. Ramón entró en su alcoba y cerró balcones y postigos hasta que la oscuridad fue completa, exceptuando los amarillos lápices de luz que se erguían como sustancia en la penumbra, causados por las rendijas de los postigos.

Se desnudó, y en la oscuridad lanzó sus puños hacia arriba, por encima de la cabeza, en una terrible tensión de plegaria honesta y profunda. En sus ojos sólo había oscuridad, y, lentamente, la oscuridad giró también en su cerebro y le extinguió la mente. Sólo una poderosa voluntad se elevaba y temblaba desde su espina dorsal en la inmensa tensión de su plegaria. Y una vez elevado en la oscuridad, con tensión inhumana, el arco invisible del cuerpo, las flechas del alma se dispararon hacia el blanco y la plegaria llegó a su destino.

Entonces, de repente, los puños y los brazos trémulos cayeron y el cuerpo recobró su suavidad. El hombre había recuperado su fuerza una vez más. Había roto los cordones del mundo y era libre en esta otra fuerza.

Con suavidad y delicadeza, teniendo gran cuidado de no pensar, no recordar, no perturbar las serpientes venenosas de la conciencia mental, cogió una manta delgada y suave, se envolvió en ella y se acostó sobre una pila de esteras en el suelo. Quedó dormido al instante.

Durmió con profundo abandono aproximadamente una hora. Entonces abrió de repente los ojos. Vio la oscuridad aterciopelada y los lápices de luz más pálidos que antes. El sol se había movido. Al escuchar, le pareció que no había ningún sonido en el mundo: no había mundo.

Entonces comenzó a oír. Oyó el ligero murmullo de una carreta de bueyes: luego, hojas al viento: después, un débil golpeteo: y por fin el chirrido de la llamada de un pájaro.

Se levantó y vistió rápidamente en la oscuridad, y abrió los balcones de par en par. Era media tarde, soplaba un viento cálido y unas nubes oscuras y cobrizas tapaban el sol en el oeste. Pero aún no caería la lluvia. Cogió un gran sombrero de paja y se cubrió con él; tenía una cresta redonda de plumas negras, blancas y azules, con un ojo, o un sol, en la parte delantera. Oyó el leve sonido de la charla de las mujeres. ¡Ah, la mujer desconocida! La había olvidado. ¡Y Carlota! ¡Carlota estaba aquí! Pensó un momento en ella y en su curiosa oposición. Luego, sin tiempo de enfadarse, levantó de nuevo el pecho con la negra e inconsciente plegaria, sus ojos se oscurecieron, y el sentido de oposición le abandonó.

Atravesó rápidamente la terraza en dirección a las escaleras de piedra que conducían al zaguán interior. Cuando cruzaba el patio, vio a dos hombres embalando plátanos y cargándolos a lomos de unos mulos en el cobertizo. Los soldados dormían en el zaguán. Franqueó el umbral y enfiló la avenida de árboles, donde vio una carreta de bueyes retrocediendo con lentitud. En el patio resonaba el martilleo del metal sobre un yunque; procedía del taller del herrero, que trabajaba ayudado por un aprendiz. En otro cobertizo, un carpintero cepillaba unas tablas.

Don Ramón se detuvo un momento para mirar a su alrededor. Este era su mundo. Su propio espíritu se extendía sobre él como una sombra suave y nutritiva, y el silencio de su propio poder le confería paz.

Los trabajadores advirtieron su presencia casi al instante. Una tras otra, las caras morenas y cálidas se volvieron hacia él y en seguida miraron hacia otro lado. Eran hombres, y la presencia de Ramón resultaba maravillosa para ellos; pero tenían miedo de acercarse a él aunque sólo fuera con una mirada. Trabajaban con más ahínco porque le habían visto, como si les infundiera nueva vida.

Ramón se dirigió hacia el herrero, junto al cual el aprendiz manejaba el anticuado fuelle; el hombre golpeaba una pieza de metal con un martilleo ligero y rápido. No levantó la cabeza cuando el *patrón** se acercó a él.

—¿Es el pájaro? —preguntó Ramón, contemplando la pieza de metal, ahora fría sobre el yunque.

—¡Sí, patrón! Es el pájaro. ¿Está bien? —Y el hombre levantó unos ojos negros, brillantes y confiados.

El herrero cogió con las tenazas la pieza de metal negra, plana, en forma de lengua, y Ramón la observó durante mucho rato.

—Pondré las alas después —dijo el herrero.

Ramón, con su mano morena y sensible, trazó una línea imaginaria fuera del borde del hierro. Lo hizo tres veces. Y el movimiento fascinó al herrero.

—Un poco más esbelto... ¡así! —dijo Ramón.

—¡Sí, patrón! ¡Sí! ¡Sí! Comprendo —exclamó el hombre.

—¿Y el resto?

—¡Aquí está! —El hombre señaló dos aros de hierro, uno más pequeño que el otro, y varios discos planos, también de hierro de forma triangular.

—Colócalos en el suelo.

El herrero puso los aros en el suelo, uno dentro del otro. Entonces, con dedos rápidos y sensibles, colocó los discos triangulares de modo que las bases descansaran sobre el círculo exterior, y sus vértices tocaran el interior. Había siete, así que formaron un sol de siete puntas en el espacio interior.

—Ahora el pájaro —dijo Ramón.

El hombre tomó rápidamente la larga pieza de hierro: era la forma rudimentaria de un pájaro, con dos patas, pero todavía sin alas. Lo colocó en el centro del círculo interior, de modo que las patas tocaran el círculo y la cresta de la cabeza el círculo opuesto.

—¡Así! Encaja bien —observó el hombre.

Ramón contempló el gran símbolo de hierro que estaba sobre el suelo. Oyó las puertas del zaguán interior, y vio a Kate y Carlota cruzando el patio.

—¿Lo retiro? —preguntó en seguida el hombre.

—No importa —contestó tranquilamente Ramón.

Kate se quedó mirando con fijeza la gran guirnalda de hierro que reposaba sobre la tierra.

—¿Qué es? —preguntó en tono alegre.

—El pájaro dentro del sol.

—¿Es eso un pájaro?

—Cuando tenga alas.

—¡Ah, sí! Cuando tenga alas. ¿Y para qué sirve?

—Como símbolo para el pueblo.

—Es bonito.

—Sí.

—¡Ramón! —llamó doña Carlota—. ¿Quieres darme la llave de la caseta? Martín nos llevará en el bote.

El sacó la llave de debajo de la faja.

—¿Dónde ha conseguido esa faja tan bella? —preguntó Kate.

Era la faja blanca con rayas azules y negras y un tupido fleco rojo.

—¿Esta? —repuso él—. La hemos tejido aquí.

—¿Y también han hecho las sandalias?

—¡Sí! Las hizo Manuel. Después le enseñaré algo.

—¡Oh, me gustará verlo! Son muy bonitas, ¿verdad, doña Carlota?

—¡Sí! ¡Sí! Es cierto. Lo que no sé es si las cosas bonitas son juiciosas. Eso no lo sé, señora. ¡Ay, eso no! Y usted, ¿sabe lo que es juicioso?

—¿Yo? —dijo Kate—. No me importa demasiado.

—¡Ah! ¡No le importa! ¿Cree que Ramón es juicioso al llevar la ropa de los campesinos, y los buaraches? —Por una vez, doña Carlota hablaba en un inglés lento.

—¡Oh, sí! —exclamó Kate—. ¡Está tan apuesto! Los trajes de los hombres son horribles, ¡y don Ramón está tan apuesto con estas ropas!

Con el gran sombrero ladeado sobre la cabeza, tenía cierto aire de nobleza y autoridad.

—¡Ah! —replicó doña Carlota, mirando a Kate con ojos inteligentes y un poco asustados, y agitando la llave de la caseta—. ¿Nos vamos al lago?

Las dos mujeres se alejaron. Ramón, riendo para sus adentros, franqueó el portal y cruzó el patio exterior, en dirección a un gran edificio parecido a un granero que se levantaba cerca de los árboles. Entró en el granero y emitió un ligero silbido, que fue contestado desde el henal a la vez que se abría una trampa. Don Ramón subió los escalones y se encontró en una especie de estudio y taller de carpintería. Un joven más bien grueso, de cabellos rizados, que llevaba un blusón de pintor y un mazo y buriles en la mano, le saludó.

—¿Cómo va? —preguntó Ramón.

—Bien... bien...

El artista estaba tallando una cabeza en madera. Era de tamaño mayor que el natural, convencionalizada; no obstante, bajo las líneas convencionales se advertía el parecido con Ramón.

—Pose durante media hora —pidió el escultor.

Ramón se sentó y guardó silencio mientras el otro hombre se inclinaba sobre su modelo, trabajando en silenciosa concentración. Y Ramón permaneció erguido, casi inmóvil, con un gran reposo y concentración, sin pensar en nada pero irradiando la oscura aureola del poder, bajo cuyo hechizo trabajaba el artista.

—Ya es suficiente —dijo por fin Ramón, levantándose.

Ramón déme la pose antes de irse —instó el escultor.

Ramón se despojó del blusón, lentamente, y posó con el torso desnudo y la faja a rayas azules y negras ciñéndole la cintura. Durante unos momentos permaneció pensativo, y entonces, de improviso, en una concentración de intensa y altiva plegaria, levantó el brazo derecho por encima de la cabeza y se quedó inmóvil, con el brazo izquierdo colgando suavemente y los dedos tocando el muslo. Y en su rostro, aquella mirada de orgullo, fija e intensa, que era a la vez una plegaria.

El escultor le miró con asombro y una apreciación matizada por el temor. El otro hombre, alto e intenso, con los grandes ojos oscuros llenos de intenso orgullo, y a la vez suplicantes, más allá de los horizontes naturales, hacía vibrar en las venas del artista una emoción de temor y alegría. Bajó la cabeza mientras miraba.

Don Ramón se volvió hacia él.

—¡Ahora tú! —exclamó.

El artista estaba asustado, acobardado, pero su mirada se cruzó con la de Ramón. E instantáneamente, aquella tranquila concentración le dominó, como un trance. Y de repente, desde este trance, levantó el brazo hacia arriba, y su rostro grueso y pálido asumió una expresión de paz, una transfiguración noble, inmóvil, y los ojos, tranquilos y orgullosos, miraron hacia el más allá con su plegaria. Y aunque llevaba un blusón, y su figura era regordeta y sus cabellos, rizados, tenía la perfecta quietud de la nobleza.

—¡Muy bien! —aprobó Ramón, bajando la cabeza.

El artista cambió de repente; Ramón alargó las dos manos; el artista las estrechó entre las suyas. Entonces levantó la mano derecha de Ramón y colocó el dorso sobre su frente.

—¡Adiós!* —dijo Ramón, tomando de nuevo su blusa.

—¡Adiós, señor!* —contestó el artista.

Y con una orgullosa y alegre expresión en el rostro, se volvió hacia su trabajo.

Ramón visitó la casa de adobe, rodeada por una valla de caña y sombreada por un gran mango, donde Manuel y su esposa e hijos, junto con dos ayudantes, hilaban y tejían. Dos niñas cardaban asiduamente lana blanca y lana marrón bajo un grupo de plátanos; la esposa y una joven hilaban. De una cuerda colgaba lana teñida de rojo, azul y verde. Y bajo el cobertizo estaba Manuel con un muchacho, tejiendo entre dos pesados telares manuales.

—¿Cómo va eso? —inquirió don Ramón.

—¡Muy bien! ¡Muy bien!* —repuso Manuel, con aquella curiosa expresión transfigurada brillando en sus ojos negros y en la sonrisa de su rostro—. ¡Va muy bien, señor!

Ramón se detuvo para mirar el bello sarape blanco del telar. Tenía un borde en zigzag de lana natural negra y azul, formando pequeños diamantes, y los extremos eran una complicación de diamantes azules y negruzcos. El hombre estaba empezando a hacer el centro, llamado la boca;* y miraba ansiosamente el dibujo clavado al telar. Pero era sencillo: igual que el símbolo de hierro que el herrero no tardaría en acabar: una serpiente con la cola en la boca, y unos triángulos negros en el dorso que eran la parte exterior del círculo: y en el centro, un águila azul erguida, con esbeltas alas tocando el vientre de la serpiente con sus puntas, y esbeltas patas sobre la serpiente, en el interior del aro.

Ramón volvió a la casa, a la terraza superior, que rodeó hasta llegar al ala corta donde se hallaba su habitación. Colocó un sarape doblado sobre su hombro y siguió por la terraza. Al extremo de esta ala, proyectándose hacia el lago, había una terraza cuadrada de pared baja y gruesa y un tejado de tejas, y una bignonia escarlata y rojo coral que pendía de los macizos pilares. La terraza, o galería, estaba casi cubierta por las esteras nativas de hoja de palmera, *petates,** y en un rincón había un tambor, y sobre él, la banqueta. En el extremo interior descendía una cerrada escalera de piedra, que tenía una puerta de hierro al final.

Ramón contempló el lago durante un rato. Las nubes se estaban disolviendo una vez más y la superficie del agua irradiaba una luz blanquecina. En la distancia podía verse la mancha fluctuante de un bote, probablemente Martín con las dos mujeres.

Se quitó el sombrero y el blusón y permaneció inmóvil, desnudo hasta la cintura. Entonces levantó la baqueta del tambor y, tras esperar unos momentos, para serenarse en el alma, tocó la rítmica llamada, bastante lenta, pero con una curiosa urgencia en su ritmo fuerte y débil. Había puesto el antiguo y bárbaro poder en el tambor.

Durante un rato estuvo solo, con el tambor, o tam-tam, levantado por la correa contra sus piernas, la mano derecha golpeándolo y el rostro sin expresión. Entró un hombre, con la cabeza descubierta, corriendo desde la terraza interior. Llevaba las prendas de algodón blanco, de un blanco inmaculado, pero un sarape oscuro doblado sobre el hombro, y una llave oscilaba entre sus dedos. Saludó a Ramón colocando un momento el dorso de su mano derecha delante de sus ojos, y entonces bajó la escalera de piedra y abrió la puerta de hierro.

Inmediatamente empezaron a subir hombres, todos vestidos con las prendas de algodón blanco y calzados con los buaraches, y cada uno con el sarape doblado sobre el hombro. Pero sus fajas eran todas azules, y sus sandalias, azules y blancas. El escultor también vino, y Mirabal, ambos vestidos igualmente con el blusón y los calzones blancos.

Había siete hombres, además de Ramón. Todos saludaban al llegar al final de las escaleras. Luego desdoblaban los sarapes, de un color marrón oscuro, decorados con ojos rellenos de blanco, y los dejaban caer junto a la pared, al lado de los sombreros. Después se quitaban los blusones y los tiraban sobre los sombreros.

Ramón dejó el tambor y se sentó sobre su propio sarape, que era blanco con rayas negras y azules y un fleco escarlata. Un hombre se sentó y tomó el tambor. Los hombres se sentaron en círculo, desnudos hasta la cintura, silenciosos. Algunos eran de piel oscura, marrón rojiza, dos eran blancos y Ramón tenía la tez de un marrón claro. Permanecieron un rato en silencio, mientras el tambor vibraba con su sonido monótono e hipnótico, tocando el aire interior. Entonces el hombre del tambor empezó a cantar con aquella curiosa voz, baja e interna, que apenas emerge del círculo, entonando con el antiguo falsetto de los indios:

«Quien duerme... ¡despertará! Quien duerme... ¡despertará! Quién baja por el camino de la serpiente, llegará al lugar; por el camino del polvo llegará al lugar y será vestido con la piel de la serpiente...»

Una tras otra, las voces de los hombres se unieron a esta voz, hasta que todos cantaron con el ritmo extraño, ciego e infalible del mundo antiguo y bárbaro. Y todos con voces finas e internas, como si cantaran desde el fondo más antiguo y oscuro del alma, no hacia fuera, sino hacia dentro; el alma cantando para sí misma.

Cantaron durante un rato al peculiar unísono, como una banda de pájaros que vuela con una sola conciencia. Y cuando el tambor empezó a extinguirse, todos bajaron la voz con el mismo sonido amplio y gutural.

Hubo un silencio. Los hombres se volvieron, hablando entre sí, riendo de forma tranquila. Pero sus voces diurnas, y sus ojos diurnos, habían desaparecido.

Entonces se oyó la voz de Ramón, y los hombres enmudecieron de repente y escucharon con la cabeza inclinada. Ramón tenía alta la cabeza y miraba hacia la lejanía, en el orgullo de la plegaria.

—No hay Antes ni Después, sólo hay el Ahora dijo—, hablando con voz orgullosa, pero hacia dentro.

»La gran serpiente enrosca y desenrosca el plasma de sus anillos, y aparecen las estrellas y los mundos se desvanecen. No hay otra cosa que el cambio y el descanso del plasma.

»"Yo siempre soy", dice su sueño.

»Como el hombre sumido en un sueño profundo no sabe, pero es, así es la Serpiente del cosmos enroscado, llevando su plasma.

»Como el hombre sumido en un sueño profundo no tiene mañana, ni ayer, ni hoy, y sólo es, así es la límpida y trascendente Serpiente del eterno Cosmos. Ahora y para siempre Ahora.

»Ahora, y sólo Ahora, y para siempre Ahora.

»Pero los sueños surgen y se desvanecen en el sueño de la Serpiente.

»Y surgen muchos como sueños, y se desvanecen como sueños.

»Y el hombre es un sueño en el sueño de la Serpiente.

»Y sólo el sueño que no sueña respira. ¡Yo Soy!

»En el Ahora sin sueños, Yo Soy.

»Los sueños aparecen como deben aparecer, y el hombre es un sueño aparecido.

»Pero el plasma sin sueños de la Serpiente es el plasma del hombre, de su cuerpo, su alma y su espíritu unidos.

»Y el sueño perfecto de la Serpiente Yo Soy es el plasma del hombre cuando es entero.

»Cuando el plasma del cuerpo, y el plasma del alma, y el plasma del espíritu están unidos en la Serpiente Yo Soy.

»Yo soy Ahora.

»No-era es un sueño, y será es un sueño, como dos pies pesados y separados.

»Pero Ahora, Yo Soy.

»Los árboles hacen brotar sus hojas durante su sueño, y la floración emerge de los sueños hacia el puro Yo Soy.

»Los pájaros olvidan la tensión de sus sueños y cantan a gritos en el Ahora, ¡Yo Soy! ¡Yo soy!

»Porque los sueños tienen alas y pies, y viajes que realizar y esfuerzos que hacer.

»Pero la oscilante Serpiente del Ahora no tiene alas ni pies, y está entera y perfectamente enroscada.

»Es así como yace el gato, en la rosca del Ahora, y la vaca dobla el hocico hasta el vientre cuando se acuesta.

»Con los pies de un sueño, la liebre corre colina arriba. Pero cuando se detiene, el sueño, ha pasado, y ella ha entrado en el eterno Ahora, y sus ojos son el vasto Yo Soy.

»Sólo el hombre sueña, sueña y sueña, y cambia de sueños, como el hombre que se revuelve en la cama.

»Sueña con los ojos y la boca, con las manos y los pies, con el falo, el corazón y el vientre, con el cuerpo, el espíritu y el alma, en una tempestad de sueños.

»Y se precipita de sueño en sueño, con la esperanza del sueño perfecto.

»Pero yo os digo: no hay sueño perfecto, porque todos los sueños tienen un dolor y una urgencia, una urgencia y un dolor.

»Y nada es perfecto, salvo el sueño que pasa al sueño Yo Soy.

»Cuando el sueño de los ojos se oscurece y es abarcado por el Ahora.

»Y el sueño de la boca resuena en el último Yo Soy.

»Y el sueño de las manos es el sueño del pájaro en el mar, que duerme y es levantado y movido, y no lo sabe.

»Y los sueños de los pies y los dedos de los pies tocan el corazón del mundo, donde duerme la Serpiente.

»Y el sueño del falo llega hasta el gran No Lo Sé.

»Y el sueño del cuerpo es la quietud de una flor en la oscuridad.

»Y el sueño del alma se desvanece en el perfume del Ahora.

»Y el sueño del espíritu se detiene, y apoya la cabeza, y está quieto con el Lucero del Alba.

»Porque cada sueño surge del Ahora, y se realiza en el Ahora.

»En el corazón de la flor, la centelleante y siempre dormida Serpiente.

»Y lo que se pierde es un sueño, y lo que se añade es un sueño. Hay siempre y solamente el Ahora, el Ahora y Yo Soy.

Reinó el silencio en el círculo de hombres. Afuera, se oía el sonido de la carreta de bueyes, y desde el lago venía el débil golpe de los remos. Pero los siete hombres permanecían con las cabezas inclinadas, en un semitrance, escuchando interiormente.

Entonces el tambor empezó a vibrar con suavidad, como por sí solo. Y un hombre empezó a cantar en voz baja:

> El Señor del Lucero del Alba
> Se hallaba entre el día y la noche.
> Como un ave que levanta las alas e inclina
> El ala brillante hacia la derecha
> Y el ala oscura hacia la izquierda,
> El Lucero del Alba hizo su aparición.
>
> ¡Mirad! ¡Estoy siempre aquí!
> Lejos, en el hueco del espacio,
> Rozo el día con el ala
> E ilumino vuestros rostros.
> La otra ala roza la oscuridad.
> Pero yo estoy siempre en mi lugar.
>
> Sí, estoy siempre aquí. Soy Señor
> En todas las formas. Y los señores entre los hombres
> Me ven a través del centelleo de las alas.
> Me ven y vuelven a perderme.
> Pero, ¡mirad! Estoy siempre aquí,
> Al alcance de la vista.
>
> La multitud no me ve.
> Sólo ve el aleteo,
> Las idas y venidas de las cosas.
> Lo caliente y lo frío.
>
> Pero a vosotros que me percibís
> Entre los temblores del día y de la noche,
> Os nombro señores del Camino
> Invisible.
>
> El camino que hay entre abismos de oscuridad y los
> [precipicios de la luz,
> El camino que es como una serpiente desvanecida,
> [como la mecha que se consume,
> Cuando prende la sustancia de la sombra, que estalla
> [y se convierte en luz.

Estoy aquí y nunca me muevo. Me hallo sentado
Entre alas del vuelo interminable,
En el fondo de la paz y la lucha.

En las profundas humedades de la paz,
Y en el fondo del hocico de la lucha,
Me encontraréis, a mí que no soy incremento
Ni destrucción, sino muy diferente.

Estoy mucho más allá
De los horizontes de amor y combate.
Como una estrella, como una laguna
Que lava a los señores de la vida.

—¡Escuchad! —dijo Ramón en el silencio—. Seremos amos entre
los hombres, y señores entre los hombres. Pero no seremos amos de
hombres ni señores de hombres. ¡Escuchad! Somos señores de la
noche, Señores del día y de la noche, Hijos del Lucero del Alba,
hijos de la Estrella Vespertina. Hombres de la Estrella Matutina y
Vespertina.

»No somos señores de hombres: ¿cómo pueden los hombres
hacernos señores? Tampoco somos amos de hombres, porque los
hombres no son dignos de ello.

»Pero soy la Estrella Matutina y Vespertina, y señor del día y de
la noche. Por el poder que se ha puesto en mi mano izquierda, y el
poder que empuño en la derecha, soy señor de las dos maneras.

»Y mi flor sobre la tierra es la flor del jazmín, y en el cielo, la flor
de Venus.

»No os daré órdenes ni os serviré, porque la serpiente va torcida a
su propia casa.

»Pero estaré con vosotros, para que no os separéis de vosotros
mismos.

»No se trata de dar ni tomar. Cuando los dedos que dan, tocan
los dedos que reciben, el Lucero del Alba brilla inmediatamente, a
causa del contacto, y el jazmín lanza destellos entre las manos. Por
lo que no hay dádiva ni aceptación, ni mano alargada ni mano que
recibe, pues la estrella que hay entre ambas lo es todo, y la mano
oscura y la mano iluminada son invisibles en cada lado. El jazmín
toma la dádiva y la aceptación de su copa, y el perfume de la fusión
flota fragante en el aire.

»No penséis en dar ni en recibir, dejadlo a la flor del jazmín.

»No permitáis que nada se derrame en exceso, que nada os sea
arrebatado.

»Y no arrebatéis nada. Ni siquiera el perfume de la rosa, ni el jugo
de la granada, ni el calor del fuego.

170

»Decid, en cambio, a la rosa: ¡Mira! Te arranco del rosal y tu aliento está en mi nariz, y mi aliento es cálido en tus profundidades. Deja que sea un sacramento entre nosotros.

»Y sed precavidos cuando partáis la granada: es el crepúsculo lo que tomáis en vuestras manos. Decid: Ya vengo; ven tú. Deja que la Estrella Vespertina brille entre nosotros.

»Y cuando el fuego arde y el viento es frío y vosotros extendéis las manos hacia la llama, escuchad lo que dice ésta: ¡Ah! ¿Eres tú? ¿Vienes a mi lado? Mira, yo iba a emprender el viaje más largo, por el camino de la mayor serpiente. Pero ya que tú vienes a mí, yo iré hacia ti. Y cuando tú caigas en mis manos, yo caeré en las tuyas, y flores de jazmín sobre la mata ardiente que hay entre nosotros. Nuestro encuentro es la mata ardiente, de ahí las flores de jazmín.

»No arrebatéis nada, ni dejéis que nada os sea arrebatado. Porque tanto el que despoja como el despojado rompe la raíz de la flor de jazmín, y escupe sobre la Estrella Vespertina.

»No toméis nada para decir: *¡Ya lo tengo!* Porque no podéis poseer nada, ni siquiera la paz.

»Nada puede poseerse, ni el oro, ni la tierra, ni el amor, ni la vida, ni la paz, ni siquiera la pena y la muerte, ni siquiera vuestra salvación.

»No digáis de nada: Es mío.

»Decid sólo: Está conmigo.

»Porque el oro que está contigo se demora como una luna menguante, mirándote a través del espacio y diciendo: ¡Mira! Somos observadores el uno del otro. ¡Mira! Durante un breve tiempo, tú y yo somos observadores el uno del otro.

»Y tu tierra te dice: ¡Ah, hijo mío y de un remoto padre! ¡Ven, levántame, levántame un poco para que las amapolas y el trigo aprovechen el viento horizontal que se mueve entre mi pecho y el tuyo! Después húndete conmigo, y formaremos un solo montículo.

»Y escucha a tu amor diciendo: ¡Amado mío! La espada me siega como a la hierba y sobre mí está la oscuridad y el temblor de la Estrella Vespertina. Y para mí tú eres oscuridad y la nada. Oh, cuando te levantes y sigas mi camino, háblame, dime sólo: La estrella surgió entre nosotros.

»Y dile a tu vida: ¿Soy tuyo? ¿Eres mía? ¿Soy yo la curva azul del día en torno a tu noche sin curvas? ¿Son mis ojos el crepúsculo de ninguno de nosotros dos, donde pende la estrella? ¿Es mi labio superior la puesta del sol y mi labio inferior el amanecer, y tiembla la estrella dentro de mi boca?

»Y dile a la paz: ¡Ah, estrella aparecida y eterna! ¡Las aguas del amanecer ya empiezan a cubrirte y a mí me arrastran sobre la corriente!

»Y dile a tu pena: ¡Hacha, me estás derribando!

»Sin embargo, ¿ha saltado una sola chispa de tu borde y mi herida?

»Corta, entonces, mientras cubro mi rostro, padre de la Estrella.

»Y dile a tu fuerza: ¡Mira! La noche llena de espuma mis pies y mis nalgas, el día resbala con su espuma de mis ojos y labios hacia el mar de mi pecho. ¡Mira, ya se encuentran! Mi vientre es una corriente de poder que penetra por los huesos de mi espalda, y una estrella pende muy baja sobre la corriente, en un agitado amanecer.

»Y dile a tu muerte: ¡Así sea! Yo y mi alma vamos hacia ti, Estrella Vespertina. Carne, desciende a la noche. Espíritu, adiós, éste es tu día. Déjame ahora. Voy ahora en la extrema desnudez hacia la Estrella más desnuda.

CAPITULO XII

LAS PRIMERAS AGUAS

Los hombres se habían levantado y cubierto, puesto los sombreros y tapado sus ojos un instante, como saludo a Ramón, antes de marcharse por la escalera de piedra. La puerta de hierro de abajo se había cerrado con estrépito y el portero había vuelto con la llave, para colocarla sobre el tambor y alejarse con suavidad y delicadeza.

Ramón siguió sentado sobre su sarape, con los hombros desnudos apoyados contra la pared y los ojos cerrados. Estaba cansado, y se encontraba en aquel estado de supremo aislamiento que hace muy difícil regresar al mundo. Con las orejas podía oír los ruidos de la hacienda, incluso el tintineo de las cucharillas de té y las voces bajas de las mujeres, y, más tarde, el rumor lento y entrecortado de un automóvil que subía por el camino desigual y se detenía triunfalmente en el patio.

Era difícil volver a estas cosas. Los ruidos sonaban en la parte exterior de sus orejas, dentro de las cuales había el lento, vasto e ineludible zumbido del cosmos, como en una concha. Era difícil tener que soportar el contacto de las cosas cotidianas cuando el alma y el cuerpo estaban desnudos frente al cosmos.

Deseaba que le dejaran un rato con los velos de su aislamiento. Pero no querían; en especial, Carlota. Ella necesitaba su presencia, su contacto familiar. Ya le estaba llamando:

—¡Ramón! ¡Ramón! ¿Has terminado? Cipriano está aquí. — Pero aún así, en su voz había miedo, y una temeridad avasalladora.

Ramón se alisó hacia atrás los cabellos y se levantó, y con pasos muy rápidos entró tal como estaba, desnudo hasta la cintura. No quería vestirse con familiaridad cotidiana cuando su alma no sentía esta familiaridad.

Había una mesa de té en la terraza, y Cipriano estaba allí, vestido de uniforme. Se levantó en seguida y cruzó la terraza con los brazos abiertos y los ojos negros brillantes de intensidad, una intensidad parecida al dolor, fijos en el otro hombre. Y Ramón le miró con ojos muy abiertos, conscientes, pero inalterables.

Los dos hombres se abrazaron, pecho contra pecho, y por un momento Cipriano puso las manos pequeñas y oscuras sobre los hombros desnudos de Ramón y se mantuvo perfectamente quieto

173

contra su pecho. Luego, con mucha suavidad, se apartó y le miró sin decir una palabra.

Ramón posó una mano abstraída sobre el hombro de Cipriano y le miró con una pequeña sonrisa.

—¿Qué tal* —profirió con el borde de los labios.

—¡Bien! ¡Muy bien!* —contestó Cipriano sin dejar de mirar la cara del otro hombre con ojos negros, curiosos e infantiles, como si él, Cipriano, se buscara a sí mismo en el rostro de Ramón. Este fijó la mirada en los ojos negros e indios de Cipriano y le dedicó una ligera y bondadosa sonrisa de reconocimiento, y entonces Cipriano inclinó la cabeza como para ocultar el rostro, y sus cabellos negros, que llevaba bastante largos y peinados hacia los lados, le cayeron sobre la frente.

Las mujeres les observaban en un silencio absoluto. Luego, cuando los dos hombres empezaron a moverse hacia la mesa de té, Carlota se dispuso a llenar sus tazas. Pero la mano le temblaba tanto, que la tetera se tambaleó, y tuvo que dejarla de nuevo sobre la mesa y cruzar las manos sobre el halda de su vestido de muselina blanca.

—¿Habéis remado por el lago? —preguntó distraídamente Ramón al acercarse.

—¡Ha sido precioso! —repuso Kate—. Pero caluroso cuando nos ha tocado el sol.

Ramón sonrió un poco y se pasó la mano por el pelo. Luego, con una mano apoyada sobre la baranda de la terraza, se volvió a mirar hacia el lago, y un suspiro inconsciente le agitó los hombros.

Permaneció así, con el torso desnudo y los cabellos despeñados y espléndidos, dando la espalda a las mujeres y mirando hacia el lago. Cipriano se mantenía cerca de él.

Kate vio cómo el suspiro levantaba los hombros suaves, tranquilos, de un marrón cremoso. La piel suave y marrón de la espalda, de una sensualidad serena y *pura,* la hizo temblar. Los hombros anchos cuadrados, bastante altos, el cuello y la cabeza de altiva postura, el cuerpo exuberante, macizo, de amplio pecho, le hacían sentir vértigo. Contra su voluntad, imaginó un cuchillo clavado entre esos hombros puros y viriles. Aunque sólo fuera para romper la arrogancia de su lejanía.

Eso era. Su desnudez resultaba tan lejana, remota, intangible, como de otra época, que el mero hecho de pensar en ella era casi una violación, así como observarla con ojos penetrantes. El corazón de Kate dio un vuelco repentino. Así era como Salomé había mirado a Juan. Y ésta era la belleza que había tenido Juan: ¡como la de una granada de un árbol oscuro en la distancia, desnuda, pero no descubierta! Para siempre inmóvil y desnuda, y rodeada de otra luz,

174

de un día más esplendoroso que nuestro día opaco, indiscreto y escudriñador.

Un momento después de que Kate imaginara un cuchillo entre aquellos hombros, la dominó una sensación de pena y vergüenza, y se sintió invadida por una gran serenidad. Mejor llevar el silencio al propio corazón y apartar los rayos curiosos de los propios ojos. Mejor escapar del yo curioso y agresivo y ceder el paso al yo suave e íntegro para el que la desnudez no es vergüenza ni excitación sino que está envuelta como una flor en su propia conciencia profunda y suave, fuera del alcance de toda percepción mezquina.

La brisa vespertina era muy ligera. A través de la nacarada atmósfera avanzaban unos cuantos botes; arriba, muy lejos, el sol tenía una calidad dorada. La orilla opuesta, a treinta y cinco kilómetros de distancia, se veía con claridad y, no obstante, parecía haber en el aire una neblina opalescente, como espuma, de la misma calidad que el agua opaca. Kate podía ver los puntos blancos de los distantes campanarios de Tuliapán.

Abajo, en el jardín que había a los pies de la casa, se apiñaba un bosquecillo de mangos. Entre las hojas oscuras y rojizas de los mangos revoloteaban pequeños pájaros escarlatas, como capullos de amapolas, y parejas de pájaros amarillos, amarillos en el vientre como mariposas doradas, perfectamente claros. Cuando se posaban por un momento y cerraban las alas, desaparecían, porque eran grises por encima. Y cuando se posaban los pájaros cardenales, también ellos desaparecían, porque la parte exterior de sus alas era marrón, como una funda.

—Los pájaros de este país parecen tener todo el color debajo —observó Kate.

Ramón se volvió de repente hacia ella.

—¡Dicen que la palabra *México* significa *debajo de esto!* —exclamó, sonriendo y sentándose en una mecedora.

Doña Carlota había realizado un gran esfuerzo, y con la mirada fija en las tazas de té, llenó una de ellas y la alargó a Ramón, sin mirarle. No se atrevía a mirarle; la hacía temblar de ira, una ira extraña e histérica. Aunque estaba casada con él desde hacía años y le conocía, ¡ah!, qué bien le conocía, no tenía nada de él. Absolutamente nada.

—Dame un terrón de azúcar, Carlota —dijo Ramón con su voz tranquila.

Pero al oírle, su mujer se detuvo como si una mano la hubiera asido de repente.

—¡Azúcar! ¡Azúcar! —repitió, abstraída.

Ramón estaba incorporado en la mecedora, con la taza en la mano y el pecho levantado. Y el fino hilo que ceñía sus muslos parecía revelar más cosas de él que su misma oscura desnudez. Kate comprendió por qué los calzones de algodón estaban prohibidos en la plaza. La carne viva parecía respirar a través de ellos.

Era guapo, casi horriblemente guapo, con la negra cabeza erguida como si fuera un peso sobre el cuello oscuro y suave. Una sensualidad pura, con una poderosa pureza propia, hostil a la clase de pureza de Kate. Con la faja azul en torno a la cintura, que marcaba un pliegue en su carne, y el fino hilo que parecía brillar con la vida de sus caderas y muslos, emanaba una fascinación que casi se antojaba un narcótico y que esgrimía contra ella su pura y delicada sensualidad. Sentado en el interior de su oscura aureola, irradiaba una seguridad extraña, tranquila y suave, y Kate tenía la impresión de que esta oscura aureola militaba contra su presencia y contra la presencia de su esposa. Ramón emitía un efluvio tan poderoso que parecía entorpecer la conciencia de Kate y agarrotar sus miembros.

Y estaba completamente inmóvil y sereno, sin deseos, suave y tranquilo, dentro de su propio *ambiente**. Cipriano producía la misma impresión, y los dos, tan quietos, oscuros y tenebrosos, parecían un gran peso que abrumara a las mujeres.

Kate conocía ahora los sentimientos de Salomé. Ahora sabía cómo había sido Juan el Bautista, con su terrible y distante belleza, inaccesible y, sin embargo, tan potente.

«Ah —dijo para sus adentros—. Voy a cerrar los ojos a él y abrirlos sólo a mi propia alma. Voy a cerrar mis ojos curiosos y *conscientes* y permanecer en la oscura serenidad con estos dos hombres. Ellos tienen algo más que yo, una riqueza de que yo carezco. Ellos se han librado de esa inquietud de la vista, y del deseo que entra a través de la vista. De esa vista inquieta, lasciva, imaginativa, *consciente*, que es mi maldición y mi impedimento. Es la peor de las maldiciones, la maldición de Eva. La maldición de Eva ha caído sobre mí y mis ojos son como garfios, y mi conocimiento como un anzuelo que atraviesa mis branquias y me agita en un deseo espasmódico. ¡Oh, quién me librará del arpeo de mis ojos, de la impureza de una vista penetrante! Hija de Eva, de visión codiciosa, ¿por qué no me salvan estos hombres de la avidez de mis propios ojos?»

Se levantó y fue hasta el borde de la terraza. Amarillos como narcisos por debajo, dos pájaros emergieron de su propia invisibilidad. En la pequeña bahía pedregosa, con sus rompeolas en miniatura, donde estaba amarrado el bote, dos hombres se encontraban en el agua lanzando una gran red redonda para pescar los pequeños peces plateados llamados charales, que refulgían en el agua parda como astillas de vidrio.

—¡Ramón! —oyó Kate la voz de doña Carlota—. ¿No vas a vestirte?

La esposa ya no era capaz de soportarlo más.

—¡Sí! Gracias por el té —dijo Ramón, levantándose.

Kate le vio cruzar la terraza con su peculiar silencio, produciendo con las sandalias un ligero rumor sobre las baldosas.

—¡Oh, señora Caterina! —exclamó la voz de Carlota—. Venga a tomar su té. ¡Venga!

Kate volvió a la mesa, diciendo:

—Hay una paz tan maravillosa aquí.

—¡Paz! —repitió Carlota—. Ah, yo no creo que haya paz, sino una horrible quietud que me inspira miedo.

—¿Viene aquí a menudo? —preguntó Kate a Cipriano.

—Sí, bastante a menudo. Una o dos veces por semana —repuso él—, mirándola con una conciencia secreta, que ella no pudo comprender, acechando en sus ojos negros.

Estos hombres querían arrebatarle su *voluntad,* como si quisieran negarle la luz del día.

—Ahora tengo que volver a casa —dijo—. Pronto se pondrá el sol.

—¿*Ya se va?** —preguntó Cipriano con su aterciopelada voz de indio, en la que se advertía una nota de distante sorpresa y reproche.

—¡Oh, no señora! —gritó Carlota—. Quédese hasta mañana. Oh, sí, quédese hasta mañana, conmigo.

—En casa nos estarán esperando —vaciló Kate.

—¡Ah, no! Puedo mandar a un mozo para avisar que irá mañana. ¿Sí? ¿Se quedará? ¡Ah, bien, bien!

Y posó la mano, como en una caricia, sobre el brazo de Kate, y luego se levantó precipitadamente para hablar con los criados.

Cipriano había sacado su pitillera, que ofreció a Kate.

—¿Acepto uno? —preguntó ella—. Es mi vicio.

—Tome uno —animó él—. No es bueno ser perfecto.

—No, ¿verdad? —rió Kate, inhalando el humo.

—¿Lo llamaría paz ahora? —inquirió él con incomprensible ironía.

—¿Por qué?

—¿Por qué los blancos quieren siempre paz? —volvió a preguntar él.

—¡Porque la paz es algo natural! ¿Acaso no la desea todo el mundo? ¿No la desea usted?

—La paz es sólo el descanso después de la guerra, por lo que no es más natural que la lucha: quizá no lo sea tanto.

—No, pero existe otra paz: la paz que trasciende toda comprensión. ¿No la conoce?

—Creo que no —repuso él.

—¡Qué lástima! —exclamó Kate.

—¡Ah! —replicó Cipriano—. ¿Quiere enseñarme? Pero para mí es diferente. Todo hombre tiene en su interior dos espíritus. Uno es como el amanecer en época de lluvia, muy tranquilo, dulce y húmedo, ¿no?, con el canto del sinsonte y pájaros revoloteando, muy fresco. Y el otro es como la estación seca y la firme, fuerte y cálida luz del día, que parece incapaz de cualquier cambio.

—Pero a usted le gusta más el primero —exclamó Kate.

—¡No lo sé! —replicó él—. El otro dura más tiempo.

—Estoy segura de que prefiere el amanecer —insistió ella.

—¡No lo sé! ¡No lo sé! —sonrió él, y Kate vio que realmente *no* lo sabía—. En el primer caso, es posible sentir las flores sobre su tallo, un tallo muy fuerte que está lleno de savia, ¿no?, y la flor se abre en su extremo como una cara cuyo perfume es el deseo. Y una mujer podría ser así. Pero esto pasa, y el sol empieza a brillar con mucha fuerza y mucho calor, ¿no? Entonces, todo cuanto el hombre tiene en su interior cambia, se oscurece, ¿no? Y las flores se marchitan y el pecho del hombre se convierte en un espejo de acero. Y en su interior sólo hay oscuridad, una oscuridad que se enrosca y desenrosca como una serpiente. Todas las flores están marchitas sobre tallos encogidos, ¿no? y entonces las mujeres no existen para el hombre. Desaparecen como las flores.

—Y, ¿qué quiere en su lugar? —preguntó Kate.

—No lo sé. Quizá ansía ser un gran hombre y dominar a todo el mundo.

—¿Y por qué no lo hace?

El levantó los hombros.

—Y usted —dijo a Kate— me parece ese amanecer del que le he estado hablando.

—Acabo de cumplir cuarenta años —rió ella, temblorosa.

De nuevo él levantó los hombros.

—No importa. Es lo mismo. Su cuerpo me parece el tallo de la flor de que le hablaba, y en su rostro será siempre mañana, de la estación lluviosa.

—¿Por qué me dice esto a mí? —preguntó ella mientras la recorría un extraño estremecimiento involuntario.

—¡Por qué no decirlo! —replicó él—. Es usted como la fresca mañana, muy fresca. En México somos el fin del seco y cálido día.

La miraba con un extraño y persistente deseo en los ojos negros y algo que a ella se le antojó una curiosa especie de insolencia. Kate bajó la cabeza para esconderse de él, y se balanceó en la mecedora.

—Me gustaría casarme con usted —dijo él—, si algún día vuelve a casarse. Me gustaría casarme con usted.

—No creo que vuelva a casarme *jamás* —replicó Kate—, con el pecho henchido, como si se ahogara, y un oscuro rubor involuntario en las mejillas.

—¡Quién sabe! —susurró él.

Ramón se acercaba por la terraza, con su fino sarape blanco doblado sobre el hombro desnudo; por su pecho caía el borde de dibujo azul y el largo fleco escarlata, que se le movían al andar. Se apoyó contra una de las columnas de la terraza, y miró a Kate y Cipriano. Este le dirigió aquella peculiar mirada de intimidad primitiva.

—He dicho a la señora Caterina —dijo— que, si algún día quiere casarse con un hombre, debe casarse conmigo.

—Son palabras sencillas —contestó Ramón, mirando a Cipriano con la misma intimidad, y sonriendo.

Entonces miró a Kate, con una lenta sonrisa en los ojos pardos, y la sombra de un curioso conocimiento en el rostro. Dobló el brazo sobre el pecho, como hacen los nativos cuando tienen frío y se protegen; y la carne de un marrón cremoso, como el opio, levantó los pezones de sus pechos, llenos y suaves.

—Don Cipriano dice que los blancos siempre quieren paz —murmuró Kate, mirando a Ramón con ojos inquietos—. ¿No se consideran ustedes blancos? —preguntó con ligera y deliberada impertinencia.

—No más blancos de lo que somos —sonrió Ramón—. Al menos, no blancos como un lirio.

—¿Y no quieren paz?

—¿Yo? No debo ni pensarlo. Los humildes han heredado la tierra, según la profecía. Pero, ¿quién soy yo para envidiar su paz? No, señora. ¿Acaso parezco un evangelio de paz? ¿O un evangelio de guerra? La vida no tiene esta división para mí.

—No sé lo que quieren —dijo Kate—, mirándole con ojos obsesionados.

—Sólo nos conocemos a medias —replicó él, sonriendo, con ojos cambiantes—. Quizá ni siquiera a medias.

Había en él cierta bondad vulnerable que obligó a Kate a preguntarse, con un sobresalto, si había comprendido alguna vez el significado del paternalismo. El misterio, la nobleza, la inaccesibilidad, y la compasión vulnerable del hombre en su aislada paternidad.

—¿No le gustan las personas de piel morena? —preguntó suavemente Ramón.

—Creo que son hermosas —repuso ella—, pero... —con un ligero estremecimiento— me alegro de ser blanca.

—¿Siente que no podría haber contacto? —inquirió él, simplemente.

—¡Sí! A eso me refería.

—Es tal como lo siente.

Y en cuanto él hubo hablado, Kate supo que para ella era más hermoso que cualquier hombre blanco y rubio, y que, de un modo remoto, el contacto con él era más precioso que cualquier contacto que hubiera conocido.

Pero él, aunque proyectaba cierta sombra sobre ella, no la sometería nunca a su influencia, no buscaría nunca un contacto íntimo. Era la parte incompleta de Cipriano lo que la buscaba y parecía inmiscuirse en su intimidad.

Al oír la voz de Ramón, Carlota apareció, nerviosa, en un umbral. Al oírle hablar en inglés, desapareció de nuevo en un acceso de ira. Pero al cabo de poco rato volvió una vez más, con un pequeño búcaro que contenía las gruesas flores de color crema y fresa cuyo olor es tan dulce.

—¡Oh, qué bonitas! —exclamó Kate—. ¡Son flores de templo! En Ceilán los nativos entran de puntillas en los pequeños templos y depositan una flor sobre el altar que hay al pie de las grandes estatuas de Buda. Y los altares para el sacrificio están cubiertos por estas flores, en primorosos grupos. Los nativos tienen un delicado estilo oriental para la disposición de estas ofrendas.

—¡Ah! —dijo Carlota, poniendo el búcaro sobre la mesa—. Yo no las he traído para ningún dios, y menos si es desconocido. Las he traído para usted, señora. Su perfume es tan dulce.

—¿Verdad que sí? —convino Kate.

Los dos hombres se alejaron, Ramón riendo.

—¡Ah, señora! —dijo Carlota, sentándose, llena de tensión—. ¿Podría usted seguir a Ramón? ¿Podría renunciar a la Santísima Virgen? ¡Yo moriría antes que hacerlo!

—¡Ya! —exclamó Kate, con un poco de cansancio—. Desde luego no necesitamos más dioses.

—¡Más dioses, señora! —repitió doña Carlota, escandalizada—. Pero, ¡cómo es posible! Don Ramón está en pecado mortal.

Kate guardó silencio.

—Y ahora quiere que más y más gente lo cometa —prosiguió Carlota—. Es el pecado del orgullo. ¡Hombres sabios en su propia presunción! El pecado cardinal de los hombres. Ah, se lo he dicho. Y estoy muy contenta, señora, de que usted sienta lo mismo que yo. Me dan tanto miedo las mujeres americanas, esa clase de mujeres. Desean adueñarse de las mentes de los hombres, así que aceptan sus locuras y su maldad. ¿Es usted católica, señora?

—Fui educada en un convento —contestó Kate.

—¡Ah! ¡Claro! ¡Claro! Ah, señora, como si una mujer que hubiese conocido a la Santísima Virgen pudiera separarse de ella. Ah, señora, ¿qué mujer podría volver a poner a Cristo en la cruz, para crucificarle dos veces? ¡Pero los hombres, los hombres! ¡Esta cuestión de Quetzalcóatl! ¡Qué payasada, señora; si no fuera un pecado tan horrible! ¡Y dos hombres inteligentes y bien educados! ¡Sabios en su propia presunción!

180

—Los hombres suelen ser así —observó Kate.

El sol se ponía; había una gran nube horizontal y sólo los lados del horizonte eran algo claros. El sol no estaba visible, se había ocultado con un espeso vapor rojizo tras la cresta ondulada de las montañas. Ahora las colinas eran azuladas; todo el aire tenía un resplandor de tono salmón rojizo; y el agua parda se rizaba con matices rosados. Los hombres y muchachos que se bañaban a lo largo de la playa tenían el color de una llama encendida.

Kate y Carlota habían subido a la *azotea,* * el tejado plano, por la escalera de piedra del extremo de la terraza. Podían ver el mundo: la hacienda y su patio como una fortaleza, el camino entre los tupidos árboles, las negras chozas de adobe cerca de la destrozada carretera, y las pequeñas hogueras que ya ardían frente a los umbrales. Todo el aire era rosado, con cierta tendencia al color del espliego, y los sauces llorones de la orilla eran, bajo la luz rosada, de un verde manzana, y resplandecientes. Detrás se elevaban, abruptas, las colinas como montículos secos y rosados. En la distancia, en la otra orilla del lago, los campanarios blancos de Sayula centelleaban entre los árboles, y se asomaban algunas villas. Había botes deslizándose hacia la sombra desde la brillantez exterior del lago.

Y en uno de esos botes iba Juana, desconsolada, con el criado que la llevaba a su casa.

CAPITULO XIII

LAS PRIMERAS LLUVIAS

Ramón y Cipriano estaban en la orilla del lago. Cipriano lucía también sandalias y ropas blancas y tenía mejor aspecto que con uniforme.

—Hablé con Montes cuando visitó Guadalajara —le dijo a Ramón. Montes era el Presidente de la República.

—¿Y qué dijo?

—Es cauteloso, pero no le gustan sus colegas. Creo que se siente solo. Me parece que le gustaría conocerte mejor.

—¿Por qué?

—Tal vez para que le prestaras tu apoyo moral. Tal vez para nombrarte secretario y así puedas ser presidente cuando termine su mandato.

—Me gusta Montes —dijo Ramón—. Es sincero y apasionado. ¿Te gusta a ti?

—¡Sí! —respondió Cipriano—. Más o menos. Es suspicaz, y tiene miedo de que alguien pretenda compartir con él el poder. Es ávido como un dictador. Quería saber si yo le respaldaría.

—¿Le contestaste en sentido afirmativo?

—Le dije que tú y México érais lo único que me importaba.

—¿Qué dijo a eso?

—Bueno, no es ningún tonto: Dijo: "Don Ramón ve el mundo con ojos diferentes de los míos. ¿Quién sabe cuál de nosotros tiene razón? Yo quiero salvar a mi país de la pobreza y la ignorancia, y él quiere salvar su alma. Yo digo que un hombre hambriento e ignorante no puede tener alma. La barriga vacía se retuerce, la mente vacía hace lo mismo, y el alma no existe. Don Ramón dice que si el hombre no tiene alma, nada importa que sufra hambre o sea ignorante. Pues bien, que él siga su camino mientras yo sigo el mío. Creo que nunca nos estorbaremos mutuamente. Le doy mi palabra de que yo no permitiré que le molesten. El barre el patio y yo barro la calle."

—¡Sensato! —aprobó Ramón—. Y honesto en sus convicciones.

—¿Por qué no podrías ser secretario dentro de unos meses? ¿Y ascender luego a la presidencia? —inquirió Cipriano.

—Sabes que no es eso lo que quiero. Tengo que permanecer en otro mundo y actuar en otro mundo. La política ha de seguir su propio camino, y la sociedad ha de obedecer sus inclinaciones. Déjame en paz, Cipriano. Sé que te gustaría hacer de mí otro Porfirio Díaz, o algo parecido. Pero esto sería para mí un fracaso puro y simple.

Cipriano observaba a Ramón con ojos negros y velados en los que había un elemento de amor, de miedo y de confianza, pero también de incomprensión y de la sospecha que acompaña a la incomprensión.

—Yo mismo no comprendo lo que quieres —murmuró.

—Sí, sí que lo comprendes. La política y toda esta religión *social* de Montes es como lavar la superficie del huevo, para que parezca limpio. Yo quiero penetrar en el huevo para que empiece a desarrollarse un pájaro nuevo. ¡Ay, Cipriano! México es como un huevo muy, muy viejo puesto hace muchos siglos por el pájaro del Tiempo; que lo ha estado incubando hasta que parece podrido en el nido del mundo. Pero todavía es un buen huevo, Cipriano. No está podrido. Sólo que la chispa del fuego no ha penetrado nunca hasta su centro, para iniciar su desarrollo. Montes quiere limpiar el nido y lavar el huevo. Pero entretanto el huevo se enfriará y morirá. Cuanto más se salve a este pueblo de la pobreza y la ignorancia, tanto más pronto morirá: como un huevo sucio que se arrebata al águila hembra para lavarlo. Mientras se lava, el huevo se enfría y muere. Pobre Montes, todas sus ideas son americanas y europeas. Y la vieja Paloma de Europa jamás incubará el huevo de la América de piel cobriza. Estados Unidos no puede morir porque no está vivo. Es un nido de huevos de barro, para que se puedan lavar. Pero aquí, Cipriano, aquí, hemos de incubar el polluelo antes de empezar a limpiar el nido.

Cipriano tenía la cabeza baja. Siempre estaba poniendo a prueba a Ramón, para ver si podía cambiarle. Cuando veía que no lo lograba, se sometía, y en su interior brotaban pequeñas chispas de gozo. Pero tenía que intentarlo siempre, una y otra vez.

—Es inútil tratar de mezclar las dos cosas. En estos momentos, por lo menos, no pueden mezclarse. Tenemos que cerrar los ojos y hundirnos, alejarnos de la superficie, hundirnos como sombras hasta el fondo. Como los buscadores de perlas. Pero tú no paras de flotar como un corcho.

Cipriano sonrió levemente. Lo sabía muy bien.

—Hemos de abrir la ostra del cosmos y extraer de ella la virilidad. Mientras no tengamos la perla, sólo seremos mosquitos sobre la superficie del océano —dijo Ramón.

—Mi virilidad es como un demonio dentro de mí —confesó Cipriano.

—Eso es muy cierto —convino Ramón— y se debe a que la vieja

ostra la tiene encerrada, como una perla negra. Tienes que dejarla salir.

—Ramón —dijo Cipriano—, ¿no sería bueno ser una serpiente lo bastante grande como para poder rodear el globo del mundo y aplastarlo como aquel huevo?

Ramón le miró y se echó a reír.

—Creo que podríamos hacerlo —continuó Cipriano, con una lenta sonrisa en torno a los labios—. ¿Y no sería bueno?

Ramón meneó la cabeza, riendo.

—Al menos habría *un solo* buen momento —observó.

—¿Quién pide más? —rió Cipriano.

En los ojos de Ramón también centelleó una chispa, pero en seguida se dominó.

—¿De qué serviría? —inquirió con pesadumbre—. Si aplastáramos el huevo y nosotros sobreviviéramos, ¿qué podríamos hacer sino gemir por los vacíos corredores de la oscuridad? ¿De qué serviría, Cipriano?

Ramón se levantó y se fue. El sol se había puesto y estaba cayendo la noche. Y en su alma revivió la desmedida y apasionada cólera. Carlota la hacía revivir: las dos mujeres parecían animar al sombrío monstruo de su cólera interna, hasta que empezaba a vibrar de nuevo. Y Cipriano la provocaba hasta que rugía de deseo.

«Mi virilidad es como un demonio que ruge dentro de mí», dijo Ramón para sus adentros, con palabras de Cipriano.

Y admitió la justicia de los rugidos y que su virilidad estaba encerrada, humillada, aguijoneada por el insulto, dentro de él. Y la cólera se apoderó de él, contra Carlota, contra Cipriano, contra su propio pueblo, contra toda la humanidad, hasta que se adueñó de él como del diablo.

Su pueblo le traicionaría, estaba seguro. Cipriano le traicionaría. Saltarían sobre él desde la nada, como una tarántula, y le inyectarían el veneno a mordiscos.

En cuanto hubiera una pequeña rendija vulnerable. ¿Y qué hombre es invulnerable?

Subió al piso superior por la escalera externa, a la que se accedía por la puerta de hierro de la fachada lateral, bajo los frondosos árboles, y entró en su dormitorio y se sentó en la cama. La noche era pálida, densa y reinaba un silencio ominoso.

«Las aguas se acercan», oyó decir a un criado. Cerró las puertas del dormitorio hasta que se hizo la oscuridad, y entonces se despojó de la ropa diciendo: Rechazo al mundo con mi ropa. Y, desnudo e invisible en el centro de la estancia, lanzó el puño hacia arriba, con toda su fuerza, sintiendo que haría estallar su caja torácica. Y dejó colgar su mano izquierda, con los dedos ligeramente curvados hacia arriba.

Y, tenso como el chorro de una fuente silenciosa, se estiró hacia arriba y abajo, hacia la oscuridad invisible, convulsionado por la pasión. Hasta que las oleadas negras empezaron a anegar su conciencia y su mente, su memoria y todo su ser, como una marea que alcanza su punto máximo; y entonces tembló y quedó en reposo. Invisible en la oscuridad, se mantuvo flojo y relajado, mirando las sombras con ojos muy abiertos y sintiendo la oscura fecundidad de la marea interna en su corazón y en su vientre, mientras la mente se disolvía en otra mente más vasta que no estaba perturbada por los pensamientos.

Se cubrió el rostro con las manos y permaneció quieto, en pura inconsciencia, sin oír ni sentir ni saber, como un alga oscura hundida en el mar. Sin Tiempo ni Mundo, en las profundidades eternas y aisladas.

Luego, cuando recobró el corazón y el vientre, su mente volvió a titilar con suavidad, como una tenue llama que arde sin extinguirse.

Entonces se secó el rostro con las manos, cubrió su cabeza con el sarape y, silencioso dentro de una aureola de dolor, salió y cogió el tambor, que llevó consigo a la planta baja.

Martín, el hombre que le amaba, se entretenía en el zaguán.

—¿Sí, patrón?* —preguntó.

——¡Ya!* —contestó Ramón.

El hombre entró corriendo en la cocina, oscura y espaciosa, y salió de nuevo con un puñado de esteras de paja.

—¿Adónde, patrón? —preguntó.

Ramón vaciló en el centro del patio y miró al cielo.

—¿Viene el agua?* —inquirió.

—Creo que sí, patrón.*

Fueron al cobertizo donde antes embalaban racimos de plátanos y los cargaban sobre los asnos. Allí Martín tiró al suelo los petates. Ramón los distribuyó. Guisleno acudió con palos, a fin de hacer luz del modo más sencillo posible. Tres palos gruesos, atados en un extremo con una cuerda, formaron un trípode sobre el cual el hombre colocó una piedra de lava, plana y ligeramente cóncava. Luego vino corriendo de la casa con un trozo de madera de ocote encendida, que, partida en tres o cuatro pedazos no mayores que el dedo mediano, enviaron rápidas llamas desde la piedra, hasta que el patio bailó en sombras.

Ramón se quitó el sarape, lo dobló y se sentó sobre él. Guisleno encendió otro trípode. Ramón estaba sentado de espaldas a la pared, y el fuego bailaba en sus oscuras cejas, que parecían fruncidas. Su pecho brillaba como el oro a la luz de las llamas. Tomó el tambor y tocó llamada, lenta, monótona, bastante triste. A los pocos momentos llegaron corriendo dos o tres hombres. Cuando acudió el tambor, Ramón se levantó y le entregó el instrumento; el hombre corrió hacia la gran verja de entrada y el oscuro camino, y allí tocó con fuerza y rapidez la llamada.

Ramón se puso el sarape, cuyo fleco escarlata le tocaba las rodillas, y permaneció inmóvil, con los cabellos despeinados. La serpiente tejida rodeaba sus hombros, y su cabeza se hallaba en el centro del tejido pájaro azul.

Cipriano llegó desde la casa. Llevaba un sarape escarlata y marrón oscuro, con un gran sol escarlata en el centro, profundos zigzags escarlatas en los bordes y un fleco marrón oscuro que le llegaba a las rodillas. Se detuvo al lado de Ramón y levantó la vista hacia su rostro. Pero el otro hombre tenía el ceño fruncido y los ojos fijos en la oscuridad de los cobertizos del otro lado del patio. Miraba hacia el corazón del mundo; porque los rostros de los hombres y los corazones de los hombres son indefensas arenas movedizas. Sólo en el corazón del cosmos es posible encontrar la fuerza. Y si un hombre puede mantener a su alma en contacto con el corazón del mundo, éste enviará a sus venas una sangre nueva que le infundirá serenidad y fuerza y completará su virilidad.

Cipriano dirigió sus ojos hacia el patio. Sus soldados se habían acercado en un pequeño grupo. Había tres o cuatro hombres alrededor del fuego, envueltos en oscuros sarapes. Cipriano, brillante como un pájaro cardenal, permaneció junto a Ramón. Incluso sus sandalias eran brillantes, de un rojo de lacre, y sus anchos calzones de hilo estaban sujetos a los tobillos con cintas rojas y negras. Su rostro era oscuro y rojizo a la luz del fuego, su pequeña barba negra pendía de modo extraño y demoníaco, y sus ojos brillaban con sarcasmo. Pero asió la mano de Ramón y la mantuvo en la suya.

Los peones franqueaban la verja con sus grandes sombreros. Las mujeres acudían descalzas, haciendo susurrar sus amplias faldas, con niños dentro de sus oscuros rebozos y seguidas por otros niños algo mayores. Todos se agruparon en torno a las llamas, como animales salvajes, contemplando el círculo de hombres envueltos en oscuros sarapes, entre los que destacaba Ramón, magnífico con su sarape blanco, azul y sombra, y su hermosa cabeza erguida, y Cipriano a su lado como un rutilante pájaro cardenal.

Carlota y Kate salieron del interior de la casa. Pero Carlota se quedó allí, envuelta en un chal de seda negra, sentada en el banco de madera donde solían sentarse los soldados y mirando hacia el rojizo resplandor de la luz, el círculo de hombres oscuros, la erguida belleza de su marido, el brillo de pétalos de amapola de Cipriano, el grupo de pequeños y pardos soldados y el sólido racimo de peones, mujeres y niños mirando como animales. Mientras tanto, más hombres franqueaban corriendo el portal, el tambor resonaba y una voz aguda cantaba una y otra vez:

Alguien entrará por el portal,
   Ahora, en este momento, ¡ay!
Ved la luz en el hombre que espera.
   ¿Vosotros o yo?

Alguien vendrá al lugar del fuego
   Ahora, en este momento, ¡ay!
Y escuchará los deseos de su corazón.
   ¿Vosotros o yo?

Alguien llamará a la puerta cerrada,
   ¡ay, dentro de un momento, ay!
Oíd una voz que dice: ¡No os conozco!
   ¿Vosotros o yo?

Sonaba un extraño alarido salvaje detrás de cada «¡Ay!» y del estribillo «¿Vosotros o yo?», que hacía temblar a Carlota.

Kate caminó lentamente hacia el grupo, envolviéndose bien en su chal amarillo.

El tambor del portal emitió un rápido temblor y enmudeció. El hombre que lo tocaba entró, el portal se cerró y atrancó y el hombre del tambor ocupó su lugar en el círculo. Un silencio sepulcral reinó entre la concurrencia.

Ramón continuaba con el ceño fruncido, mirando hacia lo lejos. Entonces, con voz tranquila e interna, dijo:

—Al quitarme esta prenda, me despojo del día que acaba de pasar.

Se quitó el sarape y se lo colgó del brazo. Todos los hombres del círculo le imitaron, quedando con hombros y pechos desnudos. Cipriano se veía muy bajo y oscuro junto a Ramón.

—Me despojo del día que ha pasado —continuó Ramón con la misma voz tranquila e interna— y quedo con el corazón descubierto en la noche de los dioses.

Entonces miró hacia el suelo.

—Serpiente de la tierra —invocó—, serpiente que yaces en el fuego del corazón del mundo, ¡ven!, ¡ven!, enróscate como oro en torno a mis tobillos, y yergue como la vida en torno a mi rodilla, y posa tu cabeza sobre mi muslo. Ven, pon tu cabeza en mi mano, apoya tu cabeza en mis dedos, serpiente de las profundidades. Besa mis pies y mis tobillos con tu boca de oro, besa mis rodillas y el interior de mis muslos, serpiente marcada por la llama y la sombra. ¡Ven, y posa la cabeza en la cesta de mis dedos! ¡Así!

La voz era suave e hipnótica; caía sobre el silencio, y parecía que una presencia misteriosa había llegado realmente desde el otro mundo. Los peones tenían realmente la impresión de ver una serpiente de oro brillante y viviente oscuridad enroscada alrededor del tobillo y la rodilla de Ramón, con la cabeza posada entre sus dedos, y lamiendo su palma con lengua bífida.

Ramón miraba con ojos muy abiertos e insondables los ojos grandes, dilatados y brillantes de su pueblo.

—Os lo digo, en verdad os lo digo —prosiguió—. En el corazón de esta tierra duerme una gran serpiente, en medio de fuego. Los que bajan a las minas sienten su latido y su sudor, sienten sus movimientos. Es el fuego vivo de la tierra, porque la tierra está viva. La serpiente del mundo es enorme, y las rocas son sus escamas y entre ellas crecen árboles. Yo os digo que la tierra que caváis está viva como una serpiente que duerme. Es tan vasta la serpiente sobre la que camináis, que este lago se encuentra entre sus pliegues como una gota de lluvia en los pliegues de una culebra dormida. Pero también ella vive. La tierra está viva.

»Y si la serpiente muriera, todos pereceríamos. Sólo su vida mantiene húmedo el suelo que alimenta vuestro maíz. En las raíces de sus escamas cavamos plata y oro, y los árboles están enraizados en ella, como los pelos de mi rostro tienen raíces en mis labios.

»La tierra está viva. Pero la serpiente es muy grande y nosotros somos muy pequeños, más diminutos que una mota de polvo. Pero ella es muy grande en su vida, y a veces se enfada. *Esta gente pequeña como motas de polvo —dice— me pisan y creen que estoy muerta. Hablan hasta con sus asnos, gritando "¡Arre! ¡burro!". Pero a mí no me dicen una sola palabra. Por eso me volveré contra ellos, como la mujer que yace en la cama enfadada con su marido, y roe su espíritu con su ira, mientras le da la espalda.*

»Esto es lo que nos dice la tierra. Envía pesar a nuestros pies y depresión a nuestros lomos.

»Porque, del mismo modo que una mujer enfadada puede apesadumbrar a un hombre, arrebatándole la vida, también la tierra puede apesadumbrarnos, enfriar nuestras almas y fatigar nuestras vidas.

»Hablad, pues, a la serpiente del corazón del mundo, untad con aceite vuestros dedos y bajadlos para que ella saboree el aceite de la tierra, y dejad que infunda vida a vuestros pies, tobillos y rodillas, como envía savia por el tallo del joven maíz para que la leche del maíz fluya entre su cabellera.

»El hombre siente que recibe su virilidad del corazón de la tierra, como el maíz altivo, que vuelve sus verdes hojas hacia afuera. Sed altivos como el maíz y dejad profundizar a vuestras raíces, porque las lluvias han llegado, y ya es hora de que cultivemos algo en México.

Ramón enmudeció, y el tambor latió con suavidad. Todos los

188

hombres del círculo miraban hacia la tierra, con el brazo izquierdo colgando al costado.

Carlota, que no había podido oír nada, se acercó a Kate con lentitud, hechizada por su marido. Kate dirigió a la tierra una mirada inconsciente y en secreto dejó colgar sus dedos contra el vestido. Pero en seguida tuvo miedo de lo que pudiera ocurrirle, y escondió la mano bajo el chal.

De pronto el tambor empezó a dar una nota muy fuerte, seguida por una débil: un ruido extraño y excitante.

Todos levantaron la vista. Ramón había extendido el brazo hacia arriba, tenso, y miraba hacia el cielo oscuro el sombrío. Los hombres del círculo hicieron lo mismo, y los brazos desnudos se elevaron en el aire como otros tantos cohetes.

—¡Arriba! ¡Arriba! ¡Arriba! —dijo una voz salvaje.

—¡Arriba! ¡Arriba! —gritaron los hombres del círculo en un salvaje coro.

E, involuntariamente, los peones se crisparon, y luego levantaron los brazos, volviendo las caras hacia los oscuros cielos. Incluso algunas de las mujeres alzaron con audacia sus brazos desnudos, y se sintieron aliviadas al hacerlo.

Pero Kate no quiso levantar el brazo.

Hubo un profundo silencio, incluso el tambor enmudeció. Entonces se oyó la voz de Ramón, hablando al cielo negro.

—Tus grandes alas son oscuras, Pájaro, esta noche vuelas muy bajo. Vuelas muy bajo sobre México; pronto sentiremos en nuestra cara el abanico de tus alas.

»¡Ay, Pájaro! Tú vuelas adonde quieres. Pasas por delante de las estrellas y te posas en el sol. Vuelas más allá del alcance de la vista y desapareces tras el río blanco del cielo. Pero vuelves como los patos del norte, buscando agua e invierno.

»Te posas en el centro del sol y limpias tu plumaje. Te acuestas en los ríos de estrellas y te cubres con el polvo estelar. Vuelas hacia el hueco más profundo del cielo, del que no parece haber retorno.

»Vuelves hacia nosotros y revoloteas sobre nuestras cabezas, y sentimos tus alas abanicando nuestros rostros...

Mientras decía estas palabras, el viento se levantó en bruscas ráfagas, y se oyó una puerta de la casa cerrarse con estrépito y un retemblar de cristales. Los árboles emitieron un sonido de rasgueo.

—¡Ven, pues, Pájaro del gran cielo! —clamó Ramón—. ¡Ven! ¡Oh, Pájaro, pósate un momento sobre mi muñeca, sobre mi cabeza, y dame el poder del cielo, y la sabiduría! ¡Oh, Pájaro! Pájaro de los vastos cielos, aunque golpees con tus plumas para formar el trueno y vuelvas a soltar de tu pico la serpiente blanca del fuego para que caiga sobre la tierra, donde puede volver a introducirse bajo las rocas; aunque vengas como el Hacedor de Truenos, ¡ven!

Pósate un momento en mi muñeca, agárrala con el poder del trueno, y arquea las alas sobre mi cabeza, como una sombra de nubes; e inclina tu pecho sobre mi frente, y bendíceme con el sol.

Pájaro, Pájaro errante del Más Allá, con truenos en tus alas y la serpiente del rayo en tu pico, con el cielo azul en el hueco de tus alas y nube en la curva de tu cuello, con sol en las quemadas plumas de tu pecho y poder en tus patas, con terrible sabiduría en tu vuelo, ¡abalánzate sobre mí un momento, abalánzate sobre mí!

Repentinas ráfagas de viento azotaban las pequeñas llamas hasta que podía oírse su crujido, y el lago empezó a hablar con un vasto y hueco ruido, más allá del rasgueo de los árboles. Rayos distantes centelleaban sobre las negras colinas.

Ramón dejó caer el brazo, que había doblado sobre su cabeza. El tambor empezó a latir. Entonces Ramón dijo:

—Sentaos un momento, antes de que el Pájaro sacuda el agua de sus alas. No tardará. Sentaos.

Hubo un rumor. Los hombres se pusieron los sarapes por la cabeza, las mujeres se apretaron los rebozos y todos se sentaron en el suelo. Sólo Kate y Carlota permanecieron de pie, en el borde exterior del grupo. Ráfagas de viento azotaban las llamas; los hombres pusieron sus sombreros en el suelo, delante de ellos.

—La tierra está viva y el cielo está vivo —continuó Ramón con su voz natural—, y nosotros vivimos entre ellos. La tierra ha besado mis rodillas y puesto fuerza en mi vientre. El cielo se ha posado en mi muñeca y enviado poder a mi pecho.

»Pero así como por la mañana el Lucero del Alba se interpone entre la tierra y el cielo, una estrella puede levantarse en nosotros e interponerse entre el corazón y los lomos.

»Esto es la virilidad del hombre, y, en la mujer, su femineidad.

»Todavía no sois hombres. Y vosotras, mujeres, todavía no sois mujeres.

»Vais de un lado a otro, os agitáis y morís sin haber conocido a la estrella de vuestra virilidad, o a las estrellas de vuestra femineidad brillando, serenas, entre vuestros pechos, mujeres.

»Yo digo a quien lo desea que la estrella de su virilidad se alzará dentro de él, y que será altivo y perfecto como el Lucero del Alba es perfecto.

»Y la estrella de la femineidad de la mujer puede aparecer al fin entre el grueso borde de la tierra y el perdido y gris vacío del cielo.

»Pero, ¿cómo? ¿Cómo lo haremos? ¿Cómo ocurrirá?

»¿Cómo nos convertiremos los hombres en Hombres de la Estrella Matutina? ¿Y las mujeres en Mujeres del Lucero del Alba?

»Bajad los dedos para la caricia de la Serpiente de la tierra.

»Levantad la muñeca para que se pose en ella el Pájaro lejano.

»Tened el valor de ambos, el valor del rayo y el del terremoto.

»Y la sabiduría de ambas, la sabiduría de la serpiente y del águila.

»Y la paz de ambos, la paz de la serpiente y del sol.

»Y el poder de ambos, el poder de la tierra más profunda y del cielo más elevado.

»Pero, en vuestra frente, ¡Hombres!, el diáfano Lucero del Alba, que ni el día ni la noche, ni la tierra ni el cielo, puede tragar y extinguir.

»¡Y entre vuestros pechos, Mujeres, La Estrella Matutina, que no puede ser empañada.

»Y por fin vuestro hogar en el Lucero del Alba. Ni el cielo ni la tierra podrá tragaros al fin, pues los pasaréis a ambos de largo para entrar en la brillante estrella que está solitaria pero jamás se siente sola.

»El Lucero del Alba nos envía a un mensajero, un dios que murió en México. Pero ya ha dormido su sueño, y los Seres invisibles han lavado su cuerpo con el agua de la resurrección. Por eso ha resucitado y empujado la piedra que cubría la tumba, a fin de estirar sus miembros. Y ahora cruza los horizontes más velozmente que la gran piedra de la tumba al caer a la tierra para aplastar a quienes la tallaron.

»El Hijo de la Estrella vuelve hacia los Hijos de los Hombres a grandes y brillantes zancadas.

»Preparaos para recibirle. Lavaos y untad de aceite vuestras manos y vuestros pies, vuestros ojos y oídos, nariz y boca, vuestros pechos y ombligo y lugares secretos de vuestro cuerpo, para que nada de los días pasados, ni polvo de esqueletos ni cosas malignas persistan en vosotros y os hagan impuros.

»No miréis con los ojos de ayer, ni escuchéis como ayer, ni oláis, ni saboreéis, ni ingeráis comida y bebida como ayer. No beséis con los labios de ayer, ni toquéis con las manos de ayer, ni caminéis con los pies de ayer. Y no dejéis que vuestro ombligo sepa nada de ayer, y penetrar a vuestras mujeres con un cuerpo nuevo, entrad en el cuerpo nuevo de ellas.

»Porque el cuerpo de ayer está muerto, y es carroña, y el chopilote revolotea sobre él.

»Despojaos del cuerpo de ayer y adquirid un cuerpo nuevo. Del mismo modo que llega vuestro Dios, llega Quetzalcóatl con un cuerpo nuevo, como una estrella, de las tinieblas de la muerte.

»Sí, sentados como estáis en este momento, con la parte redonda de vuestro cuerpo tocando la redondez de la tierra, decid: "¡Tierra! ¡Tierra! Esta viva como los globos de mi cuerpo están vivos. Sopla sobre mí el beso de la tierra interior mientras estoy sentado sobre ti."

»Así pues, ya está dicho. La tierra se mueve debajo de vosotros, el cielo agita sus alas en las alturas. Id a vuestros hogares, por delante de las aguas que vendrán a separaros para siempre de vuestro ayer.

»Idos a casa y esperad convertiros en Hombres de la Estrella Matutina, en Mujeres del Lucero del Alba.

»No sois todavía Hombres y Mujeres...»

Se levantó e hizo señas a la gente de que se fuera. Y en un momento estuvieron todos en pie y apresurándose con la tranquila precipitación mexicana, que parece escurrirse sobre la superficie de la tierra.

El viento negro estaba desatado en el cielo y se enfurecía con el agudo grito de la tela al romperse entre los frondosos mangos. Los hombres sujetaban los grandes sombreros sobre sus cabezas y corrían con las rodillas dobladas y los sarapes ondeando al viento. Las mujeres se apretaban más el rebozo y corrían descalzas hacia el zaguán.

El gran portal estaba abierto; un soldado, con el fusil a la espalda, sostenía una linterna. Y la gente huía como bandadas de fantasmas y se alejaba por el camino oscuro como trozos de papel diseminados por el viento. En pocos minutos, todos habían desaparecido en silencio.

Martín atrancó el portal. El soldado dejó la linterna sobre el banco de madera y se sentó con sus camaradas envueltos en sus mantas oscuras, formando como un grupo de setas en la oscura caverna del zaguán. Uno de ellos ya se había acurrucado como un caracol bajo su manta, cabeza y todo.

—¡El agua llega! —gritaron los criados con excitación cuando Kate subió a la casa con doña Carlota.

El lago estaba completamente negro, como un gran pozo. El viento sopló con violencia repentina, haciendo un extraño ruido entre los mangos, como si se rompiera alguna membrana del aire. Los oleandros floridos del jardín se inclinaron hasta el suelo con sus flores blancas, fantasmales a la pálida luz del farol, como una farola de calle, que pendía de la pared junto a la puerta de entrada. Una palmera joven se inclinó y barrió el suelo con las hojas. Daba la impresión de que un invisible monstruo de destrucción se cernía en la oscuridad sobre el mundo exterior.

Lejos, hacia la parte sudoeste del lago, un rayo trazó en el cielo una especie de escritura portentosa. Y en seguida retumbó el trueno, suave, aterciopelado, de una forma íntima y extraña.

—¡Me asusta! —gritó doña Carlota, tapándose los ojos con las manos y corriendo hacia el extremo más alejado del espacioso salón.

Cipriano y Kate estaban en la terraza, contemplando las macetas cuyas flores se agitaban y partían, desapareciendo en el abismo de oscuridad. Kate se arrebujó en el chal. Pero el viento se introdujo de pronto bajo la manta de Cipriano y la levantó en el aire, dejándola caer luego como una llama escarlata sobre su cabeza. Kate observó su ancho y fuerte pecho indio elevarse mientras luchaba con las manos para liberarse la cabeza. ¡Qué oscuro era, y qué primitivamente físico y hermoso con su pecho amplio y su carne tersa y suave! Pero todo parecía ser únicamente para él; nada emanaba de él para salir al encuentro de alguien que estuviera en el exterior. Todo era ajeno al exterior, sólo vibraba para sí mismo.

—¡Ah, el agua! —exclamó Cipriano, sujetando su sarape.

Las primeras grandes gotas volaron hacia las flores, como flechas. Kate retrocedió hasta el umbral del salón. El puro resplandor de un rayo dibujó tres líneas sobre las colinas negras, pareció detenerse un momento y se extinguió.

Y de pronto cayó el chaparrón con un gran golpe, como si se hubiera roto un enorme recipiente. Con él sopló una ráfaga de aire helado. Y todo el tiempo, primero en una parte del cielo y luego en otra, una rápida sucesión de relámpagos azules, muy azules, se encendió en el cielo, iluminando el aire durante un momento azul e inmóvil, y revelando árboles del jardín fantasmal; entonces desaparecían y el trueno caía y explotaba continuamente.

Kate contemplaba con asombro las grandes masas de agua. En los momentos azules de los relámpagos ya podía verse el jardín inundado; las sendas eran ríos tumultuosos. Hacía frío. Kate entró en el salón.

Un criado hacía la ronda de las habitaciones con una linterna para ver si salían los escorpiones. Encontró uno cruzando el suelo del dormitorio de Kate, y otro caído de las vigas del techo sobre la cama de Carlota.

Carlota y Kate se sentaron en las mecedoras del salón y se dedicaron a oler la agradable humedad y respirar el aire sano y frío. Kate ya había olvidado cómo era el aire realmente frío. Se envolvió mejor en el chal.

—¡Ah, sí, tiene frío! Ahora deberá ser muy cuidadosa con las noches. A veces, en la estación de las lluvias, las noches son glaciales. Deberá tener a mano una manta extra. Y los criados, pobrecitos, se acuestan temblando y se levantan a la mañana siguiente como cadáveres. Pero el sol no tarda en volver a calentarles, y parecen pensar que deben conformarse con lo que venga. Así que de vez en cuando se lamentan, pero nunca toman ninguna medida.

El viento había cesado de repente. Kate estaba inquieta, muy inquieta, con el olor del agua, casi del hielo, en la nariz, y la sangre todavía caliente y oscura. Se levantó y salió de nuevo a la terraza. Cipriano seguía allí, inmóvil e inescrutable como un monumento, con su sarape rojo y color oscuro.

La lluvia remitía. Abajo, en el jardín, dos criadas corrían descalzas por el agua, a la débil luz de la linterna del zaguán, colocando *ollas** y latas cuadradas de gasolina bajo los chorros de agua que caían del tejado, desapareciendo mientras se llenaban y corriendo después a buscar el recipiente lleno. Esto les ahorraría muchos viajes al lago a buscar agua.

—¿Qué opina de nosotros? —le preguntó Cipriano.

—Es todo extraño para mí —contestó ella, desorientada y un poco impresionada por la noche.

—Bueno, ¿no? —instó él en tono exaltado.

—Un poco inquietante —dijo ella con una ligera risa.

—Cuando se está acostumbrado, parece natural, ¿no? Parece natural que sea así. Y cuando se viaja a un país como Inglaterra, donde todo es tan seguro y hecho a la medida, se echa de menos. Uno no deja de decirse: "¿Qué es lo que me pierdo? ¿Qué es lo que no encuentro aquí?"

Parecía sentir un placer maligno en su oscuridad nativa. Era curioso que, aunque hablaba un inglés tan bueno, siempre se le antojaba extranjero a Kate, más extranjero que el español de doña Carlota.

—No puedo comprender que la gente quiera tenerlo todo, toda la vida, ¿no?, y tan segura y hecha a la medida como en Inglaterra y América. Es bueno estar *despierto*. En un *qui vive*, ¿no?

—Tal vez —repuso ella.

—Por eso me gusta cuando Ramón dice al pueblo que la tierra está viva y el cielo encierra un gran pájaro que no podemos ver. Creo que es verdad. ¡Sí, sí! Y es bueno saberlo, porque entonces uno está en el *qui vive*, ¿no?

—Pero es fatigoso estar siempre en un *qui vive* —dijo Kate.

—¿Por qué? ¿Por qué es fastidioso? No, yo creo, por el contrario, que es refrescante. Ah, usted debería casarse y vivir en México. Estoy seguro de que le gustaría. Se iría despertando más y más a él.

—O apagando más y más. Me parece que es esto último lo que ocurre a la mayoría de extranjeros.

—¿Por qué apagándose? —inquirió Cipriano—. No lo comprendo. ¿Por qué apagándose? Aquí tiene un país donde la noche es noche y la lluvia cae y uno se da cuenta. Y tiene a un pueblo con el que hay que estar en un *qui vive* continuamente, todo el tiempo. Y esto es muy bueno, ¿no? Uno no se duerme. ¡Como una pera! ¿No dicen ustedes que la pera se duerme?, ¿no?, *cuando se echa a perder?**

—¡Sí! —contestó ella.

—Y aquí tiene también a Ramón. ¿Qué opina de Ramón?

—No lo sé. No quiero decir nada. Pero creo que es casi demasiado: va demasiado lejos. Y *no* creo que sea mexicano.

—¿Por qué no? ¿Por qué no ha de ser mexicano? Lo es.

—No como usted.

—¿Por qué no como yo? Es mexicano.

—A mí me da la impresión de pertenecer a la vieja, vieja Europa —dijo Kate.

—Y a mí me parece que pertenece al viejo, viejo México... y también al nuevo —añadió Cipriano rápidamente.

—Pero no cree en él.

—¿Cómo?

—Usted, usted mismo. No cree en él. Piensa que es como todo lo demás, una especie de juego. Todo es una especie de juego, una fantasía, para ustedes los mexicanos. No creen *realmente* en nada.

—¿Cómo que no creemos? ¿Que yo no creo en Ramón? Bueno, tal vez no, en el sentido de postrarme ante él, extender mis brazos y derramar lágrimas sobre sus pies. Pero... también creo en él. No en el sentido que usted le da, sino en el mío. Y le diré por qué. Porque tiene el poder de obligarme. Si no tuviera este poder, ¿cómo podría creer en él?

—Extraña especie de fe la que debe ser obligada —observó Kate.

—¿De qué otro modo podría uno creer, si no obligado? Ramón me gusta por eso, porque puede obligarme. Cuando crecí y mi padrino no pudo obligarme a creer, me sentí muy desgraciado. Me hizo muy desgraciado. En cambio Ramón me *obliga*, y esto es muy bueno. Me hace muy feliz saber que no puedo escapar. También la haría feliz a usted.

—¿Saber que no podía escapar de don Ramón? —preguntó Kate con ironía.

—Sí, eso también. Y saber que no podía escapar de México. E incluso de un hombre como yo.

Ella esperó en la oscuridad antes de contestar con sarcasmo:

—No creo que pudiera hacerme feliz sentirme incapaz de escapar de México. No, creo que si no estuviera segura de poder marcharme en cualquier momento, no soportaría estar aquí.

Y pensó: «Tal vez Ramón sea el único de quien no podría escapar del todo, porque realmente me conmueve en algún lugar de mi ser. Pero de ti, pequeño Cipriano, no necesitaría siquiera escapar, porque no podrías conmoverme.»

—¡Ah! —exclamó él en seguida—. Eso es lo que usted cree. Pero en realidad no lo sabe. Sólo puede pensar con ideas americanas. Por su educación, sólo tiene ideas americanas, estadounidenses. Casi todas las mujeres están en su caso: incluso las mujeres mexicanas de la clase hispano-mexicana. No tienen más que ideas americanas porque son las que mejor convienen a su modo de peinarse. Y lo mismo ocurre con usted. Piensa como una mujer moderna porque pertenece al mundo anglosajón o teutónico, se peina de cierta manera, tiene dinero y es completamente libre. Pero no puede pensar de otro modo porque le han metido estas ideas en la cabeza, del mismo modo que en México paga con centavos y pesos porque es la moneda americana que se ha metido en el bolsillo. Es lo que le dan en el banco. Así, cuando dice que es libre, *no* lo es. Está siendo obligada a tener ideas americanas... *obligada,* fíjese bien. No tiene más elección que una esclava. Del mismo modo que los peones tienen que comer tortillas, tortillas, tortillas, porque no hay nada más, usted tiene que pensar con estas ideas americanas sobre la mujer y la libertad. Cada día tiene que comer esas tortillas, tortillas. Hasta que no sabe si le gustaría otra cosa.

—¿Qué otra cosa debería gustarme? —preguntó ella, haciendo una mueca a la oscuridad.

—Otras ideas, otros sentimientos. Le da miedo un hombre como yo porque cree que no la trataría a la americana. Tiene toda la razón. No la trataría como debe tratarse a una mujer americana. ¿Por qué debería hacerlo? No lo deseo, no me parece bueno.

—Trataría a la mujer como un auténtico viejo mexicano, ¿verdad? ¿La mantendría ignorante y encerrada? —inquirió Kate, sarcástica.

—No podría mantenerla ignorante si no lo es. Pero lo que pudiera enseñarle no sería al estilo americano.

—¿Cómo sería?

—¡Quién sabe!* Ca reste à voir.

—Et continuera à y rester —rió Kate.

CAPITULO XIV

REGRESO A SAYULA

La mañana llegó perfectamente azul, con frescura en el aire y una luminosidad azul sobre los árboles y las distantes montañas, y los pájaros eran tan brillantes que parecían capullos recién abiertos centelleando en el aire.

Cipriano volvía a Guadalajara con el automóvil y Carlota se iba con él. A Kate le llevarían a casa en el bote.

A veces Carlota era todavía una tortura para Ramón. Parecía conservar el poder de herirle en lo más vivo. No en su mente o espíritu, sino en su viejo yo emocional y pasional; le hería en las entrañas, haciéndole sentir que se desangraba interiormente.

Porque la había amado, sentido cariño por ella, por el ser apasionado, afectuoso, voluble y a veces encantador que ella había sido. La había contemplado y mimado durante muchos años.

Pero poco a poco, la naturaleza fue cambiando dentro de él. No es que dejara de amarla o deseara a otras mujeres. Ella podría haber comprendido esto. Pero dentro de él crecía algo lento, ciego e imperioso que le impulsaba a echar a su yo emocional, espiritual y mental a un horno lento que los fundiera para crear un ser nuevo y completo.

Pero tenía que contar con Carlota, que le amaba, y para quien el amor era el factor determinante. Le amaba emocionalmente. Espiritualmente, amaba a la humanidad. Y mentalmente, estaba segura de tener razón.

Sin embargo, el tiempo fue pasando y tuvo que cambiar. Tuvo que echar al horno aquel ser emocional que ella amaba para que se fundiera y resurgiera como un nuevo ser.

Y ella se sintió despojada, defraudada. ¿Por qué no podía Ramón seguir siendo bueno, tierno y amante y tratando de hacer que todo el mundo fuese mejor, y más tierno y amante?

Ramón no podía porque estaba convencido de que el mundo había ido todo lo lejos que podía ir en dirección de la bondad, la ternura y el amor, y de que cualquier otro paso en dicha dirección significaría perversidad. Por consiguiente, había llegado el momento del gran cambio; aunque ignoraba en qué consistía.

La emoción del amor, y la mayor emoción de la libertad para todos los hombres parecía haberse endurecido y congelado en él, como el capullo sobre la crisálida. Era el viejo estadio del cristianismo evolucionando hacia otra cosa.

Pero Carlota sentía que esta emoción amorosa era todo lo que tenía: el amor por su marido, por sus hijos, por su pueblo, por los animales, pájaros y árboles del mundo. Lo era todo para ella, su Cristo y su Virgen María. ¿Cómo podía renunciar a él?

Y por eso continuaba amando a Ramón y al mundo, firme, patética, obstinadamente, y con persistencia endiablada. Rezaba por él y se ocupaba en obras de caridad.

Pero su amor ya no era el flujo espontáneo sujeto a las imprevisibles idas y venidas del Espíritu Santo, sino que se había convertido en voluntad. Ahora amaba con su *voluntad:* como tiende a hacer ahora el mundo de los blancos. Se llenó de caridad: esa bondad cruel.

Su gracia y su atractivo la abandonaron y empezó a marchitarse y estar en tensión. Y se le echó la culpa a él, y rezó por él. Al mismo tiempo que moría en ella el misterio espontáneo, se le endureció la voluntad hasta que no fue más que eso: una voluntad perdida.

No tardó en atraer hacia sí la vida de sus hijos, gracias a su patetismo y su sutil voluntad. Ramón era demasiado orgulloso y estaba demasiado enfurecido para luchar por ellos. Eran hijos de ella: que se los quedara.

Eran hijos de su viejo cuerpo. Su cuerpo nuevo no tenía hijos: probablemente no tendría nunca ninguno.

—Pero, recuerda —dijo a Carlota con lógica meridional—: tú no amas más que con tu voluntad. No me gusta el amor que profesas a tu dios: es una afirmación de su propia voluntad. No me gusta el amor que sientes por mí: es lo mismo. No me gusta el amor que sientes por tus hijos. Si algún día veo en ellos la menor chispa de deseo de escapar de él, haré lo que pueda para salvarles. Mientras tanto, quédate con tu amor, quédate con tu voluntad. Pero ya sabes que me disgusta. Me disgusta tu insistencia, me disgusta tu monopolio de un sentimiento, me disgustan tus obras de caridad. Desapruebo la entera tendencia de tu vida. Estás debilitando y viciando a los muchachos.`No les amas, sólo les impones tu voluntad. Un día se volverán contra ti y te odiarán por ello. Recuerda que te he dicho esto.

Doña Carlota tembló en todas las fibras de su cuerpo bajo el impacto de estas palabras. Pero se fue a la capilla del convento de la Anunciación y rezó. Y al rezar por el alma de Ramón pareció ganar una victoria sobre él, en olor de santidad. Volvió a casa pura y frágilmente triunfante, como una flor que se abre sobre una tumba: la tumba de él.

Y en lo sucesivo Ramón la miró en su estado de bella y algo irritante dulzura como si mirara a su enemigo más íntimo.

La vida había completado su obra en otro ser humano, apagando la vida espontánea y dejando sólo la voluntad. Matando en la mujer al dios, o a la diosa, y dejando sólo caridad, con una voluntad.

—Carlota —le había dicho él—, qué feliz serías si pudieras llevar luto por mí. No te daré esta felicidad.

Ella le dirigió una extraña mirada con sus ojos pardos.

—Incluso eso está en manos de Dios —replicó, alejándose apresuradamente de él.

Y ahora, esta mañana después de las primeras lluvias, ella se acercó al umbral del dormitorio de Ramón, donde éste se encontraba escribiendo. Como la víspera, iba desnudo hasta la cintura, con la faja azul sujetando los blancos calzones de hilo, parecidos a amplios pantalones de pijama cruzados por delante y atados en la cintura.

—¿Puedo entrar? —preguntó nerviosamente Carlota.

—¡Entra! —contestó él, dejando la pluma y levantándose.

Sólo había una silla, y él se la ofreció, pero Carlota se sentó en la cama sin hacer, como para subrayar su derecho natural. Y miró el pecho desnudo, como afirmando también su derecho natural.

—Me iré con Cipriano después del desayuno —dijo.

—Sí, ya lo dijiste.

—Los chicos vendrán a casa dentro de tres semanas.

—Sí.

—¿No quieres verles?

—Si ellos quieren verme.

—Estoy segura de que así es.

—Entonces, tráeles aquí.

—¿Crees que me resulta agradable? —inquirió ella, juntando las manos.

—Tú no lo haces agradable para mí, Carlota.

—¿Cómo podría ser de otro modo? Sabes que a mi juicio estás equivocado. Cuando te escuché anoche... había algo tan hermoso en todo ello, y al mismo tiempo tan monstruoso. *¡Monstruoso!* ¡Oh! Yo pensaba: ¿Qué está haciendo este hombre? Este hombre que podría ser una bendición tan grande para su país y para la humanidad...

—Bueno —replicó Ramón—, ¿y qué es realmente?

—¡Ya lo sabes! ¡Tú lo sabes! No puedo soportarlo. *No* es tu misión salvar a México, Ramón. Jesucristo ya lo salvó.

—A mí no me lo parece.

—¡Lo hizo! ¡Lo hizo! Y te hizo a ti el ser maravilloso que eres para que pudieras *beneficiarte* de la salvación, en nombre de Cristo y del amor. Y tú, en cambio...

—Y yo, en cambio, Carlota, intento otra cosa. Pero, créeme, si el verdadero Cristo no ha sido capaz de salvar a México, y no lo ha salvado, estoy seguro de que el Anticristo blanco de la caridad, el socialismo, la política y la reforma sólo conseguirá acabar de destruirlo. Esto, y sólo esto, me obliga a actuar. Tú, Carlota, con tus obras piadosas y tu *piedad;* y los hombres como Benito Juárez, con su Libertad y su Reforma; y el resto de personas benevolentes, políticos, socialistas y otros, sobrecargados de piedad hacia los hombres de labios para afuera, pero en realidad cargados de odio, el odio de los materialistas pobres por los materialistas ricos: sois el Anticristo. El mundo antiguo es precisamente el mundo. Pero el mundo nuevo, que quiere salvar al Pueblo, es el Anticristo. Es el Cristo con auténtico veneno en el cáliz. Y por esta razón me aparto de mi intimidad e individualidad. No quiero que todos mueran envenenados. La gran masa no me importa. Pero no quiero que todo el mundo muera envenenado.

—¿Cómo puedes estar tan seguro de que tú mismo no eres un envenenador del pueblo? Yo creo que lo eres.

—Pues créelo. Mi opinión de ti, Carlota, es que no has sido capaz de alcanzar tu femineidad completa y definitiva, que es diferente de la antigua femineidad.

—La femineidad es siempre la misma.

—¡Oh, no, no lo es! Y tampoco la virilidad.

—Pero, ¿qué crees que puedes hacer? ¿Qué crees que significa este desatino de Quetzalcóatl?

—Quetzalcóatl es una palabra viva para esta gente, nada más. Lo único que yo quiero que hagan es encontrar los principios del camino a su propia virilidad o su propia femineidad. Los hombres aún no son hombres completos, y las mujeres aún no son mujeres. Son todos incompletos, incoherentes, en parte horribles, en parte patéticos, en parte buenos. No han llegado del todo. Me refiero también a ti, Carlota. Me refiero a todo el mundo. Pero esta gente, este pueblo mexicano nuestro, no tiene la pretensión de poseer la verdad, y esto me hace pensar que la gracia aún no les ha abandonado. Y puesto que yo he hallado una especie de clave de mi propia virilidad completa, es ahora mi deber intentar enseñársela.

—Fracasarás.

—No fracasaré. Ocurra lo que ocurra conmigo, habrá una nueva vibración, una nueva llamada en el aire, y una nueva respuesta en el interior de algunos hombres.

—Te traicionarán. ¿Sabes lo que dijo de ti incluso tu amigo Toussaint? "El futuro de Ramón Carrasco no es más que el pasado de la humanidad".

—Gran parte de él es el pasado. Es natural que Toussaint vea esa parte.

—Pero los chicos no creen en ti. Instintivamente, desconfían. Cipriano me dijo cuando fui a verle: "¿Continúa papá diciendo esas tonterías sobre el regreso de los dioses antiguos, mamá? Ojalá no lo hiciera; sería bastante desagradable para nosotros que el asunto trascendiera a los periódicos."

Ramón se echó a reír.

—Los chicos —dijo— son pequeños gramófonos. No hacen más que repetir las palabras del disco que se les toca.

—Tú no crees en las palabras de los inocentes —reprochó Carlota con amargura.

—Es que los inocentes no hablan por sí mismos. Sus madres y maestros los convierten en pequeños gramófonos desde el principio, así que no pueden hacer otra cosa que decir y pensar lo que su madre y maestros les han inculcado. Quizá los inocentes de la época de Cristo no eran tan perfectamente explotados por sus mayores.

Sin embargo, la sonrisa desapareció de su rostro. Se levantó y señaló la puerta.

—Vete —susurró—, ¡vete! Ya he respirado el olor de tu espíritu el tiempo suficiente.

Ella siguió sentada en la cama, hechizada, mirándole con ojos asustados pero también obstinados e insolentes, y apartándose de la mano extendida de él como si la hubiera amenazado con pegarle.

Y de pronto el fuego se desvaneció de los ojos de Ramón y su brazo cayó a lo largo de su cuerpo. En su rostro volvió a aparecer la expresión tranquila y distante.

—¡Qué tengo yo que ver con ello! —murmuró.

Y después de tomar el blusón y el sombrero, salió en silencio a la terraza, alejándose de ella en cuerpo y alma. Carlota oyó el suave murmullo de sus sandalias y después, la débil resonancia de la puerta de hierro que daba a la terraza a la cual sólo él tenía acceso. Y continuó sentada como un montón de cenizas en el lecho, cenizas sobre cenizas, agotada, con el único rescoldo de su voluntad.

Sus ojos brillaban mucho cuando fue a reunirse con Kate y Cipriano.

Después del desayuno acompañaron a Kate a su casa en un bote. Sentía una curiosa depresión por dejar la hacienda, como si ahora, para ella, la vida estuviera allí y no en cualquier otro lugar.

Su propia casa le pareció vacía, banal, vulgar. Por primera vez en su vida sintió la banalidad y el vacío incluso de su propio *milieu*. Aunque la Casa de las Cuentas no era realmente su propio *milieu*.

—¡Ah, Niña, qué bien! ¡Qué bien que haya venido! ¡Ay, por la noche, cuánta agua cayo! ¡Mucha! ¡Mucha! Pero usted estaba segura en la hacienda, Niña. Ah, qué bonita es la hacienda de Jamiltepec. Qué buen hombre es don Ramón, ¿verdad, Niña? Quiere mucho a su pueblo. Y la señora, ¡qué simpática es!

Kate sonrió con amabilidad, pero en el fondo deseaba irse a su habitación y decir: «Por el amor de Dios, déjame sola y no me fastidies con tu charla».

Volvió a sufrir por culpa de la criada: aquella silenciosa y subterránea insolencia frente a la vida que parece pertenecer a la vida moderna. La insoportable nota de desdén que se detecta bajo casi todas las frases modernas, y que estaba bajo el constante grito de Juana: «¡Niña! ¡Niña!«.

A las horas de las comidas Juana solía sentarse en el suelo a poca distancia de Kate y hablar, hablar con su rápido chorro de palabras amontonadas con finales prolongados y melancólicos; y mirar todo el tiempo a su ama con aquellos ojos negros y ausentes en los que titilaba la chispa de luz con la peculiar burla lenta y malévola de los indios.

Kate no era rica; sólo tenía una renta moderada.

—¡Ah, la gente rica! —solía exclamar Juana.

—Yo no soy rica —decía Kate.

—¿No es rica, Niña? —inquiría la voz cantarina y acariciadora—. Entonces, ¿es pobre? —esto con indescriptible ironía.

—No, tampoco soy pobre. No soy rica ni pobre —explicaba Kate.

—¡No es rica ni es pobre, Niña! —repetía Juana con su voz parecida a un trino, que incluía la interminable y vengativa burla del auténtico pájaro.

Porque las palabras no significaban nada para ella. Para ella, el que no tenía nada, *nunca* podría tener nada. Kate formaba parte de aquella clase misteriosa, los ricos. Y Kate sentía que en México era un crimen ser rico o ser clasificado junto a los ricos. No un crimen en realidad, sino algo estrafalario. Los ricos eran una clase estrafalaria, como perros con dos cabezas o terneros con cinco patas. No debían ser observados con envidia, sino con el lento y eterno antagonismo y curiosidad que sienten los «normales» por los «monstruosos». La lenta, poderosa y corrosiva mofa indígena, procedente de la naturaleza de lava de los indios y dirigida contra cualquier cosa que logre sobrepasar el nivel de la roca de lava.

—¿Es cierto, Niña, que su país está aquí dentro? —preguntó Juana—, señalando con el dedo hacia las entrañas de la tierra.

—¡No del todo! —repuso Kate—. Mi país está más bien por aquí... —y colocó el dedo en posición horizontal.

—¡Ah, por ahí! —exclamó Juana. Y miró a Kate con un desdén sutil, como si dijera: «¿Qué se puede esperar de la gente que sale de la tierra de lado, como brotes de *camote?*». ¿Y es cierto que allí hay personas con un solo ojo... aquí? —y Juana señaló el centro de su frente.

—No, no es cierto. Se trata de una leyenda.

—¡Ah! —exclamó Juana—. ¡No es cierto! ¿Ha estado en el país donde viven esas personas?

—No —respondió Kate—. He estado en todos los países y no he visto a semejantes seres.

—¡*Verdad*! ¡*Verdad*!* —profirió Juana, estupefacta—. ¡Ha estado en todos los países y no existen estos seres! Pero en su país, ¿son todos *gringos*?* ¿Solamente hay gringos?

Quería decir si no había personas auténticas, que fueran la sal de la tierra como ella y sus compatriotas mexicanos.

—Todos son personas como yo —dijo fríamente Kate.

—¿Como usted, Niña? ¿Y todos hablan como usted?

—¡Sí! Como yo.

—¿Y hay muchas?

—¡Muchas! ¡Muchas!

—¡Vaya! —suspiró Juana, casi anonadada al pensar que podía haber mundos enteros de estas personas estrafalarias y ridículas.

Y Concha, aquella joven salvaje, observaba fijamente a través de su reja el extraño jardín zoológico de la Niña y los visitantes blancos de la Niña. Concha, golpeando tortillas, era real.

Kate bajó a la cocina. Concha estaba dando palmadas a la *masa** de maíz que compraba en la plaza a ocho centavos el kilo.

—¡Niña! —llamó con su voz ronca—. ¿Usted come tortillas?

—A veces —repuso Kate.

—¡Tenga! ¡Coma una ahora! —Y Concha alargó a Kate una mano morena de palma rosada que sostenía una tortilla deforme.

—Ahora no —rechazó Kate.

Detestaba las pesadas masas que sabían a cal.

—¿No la quiere? ¿No se la come? —inquirió Concha con una risa descarada y estridente. Y tiró la desdeñada tortilla sobre la pequeña pila.

Era una de aquellas que no quieren comer pan: dicen que no les gusta, que no es comida.

Kate se sentaba y mecía en la terraza, mientras el sol se derramaba en el verde cuadrilátero del jardín, las palmeras extendían sus grandes abanicos, transparentes a la luz, los hibiscos lucían sus grandes flores rojas y rosadas, que pendían de las verdísimas ramas, y las naranjas de color verde oscuro parecían sudar a medida que crecían.

Llegaba la hora del almuerzo, con un calor agobiante: sopa caliente y grasienta, arroz grasiento, pequeños pescados fritos, trozos de carne hervida y berenjenas hervidas y una gran cesta de mangos, papayas y zapotes... todas las frutas tropicales que no apetecen en tiempo caluroso.

Y la pequeña María, descalza, con un vestido rojo roto y descolorido, servía a la mesa. Era la cariñosa de la familia. Se mantenía al

203

lado de Juana mientras ésta hablaba por los codos y subrepticia-
mente tocaba el brazo blanco de Kate una y otra vez. Al no ser
reprendida, posaba su bracito negro sobre el hombro de Kate con la
mayor delicadeza imaginable, sus extraños ojos grandes y negros
brillaban con negra beatitud, muy curiosos, y en su rostro infantil,
picado de viruela y ligeramente atontado, aparecía una expresión
traviesa y beatífica. Entonces Kate apartaba con rápido ademán el
bracito oscuro, picado de viruela, y la niña retrocedía medio metro,
sin la expresión beatífica pero con los ojos muy negros, brillantes y
sumidos en una especie de éxtasis absorto, de reptil.

Hasta que Concha se acercaba y le daba un codazo, haciendo
alguna observación salvaje que Kate no podía comprender. Los ojos
extasiados de María parpadeaban, y la niña prorrumpía en un
llanto sin sentido, mientras Concha estallaba en una risa estridente,
brutal y burlona, como un pájaro violento. Y Juana interrumpía su
negro y vicioso chorro de palabras para mirar a sus hijas y dirigirles
algún comentario fútil.

La víctima, la inevitable víctima y el inevitable verdugo.

La terrible, terrible y cálida vaciedad de la mañana mexicana, ¡el
peso del sombrío *ennui* que flotaba en el aire! hacía sentir a Kate que
su alma había perdido fondo. Se iba al lago para escapar de la casa,
de aquella familia.

Después de las lluvias, los árboles de los descuidados jardines del
lago parecían llamas escarlatas y se derramaban en flores color de
espliego. Flores rojas, rosas, escarlatas, rápidas y tropicales. Maravillosas manchas de color. Pero eso era todo: ¡manchas! Explota-
ban como fuegos de artificio.

Y Kate pensaba en el espino que se vestía de blanco a principios
de año en Irlanda, y en el espino de granos de coral, en la mañana
húmeda y quieta sobre los senderos, en las dedaleras junto a la roca
desnuda y los mechones de brezo, y la maraña de campanillas. Y la
dominaba una terrible, terrible nostalgia del hogar. ¡Oh, huir de
todo este brillo sin sentido!

En México, el viento era una corriente dura, y la lluvia, un chorro
de agua del que era preciso escapar, y en cuanto al sol, caía sobre
uno con hostilidad, terrible y abrumador. Tierra seca, irreal, rígida,
golpeada por el metal del sol. O negrura y relámpagos y la abruma-
dora violencia de la lluvia.

Nada de hermosa fusión, de comunión. Ni rastro de la hermosa
mezcla de sol y niebla, ninguna suavidad en el aire, jamás. O calor
sin paliativos o frío despiadado. Líneas duras, rectas o en zigzag,
hiriendo el pecho. Nada del suave y dulce olor de la tierra. El olor de
México, por sutil que fuera, sugería violencia y conflictos químicos.

Y Kate se sentía llena de ira y resentimiento. Se sentaba bajo un
sauce junto al lago, leyendo una novela de Pío Baroja que rebosaba

cólera y negaciones: ¡No! ¡No! ¡No! *Ich bin der Geist der stets verneint!*[1]. Pero ella estaba aún más llena de ira y repudio que Pío Baroja. España no puede representar al ¡No! tan bien como México.

El árbol pendía sobre ella como cubierto de vellón. Estaba sentada en la cálida arena y a la sombra, atenta a que ni siquiera los tobillos estuvieran expuestos al ardor del sol. Había un débil y acre olor de orina. El lago era tan terso que casi resultaba invisible. A cierta distancia, unas mujeres estaban arrodilladas al borde del agua, vestidas, sólo con los largos y húmedos refajos con los que se habían bañado. Algunas lavaban prendas de ropa y otras recogían agua con una calabaza vacía y se la echaban sobre las negras cabezas y hombros morenos bajo la intensa presión del sol. A la izquierda de Kate había dos grandes árboles, una valla de caña y pequeñas chozas de paja de los indios. Allí terminaba la playa, y las pequeñas parcelas de tierra india bajaban hasta la orilla.

Al mirar a su alrededor bajo la intensa luz, Kate tenía la impresión de estar aislada en un oscuro núcleo de sombra, mientras el mundo se movía en puntos insignificantes a través del hueco resplandor. Se fijó en un chiquillo moreno, casi desnudo, que caminaba con varonil solemnidad hacia la orilla del lago. Debía tener unos cuatro años, pero era más varonil que un hombre adulto. Con el sexo se adquiere cierta vulnerabilidad que estos hombres niños de cara redonda, cabeza negra y espalda rígida no han adquirido. Kate conocía al chiquillo. Conocía su harapienta camisa roja y los harapos blancos que le servían de pantalones. Conocía su cabeza redonda, su modo de andar rígido y robusto, sus ojos redondos y su modo de correr, rápido, como un animal que se escabulle.

«¿Qué llevará esa criatura?», dijo Kate para sus adentros mientras miraba la diminuta figura moverse dentro de la intensa luz.

De su manita extendida pendía por la pata, cabeza abajo, un ave acuática que agitaba débilmente sus alas. Era un polluelo negro con una franja blanca en el borde de las alas, una de las numerosas aves oscuras que corrían en pequeñas bandadas por la orilla del lago aturdido por el sol.

El chiquillo se acercó a pasos rápidos al borde del agua, sosteniendo el pequeño pájaro que parecía grande como un águila en su minúsculo puño. Otro niño corrió hacia él. Los dos se adentraron un metro en el lago cálido y tranquilo, bajo la intensa luz, y agachándose gravemente, como dos viejos, dejaron el pájaro sobre el agua. Flotó, pero apenas sabía nadar. La ondulación del agua lo movía. Los chiquillos lo arrastraron hacia dentro tirando de un cordel que tenía atado a una pata.

---

1. ¡Soy el espíritu que siempre niega!

¡Tan quietas, tan silenciosas, tan oscuras, como niños minúsculos y rechonchos, las dos solemnes figuras con el pajarillo atado a un cordel!

Kate volvió a su libro, inquieta, con los nervios tensos. Oyó el chapoteo de una piedra. El pájaro seguía en el agua, pero al parecer, el cordel que llevaba atado a la pata estaba sujeto a úna piedra. El polluelo se mecía en el agua, a dos metros de la orilla, y los dos hombrecitos, con sobria determinación y un placer silencioso y sombrío, estaban cogiendo piedras y tirándolas con la salvaje furia india al débil pajarillo que les servía de blanco. Como un pequeño guerrero, el chiquillo de los harapos rojos y blancos levantaba el brazo y lanzaba la piedra con todas sus fuerzas contra el pájaro atado.

En un instante, Kate bajó corriendo a la orilla.

—¡Malos! ¡Niños malos! ¡Fuera de aquí! ¡Marchaos de aquí en seguida! ¡Sois malos! —gritó sin detenerse—, con tranquila intensidad.

El chiquillo de cabeza redonda le dirigió una mirada sombría con sus varoniles ojos y se escurrió por la playa con su amiguito hasta desaparecer.

Kate se metió en el agua y levantó el pájaro caliente y húmedo. De su pata verdosa colgaba el trozo de cordel. El polluelo trató débilmente de morderla.

Kate salió rápidamente del agua y se detuvo al sol para desatar el cordel. El ave era del tamaño de una paloma y yacía en su mano con la quietud absoluta de un animal atrapado.

Kate se agachó y se quitó los zapatos y las medias. Miró a su alrededor: no había ningún signo de vida en torno a las chozas de juncos que se levantaban a la sombra de los árboles. Se subió la falda y entró descalza en el agua, casi cayéndose al tropezar con las piedras puntiagudas del fondo. La orilla era muy plana. Continuó adentrándose en el agua, muy nerviosa, sujetándose la falda con una mano y sosteniendo el pájaro cálido, mojado e inmóvil en la otra. Cuando el agua le llegó a las rodillas, Kate posó en la superficie el ave verdosa y negruzca y le dio un pequeño empujón hacia dentro del lago diáfano, casi invisible bajo el fuerte resplandor de luz.

El pájaro se quedó inmóvil sobre la esperma pálida y moviente del agua, como una boya.

—¡Vamos, nada! ¡Nada! —le instó para que se alejara por el lago.

No podía o no quería. La cuestión es que no se movió.

Pero al menos estaba fuera del alcance de aquellos chiquillos. Kate sorteó con cuidado las piedras y volvió a su árbol, a su sombra, a su libro, lejos de la furia del sol. Silenciosa y llena de tensa ira, miraba de vez en cuando hacia el pájaro flotante y hacia las chozas de junco de los indios.

Sí, el pájaro ya metía el pico en el agua y agitaba la cabeza. Estaba empezando a recobrarse. Pero no nadaba; dejaba que el rizo de las olas lo levantara, y las olas lo devolvían a la orilla.

—¡Polluelo estúpido! —exclamó nerviosamente Kate, empleando toda su conciencia para obligarle a nadar hacia dentro del lago.

Dos compañeros, dos puntos negros de cabeza blanca se aproximaban desde el pálido resplandor del lago. Dos polluelos venían nadando con rapidez. El primero se acercó y empujó con el pico al inerte pájaro, como diciéndole: ¡Hola! ¿Qué te ocurre? Pero inmediatamente se alejó y nadó con indiferencia hacia la orilla, seguido de su compañero.

Kate observó con ansiedad las plumas erizadas del pobre pajarillo. ¿No iba a recuperarse y seguir a los demás?

¡No! Permaneció donde estaba, inerte sobre los rizos del agua, sólo agitando de vez en cuando la cabeza.

Los otros dos pájaros se movían con diligencia y confianza entre las piedras.

Kate leyó un poco más.

Cuando volvió a mirar, no pudo ver a su pájaro. Pero los otros dos caminaban airosamente por entre las piedras.

De pronto un chico bastante tosco de unos dieciocho años, vestido con un mono, corrió hacia el agua a grandes zancadas, seguido del hombrecito de cuatro años, que caminaba con pasos decididos. El corazón de Kate se detuvo.

Los dos polluelos emprendieron el vuelo y se alejaron rozando el agua hacia el gran resplandor de luz. ¡Salvados!

Pero el patán vestido con el mono y tocado con un gran sombrero estaba buscando entre las piedras con aquellos rígidos hombros indios que a veces Kate detestaba tanto. Kate abrigaba la convicción de que el pajarillo ya se había alejado.

¡Pero, no! El patán de hombros rígidos se agachó y cogió del agua el pájaro mojado, que se había dejado empujar por la corriente.

El patán se volvió, sosteniendo el pájaro como un trapo, del borde de un ala, y lo entregó al hombrecito. Después se alejó muy satisfecho de sí mismo por la playa.

¡Oh, cuánto odió Kate a esta gente en aquel momento! Su terrible bajeza, à terre, à terre. Sus hombros rígidos, anchos, americanos, sus pechos altos y, sobre todo, su modo de andar, su saltarín e indiferente modo de andar. Como si un motor les empujara desde el trasero.

Inclinado hacia delante y mirando al suelo para poder verla de reojo sin mostrarle la cara, el patán volvió a la sombra de las chozas. Y tras él, diminuto, el hombrecito caminó con rigidez y apresuramiento, llevando al desgraciado pájaro, que se movía muy débilmente, cogido por la punta de un ala. Y de vez en cuando fue volviendo el rostro redondo, de ojos negros, en dirección a Kate, vengativamente, con aprensión, por si ella volvía a abalanzarse sobre él. Con negro y aprensivo desafío masculino a la gran hembra blanca y estrafalaria.

Kate le devolvió una mirada furibunda desde debajo del árbol.

«Si las miradas matasen, mocoso, ya te habría matado», le dijo. Y el chiquillo se volvía para mirarla a intervalos regulares mientras avanzaba, palpitante, hacia el agujero que había entre las cañas y por el que al final desapareció.

Kate pensó en rescatar de nuevo el insensato pajarillo. Pero, ¡para lo que iba a servir...!

Este país quería una víctima. América quería su víctima. Mientras exista el tiempo, será el Continente dividido entre víctimas y verdugos. ¿De qué sirve tratar de intervenir?

Kate se levantó, detestando al fofo polluelo y al mocoso de expresión sombría que le había vuelto el trasero con aprensión.

Había grupos de mujeres en la orilla del lago. Al oeste, en pleno resplandor, se levantaban las derruidas villas y los campanarios gemelos de la iglesia, estirando hacia arriba dos dedos burlones sobre la llama escarlata de los árboles y los oscuros mangos. Kate vio la orilla bastante sucia y percibió el olor de México intensificado por el ardiente sol de después de la lluvia; excrementos humanos y animales, secos al sol sobre la tierra seca; y hojas secas; y hojas de mango; y aire puro y un poco de humo en él.

«Pero llegará un día en que me iré», se dijo.

Y cuando volvió a sentarse en la mecedora de su galería, y oyó de nuevo el clap-clap de las tortillas desde el extremo opuesto del patio y los extraños ruidos metálicos de los pájaros, y sintió a las nubes congregarse en el oeste con un peso de trueno latente, pensó que no podía soportarlo más: la vacuidad y la presión; la horrible e increada elementalidad, tan misteriosa; incluso el sol y la lluvia, misteriosos, misteriosos.

Y se maravilló de la negra visión que había en los ojos de aquel muchacho. El curioso vacío.

El no podía comprender que el pájaro fuera un ser vivo con una vida propia. Esto no lo había visto nunca su raza. Con sus ojos negros miraba fijamente a un mundo elemental donde los elementos eran monstruosos y crueles; como el sol era monstruoso, y la fría, copiosa y negra agua de la lluvia era monstruosa, y la tierra seca, seca y cruel era monstruosa.

Y entre la monstruosidad de los elementos aparecían y destacaban otras presencias: terribles cosas misteriosas llamadas gringos, gente blanca, y monstruos disfrazados como la gente rica, poderosos como dioses, pero dioses misteriosos y demoníacos. Y cosas enigmáticas como pájaros que podían volar y serpientes que podían reptar y peces que podían nadar y morder. Un monstruoso universo de monstruos grandes y pequeños en el que el hombre sobrevivía por su resistencia y precaución, sin salir jamás de su propia oscuridad.

Y a veces era bueno vengarse de los monstruos que revoloteaban e iban de un lado a otro. De los grandes y los pequeños. Incluso del monstruo de aquel pájaro, que tenía su propia monstruosa naturaleza de pájaro. Al hacerlo el chiquillo podía frustrar la larga venganza humana, y ser dueño por una vez.

Ciego al ser como algo suave y vacilante que buscaba su camino por la vida. Viendo sólo otro monstruo del vacío exterior.

Caminando siempre a través de una amenaza de monstruos, ciegos a la simpatía de las cosas, encerrados en sí mismos, sin ceder jamás, ni revelarse. De ahí los pechos erguidos y el andar saltarín. De ahí las rígidas e indiferentes espaldas, el físico exuberante y las naturalezas pesadas como los ladrillos de barro gris, con una terrible y obstinada ponderación y una especie de seca tristeza.

CAPITULO XV

LOS HIMNOS ESCRITOS DE QUETZALCOATL

La luz eléctrica era en Sayula tan inconstante como todo lo demás. Solía venir a las seis y media de la tarde y *podía* funcionar valientemente hasta las diez de la noche, hora en que se extinguía con un clic. Pero en general no ocurría así. Con frecuencia se negaba a aparecer hasta las siete, o las siete y media, o incluso las ocho. Pero su peor truco era apagarse justo en mitad de la cena o cuando se estaba escribiendo una carta. De repente, la negra noche mexicana caía sobre uno con un golpe sordo. Y entonces todo el mundo corría a tientas en busca de cerillas y velas, llamando con voces asustadas. ¿Por qué estaban siempre asustadas? Después, la luz eléctrica, como si estuviera herida, intentaba revivir, y un resplandor rojo ardía en las bombillas, siniestro. Todo el mundo contenía el aliento: ¿venía o no venía? A veces se extinguía definiti-´ vamente, otras cobraba ánimos y ardía, un poco opaca, pero mejor que nada.

Una vez comenzada la estación lluviosa, era un caso perdido. Fallaba noche tras noche. Y Kate tenía que contentarse con su precaria y vacilante vela, mientras los relámpagos azules revelaban las formas oscuras de las cosas que había en el patio. Y personas medio visibles corrían en secreto hacia el extremo del patio que pertenecía a Juana.

Una noche Kate se hallaba en la galería frente a la profundidad de las tinieblas; en su desierto salón ardía una vela. De vez en cuando vislumbraba los oleandros y las papayas del jardín a la luz azul del relámpago que se precipitaba sin ruido en la insondable oscuridad. Se oía un distante rumor de trueno, y varias tormentas acechaban como jaguares hambrientos sobre el lago.

Y varias veces la verja rechinó, y sonaron pasos sobre la grava y alguien pasó y la saludó de camino hacia el cobertizo de Juana, donde brillaba la luz opaca de un pabilo flotante. Luego se oyó el sonido bajo y monótono de una voz, recitando o leyendo. Y mien- tras el viento soplaba y los relámpagos volvían a centellear como un pájaro azul entre las plantas, se oía el agudo sonido de las redondas *cuentas** al caer del árbol.

Kate se sentía inquieta y un poco desamparada. Adivinaba que ocurría algo en el cobertizo del servicio, algo secreto en la oscuridad. Y ella estaba aislada en su galería.

Pero, después de todo, era su casa y tenía derecho a saber lo que tramaban sus propios criados. Se levantó de la mecedora, bajó de la galería y rodeó el ventanal saliente del comedor, cuyos dos balcones, que daban al patio, ya estaban cerrados.

En el rincón, más allá del pozo, vio un grupo sentado en el suelo frente al umbral de la cocina de Juana. Por el agujero del cobertizo salía la luz del pabilo flotante, y se oía una voz pronunciando una lenta entonación; todas las caras miraban hacia la luz, las mujeres bien cubiertas por los oscuros rebozos y los hombres con los sombreros puestos y los sarapes sobre los hombros.

Cuando oyeron los pasos de Kate, las caras se volvieron hacia ella y una voz murmuró una advertencia. Juana se levantó.

—¡Es la Niña! —exclamó—. Venga aquí, Niña. Pobre inocente, completamente sola en la noche.

Los hombres del grupo se pusieron en pie; Kate reconoció al joven Ezequiel, que se quitó el sombrero ante ella. Y estaba María del Carmen, la novia. Dentro del cobertizo, con el pabilo en el suelo, se encontraba Julio, el novio de pocas semanas, con Concha y la pequeña María, y un par de desconocidos.

—He oído una voz... —dijo Kate—. No sabía que eras tú, Julio. ¿Cómo estás? Y quería saber de qué se trataba.

Hubo un momento de silencio sepulcral. Entonces Juana intervino.

—¡Sí, Niña! ¡Venga! Ha sido muy amable al venir. ¡Concha, una silla para la Niña!

Concha se puso en pie de mala gana y trajo la sillita baja que constituía el único mobiliario de Juana, exceptuando la cama.

—¿No les estorbo? —preguntó Kate.

—No, Niña. Usted es amiga de don Ramón, *¿verdad?**

—Sí —repuso Kate.

—Y nosotros... nosotros estamos leyendo los Himnos.

—¿Qué? —balbuceó Kate.

—Los Himnos de Quetzalcóatl —explicó Ezequiel con su voz algo ronca y una repentina jactancia.

—¡Sigan, por favor! ¿Me permiten que escuche?

—¡Claro! La Niña quiere escuchar. ¡Lee, Julio, lee! Vamos, lee.

Todos volvieron a sentarse en el suelo y Julio se acomodó junto a la lámpara, pero bajó la cabeza y ocultó la cara en la sombra de su gran sombrero.

—¡Vaya! Lee de una vez —instó Juana.

—Tiene miedo —murmuró María del Carmen, poniendo la mano sobre la rodilla del joven—. ¡Pero, lee, Julio! Porque la Niña quiere oírlo.

Tras un momento de lucha, Julio dijo con voz ahogada:

—¿Empiezo desde el principio?

—¡Sí, desde el principio! ¡Lee! —ordenó Juana.

El muchacho sacó una hoja de papel, parecida a un folleto, de debajo de su manta. En la parte superior había el símbolo de Quetzalcóatl, llamado el Ojo, el círculo con la forma del pájaro en el centro.

Empezó a leer con voz bastante ahogada:

«Soy Quetzalcóatl, de la cara oscura, que viví en México en otros tiempos.

»Hasta que llegó un desconocido de allende los mares, de rostro blanco, que hablaba palabras extrañas. Me enseñó sus manos y sus pies, y en todos había agujeros. Y dijo: "Mi nombre es Jesús y me llaman el Cristo. Los hombres me crucificaron hasta que morí. Pero yo resucité del lugar donde me pusieron y subí al cielo para ver a mi Padre. Ahora mi padre me ha dicho que venga a México."

»*Quetzalcóatl dijo:* ¿Estás solo?

»*Jesús dijo:* Mi madre está aquí. Derramó muchas lágrimas al verme crucificado. Ahora acogerá a los Hijos de México en su regazo y les consolará cuando sufran, y cuando las mujeres de México lloren, las acogerá en su regazo y las consolará. Y cuando interceda por su pueblo ante el Padre, El lo arreglará todo.

»*Quetzalcóatl dijo:* Esto está bien. Y tú, hermano llamado Jesús, ¿qué harás en México?

»*Jesús dijo:* Traeré la paz a México. Vestiré a los desnudos, alimentaré a los hambrientos y pondré regalos en las manos de todos los hombres, y paz y amor en su corazón.

»*Quetzalcóatl dijo:* Esto está muy bien. Yo soy viejo; no podría hacer mucho. Tengo que irme ahora. Adiós, pueblo de México. Adiós, hermano desconocido llamado Jesús. Adiós, mujer llamada María. Es hora de que me vaya.

»Quetzalcóatl miró a su pueblo; y abrazó a Jesús, el Hijo del Cielo; y abrazó a María, la Santísima Virgen, la Santa Madre de Jesús, y se volvió. Se fue con lentitud. Pero en sus oídos resonó la destrucción de sus templos en México. Pese a ello, continuó alejándose, pues era viejo y estaba cansado de tanto vivir. Trepó hasta la cumbre de la montaña, donde había la nieve blanca del volcán. Mientras se iba, a sus espaldas se oyó un clamor de personas moribundas y se elevó la llama de muchos incendios. Se dijo: "¡Seguramente son mexicanos que lloran! Pero no debo escuchar, pues Jesús ha venido al país y secará las lágrimas de todos los ojos, y su Madre les hará contentos a todos."

»También dijo: "Seguramente es México que arde. Pero no debo mirar, pues todos los hombres serán hermanos; ahora Jesús ha venido al país y las mujeres se sentarán en el regazo azul de María, sonriendo con paz y con amor."

»Así el viejo dios llegó a la cima de la montaña y miró hacia el azul del cielo. Y a través de una puerta de la pared azul vio una gran oscuridad, y las estrellas y la luna brillando. Y más allá de la oscuridad vio una gran estrella, como un umbral brillante.

»Entonces el volcán vomitó fuego en torno al viejo Quetzalcóatl, en forma de alas y fúlgidas plumas. Y con las alas del fuego y el centelleo de las chispas Quetzalcóatl voló hacia arriba, muy arriba, como una llama recta, como un ave rutilante, hacia el espacio y los blancos peldaños del cielo que conducen a las murallas azules donde está la puerta de la oscuridad. Allí entró y desapareció.

»Cayó la noche, y Quetzalcóatl había desaparecido, y los hombres del mundo veían sólo una estrella que viajaba hacia el cielo, alejándose bajo las ramas de la oscuridad.

»Entonces los hombres de México dijeron: "Quetzalcóatl se ha ido. Incluso su estrella ha desaparecido. Hemos de escuchar a este Jesús, que habla una lengua extranjera."

»Y así aprendieron una nueva lengua de los sacerdotes que llegaron desde las grandes aguas del este. Y se hicieron cristianos.»

Julio, que había estado absorto, terminó bruscamente cuando llegó al final de la historia.

—Es hermoso —dijo Kate.

—¡Y cierto! —gritó la escéptica Juana.

—A mí me parece cierto —asintió Kate.

—¡Señora! —gritó Concha—. ¿Es cierto que el cielo está ahí arriba y se baja por peldaños que parecen nubes hasta el borde del cielo, como los peldaños del muelle al lago? ¿Es cierto que el Señor viene y se detiene en los peldaños y nos mira como nosotros miramos hacia el lago para ver los charales?

Concha levantó su fiera cara morena y sacudió la masa de sus cabellos mientras miraba a Kate, esperando una respuesta.

—Yo no lo sé todo —rió Kate—, pero me parece cierto.

—Lo cree —dijo Concha, volviendo la cara hacia su madre.

—¿Y es cierto —preguntó Juana— que el Señor, el Cristo del Mundo, es un gringo, y que viene de su país, con su Santísima Madre?

—No viene de mi país, pero sí de un país cercano.

—¡Escuchad! —exclamó Juana, estupefacta—. El Señor es un *gringuito** y su Santísima Madre es una gringuita. Sí, realmente se ve. ¡Mirad! ¡Mirad los pies de la Niña! ¡Son los puros pies de la Santísima! ¡Mirad! —Kate sólo llevaba unas sandalias que consistían en una sola tira de piel. Juana tocó unos de los blancos pies de la Niña, fascinada—. Son los pies de la Santísima. Y Ella, la

Santísima Madre, es una gringuita. ¿Vino por el mar como usted, Niña?

—¡Sí, vino por el mar!

—¡Ah! ¿Lo sabe usted?

—Sí. Lo sabemos.

—¡Imaginaos! ¡La Santísima es una gringuita y vino por el mar como la Niña, de los países de la Niña! —Juana hablaba con asombro malévolo, horrorizada, gozosa, burlona.

—¿Y el Señor es un gringuito, un puro gringuito? —preguntó Concha.

—Y, Niña, ¿fueron gringos quienes mataron al Señor? ¿No fueron los mexicanos, sino los otros gringos los que le crucificaron?

—¡Sí! —repuso Kate—. No fueron los mexicanos.

—¿Los gringos?

—Sí, los gringos.

—¿Y El mismo era un gringo?

—¡Sí! —contestó Kate, sin saber qué más decir.

—¡Mirad! —exclamó Juana con voz apagada, llena de asombro y malevolencia—. Era un gringo y los gringos le crucificaron.

—Pero hace muchísimo tiempo —explicó Kate con apresuramiento.

—Hace muchísimo tiempo, dice la Niña —repitió Juana con el mismo asombro en la voz.

Hubo un momento de silencio. Las caras oscuras de las mujeres y los hombres sentados en el suelo estaban vueltos hacia Kate, y la miraban fijamente en la penumbra, anotando cada palabra. Afuera, el trueno rumoreaba en diferentes lugares.

—Y ahora, Niña —se oyó la voz clara y fresca de María del Carmen—, ¿el Señor vuelve a su Padre y Quetzalcóatl regresa a nuestro lado?

—¿Y la Santísima nos deja? —intervino la rápida voz de Juana— ¡Vaya! ¡La Santísima nos deja y llega este Quetzalcóatl! No tiene madre, ¿verdad?

—Quizá tenga una esposa —sugirió Kate.

—¡Quién sabe!* —murmuró Juana.

—Dicen —habló la atrevida Concha— que en el Paraíso se ha rejuvenecido.

—¿Quién? —preguntó Juana.

—No sé cómo le llaman —murmuró Concha, temerosa de pronunciar la palabra.

—¡Quetzalcóatl —exclamó Ezequiel con su fuerte y ronca voz—. Sí, ahora es joven. Es un dios en la flor de la vida, y muy bien formado.

—¡Eso dicen! ¡Eso dicen! —susurró Juana—. ¡Imagínate!

—¡Aquí lo dice! —gritó Ezequiel—. Está escrito aquí, en el segundo Himno.

—Léelo, pues, Julio.

Y Julio, ahora nada reacio, tomó un segundo papel.

«Yo, Quetzalcóatl de México, he realizado el viaje más largo.

»Más allá de la azul muralla exterior del cielo, más allá del brillante lugar del Sol, al otro lado de las llanuras de oscuridad donde las estrellas se extienden como árboles, como árboles y arbustos, muy lejos, hasta el corazón de todos los mundos, muy bajo como el Lucero del Alba.

»Y en el corazón de todos los mundos esperaban unos cuyos rostros yo no podía ver. Y con voces como abejas murmuraron entre sí: *Este es Quetzalcóatl, cuyos cabellos son blancos de tanto atizar los fuegos de la vida. Viene solo, y con lentitud.*

»Entonces, con manos que yo no podía ver, me tomaron las manos, y en sus brazos que yo no podía ver, morí al fin.

»Pero cuando estuve muerto y fui hueso, no esparcieron mis huesos, no me entregaron a los cuatro vientos ni a los seis. No, ni siquiera al viento que sopla hasta el centro de la tierra, ni al que sopla hacia arriba, como un dedo que señala.

»*Está muerto,* dijeron, *pero no entregado.*

»Y sacaron el aceite de la oscuridad y untaron con él mi frente y mis ojos, mis orejas, las ventanas de mi nariz y mi boca, lo pusieron sobre el doble silencio de mis pechos y sobre mi ombligo hundido y en mis lugares secretos, delante y detrás: y en las palmas de mis manos, y en los montículos de mis rodillas, y en la planta de mis pies.

»Por fin, ungieron toda mi cabeza con el aceite que brota de la oscuridad. Y dijeron: Ya está sellado. Lleváoslo.

»Y me dejaron en el manantial que burbujea, oscuro, en el corazón de los mundos, muy lejos detrás del sol, y allí yací yo, Quetzalcóatl, en cálida inconsciencia.

»Dormí el gran sueño, y no soñé.

»Hasta que una voz llamó: ¡Quetzalcóatl!

»Y contesté: ¿Quién llama?

»Nadie respondió, pero la voz llamó: ¡Quetzalcóatl!

»Yo pregunté: ¿Dónde estás?

»No estoy aquí ni allí, dijo él. Soy tú mismo. Levántate.

»Ahora todo me pesaba mucho, como una lápida de la oscuridad.

»Pregunté: ¿No soy viejo? ¿Cómo apartaré esta piedra?

»¿Cómo puedes ser viejo, si soy un hombre nuevo? Yo apartaré la piedra. ¡Incorpórate!

»Me senté, y la piedra rodó y fue a precipitarse en los abismos del espacio.

»Me dije a mí mismo: Soy un hombre nuevo. Soy más joven que los jóvenes y más viejo que los viejos. ¡Mirad! Estoy abierto sobre el tallo del tiempo como una flor, estoy en medio de la flor de mi virilidad. No ardo en deseos de romper, de hacer estallar el capullo; ni deseo alejarme como una semilla que flota hacia el cielo. La copa de mi floración está abierta, en su centro flotan las estrellas en formación. Mi tallo está en el aire, mis raíces están en toda la oscuridad, el sol no es más que un chorro dentro de mí.

»¡Mirad! No soy joven ni viejo, soy la flor abierta, soy nuevo.

»Así que me levanté y estiré los miembros y miré a mi alrededor. El sol estaba debajo de mí en un resplandor ardiente, como un cálido colibrí revoloteando a mediodía sobre los mundos. Y su pico era largo y muy puntiagudo; como un dragón.

»Y una débil estrella titubeaba, cautelosa, esperando para pasar.

»Llamé en voz alta: "¿Quién eres tú?"

> *Mi nombre es Jesús; soy Hijo de María.*
> *Vengo a mi casa.*
> *Mi madre la Luna está oscura.*
> *Hermano Quetzalcóatl,*
> *Aparta al sol cálido y salvaje,*
> *Detenle con sombra mientras paso.*
> *Déjame ir a mi morada.*

»Agarré al sol y lo retuve, y por mi sombra la débil estrella pasó deslizándose, y llegó a los ámbitos oscuros que hay más allá del ardor del sol. Entonces se sentó en la ladera del silencio y se quitó las sandalias, y yo me las puse.

»—¿Cómo lleva, Señor, las alas del amor el pueblo mexicano?

»—Las almas del pueblo mexicano están suspirando por las alas del amor; han tragado la piedra de la desesperación.

»—¿Dónde está tu Señora Madre del manto azul, la que consuela en su regazo?

»—Su manto palideció en el polvo del mundo, estaba cansada por falta de sueño, porque las voces del pueblo claman noche y día, y los cuchillos del pueblo mexicano eran más afilados que las alas del amor, y su obstinación, más fuerte que la esperanza. ¡Mira! El manantial de lágrimas se seca en los ojos de los viejos, y el regazo de los ancianos no conoce el consuelo y buscan el descanso. ¡Quetzalcóatl! Señor, mi madre se fue antes que yo a su tranquila cama blanca de la luna.

»—Ella se ha ido y tú te has ido, Jesús Crucificado. Entonces, ¿qué será de México?

»—Las imágenes están en tus templos. Oh, Quetzalcóatl, ellos ignoran que Yo y mi Madre nos hemos marchado. ¡Son almas encolerizadas, Hermano y Señor! Dan rienda suelta a su cólera. Destrozaron mis iglesias, robaron mi fuerza, marchitaron los labios de la Virgen. Nos echaron, y nosotros nos escabullimos como un anciano renqueante y una mujer sin lágrimas y doblada por la edad. Así que huimos cuando no nos miraban. Ahora sólo buscamos el descanso, y olvidar para siempre a los hijos de los hombres que se han tragado la piedra de la desesperación.

»Entonces yo dije: "Está bien, pasa. Yo, Quetzalcóatl, bajaré. Duerme tú el sueño sin sueños. Adiós en la encrucijada. Hermano Jesús."

»El dijo: "¡Oh, Quetzalcóatl! Te han olvidado. ¡La serpiente emplumada! Esa serpiente... ¡un pájaro silencioso! No quieren saber nada de ti."

»Yo dije: "Sigue tu camino, porque el polvo de la tierra está en tus ojos y en tus labios. Para mí, la serpiente del centro de la tierra duerme en mis lomos y mi vientre, el pájaro del aire exterior se posa sobre mi frente y pasa el pico por mi pecho. Pero yo soy señor de dos caminos. Soy amo de arriba y abajo. Soy como un hombre que es un hombre nuevo, con miembros nuevos y vida nueva, y la Luz del Lucero del Alba en los ojos. ¡Mira! ¡Yo soy yo! Él señor de los dos caminos. Tú fuiste señor de un camino. Ahora te conduce hacia el sueño. ¡Adiós!"

»Así que Jesús se marchó hacia el sueño. María, la Madre de los Dolores, se echó sobre la cama de la luna blanca, demasiado cansada para llorar.

»Y yo, yo estoy en el umbral. Estoy pisando la frontera. Soy Quetzalcóatl, señor de ambos caminos, estrella entre el día y la oscuridad.»

Reinó el silencio cuando el joven acabó de leer.

CAPITULO XVI

CIPRIANO Y KATE

Los sábados por la tarde grandes canoas negras con sus grandes velas cuadradas se aproximaban lentamente entre la delgada neblina por las aguas del lago, procedentes del oeste; de Tlapaltepec, con enormes sombreros de paja, mantas y cacharros de loza, de Ixtlahuacán y Jaramay y las Zemas con esteras, madera, carbón y naranjas, de Tuliapán y Cuxcueco y San Cristóbal con cargamentos de globulares sandías verde oscuro, y pilas de rojos tomates, mangos, verduras, naranjas; y cargamentos de ladrillos y baldosas, rojos y bastante friables, y más carbón y más madera de las resecas montañas del lago.

Kate iba casi todos los sábados a las cinco a ver las canoas de escasa quilla deslizarse por los bajíos y empezar a descargar bajo el resplandor del crepúsculo. Le gustaba ver a los hombres corriendo por los tablones con los melones verde oscuro y colocándolos en un montículo sobre la arena gruesa; melones verde oscuro como seres de pálidos vientres. Le gustaba ver los tomates en un bajío del lago, flotando en el agua mientras las mujeres los lavaban; eran una oscilante mancha roja sobre el agua.

Amontonaban los largos y pesados ladrillos a lo largo del demolido malecón, y pequeñas hileras de asnos cruzaban la playa para ser cargados, apretando las pequeñas patas contra la arena gruesa y agitando las orejas.

Los *cargadores** se afanaban en las canoas del carbón, acarreando los toscos sacos.

—¿Quiere carbón de leña, Niña? —gritó el sucio cargador que había llevado los baúles desde la estación sobre su espalda.

—¿A cuánto?

—A veinticinco reales los dos sacos.

—Le pagaré veinte reales.

—A veinte reales, pues, señorita. Pero, ¿me dará dos reales por el transporte?

—El propietario paga el transporte —replicó Kate—, pero le daré veinte centavos.

El hombre se alejaba corriendo, con las piernas desnudas, descalzo por las piedras, con dos grandes sacos de carbón sobre los hombros. Los hombres llevan grandes cargas sin que jamás den la impresión de pensar que son pesadas. Es casi como si les gustara sentir un enorme peso aplastando sus columnas de hierro y ser capaces de resistirlo.

Canastas de guavas de primavera, canastas de limones dulces llamados limas, canastas de diminutos limones verdes y amarillos, del tamaño de una nuez; mangos anaranjados y verdosos, naranjas, zanahorias, frutas de cacto en gran abundancia, unas cuantas patatas deformes, cebollas planas y nacaradas, pequeñas *calabacitas* y calabacitas verdes, moteadas, parecidas a sapos, *camotes** cocidos y crudos... A Kate le encantaba observar a las canastas trotando por la playa y frente a la iglesia.

Después, en general bastante tarde, grandes cacerolas rojas, abultadas *ollas** rojas para llevar agua, cazuelas y jarras de loza vidriada con dibujos en crema y negro, cuencos, grandes discos planos para cocer tortillas... gran cantidad de loza.

En la playa oeste los hombres corrían llevando doce enormes sombreros a la vez, como una pagoda al trote. Hombres cargados con buaraches finamente tejidos y toscas sandalias. Y hombres con unos cuantos sarapes oscuros, de chillones muestras en color rosa, sobre los potentes hombros.

Era fascinante. Pero al mismo tiempo había una sensación densa, casi tenebrosa, en el aire. Esta gente venía al mercado como si fuese una especie de batalla. No venían por el placer de vender sino por la sombría competición con aquéllos que querían lo que tenían ellos. El extraño y negro resentimiento siempre presente.

Cuando las campanas de la iglesia repicaban a la puesta del sol, el mercado ya estaba en marcha. En todas las aceras que rodeaban la plaza estaban los indios en cuclillas con sus mercancías, pirámides de verdes sandías, hileras de tosca loza, pilas de sombreros, pares de sandalias en hileras, una gran cantidad de fruta, numerosos collares y cachivaches, llamados *novedades**, pequeñas bandejas con golosinas. Y personas llegando sin interrupción de la campiña salvaje con asnos cargados.

No obstante, jamás un grito, apenas una voz. Nada de la animación y el franco y salvaje clamor de un mercado mediterráneo. Siempre la densa fricción de la voluntad; siempre, siempre agobiando el espíritu, como la fricción gris de la roca de lava.

Cuando caía la noche, los vendedores encendían sus linternas de hojalata, y las llamas oscilaban frente a los hombres morenos sentados en cuclillas con sus ropas blancas y grandes sombreros, esperando un comprador. Jamás instaban a nadie para que comprara. Jamás enseñaban su mercancía. Ni siquiera miraban. Era como si su estático resentimiento e indiferencia apenas les permitiera vender.

A veces Kate encontraba el mercado alegre y fácil, pero con

mucha mayor frecuencia sentía un peso lento e invisible frustrando su buen humor. Y deseaba correr. Deseaba, sobre todo, el consuelo de don Ramón y los Himnos de Quetzalcóatl. Esta se le antojaba la única escapatoria de un mundo horrísono.

Se volvía a hablar de revolución, por lo que el mercado estaba inquieto y agobiante el espíritu. Se veían soldados de aspecto forastero, con sombreros ondulados, cuchillos y pistolas, y salvajes caras del norte; figuras altas y bastante delgadas. Se paseaban en parejas, hablando un extraño lenguaje, y parecían más extranjeros que la propia Kate.

Los tenderetes de comida estaban brillantemente iluminados. Hileras de hombres se sentaban ante los mostradores de tablas, tomando sopa y comiendo platos calientes con las manos. El lechero llegaba a caballo, con dos grandes botes de leche colgados delante de él, y avanzaba con lentitud entre la gente que comía ante los tenderetes. Allí, sentado sin moverse de la silla, llenaba jarras de leche y luego, todavía a caballo como un monumento, cenaba su cuenco de sopa y su plato de tamales o picante carne picada extendida sobre tortillas. Los peones hacían lentamente la ronda. Sonaban guitarras, medio en secreto. Un automóvil llegaba de la ciudad, atestado de gente, muchachas jóvenes, papás y niños, todos amontonados.

¡La exuberante presión de la vida sobre el resplandor proyectado por las linternas! Las filas de hombres vestidos de blanco y tocados con grandes sombreros circulando con lentitud, y las mujeres bajo los rebozos deslizándose en silencio. Oscuros árboles encima de la cabeza. El umbral del hotel brillante de electricidad. Muchachas con vestidos de organdí, blancos, cereza, azules, venidas de la ciudad. Grupos de cantantes que cantaban interiormente. Y todo el rumor apagado, contenido.

El sentido de extraña y densa represión, el muerto y el negro poder de negación de las almas de los peones. Era casi lastimoso ver a las bonitas y esbeltas muchachas de Guadalajara paseando, dando vueltas del brazo, tan ligeras con sus vestidos de gasa escarlata, blanca, azul y anaranjada, buscando a alguien que las mirara, que se fijara en ellas. Y los peones sólo emitían desde el alma el negro vapor de la negación, que tal vez era odio. Los nativos parecían tener el poder de contaminar el aire con su sombría y dura resistencia.

Kate casi lloraba por las esbeltas y ávidas muchachas, bonitas como flores de papel, deseosas de atención, y que eran rechazadas, victimizadas.

De pronto se oyó un disparo. El mercado se puso en pie en un santiamén, y se dispersó por calles y tiendas. ¡Otro disparo! Kate vio desde donde estaba a un hombre que, sentado en un banco en medio de la plaza ya casi vacía, disparaba al aire con una pistola. Era un patán de la ciudad y estaba medio borracho. La gente sabía lo que ocurría, pero también sabía que en cualquier momento el patán podía bajar la pistola y empezar a disparar a diestra y siniestra. Todo el mundo se dispersó en silencio, desapareciendo y dejando la plaza vacía.

Dos disparos más al aire: ¡pum! ¡pum! Y en el mismo momento un pequeño oficial de uniforme salió disparado de la oscura calle donde se encontraba el cuartel y donde ahora se amontonaban en el suelo los grandes sombreros, y se abalanzó sobre el borracho, que abría las piernas y agitaba la pistola, y antes de que pudiera enterarse, le propinó dos sonoras bofetadas, primero en una mejilla y después en la otra, que resonaron como disparos de pistola. Inmediatamente le arrebató el arma.

Dos de los soldados forasteros acudieron en seguida y agarraron al hombre por los brazos. El oficial pronunció dos palabras y ellos saludaron y se llevaron al prisionero.

Al instante el gentío regresó a la plaza, indiferente. Kate estaba sentada en un banco con el corazón palpitante. Vio al prisionero pasar bajo una farola con regueros de sangre en el rostro. Y Juana, que había huido, volvió corriendo y cogió la mano de Kate, al tiempo que decía:

—¡Mire, Niña! ¡Es el general!

Kate se levantó, sobresaltada. El oficial la estaba saludando.

—¡Don Cipriano! —exclamó.

—¡El mismo! —contestó él—. ¿La ha asustado ese borracho?

—¡No mucho! Sólo me ha sorprendido. No *sentí* ninguna mala intención en su acto.

—No, sólo estaba ebrio.

—Pero ahora me iré a casa.

—¿La acompaño?

—¿Desea hacerlo?

El se puso a su lado y caminaron hacia la iglesia y la orilla del lago. Brillaba la luna sobre la montaña y el aire era fresco y soplaba del oeste del Pacífico, no con mucha fuerza. Unas pequeñas luces rojizas centelleaban junto a las canoas, al borde del agua, unas fuera y otras dentro, bajo la toldilla. Las mujeres preparaban la cena.

—Pero la noche es hermosa —dijo Kate, respirando hondo.

—Con la luna casi llena —observó él.

Juana les pisaba los talones; y detrás, dos soldados con sombreros de colgantes alas.

—¿Los soldados le escoltan? —preguntó ella.

—Supongo que sí.

—Pero la luna no es bella y amistosa como en Inglaterra o Italia.

—Es el mismo planeta —replicó él.

—Pero la luna no es igual en América. No le hace sentir a uno contento como en Europa. Aquí se siente que le gustaría hacernos daño.

El guardó silencio unos momentos, y luego dijo:

—Quizá haya en usted algo europeo que hiere a nuestra Luna mexicana.

—Pero yo vengo con buena fe.

—Buena fe europea. Quizá no es la misma que la mexicana.

Kate enmudeció, casi aturdida.

—¡Imagínese, su luna mexicana poniéndome reparos! —rió con ironía.

—¡Imagínese, usted poniendo reparos a la luna mexicana! —replicó él.

—No lo hacía.

Llegaron al recodo del camino de Kate. En el recodo había un grupo de árboles y, bajo los árboles, detrás del seto, varias chozas de juncos. Kate se reía a menudo del asno que miraba por encima de la baja pared de piedra y de las ovejas negras de cuernos curvados, atadas a un decrépito árbol, y del muchacho, desnudo si se exceptuaba un trozo de camisa, despiojándose tras el biombo de espinos.

Kate y Cipriano se sentaron en la galería de la Casa de las Cuentas. Ella le ofreció vermut, pero él lo rechazó.

Guardaron silencio. Se oía el débil pip-pip de la planta eléctrica situada más arriba del camino, atendida por Jesús. Entonces un gallo emitió un grito potente y ronco desde detrás de los plátanos.

—Pero, ¡qué absurdo! —exclamó Kate—. Los gallos no cantan a esta hora.

—Sólo en México —rió Cipriano.

—¡Sí! ¡Sólo aquí!

—Cree que su luna es el sol, ¿no? —bromeó él.

El gallo cantó con fuerza una y otra vez.

—Es muy bonito todo esto, su casa, su patio —aprobó Cipriano.

Pero Kate no contestó.

—¿Acaso no le gusta? —inquirió él.

—Verá —respondió ella—. ¡No tengo *nada* que hacer! Los criados no me dejan hacer nada. Si barro mi habitación, vienen y gritan «*¡Qué Niña! ¡Qué Niña!*» como si estuviera cabeza abajo para divertirlas. Me dedico a coser, aunque no me *interesa* demasiado. ¡No es mi idea de la vida!

—También lee —observó él, mirando hacia las revistas y los libros.

—Ah, en los libros y revistas los temas son estúpidos, no tienen vida.

Hubo un silencio, tras el cual dijo él:

—Pero, ¿qué le gustaría hacer? Dice que no le interesa la costura. No sé si sabe que las mujeres Navajo, cuando tejen una manta, dejan

222

un pequeño agujero en el extremo para que su alma se escape, para que no se quede dentro. Yo siempre pienso que Inglaterra se ha dejado el alma en sus telas y en todo lo que ha hecho. Nunca se reservó un lugar para dejarla escapar. Por eso ahora toda su alma está en sus mercancías y en ninguna otra parte.

—Pero México *no* tiene alma —dijo Kate—. Se ha tragado la piedra de la desesperación, como dice el himno.

—¡Ah! ¿Usted cree? Yo no lo creo. El alma es también algo que se hace, como el dibujo de una manta. Es muy bonito cuando todas las lanas son de diversos colores y se está trazando el dibujo. Pero, una vez terminado... una vez terminado, ya no interesa. México aún no ha empezado a tejer el dibujo de su alma. O acaba de empezar: con Ramón. ¿No cree usted en Ramón?

Kate vaciló antes de responder.

—En Ramón, ¡sí! ¡Creo en él! Pero si sirve de algo intentarlo aquí en México, como él lo está intentando... —dijo lentamente.

—El *está* en México. Y lo intenta aquí. ¿Por qué no lo intenta usted?

—¿Yo?

—¡Sí! ¡Usted! Ramón no cree en dioses sin mujer, según ha dicho. ¿Por qué no habría de ser usted la mujer del panteón de Quetzalcóatl? O si quiere, ¡la diosa!

—¿Yo, una diosa del panteón mexicano? —gritó Kate con un estallido de risa.

—¿Por qué no?

—No soy mexicana —adujo ella.

—Puede ser fácilmente una diosa en el mismo panteón que don Ramón y yo.

Una extraña e inescrutable llama de deseo parecía arder en el rostro de Cipriano mientras sus ojos la observaban centelleantes. Kate no pudo evitar pensar que se trataba de una *ambición* ciega e intensa, de la que ella era en parte objeto: y un objeto apasionado, que encendía al indio hasta el punto más caliente de su ser.

—Pero no me siento como una diosa en un panteón mexicano —objetó—. México es un poco horrible para mí. Don Ramón es *maravilloso*; pero me temo que le destruirán.

—Venga, y ayude a impedirlo.

—¿Cómo?

—Casándose conmigo. Se queja de que no tiene nada que hacer. Pues, cásese conmigo. Cásese conmigo y ayúdenos a Ramón y a mí. Necesitamos a una mujer, dice Ramón, que esté con nosotros. Y usted es esa mujer. Hay mucho trabajo que realizar.

—Pero, ¿no puedo ayudar sin tener que casarme? —preguntó Kate.

—¿Cómo lo haría? —inquirió él simplemente.

Y ella supo que era cierto.

—Pero, verá —explicó—, yo no tengo el *impulso* de casarme con usted, así que, ¿cómo puedo hacerlo?

—¿Por qué no?

—Verá, México es *realmente* un poco horrible para mí. Y los ojos negros de la gente me contraen realmente el corazón y me ponen la carne de gallina. Hay algo horrible en ello. Y no quiero horror en mi alma.

El guardó silencio, insondable. Kate no tenía la menor idea de lo que estaría pasando; sólo parecía rodearle una nube negra.

—¿Por qué no? —repitió él al fin—. El horror es real. ¿Por qué no un poco de horror, como usted dice, junto con todo el resto?

La miró con una seriedad completa, centelleante, algo pesado sobre los hombros de Kate.

—Pero... —murmuró, llena de asombro.

—Yo también le inspiro un poco de horror. Pero, ¿por qué no? Quizá yo también siento un poco de horror ante usted, ante sus ojos claros y sus manos blancas y fuertes. Pero esto es bueno.

Kate le miró con asombro. Y todo lo que deseó fue escapar, escapar más allá de los límites de este horrible Continente.

—Acostúmbrese a la idea —sugirió él—. Acostúmbrese a la idea de que ha de haber un poco de miedo, un poco de horror en su vida. Y cásese conmigo y encontrará muchas cosas que no tienen nada de horror. El poco de horror es como la semilla de sésamo en el mazapán, le da el sabor fuerte y salvaje. Es bueno que esté ahí.

La miraba con ojos negros y brillantes, y hablaba con razón extraña y misteriosa. Su deseo parecía curiosamente impersonal, físico, pero impersonal. Ella se sentía como si, para él, tuviera otro nombre y se moviera dentro de otra especie. Como si su nombre fuera, por ejemplo, Itzpapalotl, y hubiera nacido en lugares desconocidos y fuese una mujer desconocida para sí misma.

No obstante, seguramente, él sólo trataba de imponerle su voluntad.

Kate estaba sin aliento por el asombro, porque Cipriano le había hecho ver la posibilidad física de su matrimonio con él, algo que ni siquiera había contemplado antes. Pero desde luego no sería *ella* la que se casaría con él; sería una curiosa hembra que había en su interior, a la que no conocía y de la que no era responsable.

El emanaba una clase de pasión sombría y exultante.

—No puedo creer que llegue a hacerlo —murmuró Kate.

—Hágalo, y entonces lo sabrá.

Kate se estremeció y entró en la casa para buscar algo con que taparse. Salió de nuevo con un chal español de seda, marrón, pero muy bordado con seda de color plata. Retorcía nerviosamente con los dedos el largo fleco marrón.

En realidad, él le parecía siniestro, casi repelente. Pero no le gustaba pensar que estaba simplemente asustada: que carecía del valor necesario. Permanecía con la cabeza baja, y la luz caía sobre sus cabellos suaves y sobre el bordado plateado de su chal, con el que se tapaba como hacen las mujeres indias con sus rebozos. Y los ojos de él la observaban, y observaban el delicado chal con un brillo peculiar e intenso. También el chal le fascinaba.

—¡Bien! —exclamó Cipriano de pronto—. ¿Cuándo será?

—¿Qué? —preguntó ella, mirando los ojos negros de él con verdadero miedo.

—La boda.

Kate le miró, casi hipnotizada por el asombro de que se atreviera a ir tan lejos. E incluso ahora, no tuvo el poder de obligarle a retractarse.

—No lo sé —contestó.

—¿Digamos en agosto? ¿El primero de agosto?

—No quiero decir ninguna fecha —repuso Kate.

De repente, la negra ira y melancolía de los indios invadió a Cipriano, pero se dominó con cínica indiferencia.

—¿Irá mañana a Jamiltepec para ver a Ramón? —inquirió—. Quiere hablar con usted.

Kate también quería ver a Ramón: siempre lo deseaba.

—¿Voy? —preguntó.

—¡Sí! Vaya mañana conmigo en el automóvil. ¿Le parece bien?

—Me gustaría ver de nuevo a don Ramón.

—No le tiene miedo, ¿eh? No le inspira un poco de horror, ¿eh? —dijo Cipriano—, con una sonrisa peculiar.

—No. Pero don Ramón no es realmente mexicano.

—¿Que no es realmente mexicano?

—¡No! Parece europeo.

—¡Vaya! Pues para mí es... México.

Ella hizo una pausa y logró recobrarse.

—Iré mañana a Jamiltepec en un bote, o alquilaré la lancha motora de Alonso. Llegaré hacia las diez.

—¡Muy bien! —dijo Cipriano, levantándose para irse.

Cuando se hubo marchado, Kate oyó el sonido del tambor que sonaba en la plaza. Sería otra reunión de los hombres de Quetzalcóatl. Pero no tenía el deseo ni el valor de salir otra vez esta noche.

Se fue a la cama, y yació respirando la oscuridad interior. A través de las rendijas de la ventana veía la blancura de la luna, y a través de las paredes oía el pequeño latido del tambor. Y todo ello la oprimía y asustaba. Hizo planes para escapar. Tenía que escapar. Haría apresuradamente el equipaje y desaparecería: quizá tomaría el tren hasta Manzanillo, en la costa, y de allí zarparía hacia California, Los Angeles o San Francisco. Irse de repente y huir a un país de población blanca, donde pudiera respirar libremente una vez más. ¡Qué bueno sería! Sí, esto era lo que iba a hacer.

La noche progresó, el tambor dejó de sonar; oyó a Ezequiel llegando a casa y acostándose en el colchón frente a su puerta. El único sonido era el canto ronco de los gallos en la noche iluminada por la luna. Y en su habitación, como alguien encendiendo una cerilla, entraba de forma intermitente, ahora aquí y ahora allí, la luz verdosa de una luciérnaga.

Muy inquieta y acobardada, se durmió. Pero luego durmió profundamente.

Y aún más curioso, se despertó por la mañana con una nueva sensación de fuerza. Eran las seis, y el sol formaba lápices amarillos en las rendijas del postigo. Abrió de par en par la ventana que daba a la calle y miró a través de la reja hacia la sombra profunda del camino que pasaba bajo el muro del jardín; sobre el muro, las hojas de los plátanos eran de un verde traslúcido y los mechones despeinados de las palmeras apuntaban hacia los blancos campanarios gemelos de la iglesia, que estaban coronados por la cruz griega de cuatro brazos iguales.

Por el camino ya había movimiento: grandes vacas que avanzaban lentamente hacia el lago, bajo la sombra azulada del muro, y un pequeño ternero, aventurero, de ojos muy grandes, que se apartó para mirar a través de la puerta la verde hierba regada y las flores. El silencioso peón que lo seguía levantó los dos brazos de repente, sin ruido y el ternero continuó su camino. Sólo el sonido de las patas de las vacas.

Después, dos muchachos tratando en vano de encaminar a un choto hacia el lago. El animal no dejaba de levantar los cuartos traseros y dar pequeñas y secas coces que hacían huir a los chicos. Le empujaban por la cruz y él les embestía con la joven y achatada cabeza. Se hallaban en ese estado de perplejidad semifrenética que domina a los indios cuando se ven contrariados y frustrados. Y recurrieron al acostumbrado recurso de retroceder a cierta distancia, levantar pesadas piedras y lanzarlas furiosamente contra el animal.

—¡No! —gritó Kate desde la ventana—. No tiréis piedras. ¡Conducidle con sensatez!

Se sobresaltaron como si se hubieran abierto los cielos, dejaron caer las piedras y siguieron, muy humillados, al rebelde choto.

Una vieja apareció ante la ventana con un plato de jóvenes hojas de cacto picadas, por tres centavos. A Kate no le gustaba la verdura de cacto, pero la compró. Un anciano estaba introduciendo un joven gallo por entre los barrotes de la ventana.

Y cerró la ventana de la calle, porque la invasión había comenzado.

Pero sólo hizo que cambiara de puerta.

—¡Niña! ¡Niña! —cantó la voz de Juana—, ¿Dice el viejo que si quiere comprar este pollo?

—¿Cuánto pide por él? —gritó Kate, poniéndose la bata.

—Diez reales.

—¡Oh, no! —exclamó Kate, abriendo la puerta del patio y apareciendo con su fresca bata de crepe de algodón rosa pálido, bordada con grandes flores blancas—. ¡No más de un peso!

—¡Un peso y diez centavos! —regateó el viejo, sosteniendo al asustado gallo rojo entre sus manos—. Es bonito y gordo, señorita. ¡Mírelo!

Y alargó el animal a Kate para que lo cogiera y lo sopesara ella misma. Kate le hizo seña de que lo pasara a Juana. El gallo se esponjó y cantó de repente durante el traslado. Juana lo sopesó e hizo una mueca.

—¡No, sólo un peso! —insistió Kate.

El hombre hizo un repentino gesto de asentimiento, recibió el peso y se fue como una sombra. Concha se acercó y tomó el gallo, e instantáneamente gritó en tono de burla:

—¡Está muy flaco!*

—Mételo en el gallinero —ordenó Kate—. Lo dejaremos crecer.

El patio estaba líquido de sol y sombras. Ezequiel había enrollado su colchón y desaparecido. Grandes hibiscos de color rosa colgaban de los extremos de las ramas, y había la suave fragancia de las rosas medio silvestres. Los enormes mangos eran más suntuosos por la mañana, parecían riscos con sus frutos duros y verdes pendiendo, como los órganos de un animal, de las hojas nuevas, color de bronce, tan curiosamente llenas de vida.

«¡Está muy flaco!»* La joven Concha seguía burlándose mientras se llevaba el gallo al gallinero, situado bajo los plátanos.

Todo el mundo observó fijamente la operación de poner al joven gallo en compañía de las escasas y flacas aves del gallinero. El gallo gris, ya veterano, retrocedió hasta el rincón más alejado, mirando al recién venido con ojos amenazadores. El gallo rojo, muy flaco,* se quedó, humillado, en un rincón seco. Luego, de improviso, se estiró y cantó con voz estridente, hinchando las carnaduras como una agresiva barba. Y el gallo gris miró a su alrededor, preparando los truenos de su venganza. Las gallinas no hicieron el menor caso.

Kate se echó a reír y volvió a su habitación para vestirse, en la poderosa novedad de la mañana. Frente a su ventana las mujeres pasaban en silencio, con la roja jarra de agua sobre el hombro, en su camino al lago para buscar agua. Siempre ponían un brazo sobre la cabeza, sosteniendo la jarra sobre el otro hombro. Ofrecía un aspecto contorsionado, diferente de la altiva forma de llevar agua que tienen las mujeres de Sicilia.

—¡Niña! ¡Niña! —gritaba Juana desde fuera.

—Espera un momento —repuso Kate.

Era otra hoja de himnos, con un himno de Quetzalcóatl.

—Mira, Niña, el nuevo himno de ayer noche.

Kate tomó la hoja y se sentó en la cama para leerla.

QUETZALCOATL CONTEMPLA A MEXICO

Jesús había subido la oscura ladera cuando miró
[hacia atrás.
«¡Quetzalcóatl, hermano mío! —llamó—. Envíame
[mis imágenes,
Y las imágenes de mi madre y las imágenes de
[mis santos.
Envíamelas por el camino rápido, el camino de
[las chispas,
Para que pueda abrazarlas como recuerdos cuando
[me acueste.»

Y Quetzalcóatl contestó: «Lo haré.»

Entonces se rió, al ver el sol hiriéndole con fiereza.
Levantó la mano y detuvo al sol con su sombra.
Así pasó el sol amarillo, que atacaba en vano
[como un dragón.
Y tras pasar al sol amarillo, vio la tierra debajo,
y vio a México yaciendo como una mujer morena
[con pezones blancos.

Extrañado, se acercó y la contempló,
Sus trenes, sus vías férreas, sus automóviles,
Sus ciudades de piedra y sus chozas de paja,
Y exclamó: «¡Ciertamente esto tiene un aspecto
[muy curioso!»

Se sentó en el hueco de una nube y vio a los
[hombres trabajando en los campos con
[capataces blancos.
Vio a los hombres ciegos, borrachos de
*aguardiente.**
Vio a las mujeres que no estaban limpias.
Vio los corazones de todos, que eran negros y
[pesados, y tenían una piedra de cólera en el fondo.

«Ciertamente —se dijo—, ¡he encontrado un pueblo
[curioso!»

E inclinándose hacia delante en la nube, se dijo:
«Los llamaré.»
«¡Hola! ¡Hola! ¡Mexicanos!* Mirad un momento
¡Volved los ojos hacia aquí, mexicanos!»
[hacia mí.
Ellos no se volvieron ni miraron en su dirección.

«¡Hola-a-a! ¡Mexicanos! ¡Hola-a-a!»

«Se han vuelto completamente sordos!», se dijo.

Así que sopló sobre ellos, para enviar su aliento
[sobre sus rostros.
Pero bajo el peso de su estupefacción, ninguno
[de ellos se dio cuenta.

«¡Hola-a-a! ¡Qué pueblo tan hermoso!
¡Y todos están sumidos en el estupor!»

Una estrella fugaz corría como un perro blanco
[por una llanura.
Le silbó con fuerza, dos veces, hasta que cayó en
[su mano.
En su mano cayó y se oscureció.
Era la Piedra del Cambio.

«¡Es la piedra del cambio!», exclamó.

Así que la movió un rato en su mano, y jugó con
[ella.
De repente vislumbró el viejo lago, y la echo
[dentro.
La piedra cayó dentro del lago.
Y dos hombres miraron hacia arriba.

«¡Hola-a-a! —gritó—. ¡Mexicanos!
¿Estáis despiertos vosotros dos?»
Entonces rió, y uno de ellos le oyó reír.

«¿Por qué te ríes?», preguntó el primer hombre de
[Quetzalcóatl.

«¿Acaso oigo la voz de mi primer hombre preguntándome
[por qué me río?
¡Hola-a-a, mexicanos! ¡Es extraño
Verlos tan tristes y apáticos!»

«¡Eh! ¡Primer hombre de mi nombre! ¡Escúchame!
Aquí está mi signo.
Prepárame un lugar.»

»Devuelve sus imágenes a Jesús; María, los santos
[y todas las demás.
Lávate y frota tu cuerpo con aceite.
El séptimo día, haz que se laven todos los hombres
[y froten su piel con aceite;
Y que lo hagan también las mujeres.
Diles que no dejen a ningún animal caminar sobre
[su cuerpo, ni a través de la sombra de sus cabellos.
[Di lo mismo a las mujeres.
Diles que son todos unos necios y que me estoy
[riendo de ellos.
Lo primero que hice cuando les vi fue reír a la
[vista de semejantes necios,
Semejantes bobos, semejantes ranas con piedras
[en la barriga.
Acaba con su lentitud,
Con su apatía,
O los asfixiaré a todos.

»Sacudiré la tierra y los engulliré junto con sus
[ciudades.
Enviaré fuego y cenizas sobre ellos y los asfixiaré
[a todos.
Convertiré su sangre en leche agria, podrida por
[el trueno,
Y tendrán sangre podrida y pestilente.
Incluso sus huesos se desintegrarán.

»Díselo así, Primer Hombre de mi nombre.

Porque el sol y la luna están vivos, y observando
[con ojos brillantes.
Y la tierra está viva, y dispuesta a sacudirse las
[pulgas.
Y las estrellas están dispuestas con piedras para
[echarlas a los rostros de los hombres.

Y el aire que sopla un buen aliento a las narices
                              [de hombres y animales,
Está dispuesto a soplar un mal aliento sobre ellos,
                              [para aniquilarles a todos.

»¡Las estrellas y la tierra y el sol y la luna y los
                              [vientos
Están a punto de bailar la danza guerrera en torno
                              [a vosotros, hombres!
Cuando yo diga la palabra, empezarán.
Porque el sol y las estrellas y la tierra y las
                      [mismas lluvias se han cansado.
De empujar y hacer rodar la sustancia de la
                      [vida hasta vuestros labios.
»Se están diciendo mutuamente: Acabemos de una
                              [vez,
Con esas malolientes tribus de hombres, esas
                      [ranas que no saben saltar,
Esos gallos que no saben cantar,
Esos cerdos que no saben gruñir,
Esos peces que huelen mal,
Esas palabras que son todas huecas
Y ese veneno del dinero.

»Esos hombres blancos, y hombres rojos y
                [hombres amarillos y hombres marrones y
                              [hombres negros.
Que no son ni blancos ni rojos ni amarillos ni
                              [marrones ni negros.
Pero sí todos sucios.
Vamos a hacer una limpieza de primavera en el
                              [mundo.
Porque los hombres son como pulgas sobre la faz
                              de la tierra,
Pulgas que devoran la tierra a fuerza de llagas.
»Esto es lo que las estrellas, el sol, la tierra, la
                      [luna, los vientos y la lluvia.
Dicen entre sí; y se están preparando para
                              [empezar.
Así que di a los hombres a los que voy
Que se limpien por dentro y por fuera,
Que levanten la lápida de sus almas y de la
                      [caverna de sus vientres,
Para prepararse a ser hombres.
O bien prepararse para las otras cosas.»

Kate leyó el largo himno una y otra vez, y una oscuridad veloz como un torbellino pareció envolver la mañana. Tomó el café en la galería, y las gruesas papayas se le antojaron grandes gotas del invisible chorro de la fuente de vida no humana. Le pareció ver la inmensa germinación y el inmenso ímpetu del cosmos, moviéndose hasta formar una vida fantástica. Y los hombres sólo como un grupo de moscas verdes sobre los tiernos tallos, como una aberración. Tan monstruoso era el desarrollo de la vida en el cosmos, que incluso el hierro parecía crecer como liquen sobre la tierra, y dejar de crecer, y prepararse para morir. El hierro y la piedra perecen cuando llega la hora. Y los hombres son menos que el pulgón verde que chupa los tallos del bosque cuando viven sólo de negocios y pan. Los parásitos de la tierra.

Kate caminó hasta la playa. El lago era azul a la luz de la mañana, y las montañas de la ribera opuesta, pálidas, secas y agrietadas como las montañas del desierto. Sólo a sus pies, cerca del lago, había la franja oscura de los árboles y los puntos blancos de los pueblos.

Cerca de ella, a contraluz, cinco vacas bebían en la orilla. Sobre las piedras había mujeres arrodilladas, llenando jarras rojas. De palos ahorquillados clavados en la playa colgaban frágiles redes, puestas a secar, y sobre una red, un pajarillo descansaba de cara al sol: era rojo como una gota de sangre nueva, de las arterias del aire.

Acercándose desde las chozas de paja que se levantaban bajo los árboles, el chiquillo del pájaro se dirigía hacia ella sosteniendo algo en el puño cerrado. Abrió la mano ante Kate y le enseñó tres de las minúsculas *ollitas** que los nativos habían echado al lago hacía mucho tiempo, como ofrenda a los dioses.

—*¡Muy chiquitas!** —exclamó con su aire vivaz, como un pequeño avezado comerciante—. ¿Me las compra?

—No llevo dinero. ¡Mañana! —contestó Kate.

—¡Mañana! —repitió él, como un pistoletazo.

Mañana.

El la había perdonado, pero ella no.

Alguien estaba cantando de modo bastante bello en la fresca mañana de domingo, dejando, por así decirlo, que el sonido se produjera a sí mismo.

Un chicuelo merodeaba con un tirador, merodeaba como un gato, para coger pajarillos. El pájaro rojo como una gota de sangre nueva saltaba sobre las invisibles redes, y de pronto se desvaneció como un relámpago. El chico merodeaba bajo el delicado verdor de los sauces llorones, tropezando con las grandes raíces de la arena.

A lo largo de la orilla volaban cuatro pájaros oscuros, con cuellos hacia fuera, casi rozando la silenciosa superficie del lago en un vuelo horizontal y zigzagueante.

Kate conocía estas mañanas junto al lago. La hipnotizaban casi como la muerte. Pájaros escarlatas como gotas de sangre en sauces llorones muy verdes: El *aguador** corriendo hacia su casa con una vara sobre el hombro y una pesada lata de gasolina colgando de cada extremo, llenas de agua caliente. Había ido al manantial de agua caliente a buscarla. Ahora, descalzo, con una pierna desnuda, el joven corría suavemente bajo su carga, con el oscuro y bello rostro hundido en las sombras del gran sombrero, moviéndose en un silencio y una indiferencia que eran como la muerte.

Cabezas oscuras saliendo del agua en pequeños grupos, como negras aves acuáticas. ¿Eran pájaros? ¿Eran cabezas? ¿Era esto vida humana o algo intermedio, que levantaba un poco los hombros anaranjados, húmedos y brillantes bajo la oscura cabeza?

Kate sabía muy bien cómo sería el día. Lentamente, el sol se iría espesando e intensificando en el aire. Y, lentamente, la electricidad se iría concentrando de modo invisible a medida que se acercaba la tarde. La playa yacería bajo el calor ciego, salpicada de desperdicios, y oliendo a desperdicios y a la orina de hombres y animales.

Todo se difuminaba bajo el inmenso brillo del sol, el aire se espesaba invisiblemente, y Kate podía sentir la electricidad como un hierro candente en la nuca. La adormecía como si fuera morfina. Mientras tanto, las nubes se elevaban como árboles blancos desde detrás de las montañas y, cuando la tarde languidecía en silencio, se extendían velozmente por el cielo como ramas negras, despidiendo relámpagos que parecían pájaros.

Y en pleno estupor de la siesta, los truenos repentinos, el fragor y el frío de la lluvia.

Llegaba la hora del té y poco después atardecía. Los últimos veleros se preparaban para zarpar, esperando el viento. El viento soplaba del oeste, y los veleros que iban hacia el este y hacia el sur ya habían zarpado; sus velas se veían muy lejos en el lago. Pero los que se dirigían al oeste esperaban, esperaban, mientras el agua chocaba contra sus negras y planas quillas.

El gran barco de Tlapaltepec, que traía a mucha gente del oeste, esperaba hasta bien entrada la noche. Estaba fondeado a algunos metros de distancia, y al atardecer sus pasajeros bajaban a la playa oscura, cansados de todo el día, para embarcar de nuevo. Se reunían en un grupo al borde de las tranquilas aguas.

La gran canoa, ancha, de quilla plana, con la toldilla de madera y un solo mástil, se balanceaba, negra, unos metros más allá, en la oscuridad de la noche. Ardía una linterna bajo la toldilla de madera; otra centelleaba en la playa. Y éste era el hogar de los pasajeros.

Un hombre bajo, con los pantalones arremangados, llegó para acompañar a la gente a bordo. Los hombres, con las piernas separadas, le daban la espalda; él se dirigió hacia ellos, metió la cabeza entre sus piernas y se irguió con un hombre sobre los hombros, con quien vadeó el agua hasta la negra canoa, en cuya cubierta depositó su carga viviente.

Para llevar a las mujeres, se ponía en cuclillas delante de ellas para que se sentaran sobre uno de sus hombros. Rodeaba sus piernas con el brazo derecho y ellas se abrazaban a su oscura cabeza. Así las llevaba hasta el barco, como si fueran ingrávidas.

Pronto la embarcación estuvo llena de gente, sentada en el suelo sobre las esteras, de espalda a los costados del barco, con las cestas colgadas de la toldilla, balanceándose al unísono con la embarcación. Algunos hombres extendieron sus sarapes y se acostaron para dormir. La luz de la linterna les iluminaba mientras dormían o hablaban en susurros.

Una mujer pequeña surgió de la oscuridad; y luego, de repente, volvió corriendo. Había olvidado algo. Pero el barco no habría zarpado sin ella, porque el viento aún no había cambiado.

El alto mástil se elevaba hacia el cielo y la gran vela yacía doblada sobre la cubierta, preparada. Bajo la toldilla oscilaba la linterna y la gente dormía o estiraba sus miembros. Probablemente no zarparían hasta la medianoche. Luego bajarían por el lago hasta Tlapaltepec, llena de juncos en el extremo del lago, con su plaza muerta, muerta, sus casas secas y muertas de adobe negro, sus calles destrozadas y su extraño y enterrado silencio, como Pompeya.

Kate lo conocía. Era tan extraño, tan parecido a la muerte, que la asustaba y confundía.

¡Pero hoy! Hoy no vagaría por la playa toda la mañana. Tenía que ir a Jamiltepec en la lancha, para ver a Ramón. Para hablar con él incluso acerca de su matrimonio con Cipriano.

¡Ah! ¿Cómo podía casarse con Cipriano y entregar su cuerpo a esta muerte? ¿Aceptar el peso de esta oscuridad sobre su pecho, la densidad de esta extraña tristeza? ¿Morir antes de la muerte, extinguirse bajo el calor del sol?

¡Ah, no! Era mejor huir a países de gente blanca.

Pero fue a concertar con Alonso el alquiler de la lancha.

CAPITULO XVII

EL CUARTO HIMNO Y EL OBISPO

El Presidente de la República, como una escoba nueva, había barrido demasiado para el gusto de las masas, por lo que había una «rebelión». No era muy grande, pero significaba, naturalmente, bandolerismo, saqueos y pueblos amedrentados.

Ramón estaba decidido a mantenerse apartado de la política, pero ya la Iglesia, y con la Iglesia los Caballeros de Cortés y cierta facción «negra», se preparaban contra él. Los sacerdotes empezaron a denunciarle desde el púlpito (aunque no en voz muy alta) como un ambicioso Anticristo. Sin embargo, con Cipriano a su lado, y con Cipriano, el ejército del Oeste, no tenía mucho que hacer.

Pero era posible que Cipriano tuviera que marchar en defensa del Gobierno.

—Ante todo —declaró Ramón—, no quiero adquirir un tinte político. No quiero ser empujado hacia ningún partido. Si no puedo permanecer incontaminado, lo abandonaré todo. La Iglesia me empujará hacia los socialistas, y los socialistas me traicionarán a la primera oportunidad. No se trata de mí, se trata del nuevo espíritu. El modo más seguro de matarlo —y se puede matar, como cualquier otra cosa viviente— es relacionarlo con un partido político.

—¿Por qué no vas a ver al obispo? —sugirió Cipriano—. Yo también le veré. ¿Acaso no va a servirme de nada ser jefe de división en el Oeste?

—Sí —repuso lentamente Ramón—, veré a Jiménez. Ya lo había pensado. Sí, me propongo utilizar todos los medios a mi alcance. Montes nos respaldará, porque odia a la Iglesia y odia cualquier clase de intimidación del exterior. Contempla la posibilidad de una Iglesia «nacional». Aunque yo no creo en iglesias nacionales. Lo único necesario es hablar el lenguaje del propio pueblo. ¿Sabes que los sacerdotes están prohibiendo al pueblo que lea los Himnos?

—¿Qué importa? —replicó Cipriano—. El pueblo es ante todo perverso estos días. Los leerá todavía más.

—¡Tal vez! Yo no me dejaré influir. Haré que mi nueva leyenda, como la llaman, crezca mientras la tierra está húmeda. Pero hemos de vigilar con atención a todos esos pequeños grupos de «intereses».

—¡Ramón! —exclamó Cipriano—. Si eres capaz de convertir enteramente a México en un país de Quetzalcóatl, ¿qué ocurrirá?

—Seré el Primer Hombre de Quetzalcóatl... No sé nada más.

—¿No te preocuparás por el resto del mundo?

Ramón sonrió. Ya veía en los ojos de Cipriano el destello de una Guerra Santa.

—Me gustaría —contestó, sonriendo— ser uno de los Iniciados de la Tierra. Uno de los Iniciadores. Que cada país fuera su propio Salvador, Cipriano: o cada pueblo su propio Salvador. Y que los Primeros Hombres de cada pueblo formaran una Aristocracia Natural del Mundo. Hay que tener aristócratas, eso lo sabemos. Pero naturales, no artificiales. Y en cierto modo el mundo ha de estar unido orgánicamente: el mundo del hombre. Pero en lo concreto, no en lo abstracto. Ligas, alianzas y programas internacionales... ¡ah, Cipriano!, son como una pestilencia internacional. Las hojas de un árbol gigantesco no pueden colgar de las ramas de otro gran árbol. Las razas de la tierra son como árboles; al final no se mezclan ni fusionan. Se mantienen cada una en su lugar, como los árboles. O se invaden el terreno, y sus raíces se enredan, y es una lucha a muerte. Sólo entre las flores puede haber unión. Y las flores de cada raza son los aristócratas naturales de esa raza. Y el espíritu del mundo puede volar de flor en flor, como un colibrí, y fertilizar lentamente los grandes árboles en su floración. Sólo los Aristócratas Naturales pueden elevarse sobre su nación; e incluso entonces no se elevan sobre su raza. Sólo los Aristócratas Naturales del Mundo pueden ser internacionales, o cosmopolitas, o cósmicos. Siempre ha sido así. Los pueblos no son más capaces de ello que las hojas del mango de adherirse a un pino. De manera que si yo quiero que los mexicanos aprendan el nombre de Quetzalcóatl, es porque quiero que hablen con las lenguas de su propia sangre. Me gustaría que el mundo teutónico pensara de nuevo en términos de Thor y Wotan, y el árbol Igdrasil. Y desearía que el mundo druídico viera, con honradez, que en el muérdago está su misterio, y que ellos mismos son el Tuatha De Danaan, vivo, pero sumergido. Y un nuevo Hermes tendría que volver al Mediterráneo, y un nuevo Astarot a Túnez; y Mitra regresar a Persia y Brahma, intacto, a la India, y el más antiguo de los dragones a China. Entonces, yo, Cipriano, Primer Hombre de Quetzalcóatl, contigo, Primer Hombre de Huitzilopochtli, y tal vez tu esposa, Primera Mujer de Itzpapalotl, ¿acaso no podríamos encontrarnos, con almas puras, con los otros grandes aristócratas del mundo, el Primer Hombre de Wotan y la Primera Mujer de Freya, el Primer Señor de Hermes y de la diosa Astarté, el mejor Nacido de Brahma y el Hijo del Mayor Dragón? Te digo, Cipriano, que la tierra podría alegrarse cuando los Primeros Señores de Occidente se encontraran con los Primeros Señores de Oriente y del Sur en el Valle del Alma. ¡Ah! la tierra tiene Valles del Alma que no son ciudades de comercio e industria. Y el misterio es un solo misterio, pero los hombres han de verlo de modo diferente. Tanto el hibisco como el espino y la genciana florecen en el Arbol de la Vida, pero en el mundo están muy separados; y así debe ser. Y yo soy hibisco silvestre y mi Carlota es una trinitaria blanca. Sólo somos cuatro, y no obstante formamos un curioso grupo. Y así ha de ser. Los hombres y mujeres del mundo no son mercancías fabricadas para el intercambio. Pero el Arbol de la Vida es un solo árbol, como sabemos cuando nuestras almas se abren en la última floración. No podemos cambiarnos y no queremos hacerlo. Pero cuando nuestras almas se abren en la última floración, entonces, como flores, compartimos el mismo misterio con todas las flores, más allá del conocimiento de hojas, troncos y raíces: algo trascendente.

»Pero no importa. De momento tengo que luchar por mi causa en México, y tú has de luchar por la tuya. Así que vámonos a trabajar.

Se fue a sus talleres y sus hombres, que trabajaban bajo su dirección, y Cipriano se sentó ante su correspondencia y sus planeamientos militares.

Ambos fueron interrumpidos por el rumor de una lancha que entraba en la pequeña bahía. Era Kate, acompañada por Juana, envuelta en su oscuro rebozo.

Ramón, ataviado con sus prendas blancas, la faja azul y negra y el gran sombrero con el Ojo de Quetzalcóatl tallado en una turquesa, bajó a recibirla. Ella también iba de blanco, con sombrero verde y un chal de seda amarillo pálido.

—Me alegra tanto venir —dijo, alargando la mano a Ramón—. Jamiltepec se ha convertido en una especie de Meca para mí, lo añoro en mi interior.

—Entonces, ¿por qué no viene con más frecuencia? Me gustaría que lo hiciera.

—Tenía miedo de molestar.

—¡No! Podría ayudar, si quisiera.

—¡Oh! —exclamó ella—. Me asustan y me inspiran escepticismo las grandes empresas. Creo que se debe a que, en el fondo, me disgustan las masas dondequiera que estén. Me temo que siento cierto desprecio por la gente; no me gusta que me toquen ni me gusta tocarles. Así que, ¿cómo puedo pretender formar parte de cualquier clase de... de... Ejército de Salvación? Aunque éste sea un modo horrible de calificarlo.

Don Ramón se echó a reír.

—A mí también me pasa. Detesto y desprecio a las masas. Pero éstas son mis propias gentes.

—Yo, desde que era niña, desde que tuve uso de razón. Me dijeron que en una ocasión, cuando contaba cuatro años, mis padres daban una fiesta y ordenaron a la niñera que me llevase al salón para que deseara las buenas noches a todos los invitados, que, vestidos de gala, comían y bebían. Y supongo que todos me dedicaron palabras amables como suelen hacer. Yo exclamé: «¡Sois todos unos monos!». ¡Fue un gran éxito! Pero ya de niña sentía lo mismo que siento ahora. Las personas me parecen monos, actuando de diversas maneras.

—¿Incluso las personas en su intimidad?

Kate titubeó, y luego confesó de mala gana:

—¡Sí! Me temo que así es. Mis dos maridos —incluso Joachim— me parecían tan *obstinados* en sus pequeñas tonterías... igual que monos. Sentí una terrible repulsión hacia Joachim cuando murió. Pensé: «Me he estado desangrando por un mono terco». Lo encuentra usted espantoso, ¿verdad?

—¡Sí! Pero creo que *todos* lo sentimos en ciertos momentos. O lo sentiríamos si nos atreviéramos. Es sólo uno de nuestros momentos.

—A veces —continuó Kate—, creo que es mi sentimiento *permanente* acerca de las personas. Me gusta el mundo, el cielo, la tierra y el gran misterio del más allá. Pero la gente... sí, todos son monos para mí.

El comprendió que, en el fondo del alma de ella, era cierto.

—*Puros monos** —dijo para sí mismo en español—. Y *lo que hacen, puras monerías**.

—¡Puros monos! —añadió—. Y sin embargo, ¡usted tiene hijos!

—¡Sí! ¡Sí! —exclamó ella, luchando consigo misma—. Los tuve con mi primer marido.

—¿Y ellos? ¿*Monos y no más?**

¡No! —exclamó Kate, frunciendo el ceño, enfadada consigo misma—. Sólo en parte.

—Lástima —dijo él, meneando la cabeza—. Pero, ¡qué se le va a hacer! —añadió—. ¿Qué son mis hijos para mí sino pequeños monos? Y su madre... y su madre. ¡Ah, no, señora Caterina! Esto no sirve de nada. Hay que saber disociarse de las personas, de la gente. Si me dirijo a un rosal para intimar con él, encuentro algo desagradable que me pincha. Hay que disociarse de las personas y las personalidades, y ver a la gente como se ven los árboles de un paisaje. En cierto modo, la gente le *domina* a uno. En cierto modo, la humanidad domina a nuestra conciencia. Por eso no hay más remedio que odiar a la gente y a la humanidad y buscar un modo de huir. Pero sólo hay una escapatoria: pasarles de largo y caminar hacia una vida mejor.

—¡Es lo que hago! —exclamó Kate—. No hago otra cosa. Cuando estaba absolutamente sola con Joachim en una casita de campo, haciendo todo el trabajo yo misma y sin conocer a nadie, sólo viviendo, y *sintiendo* algo más elevado todo el tiempo, entonces era libre, feliz.

—Pero, ¿y él? —inquirió Ramón—. ¿Era él libre y feliz?

—Lo era *realmente*. Pero aquí es donde empieza la monería: no se permitía a sí mismo ser feliz. Insistía en ver a *gente* y tener una *causa,* sólo para torturarse.

—Entonces, ¿por qué no vivía usted *completamente* sola en su casita de campo, sin él? —preguntó Ramón—. ¿Por qué viaja y conoce a gente?

Kate enmudeció, muy enfadada. Sabía que no podía vivir completamente sola. La vacuidad la aplastaba. Necesitaba tener a un hombre cerca, que llenara el vacío, que le diera equilibrio. Pero cuando lo tenía, en el fondo de su corazón le despreciaba, como despreciaba al perro y al gato. Entre ella y la humanidad existía el vínculo de un sutil y vano antagonismo.

Era de naturaleza generosa y dejaba a las personas su libertad. Los servidores solían profesarle afecto y la gente en general simpatizaba con ella y la admiraba. Tenía una fuerte vitalidad propia y cierta enfática *joie de vivre.*

Pero por debajo de todo ello había una invencible antipatía, casi una *repugnancia* hacia la gente. Más que odio, era repugnancia. Quienquiera que fuese, dondequiera que estuviese, al cabo de un tiempo esta repugnancia la dominaba. Su madre, su padre, sus hermanas, su primer marido, incluso sus hijos, a los que amaba, Joachim, por quien había sentido un amor tan apasionado, incluso ellos, que habían estado tan cerca de ella, la llenaban al cabo de cierto tiempo de repugnancia y rechazo, y entonces ansiaba relegarles al mayor y definitivo olvido.

Pero no hay un grande y definitivo olvido: o al menos, nunca es definitivo hasta que *uno mismo* está relegado a él.

Tal era el caso de Kate. Hasta que estuviera relegada al último oscuro olvido de la muerte, jamás escaparía de su profunda e insondable repugnancia hacia los seres humanos. Los contactos breves le parecían bien, emocionantes incluso. Pero los contactos íntimos, o largos, equivalían a breves o largos accesos de violenta repugnancia.

Ella y Ramón se habían sentado en un banco bajo las blancas adelfas del jardín. El rostro de Ramón era sereno e impasible. En el silencio, y con cierto dolor y náusea, se dio cuenta del estado en que se encontraba Kate, y comprendió que su propio estado, en lo referente a personas *individuales*, era el mismo. El mero contacto *personal,* el mero contacto humano le llenaban también de repugnancia. Carlota le repugnaba, la misma Kate le repugnaba. A veces Cipriano le repugnaba.

Pero esto era cuando les trataba en un plano meramente humano o personal. Hacerlo era un desastre: sentía asco de ellos y odio hacia sí mismo.

Tenía que tratarles en otro plano, en el que el contacto fuera diferente; intangible, remoto, y sin *intimidad.* Su alma estaba ocupada en otra parte, por lo que su esencia no tenía que estar vinculada a nadie. La esencia del hombre sólo debe volverse hacia Dios: de una forma u otra.

Con Cipriano estaba totalmente seguro. Cipriano y él, incluso cuando se abrazaban con pasión, cuando se encontraban después de una ausencia, se abrazaban en el reconocimiento de la mutua soledad eterna y constante; como el Lucero del Alba.

Pero las mujeres no admitían esto. Necesitaban intimidad, y la intimidad significaba repugnancia. Carlota quería identificarse eterna e íntimamente con Ramón, y en consecuencia le odiaba todo lo que en su opinión le apartaba de esta eterna e íntima identificación con ella misma. Era un horror y él lo sabía.

Los hombres y las mujeres debían saber que no pueden, en modo alguno, encontrarse en la tierra. En el beso más fuerte, en el contacto más íntimo, hay el pequeño abismo que no es menos completo por ser pequeño, por ser casi inexistente. Tienen que inclinarse y someterse con reverencia al abismo. Aunque yo coma el cuerpo y beba la sangre de Cristo, Cristo es Cristo y yo soy yo, y el abismo es infranqueable. Aunque una mujer sea más querida para un hombre que su propia vida, él es él y ella es ella, y el abismo no puede desaparecer. Cualquier intento de hacerlo desaparecer es una violación y un crimen contra el Espíritu Santo.

Lo que obtenemos del más allá, lo obtenemos solos. El yo definitivo que soy procede del extremo más alejado, del Lucero del Alba. El resto está ensamblado. Todo lo que está ensamblado en mí, procedente del poderoso cosmos, puede encontrar y tocar todo lo que está ensamblado en el ser querido. Pero esto no es jamás la esencia. Ni puede serlo.

Si queremos encontrarnos en la esencia, tenemos que renunciar al yo ensamblado, al yo cotidiano, y, tras desembarazarnos ambos de nosotros mismos, encontrarnos inconscientes en el Lucero del Alba. Cuerpo, alma y espíritu pueden ser transfigurados en el Lucero del Alba. Pero, sin transfiguración, nunca llegaremos allí. Sólo morderemos la correa.

Ramón sabía lo que era morder sus correas. Se había mordido a sí mismo hasta despedazarse antes de encontrar el camino para pasar de sí mismo y en la esencia de sí mismo a la Esencia de todo ser y existencia, que él llamaba Lucero del Alba porque los hombres han de dar nombres a todas las cosas. Pasar a la esencia de sí mismo, con ransfiguración, al Lucero del Alba, y allí, sólo allí, encontrar a sus semejantes.

Sabía, incluso ahora, qué significaba fracasar y continuar fracasando. Con Carlota fracasaba absolutamente. Ella le reclamaba y él se recluía en la resistencia. Incluso su muy desnudo pecho estaba cohibido y desafiadoramente desnudo en presencia de Carlota. Pero eso ocurría porque ella lo reclamaba como propiedad suya.

Cuando los hombres se encuentran en la esencia de todas las cosas, no están desnudos ni vestidos; en la transfiguración están simplemente completos, no son vistos parcialmente. La perfecta fuerza final tiene también el poder de la inocencia.

Sentado junto a Kate en el banco, Ramón sentía tristeza y una impresión de incompetencia y pesadez. Su tercer Himno era colérico y amargo. Carlota casi amargaba su alma. En México, turbulentos patanes se habían adueñado de su idea y hecho escarnio de ella. Habían invadido una de las iglesias de la ciudad, tirado a la calle las sagradas imágenes y colgado en su lugar las grotescas figuras de cartón de Judas que los mexicanos hacen explotar durante la Pascua. Esto, como es natural, había creado un escándalo. Y Cipriano, siempre que pasaba algún tiempo alejado, volvía a ser el inevitable general mexicano, fascinado por la oportunidad de encauzar su propia ambición personal e imponer su propia voluntad personal. Entonces llegó Kate, con este centro de puro repudio en sus entrañas, con la voluntad de hacer explotar el mundo.

Se sintió nuevamente desalentado; los miembros le pesaban como si fueran de plomo. Sólo hay una cosa que el hombre desea realmente durante toda su vida: y es encontrar el camino de su Dios, de su Lucero de Alba, y estar solo en él. Después, ya en el Lucero del Alba, saludar a sus semejantes y gozar de la mujer que ha hollado el largo camino en su compañía.

Pero hallar el camino que conduce muy, muy lejos, hasta la resplandeciente Esencia de todas las cosas, es muy difícil y requiere toda la fuerza y todo el valor de un hombre. Si hace el camino solo, es terrible. Pero si todas las manos tiran de él para que se detenga en lugares humanos; si las manos del amor tiran de sus entrañas y las manos del odio le agarran por los cabellos, se convierte en casi imposible.

Así era cómo se sentía Ramón en aquel momento: «Estoy intentando lo imposible. Haría mejor en marcharme a gozar de la vida mientras dure, o irme al desierto y seguir solo mi camino a la Estrella donde por fin tendré mi plenitud, mi santidad. La senda de los anacoretas y hombres que fueron a orar al desierto. Ya que mi alma anhela ciertamente su consumación y yo estoy cansado de lo que los hombres llaman vida. Vivo, quiero marcharme al lugar donde *soy*.

«Si —continuó diciéndose—, la mujer que estuvo conmigo en el Lucero del Alba, ¡cuánto me alegraría su presencia! Y el hombre que estuvo allí conmigo, ¡qué deleite sería su proximidad! ¡Ciertamente el Lucero del Alba es el lugar de reunión para nosotros, para la alegría!»

Sentados de lado en el banco, Ramón y Kate se olvidaron el uno del otro, ella, pensando en el pasado, en la larga repugnancia que representó, y él, pensando en su futuro e intentando reanimar su triste espíritu.

En el silencio, Cipriano salió a la terraza, mirando a su alrededor.

Casi se sobresaltó cuando vio dos figuras sentadas abajo en un banco, bajo las adelfas, separadas por una gran distancia, por un mundo, en su silencio.

Ramón oyó los pasos y miró hacia arriba.

—¡Ya subimos! —llamó, levantándose y mirando hacia Kate—. ¿Nos vamos arriba? ¿Quiere beber algo frío, *tepache* o zumo de naranja? No hay hielo.

—Me gustaría zumo de naranja con agua —dijo ella.

Ramón llamó a un criado y le dio la orden.

Cipriano llevaba los blancos calzones y el blusón amplio, como Ramón. Pero su faja era escarlata y tenía curvas negras, como las marcas de una serpiente.

—La oí venir. Pensaba que tal vez se habría marchado —dijo a Kate—, mirándola con cierto sombrío reproche: la extraña y vacilante nostalgia del bárbaro, que se siente perdido. Y también cierto resentimiento.

—Todavía no —dijo ella.

Ramón se echó a reír y dejó caer en una silla.

—La señora Caterina piensa que somos todos monos, pero tal vez este determinado espectáculo simiesco es el más divertido, después de todo, así que se quedará a ver un trozo más.

Cipriano, un verdadero indio, se sintió herido en su orgullo, la pequeña imperial negra de su barbilla pareció adquirir portentosas proporciones.

—¡Es un modo algo injusto de expresarlo! —rió Kate.

Los negros ojos de Cipriano la miraron con hostilidad. Creía que se burlaba de él. Y así era, en el fondo de su alma femenina. Interiormente se estaba burlando de él. Y esto no puede soportarlo ningún hombre de piel oscura.

—¡No! —exclamó Kate—. Hay algo más en ello.

—¡Ah! —intervino Ramón—. ¡Tenga cuidado! Un poco de piedad es peligrosa.

—¡No, no es piedad! —negó Kate, sonrojándose—. ¿Por qué me trata tan mal?

—Los monos siempre acaban tratando mal a los espectadores —replicó Ramón.

Ella le miró y sorprendió un destello de ira en sus ojos.

—He venido —dijo Kate— para saber cosas del panteón mexicano. Incluso me han dado a entender que podría ser admitida.

—¡Ah, eso está bien! —rió Ramón— ¡Un raro espécimen de mona ha pasado a pertenecer al zoológico de Ramón! Estoy seguro de que sería una buena adición. Puedo garantizarle que ha habido algunas diosas muy bonitas en el panteón azteca.

—¡Qué horrible!

—¡Vamos! ¡Vamos! —exclamó Ramón—. Atengámonos al

asunto, *señora mía** Todos *somos monos**. *¡Ihr seid alle Affen!*[1]. Lo dijeron unos labios inocentes, como lo expresó Carlota. Contemple a ese pequeño mono, Cipriano. Ha tenido la idea simiesca de casarse con usted. De pronunciar la palabra. El matrimonio es un juego de monos. La dejará ir cuando usted se haya cansado, y él se haya cansado. Es un general y un gran *jefe**. Puede hacer de usted la reina mona del México de los monos, si a usted le divierte. ¡Y qué deben hacer los monos, sino divertirse! *¡Vamos!* *¡Embobémonos!** ¿Seré yo el sacerdote? *¡Vamos!* *¡Vamos!**

Se levantó con cierta violencia volcánica y se marchó a grandes pasos. Cipriano miró a Kate con extrañeza. Esta había palidecido.

—¿Qué le ha dicho usted? —preguntó él.

—¡Nada! —contestó Kate, levantándose—. Ahora será mejor que me vaya.

Mandaron a buscar a Juana, y Alonso y Kate hicieron el viaje de regreso por el lago. Kate, bajó la toldilla de la lancha, se mantenía en una actitud ofendida. El sol ardía furiosamente y el agua la deslumbraba. Se puso las gafas oscuras, que le daban aspecto de monstruo.

—¡Mucho calor, Niña! ¡Mucho calor!** —repetía la *criada* a sus espaldas. Era evidente que había ingerido *tepache*.

Sobre el agua marrón pálido flotaban vagamente pequeños mechones de jacintos acuáticos, con una hoja por vela. Por doquier se veían en el lago esos mechones flotantes. Las copiosas lluvias habían arrastrado hasta el lago los kilómetros de *lirios** del río Lerma, que cubrían la parte pantanosa del río, situada a cuarenta y ocho kilómetros de distancia, y ahora flotaban por el extenso mar interior, hasta que las orillas empezaron a llenarse de ellos y el lejano río Santiago, que salía del lago, quedó atascado.

Aquel día Ramón escribió su Cuarto Himno.

LO QUE VIO QUETZALCOATL EN MEXICO

¿Quiénes son esas extrañas caras de México?
¿Esas caras pálidas, amarillas y negras? ¡No son mexicanas!
¿De dónde han venido, y por qué?

Señor de los Dos Caminos, son extranjeros.
Proceden de la nada,
A veces vienen a decirnos cosas.
Casi siempre les trae la codicia.

¿Qué quieren?

1. ¡Sois todos monos!

243

Quieren oro, quieren plata de las montañas,
Y aceite, mucho aceite de la costa.
Sacan azúcar de los altos tallos de la caña,
Trigo de las tierras altas, y maíz;
Café de las matas de las tierras calientes, incluso la jugosa
[goma.
Levantan altas chimeneas que despiden humo.
Y en las casas más grandes guardan sus máquinas, que
[hablan.
E introducen codos de hierro, que se mueven arriba y abajo.
¡Y sostienen millares de hilos con sus garfios!
¡Maravillosas son lás máquinas de los codiciosos!

Y *vosotros, mexicanos y peones, ¿qué hacéis?*

Trabajamos con sus máquinas, trabajamos en sus campos,
Y ellos nos dan pesos hechos con plata mexicana.
Ellos son los inteligentes.

¿Les amáis, entonces?

No les amamos, ni jamás les amaremos.
Sus caras son feas, y no obstante hacen cosas hermosas.
Y sus voluntades son como sus máquinas de hierro.
¿Qué podemos hacer?

Veo objetos oscuros corriendo a través del país.

¡Sí, Señor! Son trenes y camiones y automóviles.
Trenes y camiones, automóviles y aeroplanos.
¡Qué bonito, dice el peón, ir a gran velocidad en un tren!
¡Qué bonito subir al camión y viajar por veinte centavos!
¡Qué bonito, en las grandes ciudades, donde todo corre, y
[arden enormes luces, y uno se pasea sin hacer nada!
¡Qué bonito sentarse en el *cine**, donde imágenes de todo el
[mundo bailan ante la vista!
¡Qué bonito si pudiéramos quitar todas estas cosas a los
[extranjeros, y poseerlas!
¡Recuperar las tierras, la plata y el aceite, y tomar los trenes
[y las fábricas y los automóviles
Y jugar con ellos todo el tiempo!
¡Qué bonito!

¡Oh, insensatos! ¡Mexicanos y peones!
¿Quiénes sois vosotros para ser amos de máquinas que no
[podéis fabricar?

¡Que sólo podéis romper!
Los que saben hacerlas son los amos de estas máquinas.
No vosotros, pobres infelices.
¿Cómo han cruzado las aguas del mundo estas caras pálidas
[y amarillas?
¡Oh, insensatos! ¡Mexicanos y peones de corazón brumoso!
¿Lo hicieron poniéndose en cuclillas sobre sus traseros?
Vosotros no hacéis otra cosa que estar en cuclillas sobre
[vuestros traseros y mirar con ojos vagos y beber
[aguardientes y pelear y acuchillar.
Y después correr como perros mansos a las órdenes de los
[amos de cara pálida.

¡Oh, perros e insensatos, mexicanos y peones!
De corazón blando y rodillas flojas.
Sombríos de espíritu e inertes.
¿Para qué servís, sino para ser esclavos y pudriros?

¡No os merecéis a un dios!
¡Escuchad! El universo enmaraña a sus grandes dragones,
Los dragones del cosmos se mueven otra vez con ira.
El dragón de los muertos desengañados, que duerme en el
[norte de nieve blanca
Menea la cola en su sueño; los vientos rugen, las frías rocas
[dan vueltas.
Los espíritus de los fríos muertos silban en los oídos del
[mundo.
Preparaos para el destino.

Porque yo os digo que no hay muertos muertos, ni siquiera
[vuestros muertos.
Hay muertos que duermen sobre las olas del Lucero del
[Alba, con miembros frescos.
Hay muertos que lloran en amargas lluvias.
Hay muertos que se apiñan en el gélido norte, temblando y
[gritando entre los hielos
Y vociferando de odio.
Hay muertos que se arrastran por los ardientes intestinos de
[la tierra,
Removiendo los fuegos hasta formar un ácido de amargura.
Hay muertos que se sientan bajo los árboles, y buscan a sus
[víctimas con ojos cenicientos.
Hay muertos que atacan al sol como enjambres de moscas
[negras, para absorber su vida.
Hay muertos que se os suben encima cuando os acercáis a
[vuestras mujeres.

Y se asoman a su vientre, luchando por la oportunidad de
[nacer en el umbral que vosotros habéis abierto;
Sus dientes rechinan cuando se cierra, y odian al que ha
[entrado para nacer otra vez,
Hijo de los muertos vivientes, los muertos que viven y no se
[reaniman.
Yo os digo: triste es vuestro sino, pues todos moriréis,
Y al estar muertos, no seréis reanimados.
No hay muertos muertos.
Cuando estéis muertos, vagaréis como perros con las ancas
[rotas,
Buscando la basura y las sobras de la vida en las invisibles
[sendas del aire.
Los muertos que han dominado el fuego siguen viviendo en
[el fuego, como salamandras.
Los muertos de los señores del agua se mecen y centellean en
[los mares.
Los muertos de las máquinas de acero se elevan girando,
[*¡desaparecen!*
Los muertos de los amos eléctricos son la electricidad
[misma.
Pero los muertos de aquéllos que no han dominado nada,
[nada en absoluto,
Se arrastran como perros sin amo por las callejuelas del aire,
Buscando los desperdicios de la vida y mordiendo con bocas
[venenosas.
Los que han dominado las fuerzas del mundo, mueren
[dentro de las fuerzas y tienen hogares de muerte.
Pero, ¡vosotros! ¿Qué habéis dominado entre las huestes de
[dragones del cosmos?
Hay dragones de sol y hielo, dragones de la luna y la tierra,
[dragones de aguas saladas y dragones de trueno;
Hay el dragón resplandeciente de las estrellas libres.
Y lejos, en el centro, con un ojo que no parpadea, hay el
[dragón del Lucero del Alba.

«¡Conquista!», dice el Lucero del Alba. «Pasa entre los
[dragones y llega hasta mí.
Porque soy dulce, el último y el mejor, el estanque de vida
[nueva.
Pero, ¡cuidado, seres inertes! Soltaré a los dragones contra
[vosotros.
Os triturarán los huesos.
E incluso entonces os escupirán, y, como perros con las
[ancas rotas,
No tendréis ningún lugar en el que morir.

»¡Mirad! ¡En las callejuelas del aire, los muertos se arras-
[tran como perros cruzados!
¡Mirad! ¡Suelto a los dragones! Al dragón blanco del norte,
Al de los muertos desengañados, que corre y da vueltas,
Respirando fría corrupción sobre vosotros y haciendo
[sangrar vuestros pechos.

»Voy a hablar al dragón de los fuegos internos,
El que alberga a los muertos de las armas de fuego,
Para que retire el calor de vuestros pies, que se volverán
[fríos como la muerte.

»Estoy a punto de decir al dragón de las aguas que se lance
[contra vosotros
E inunde de corrosión vuestras corrientes y vuestras lluvias.

»Y espero el día final, cuando el dragón del trueno, al
[despertarse bajo las telas de araña
Que habéis echado sobre él, se agitará con repentina furia,
Y lanzará sus agujas eléctricas contra vuestros huesos, y
[cuajará vuestra sangre como leche con veneno eléctrico.

»¡Esperad! ¡Sólo esperad! Poco a poco, todo os irá suce-
[diendo».

Ramón se puso el traje negro de ciudad y un sombrero negro, y
fue él mismo con su himno a la imprenta de la ciudad. Mandó impri-
mir en negro y rojo el signo de Quetzalcóatl, y el signo del dragón, al
final, en verde, negro y rojo. Y la hoja se dobló.

Seis soldados de Cipriano se llevaron en tren los paquetes de himnos; uno fue a la capital, uno a Puebla y Jalapa, uno a Tampico y
Monterrey, uno a Torreón y Chihuahua, uno a Sinaloa y Sonora, y
uno a las minas de Pachuca, Guanajuato y la región central. Cada
soldado llevaba solamente cien hojas, pero en cada población había
un reconocido lector de los Himnos; o dos, tres, cuatro e incluso
diez lectores en una sola ciudad. Y otros lectores que recorrían los
pueblos.

Porque existía entre el pueblo un extraño y secreto deseo de cosas
ultraterrenas. Estaba cansado de acontecimientos, cansado de noticias en los periódicos, cansado incluso de las cosas que se enseñan
en la educación. Cansado está el espíritu del hombre de la inopor-
tunidad del hombre. Parecían decir: de todas las cosas humanas y
de las humanamente inventadas, ya nos hemos hartado. Y aunque
no dedicaban a los Himnos mucha atención activa, los deseaban
con vehemencia, como los hombres desean el alcohol, como alivio
del cansancio y el *ennui* del mundo artificial de la humanidad.

Por doquier, en todos los pueblos y ciudades, se veían titilar las pequeñas llamas cuando caía la noche, y grupos de personas en pie, o sentadas en el suelo, escuchando la lenta voz de algún lector.

Más raramente, en alguna plaza pequeña y aislada sonaba el siniestro ritmo del tam-tam, procedente del hueco de los siglos. Y había dos hombres con sarapes blancos de bordes azules. Entonces se entonaban los Cantos de Quetzalcóatl y a veces se bailaba la lenta danza del corro, con el antiguo ritmo de los pies sobre la tierra, que pertenecía a la América aborigen.

Porque las antiguas danzas de los aztecas y zapotecas, y de todas las razas indias desaparecidas, se basan en el antiguo y profundo paso de los pieles rojas del norte. Está en la sangre del pueblo; no pueden olvidarlo del todo. Les invade nuevamente con una sensación de temor, alegría y alivio.

Por propia iniciativa no se atrevían a revivir el antiguo movimiento ni a activar la sangre a la manera antigua. El hechizo del pasado es demasiado terrible. Pero en los Cantos e Himnos de Quetzalcóatl hablaba una voz nueva, la voz de un amo y una autoridad. Y aunque eran lentos en otorgar su confianza, el pueblo más lento y desconfiado, se entregaron a la nueva y antigua emoción con cierto temor, alegría y alivio.

Los Hombres de Quetzalcóatl evitaban las grandes plazas de mercado y los centros de actividad. Elegían los lugares pequeños y discretos. Al borde de una fuente, un hombre de sarape oscuro con bordes azules, o con el signo de Quetzalcóatl en el sombrero, se sentaba y empezaba a leer en voz alta. Esto era suficiente. La gente se detenía a escuchar. Leía hasta el final y entonces decía: «He terminado la lectura del Cuarto Himno de Quetzalcóatl. Ahora empezaré otra vez».

De este modo, gracias a una especie de distante nota en la voz y la lenta monotonía de la repetición, el contenido se infiltraba secretamente en la conciencia del auditorio.

Ya al principio se había producido el escándalo de los Judas. La Semana Santa es en la Ciudad de México la gran semana de Judas. Por doquier se ven hombres llevando a su casa con gesto triunfal los grandes y chillones muñecos de cartón piedra. Todos son masculinos, de tamaño natural y más o menos grotescos. Casi siempre es un grueso *hacendado** hispano-mexicano, representado con pantalones ceñidos, vientre protuberante y enormes bigotes apuntando hacia arriba. El anticuado *patrón**. Algunas de las figuras se parecen a Polichinela, otras son arlequines. Pero todas tienen caras sonrosadas y llevan el traje del hombre blanco. Nunca se ve la imagen del rostro cobrizo de un mexicano puro; siempre la rígida, altiva y grotesca caricatura de un hombre blanco.

Y todos son Judas. Judas es la diversión de la feria, la víctima, el gran personaje de la Semana Santa, como el Esqueleto, y el esqueleto a caballo, es el ídolo de la primera semana de noviembre, los días de los muertos y de Todos los Santos.

El sábado de Pascua los Judas se cuelgan de los balcones, se prende fuego a la mecha, y al final, ¡zas! Gritos de alegría. Judas ha explotado y desaparecido, gracias a un gran cohete sujeto a su espalda. Toda la ciudad resuena de explosiones de los Judas.

Hubo el escándalo de las sagradas imágenes lanzadas a la calle en una iglesia de la ciudad de México y reemplazadas por estos Judas de cartón piedra. La Iglesia empezó a moverse.

Pero la Iglesia ha de moverse con cuidado en México; no es popular y le han cortado las zarpas. El sacerdote no puede hacer repicar las campanas durante más de tres minutos. Ni sacerdotes ni monjes pueden llevar sotana por la calle, sólo el desagradable traje negro y cuello blanco del clero protestante. Por esto el sacerdote se exhibe lo menos posible en la calle y casi nunca en las calles y plazas principales.

No obstante, todavía tiene influencia. Están prohibidas las procesiones por las calles, pero no los sermones desde el púlpito ni los consejos desde el confesionario. Montes, el Presidente, no sentía ninguna simpatía por la Iglesia y estaba contemplando la expulsión de todos los sacerdotes extranjeros. El propio arzobispo era italiano, pero también era un luchador.

Dio órdenes a todos los sacerdotes de que prohibieran al pueblo escuchar cualquier cosa relacionada con Quetzalcóatl, destruyeran cualquier himno que cayera en sus manos e impidieran en la medida de lo posible que se leyeran los Himnos y se entonaran los Cantos en las parroquias.

Pero Montes había ordenado a la policía y los militares que protegieran a los Hombres de Quetzalcóatl como a cualquier otro ciudadano respetuoso con las leyes.

Sin embargo, México no es México en vano, y ya se había derramado sangre en ambos bandos. Esto era lo que Ramón quería evitar más que nada, pues sabía que la muerte violenta no se borra tan fácilmente del aire y de las almas de los hombres como se lava de las aceras la sangre derramada.

Por consiguiente, cuando estuvo en la ciudad pidió al obispo del Oeste que le concediera una entrevista con Cipriano, y que le comunicara el lugar. El obispo, que era un viejo amigo y consejero de Carlota, y que conocía bastante bien a Ramón, contestó que estaría encantado de recibir a Ramón y al *señor general** al día siguiente, si tenían la bondad de acudir a su casa.

El obispo ya no ocupaba el gran palacio episcopal, que había sido convertido en el edificio de Correos. Pero tenía una casa próxima a la catedral, obsequiada por los fieles.

Ramón y Cipriano encontraron al flaco anciano esperándoles en una polvorienta y nada interesante biblioteca. Llevaba una sencilla sotana negra, no demasiado limpia, con botones de color púrpura. Recibió a Ramón, que lucía un traje negro, y a Cipriano, que iba de uniforme, con modales afables y expresión suspicaz. Pero fingió ser el anciano vivaz y cordial.

—¡Ah, don Ramón, hace mucho tiempo que no le veía! ¿Cómo le va? ¿Bien, muy bien? ¡Me alegro! ¡Me alegro mucho! —Y dio una palmada a Ramón en la manga, como un tío viejo y afectuoso—. ¡Ah, mi general, muy honrado, muy honrado! Bienvenido a esta pobre casa que también es la suya. ¡La casa de Su Excelencia! ¡Para servirle! ¡Bien, caballeros! ¿Quieren sentarse?

Todos tomaron asiento en la polvorienta y triste habitación, en las viejas sillas de cuero. El obispo miró nerviosamente sus flacas y viejas manos y el anillo de empañada amatista que llevaba en el dedo.

—¡Bien, señores! —exclamó, mirándoles con sus pequeños ojos negros—. ¡Estoy a su servicio! Enteramente al servicio de Sus Excelencias.

—Doña Carlota está en la ciudad, padre. ¿La ha visto? —preguntó Ramón.

—Sí, hijo mío —repuso el obispo.

—Entonces ya sabe las últimas noticias acerca de mí. Ella se lo habrá dicho todo.

—¡Algo! ¡Algo! Algo me dijo de usted la pobrecilla. Gracias a Dios que tiene a sus hijos con ella. Han regresado sanos y salvos de su país natal.

—¿Les ha visto usted?

—¡Sí! ¡Sí! ¡Dos de mis hijos más queridos! Son muy simpáticos, muy inteligentes, como su padre; y prometen ser, como él, hombres muy apuestos. ¡Sí! ¡Sí! Fume usted si quiere, mi general. No haga cumplidos.

Cipriano encendió un cigarrillo. Por antiguas asociaciones, estaba nervioso, aunque también divertido.

—¿Sabe usted todo lo que me propongo hacer, padre? —inquirió Ramón.

—No lo sé todo, hijo mío, pero sí lo suficiente, y no quiero oír más. —Suspiró—. Es muy triste.

—No tan triste, padre, si no lo hacemos triste nosotros. ¿Por qué hacer de ello algo triste, padre? En México la gran mayoría somos indios. Y los indios no pueden comprender el cristianismo elevado, padre, y la Iglesia lo sabe. El cristianismo es una religión del espíritu, y es preciso que sea comprendida para surtir efecto. Los indios no pueden comprenderla más que los conejos de las colinas.

—¡Está bien! ¡Está bien, hijo mío! Pero nosotros podemos hacérsela entender. Los conejos de las colinas están en manos de Dios.

—No, padre, es imposible. Y sin una religión que les conecte con el universo, perecerán todos. Sólo la religión puede servir; no el socialismo ni la educación ni ninguna otra cosa.

—Habla usted muy bien —dijo el obispo—.

—Los conejos de las colinas pueden estar en manos de Dios, padre, pero se encuentran a merced de los hombres. Lo mismo ocurre con México. El pueblo se hunde cada vez más en la inercia, y la Iglesia no puede ayudarle porque la Iglesia no posee la palabra clave para entrar en el alma mexicana.

—¿Es que el alma mexicana no conoce la Voz de Dios? —preguntó el obispo.

—Sus propios fieles pueden conocer su voz, padre, pero si va a hablar a las aves del lago, o a los ciervos de las montañas, ¿conocerán ellos su voz? ¿Se pararán a escuchar?

—¿Quién sabe? Se ha dicho que se pararon a escuchar a San Francisco de Asís.

—Vamos, padre, tenemos que hablar a los mexicanos en su propia lengua y darles la palabra clave de sus propias almas. Yo diré *Quetzalcóatl*. Si me equivoco, pereceré. Pero no me equivoco.

El obispo se removió, inquieto. No quería oír todo esto. Y no quería contestar. Era impotente de todos modos.

—¿Su Iglesia es la Iglesia Católica, padre?

—¡Naturalmente! —repuso el obispo.

—E Iglesia Católica significa Iglesia Universal, ¿verdad?

—Ciertamente, hijo mío.

—En tal caso, ¿por qué no dejarla ser realmente católica? ¿Por qué llamarla católica, cuando no sólo es simplemente una entre muchas Iglesias, sino que es incluso hostil al resto de las Iglesias? Padre, ¿por qué no dejar que la Iglesia católica sea realmente la Iglesia Universal?

—Es la Iglesia Universal de Cristo, hijo mío.

—¿Por qué no dejar que sea también la Iglesia Universal de Mohammed, puesto que en definitiva Dios es un solo Dios? Pero los pueblos hablan diversas lenguas y cada uno necesita su propio profeta que hable en su propia lengua. La Iglesia Universal de Cristo, de Mohammed, de Buda, de Quetzalcóatl y de todos los demás... *ésa* sería una Iglesia Católica, padre.

—Habla de cosas que escapan a mi comprensión —dijo el obispo, dando vueltas a su anillo.

—Todos los hombres pueden comprenderlas —replicó don Ramón—. Una Iglesia Católica es una iglesia de todas las religiones, un hogar en la tierra para todos los profetas y los Cristos, un gran árbol bajo el que todos los hombres que reconocen la vida más elevada del alma puedan sentarse y encontrar consuelo. ¿No es *esto* la Iglesia Católica, padre?

—Ay, hijo mío, yo conozco la Iglesia Apostólica de Cristo en Roma, de la que soy un humilde servidor. No comprendo esas cosas inteligentes que me está diciendo.

—Le estoy pidiendo paz, padre. Yo no odio a la Iglesia de Cristo, a la Iglesia Católica *Romana*. Pero creo que no tiene lugar en México. Cuando mi corazón no siente amargura, estoy muy agradecido a Cristo, el Hijo de Dios. La cuestión de los Judas me apena más que a usted, y los derramamientos de sangre son mucho más amargos para mí.

—Yo no soy ningún innovador, hijo mío, que provoque derramamientos de sangre.

—¡Escuche! Voy a retirar las sagradas imágenes de la iglesia de Sayula, con reverencia, y con reverencia quemarlas en el lago. Después colocaré la imagen de Quetzalcóatl en la iglesia de Sayula.

El obispo le dirigió una mirada furtiva. Durante unos momentos no dijo nada. Pero su silencio era furtivo, acorralado.

—¿Se atrevería a hacer eso, don Ramón? —preguntó.

—¡Sí! Y nadie me lo impedirá. El general Viedma está conmigo.

El obispo miró de soslayo a Cipriano.

—Desde luego —dijo este último.

—Aún así, es ilegal —observó el obispo con amargura.

—¿Qué es ilegal en México? —inquirió Ramón—. Lo que es débil es ilegal. Yo no seré débil, señor.

—¡Dichoso usted! —exclamó el obispo, levantando los hombros.

Se hizo el silencio.

—¡No! —exclamó a su vez Ramón—. He venido a pedirle paz. Repita al arzobispo lo que voy a decirle. Encárguele que ponga en conocimiento de los cardenales y el Papa que ha sonado la hora para una Iglesia Católica de la Tierra, la Iglesia Católica de Todos los Hijos de los Hombres. Los Salvadores son más de uno, y oremos para que sean muchos. Pero Dios es uno solo, y los Salvadores son los Hijos del Unico Dios. Dejemos que el Arbol de la Iglesia extienda sus ramas sobre toda la tierra, y cobije a los profetas en su sombra mientras se sientan a hablar de sus conocimientos sobre el más allá.

—¿Es usted uno de esos profetas, don Ramón?

—Ciertamente lo soy, padre. Y me gustaría hablar de Quetzalcóatl en México y construir su Iglesia aquí.

—¡No! Le oí decir que le gustaría invadir las Iglesias de Cristo y la Santísima Virgen.

—Ya conoce usted mis intenciones. Pero no quiero pelearme con la Iglesia de Roma ni provocar derramamiento de sangre y enemistad, padre. ¿Puede comprenderme? ¿Acaso no debe haber paz entre los hombres que luchan de diversas maneras por acercarse al Misterio de Dios?

—¡Profanar una vez más los altares! Introducir ídolos extraños.

¿Quemar las imágenes de Nuestro Señor y Nuestra Señora y pedir la paz? —preguntó el pobre obispo, que ardía en deseos de que le dejaran solo.

—Todo eso, padre.

—Hijo, ¿qué puedo contestar? Es usted un hombre bueno dominado por la locura del orgullo. Don Cipriano es un general mexicano más. Yo soy el pobre y viejo obispo de esta diócesis, fiel servidor de la Santa Iglesia, humilde hijo del Santo Padre de Roma. ¿Qué puedo hacer? ¿Qué puedo contestar? ¡Lléveme al cementerio y fusíleme en seguida, general!

—No quiero hacerlo —repuso Cipriano.

—Lo harán al final —dijo el obispo.

—Pero ¿por qué? —exclamó don Ramón—. ¿Acaso no tiene sentido lo que digo? ¿No puede usted comprender?

—Hijo mío, mi comprensión se acaba donde me dicta mi fe y mi deber. No soy un hombre listo; vivo de la fe y el deber de mi sagrada profesión. Comprenda que no pueda comprender.

—¡Buenos días, padre! —dijo don Ramón, levantándose de repente.

—Ve con Dios, hijo mío —respondió el obispo, poniéndose en pie y levantando los dedos.

—*¡Adiós, señor!** —se despidió Cipriano, haciendo chocar las espuelas y poniendo la mano sobre su espada al tiempo que se volvía hacia la puerta.

—*Adiós, señor general** —respondió el obispo, siguiéndoles con una mirada de vieja malicia, que ellos sintieron en la espalda.

—No quiere decir nada —comentó Cipriano mientras él y Ramón bajaban las escaleras—. El viejo jesuita sólo aspira a conservar el empleo y su poder, y a evitar que lata el corazón. Les conozco. Lo que valoran aún más que su dinero es el poder inmenso que esgrimen sobre la gente asustada, especialmente sobre las mujeres.

—No sabía que les odiabas —rió Ramón.

—No malgastes el aliento con ellos, querido mío —dijo Cipriano—. Sigue adelante, que tú puedes andar sobre serpientes decrépitas como éstas.

Cuando pasaban por la plaza de Correos, donde los escribas modernos, sentados ante pequeñas mesas bajo las arcadas, escribían cartas a máquina para los pobres y analfabetos, que esperaban con sus pocos centavos a que sus mensajes fuesen traducidos a un florido castellano, Ramón y Cipriano fueron objeto de un respeto casi sobresaltado.

—¿Por qué hablar al obispo? Ya no existe. Tengo entendido que la otra noche sus Caballeros de Cortés celebraron un gran banquete, y se dice —yo no lo creo— que brindaron con sangre, jurando acabar con mi vida y con la tuya. Pero me parece que los juramentos de las Damas Católicas me asustarían más. Figúrate, si un hombre

253

se detiene para desabrocharse los pantalones y orinar, los Caballeros de Cortés corren como gamos, pensando que les apuntan con una pistola. ¡No pienses en ellos, hombre! No trates de reconciliarte con ellos. Sólo conseguirás que se hinchen e insolenten, pues pensarán que tienes miedo de ellos. Seis soldados pisotearán toda esa basura —concluyó el general.

Era la ciudad, y el espíritu de la ciudad.

Cipriano tenía una suite en el gran Palacio de la Plaza de Armas.

—Si me caso —dijo cuando entraban en el patio de piedra, donde unos soldados se cuadraron a su paso—, elegiré una casa de la colonia, para tener más intimidad.

Cipriano se ponía divertido en la ciudad. Parecía irradiar altivez y arrogante autoridad mientras iba de un lado a otro. Pero sus ojos negros, al mirar sobre la bien perfilada nariz y la pequeña perilla, no invitaban a la broma. Parecían captarlo todo con una sola mirada penetrante. Un tipo demoníaco.

CAPITULO XVIII

AUTO DE FE

Ramón vio a Carlota y sus hijos en la ciudad, pero fue una reunión bastante estéril. El chico mayor estuvo sencillamente incómodo en presencia de su padre, pero el joven Cipriano, que era delicado y muy inteligente, mostró a su progenitor cierto altivo desagrado.

—¿Sabes qué se está cantando, papá? —preguntó.

—No sé todo lo que se canta —contestó Ramón.

—Cantan... —el chico vaciló— y luego, con su voz clara y joven, entonó, al son de *La Cucaracha:*

«Don Ramón no bebe, no fuma,
Doña Carlota desearía que lo hiciera.
Va a lucir el manto azul celeste
Que ha robado a la Madre de Dios».

—No, no es cierto —dijo Ramón, sonriente—. El mío tiene una serpiente y un pájaro en el centro, y zigzags negros y un fleco rojo. Sería mejor que vinieras a verlo.

—¡No, papá! ¡No quiero verlo!

—¿Por qué no?

—No quiero mezclarme en este asunto. Nos hace parecer ridículos a todos.

—¿Y qué crees que pareces, de todos modos, con tu traje rayado de marinero y tu cara de santurrón? Preferiría verte vestido de Niño Jesús.

—¡No, papá! Tu actitud es de mal gusto. No deben decirse esas cosas.

—Ahora tendrás que confesarte de una insolencia. Dices que no deben decirse esas cosas, cuando yo, tu padre, acabo de decirlas y tú me has oído:

—Quiero decir que no las dice la gente buena, las personas decentes.

—Ahora tendrás que volver a confesarte por llamar a tu padre indecente. ¡Niño rebelde!

El muchacho se sonrojó y las lágrimas asomaron a sus ojos. Hubo un breve silencio.

—¿De modo que no queréis ir a Jamiltepec? —preguntó Ramón a sus dos hijos.

—¡Sí! —repuso el mayor, lentamente—. Quiero ir y bañarme en el lago y remar en el bote. Pero... dicen que es imposible.

—¿Por qué?

—Dicen que te vistes como un peón. —El muchacho habló con mucha timidez.

—Son ropas bonitas, ¿sabes? Más bonitas que esos calzones tuyos.

—También dicen que presumes de ser el dios azteca Quetzal-cóatl.

—No es cierto. Sólo digo que el dios azteca Quetzalcóatl regresa al lado de los mexicanos.

—Pero, papá, eso es falso.

—¿Cómo lo sabes?

—Porque es imposible.

—¿Por qué?

—No ha habido nunca un Quetzalcóatl, excepto ídolos.

—¿Ha habido alguna vez un Jesús, excepto imágenes?

—Sí, papá.

—¿Dónde?

—En el cielo.

—Entonces en el cielo está también Quetzalcóatl. Y lo que está en el cielo es capaz de regresar a la tierra. ¿No me crees?

—No puedo.

—Entonces, sigue incrédulo —dijo el padre, riendo y levantándose para irse.

—Es muy desagradable que canten tonadillas sobre ti e incluyan a mamá; como si fueras Pancho Villa —declaró el hijo menor—. Me duele mucho.

—Pues, frótate con *Vapor-rub,* chiquillo —replicó Ramón—. Frótate con *Vapor-rub* donde te duela.

—¡Qué hombre tan malo eres, papá!

—¡Qué niño tan bueno eres, hijo mío! ¿No es así?

—No lo sé, papá. Sólo sé que eres malo.

—¿Es eso lo que te enseñan en tu colegio americano?

—El próximo curso —anunció Ciprianito— quiero cambiar de nombre. No quiero llamarme Carrasco. Cuando salgas en los periódicos, se reirán de nosotros.

—¡Oh! ¡Oh! Yo ya me río de ti *ahora,* pequeño sapo. ¿Qué nombre elegirás? Espina, tal vez. Sabes que Carrasco es un arbusto salvaje que crece en los páramos de España, de donde procedemos. ¿Quieres ser la pequeña espina del arbusto? Llámate Espina; eres una ramita del viejo árbol. *¡Entonces, adiós!* * *¡Señor Espina, Espina!* *

—¡Adiós! —respondió bruscamente el chico, arrebolado por la cólera.

Ramón se fue en automóvil a Sayula, porque había una carretera. Pero ya las lluvias la estaban agrietando. El coche saltaba y hacía eses sobre los grandes baches. En un lugar había un camión volcado.

Por el desierto plano se veían ya pequeños charcos de agua, y las pequeñas flores rosadas y amarillas del cosmos estaban a punto de abrir sus racimos de capullos. Las colinas de la distancia eran opacas, y sobresalían hojas de árboles y arbustos invisibles. La tierra empezaba a revivir.

Ramón se dirigió en Sayula a casa de Kate. Esta había salido, pero la salvaje Concha fue corriendo a buscarla a la playa.

—¡Está don Ramón! ¡Está don Ramón!

Kate se apresuró a volver a su casa, con arena en los zapatos. Pensó que Ramón parecía cansado, y, con su traje negro, siniestro.

—No le esperaba —dijo Kate.

—Vengo de la ciudad y regreso a casa.

Estaba muy quieto, con aquella expresión airada en el rostro oscuro, y no dejaba de apartar el negro bigote de sus labios cerrados en rictus de ira.

—¿Ha visto a alguien en la ciudad? —preguntó ella.

—He visto a don Cipriano, ¡y a doña Carlota y a los muchachos!

—¡Oh, me alegro por usted! ¿Están todos bien?

—Creo que gozan de excelente salud.

Kate se echó a reír de improviso.

—Aún está enfadado —dijo—. ¿Sigue por eso de los monos?

—Señora —repuso él, inclinándose hacia delante, de modo que sus negros cabellos le cubrieron un poco la frente—, en el país de los monos no sé quién es el príncipe. Pero en el reino de los idiotas, creo que soy yo.

—¿Por qué? —inquirió ella. Y como él no contestaba, añadió—: Debe ser un consuelo ser príncipe, incluso de los idiotas.

El le dirigió una mirada furibunda, y de pronto estalló en una carcajada.

—¡Oh, *señora mía*!* ¿Qué nos aqueja a los hombres, que siempre aspiramos a ser buenos?

—¿Se arrepiente usted de ello? —rió Kate.

—¡Sí! —replicó él—. ¡Soy el príncipe de los idiotas! ¿Por qué he iniciado este asunto de Quetzalcóatl? ¿Por qué? Le ruego que me lo diga.

—Supongo que era lo que deseaba.

El reflexionó unos momentos, tirándose del bigote.

—Tal vez sea mejor ser un mono que un idiota. Sin embargo, me opongo a ser llamado un mono. Carlota es una mona y nada más, y mis dos chicos son monos jóvenes vestidos de marinero. Y yo soy un idiota. Pero ¿cuál es la diferencia entre un idiota y un mono?

—¿*Quién sabe?** —contestó Kate.

—Uno quiere ser bueno, y el otro está seguro de que es bueno, así que yo quedo en ridículo. Ellos están seguros de ser siempre buenos, y esto les convierte en monos. ¡Oh, quisiera que el mundo explotase como una bomba!

—¡No lo hará! —exclamó Kate.

—Muy cierto. ¡En fin!

Se irguió, intentando sobreponerse.

—¿Cree usted, señora Caterina, que podría casarse con nuestro común amigo el general? —Ramón había vuelto a ponerse a la sombra.

—¡No lo sé! —murmuró Kate—. No lo creo.

—¿No le resulta simpático?

—Sí, eso sí. Está vivo, y hay incluso cierta fascinación en él. Pero ¿usted cree que una mujer debe casarse con un hombre de otra raza, incluso aunque le resulte simpático?

—¡Ah! —suspiró Ramón—. No hay que generalizar. Nadie debe casarse con nadie, a menos que haya una verdadera fusión.

—Y tengo la impresión de que no la habría —manifestó Kate—. Siento que él sólo quiere algo de mí; y tal vez yo sólo quiero algo de él. Pero él nunca vendría a mi encuentro. Nunca se acercaría para encontrarme. Vendría a quitarme algo y yo tendría que permitírselo. Y no quiero solamente eso. Quiero un hombre que recorra medio camino, sólo medio camino, para encontrarme.

Don Ramón meditó y luego meneó la cabeza.

—Tiene razón —concedió—. Sin embargo, en estas cuestiones nunca se sabe qué es el medio camino ni dónde está. La mujer que sólo quiere entregarse y después continuar agarrada es un parásito. Y el hombre que sólo quiere tomar, sin dar nada, es un animal de presa.

—Y me temo que don Cipriano podría ser eso —dijo Kate.

—Es posible —contestó Ramón—. No lo es conmigo, pero quizá lo sería si no nos encontráramos —tal vez nuestro medio camino— en una creencia física que está en el mismo centro de nosotros y que ambos reconocemos el uno en el otro. ¿No podría existir esto entre usted y él?

—Dudo de que lo considerase necesario, con una mujer. Una mujer no sería lo bastante importante.

Ramón guardó silencio.

—¡Tal vez! —exclamó—. Con una mujer, el hombre siempre quiere dejarse ir. Y es precisamente con una mujer que no debería dejarse ir jamás. Es precisamente con una mujer que no debería dejarse ir jamás, sino ser fiel a su credo más íntimo, y encontrarla a ella allí. Porque cuando el credo más íntimo coincide en ambos, si es fí-

258

sico, allí y sólo allí pueden encontrarse. Y todo es inútil si no se encuentran. Es inútil que el hombre viole a la mujer y es absolutamente inútil que la mujer viole al hombre. Es un pecado, eso es lo que es. El pecado existe, y esto se halla en el centro del pecado. Los hombres y las mujeres no cesan de violarse mutuamente. Por absurdo que pueda parecer, no soy yo quien querría violar a Carlota. Es ella la que querría violarme. Es extraño, absurdo y un poco vergonzoso, pero cierto. Dejarse ir significa violar o ser violado. ¡Oh! si pudiéramos ser fieles a nuestras propias almas, y encontrarnos en ellas. Señora, no tengo un gran respeto por mí mismo. La mujer y yo nos hemos fallado mutuamente, y es un mal fracaso para guardar en el centro de uno mismo.

Kate le miró con extrañeza y un poco de miedo. ¿Por qué se estaba confesando con ella? ¿Iba a hacerle el amor? Casi dejó de respirar. El la miraba con una especie de pena en la expresión, y con ira, desazón, sabiduria y un dolor sordo en los ojos negros.

—Lamento —prosiguió— que Carlota y yo seamos lo que somos el uno para el otro. ¿Quién soy yo para hablar siquiera de Quetzalcóatl cuando en mi corazón arde la cólera contra mi mujer y los hijos que me ha dado? Nunca nos encontramos en nuestras almas, ella y yo. Al principio la amaba, y ella quería que la sedujera. Después, al cabo de un tiempo, el hombre siente inquietud. No puede continuar deseando seducir a la misma mujer; siente repulsiones. Entonces ella se enamoró de mí y quiso seducirme. Y durante un tiempo, me gustó. Pero también ella sufría repulsiones. El hijo mayor es realmente mío, de cuando la seduje. Y el menor es de ella, de cuando me sedujo. ¡Ya ve lo triste que es! Y ahora nunca podemos encontrarnos; ella se vuelve hacia su Jesús crucificado, y yo hacia mi no crucificado e incrucificable Quetzalcóatl, quien al menos no puede ser violado.

—Y estoy segura de que usted no hará de él un violador.

—¿Quién sabe? Si me equivoco, será en esta dirección. Pero usted ya sabe, señora, que para mí Quetzalcóatl es solamente el símbolo de lo mejor en que puede convertirse el hombre. El universo es un nido de dragones, con un misterio de la vida perfectamente insondable en el centro. ¡Seguro que no importa que yo llame al misterio el Lucero del Alba! La sangre del hombre no puede latir en lo abstracto. Y el hombre es una criatura que va ganando centímetro a centímetro su propia creación desde el nido de los dragones cósmicos. O la va perdiendo poco a poco y se desintegra. Ahora la estamos perdiendo todos en la desintegración violadora y violada. Tenemos que sobreponernos juntos, con fuerza, hombres y mujeres, o estamos todos perdidos. Tenemos que realizar un esfuerzo común.

—Pero, ¿es usted un hombre que necesite a una mujer en su vida? —preguntó Kate.

—Soy un hombre que anhela la plenitud sensual de su alma, señora —respondió él—. Soy un hombre que no cree en la abnegación
de los deseos de la sangre. Soy un hombre que está siempre a punto
de tomar esposas y concubinas que vivan conmigo, tan profundo es
mi deseo de esa satisfacción. Pero ahora ya sé que es inútil —no mo-
mentáneamente inútil, sino a la larga— seducir a una mujer con
apasionado deseo. Por mucho que ella me ame y desee que yo la se-
duzca. Es inútil, y mis mismas entrañas saben que es inútil. Vino,
mujer y canciones, todo este juego ha terminado. Nuestras entrañas
ya no los admiten. Pero es difícil sobreponerse.

—¿De modo que en realidad quiere tener a una mujer a su lado?
—inquirió Kate.

—¡Ah, señora! ¡Si yo pudiera confiar en mí mismo y en ella! Ya
no soy un hombre joven para cometer errores. Tengo cuarenta y
dos años y estoy haciendo mi último, y tal vez mi primer gran esfuerzo como hombre. Espero que pereceré antes de cometer un gran
error.

—¿Por qué ha de cometerlo? ¿Tan fácil es?

—Sí, es muy fácil para mí cometer un error. Muy fácil, por un lado, convertirme en un violador arrogante. Y muy fácil, por otro lado, negarme a mí mismo y hacer una especie de sacrificio de mi vida. Lo cual equivale a ser violado. En cierto sentido es muy fácil para mí ser violado. Incluso ayer me ocurrió hasta cierto punto con el
obispo de Guadalajara. Y es algo malo. Si tuviera que terminar mi
vida con un error, señora, preferiría terminarla violando que siendo
violado. Como ardiente violador, todavía podré castigar y cortar la
enfermedad de la otra cosa, de la horrible sujeción y el deseo que tienen los hombres de ser violados, ese deseo innoble y odioso.

—Pero, ¿por qué no hace lo que ha dicho, ser fiel al alma más íntima que hay en usted, y encontrar allí a una mujer, encontrarla, como ha dicho, donde sus dos almas coincidan en el más profundo
deseo? No siempre en ese horrible desequilibrio que usted llama
violar.

—¿Por qué no lo hago? Pero ¿qué mujer puedo encontrar en el
cuerpo sin que esa lenta degradación de violar o ser violado acabe
por introducirse? Si me caso con una mujer española o mexicana
pura, se entregará a mí para ser violada. Si me caso con una mujer
de raza anglosajona o cualquier raza septentrional, querrá violarme con la voluntad de todos los primitivos demonios blancos. Los
que quieren ser violados son parásitos del alma, y provocan repugnancia. Las que quieren violar al hombre son vampiros. Y entre estas dos clases, no hay nada.

—¿Acaso no hay mujeres verdaderamente buenas?

—Está bien, muéstreme algunas. Todas son Carlotas potenciales
o... o, sí, Caterinas. Estoy seguro de que usted violó a su Joachim
hasta su muerte. Sin duda él lo quería; incluso más que usted. No es

solamente sexo; está en la voluntad. Víctimas y verdugos. Las clases superiores ansían ser víctimas de las clases inferiores; o hacerlas víctimas suyas. Los políticos ansían hacer a los pueblos víctimas de otros. La Iglesia, con su maligna voluntad de hacer humilde a la gente, la retuerce hasta que ansía ser víctima, ser violada. Se lo digo yo: la tierra es un lugar vergonzoso.

—Pero, si *usted* quiere ser diferente —arguyó Kate—, seguramente hay otras personas que también aspiran a serlo.

—Es posible —repuso él, calmándose—, es posible. Me gustaría saber dominarme mejor. Tengo que dominarme, concentrarme en mi núcleo, donde estoy sereno. En mi Lucero del Alba. Ahora estoy avergonzado de haberle hablado de este modo, señora Caterina.

—¿Por qué? —exclamó ella. Y por primera vez apareció en su rostro el rubor de la ofensa y la humillación.

El lo advirtió en seguida y posó un momento la mano sobre la de ella.

—No, no estoy avergonzado —dijo—, sino aliviado.

Ella se sonrojó violentamente al sentir su contacto, y guardó silencio. Ramón se levantó muy de prisa, anhelando estar a solas con la propia alma.

—El domingo —añadió—, ¿irá usted a la plaza por la mañana, cuando suene el tambor? ¿Irá usted?

—¿Para qué? —inquirió ella.

—¡Bueno! Vaya lo sabrá.

Desapareció como un relámpago.

Había muchos soldados en el pueblo. Cuando Kate fue a correos, vio a los hombres con sus uniformes de algodón echados en la entrada del cuartel. Debía haber cincuenta o más: hombres bajos, no los soldados altos de sombreros ondulados. Estos eran bajos, veloces y compactos, como Cipriano, y hablaban un extraño lenguaje indio, con voces apagadas. Se les veía muy raramente en las calles. Permanecían acuartelados.

Pero por la noche todo el mundo debía respetar la queda, que empezaba a las diez, y en la oscuridad Kate oía el paso de las patrullas montadas.

Había un aire de excitación y misterio en el lugar. El párroco, un hombre grueso y bastante altanero de unos cincuenta años, había pronunciado un famoso sermón el sábado por la tarde contra Ramón y Quetzalcóatl, prohibiendo la mención del nombre pagano y amenazando con todos los castigos a cualquier feligrés que leyera los Himnos o incluso los escuchara.

Así que, naturalmente, fue atacado cuando salió de la iglesia y tuvo que ser rescatado por los soldados que se hallaban ante la puerta, los cuales le acompañaron sano y salvo hasta su casa. Pero su criada, la anciana que le servía, supo por varias mujeres que la próxima vez que el padre abriera la boca contra Quetzalcóatl, recibiría algunos centímetros de machete en su rechoncha barriga.

De modo que su reverencia se quedó en casa y otro cura se encargaba de las misas.

Prácticamente todas las personas que llegaban por el lago los sábados, oían misa en la iglesia de Sayula. Las grandes puertas permanecían abiertas todo el día. Los hombres que pasaban de camino hacia el lago o en sentido contrario se quitaban sus grandes sombreros, con un curioso servilismo en el ademán, cuando llegaban ante las puertas de la iglesia. Durante todo el día había gente arrodillada en los pasillos o entre los bancos, los hombres, erguidos, con los sombreros colocados junto a sus rodillas y sus curiosas cabezas indias, de forma alargada, cubiertas por el espeso cabello negro, también erguidas; sólo las piernas puestas de rodillas, muy juntas, eran humildes. Las mujeres se envolvían en sus oscuros rebozos y apoyaban los codos sobre el banco, arrodilladas, con una especie de calmosa voluptuosidad.

El sábado por la noche había el rojizo resplandor de numerosos cirios en el fondo de la oscura caverna de la iglesia; y un hacinamiento de oscuras cabezas masculinas, un susurro de pasos femeninos, un ir y venir de hombres que llegaban del lago y de otros que se dirigían al mercado. Un silencio, no exactamente de adoración, sino de cierta admiración voluptuosa de la grandiosidad y el resplandor, un abandono sensual, casi masoquista, al dios de la muerte, al Crucificado lleno de sangre o a la bonita mujer blanca ataviada con un manto azul, de rostro infantil bajo la corona, María, la muñeca entre las muñecas, la *Niña** entre las *Niñas**.

No era adoración. Era una especie de aturdimiento y de dejar que el alma se hundiera, incontrolada. Y era un lujo, después de toda una semana de sucia monotonía en los miserables pueblos de chozas de paja. Pero irritaba a Kate.

Los hombres se levantaban y se alejaban de puntillas sobre sus sandalias, santiguándose por delante y por detrás, en el vientre y en la nuca, con agua bendita. Y sus ojos negros brillaban con una expresión vaga y sensual. En vez de haberse recogido y adquirido más gravedad, más fuerza, más dominio y una mayor integridad, salían más indiferentes, desgarbados y faltos de control.

¡Oh! si hay algo que los hombres deben aprender, pero los indios mexicanos en especial, es a recoger la propia alma dentro de sí mismos, y obedecer sus dictados. La Iglesia, en lugar de ayudar a los hombres a hacer esto, les empuja más y más hacia una indefensión blanda y emocional y la desagradable satisfacción sensual de sentirse víctimas, siempre víctimas, pero con la sarcástica conciencia de que al final la víctima es más fuerte que su verdugo. Al final, las víctimas derriban a su verdugo como una manada de hienas sobre un león incauto. Lo saben. Malditos sean los falsos humildes, porque ellos están heredando la tierra.

El domingo por la mañana había una misa temprana al amanecer, otra a las siete, otra a las nueve y otra a las once. Entonces, una pequeña banda de violines y cellos tocaba anticuadas melodías; había, especialmente por la mañana temprano, una sólida masa de peones y mujeres arrodillados en el suelo; y un aleteo de oscuros cirios, el olor de aire quemado, el denso perfume del incienso, y el coro de voces masculinas, sólidas, potentes, impresionantes, cantando en las alturas.

Y la gente se iba con una sensual languidez que no tardaba en convertirse en odio, en el viejo odio sin fondo que late en el corazón del indio y que siempre resurge, negro y turbio, cuando se ha mecido un rato en la satisfacción sensual.

Dentro de la iglesia había un interior muerto, como en todas las iglesias mexicanas, incluso en la magnífica catedral de Puebla. El interior de casi todas las iglesias mexicanas produce el efecto de una cínica desnudez, de una cínica falta de sentido, de una concha cínica y burlona. Las iglesias italianas están construidas en un estilo muy parecido, pero en ellas persiste una sombra y un silencio de antigua y misteriosa santidad. La quietud.

No así en México. El exterior de las iglesias es impresionante. Dentro, y resulta curioso definirlo, son chillonas; vacías de sonido pero sin quietud, sencillas y no obstante completamente vulgares, desiertas, estériles. Más desiertas que un banco o una clase o una sala de conciertos vacía, y menos misteriosa que ellos. Todo cuanto abarca la vista es yeso, argamasa y un encalado azul o grisáceo; y una capa dorada a punto de descascarillarse. Incluso en las iglesias más impresionantes, la capa dorada es de un desagradable amarillo, nunca se parece al oro. Nada es suave ni delicado.

Así era el interior de la iglesia de Sayula; y Kate había estado en ella con frecuencia. El blanco exterior era muy atractivo, y también muy valioso en el paisaje, con sus campanarios gemelos estilo pagoda asomando entre los verdes sauces. Pero dentro se tenía la impresión de que sólo era un enjalbegado con adornos de volutas. Los ventanales eran altos, y muchos dejaban entrar la luz como en un aula. Jesús, con regueros de sangre, estaba en uno de los cruceros, y la Virgen, una muñeca vestida de gastado satén, se hallaba encerrada, con expresión de asombro, en una vitrina. Había flores de trapo y de papel encajes burdos y una plata que parecía estaño.

Sin embargo, estaba muy limpia y era muy frecuentada.

Había transcurrido el mes de mayo y ya habían sido retiradas las cintas de papel azul y blanco y, de los pasillos, las palmeras en macetas; ya no venían niñas con vestidos blancos y coronas de flores a ofrecer sus ramilletes tras la puerta de sol. Es curioso lo chabacanos que parecen en México los antiguos y delicados ceremoniales europeos, que se ven reducidos a una especie de comedia barata.

Llegó el día de Corpus Christi, con su oficio y la iglesia llena a rebosar de peones arrodillados desde el amanecer hasta el mediodía. Después, una pequeña procesión de niños dentro de la iglesia, porque la ley prohíbe las procesiones religiosas en el exterior. Pero todo, por así decirlo, para nada; sólo para que el pueblo pudiera llamarlo una *fiesta** y así tener una excusa que les permitiera ser más dejados, remolones y apáticos que nunca. El gran deseo mexicano: abandonarse a una desganada inercia.

Y tal era el significado de la religión. En vez de producir el efecto debido, recoger el alma en su propia fuerza e integridad, la festividad religiosa la dejaba aún más descompuesta y degenerada.

Sin embargo, los días se fueron sucediendo y los fieles parecían ser los de siempre. Pero los fieles de la iglesia en una hora determinada eran los fieles de Quetzalcóatl a la hora siguiente. Sólo una sensación.

Hasta que los lectores más socialistas mezclaron un poco de amargura anticlerical en su lectura. Y todos los peones empezaron a decir: ¿Era el Señor* un *gringo** y la *Santísima** sólo una *gringuita**?

Esto provocó represalias por parte de los sacerdotes, primero simples amonestaciones y finalmente las estentóreas denuncias y amenazas de aquel sermón. Y estalló la guerra.

Todo el mundo esperaba el sábado. Llegó el sábado y la iglesia permaneció cerrada. La noche del sábado, la iglesia estaba cerrada y oscura. El domingo, el templo seguía silencioso y las puertas no se abrían.

Algo parecido a la consternación se extendió por la plaza del mercado. ¡No tenían adónde ir! Pero en la consternación había cierta curiosidad. Quizá iba a ocurrir algo emocionante.

Ya habían ocurrido cosas antes. Durante las revoluciones, muchas iglesias se han usado como establos y cuarteles. Y otras como escuelas, salas de conciertos y teatros. La mayoría de conventos y monasterios de México se han convertido en cuarteles para la soldadesca. El mundo cambia, tiene que cambiar.

Quiso la casualidad que el segundo sábado de la iglesia cerrada fuera día de gran mercado. Grandes cantidades de fruta y diversas mercancías habían llegado por el lago desde lugares meridionales tan distantes como Colima. Había hombres con cuencos de madera lacada y mujeres con loza brillante. Y, como de costumbre, hombres en cuclillas guardando pequeñas pirámides de empalagosas ciruelas o chiles o mangos tropicales por valor de veinte *centavos**.

Un mercado bullicioso, con lo mucho y lo poco de los indios. Y las puertas de la iglesia cerradas y atrancadas, y las campanas silenciosas, incluso el reloj parado. Claro que el reloj se paraba siempre; pero no de manera tan definitiva.

¡Ni misa, ni confesión, ni pequeña orgía de incienso y apática emoción! Sólo el suave rumor de tonos apagados, las miradas rápidas y aprensivas. En la calle los vendedores se mantenían muy juntos, como para hacerse densos y pequeños, en cuclillas sobre las nalgas con las rodillas hasta los hombros, como los ídolos aztecas. Y por doquier surgían soldados en parejas o tríos. Y señoras y señoritas con mantillas de gasa se acercaban a la iglesia para oír misa y rumoreaban ante las puertas, hechas una burbuja y una espuma de parloteo; aunque ya antes sabían muy bien que la iglesia estaba cerrada.

Pero era domingo por la mañana y algo estaba a punto de ocurrir.

Hacia las diez y media apareció una embarcación, y de ella bajaron hombres de níveas ropas portando un tambor. Caminaron aprisa por entre la gente, bajo los vetustos árboles de la arena, en dirección a la iglesia. Franquearon las rotas verjas de hierro y entraron en el patio de piedra que había frente al templo.

Cuando llegaron ante la puerta, que continuaba cerrada, se quitaron los blusones y permanecieron formando un círculo, con los hombros desnudos y las fajas azules y negras de Quetzalcóatl en la cintura.

El tambor empezó a sonar con una nota fuerte y estentórea mientras los hombres se mantenían descubiertos y con los pechos desnudos ante las puertas de la iglesia; un extraño círculo de cabezas lustrosas, de un negro azulado, y hombros morenos sobre los bombachos blancos. Monótono, el tambor seguía latiendo, y de repente, la pequeña flauta de sonido bronco entonó una clara melodía.

El mercado entero se apiñó frente a la verja de la iglesia; pero allí los soldados montaban guardia. Y dentro del patio de piedra otros soldados vigilaban los bajos muros, impidiendo que alguien trepara por ellos, por lo que en el exterior, bajo los vetustos sauces y pimenteros y el cálido sol de la mañana, la densa muchedumbre se agolpaba contemplando las puertas del templo. La mayoría eran hombres con grandes sombreros; pero también había algún que otro habitante de la ciudad y algunas mujeres, y Kate, con una sombrilla de ribete azul oscuro. Una muchedumbre silenciosa y tensa bajo la centelleante sombra, apretada en torno a los redondos troncos de las palmeras y en pie sobre las raíces de los pimenteros. Y detrás, alineados, estaban los camiones y automóviles.

El tambor se estremeció y guardó silencio, y la flauta de barro enmudeció a su vez. Podía oírse el susurro del lago, un entrechocar de vasos y las voces de los choferes en la pequeña cantina. Y la respiración silenciosa de la gente. Varios soldados empezaron a distri-

buir unas hojas entre las hileras. Una potente voz masculina se puso
a cantar al ritmo pausado del tambor.

DESPEDIDA DE JESUS

¡Adiós, adiós, *despedida*!*
Mis últimos días se han agotado.
Mañana Jesús y la Virgen María
Serán hueso.

Es un camino muy, muy largo
De México al Lago del Cielo.
Mira hacia atrás por última vez, Virgen María.
Llamemos a los once.

Jaime y Juan y Marcos,
Felipe y san Cristóbal,
Todos mis santos, y Ana, Teresa,
Guadalupe, de rostro ovalado.

Venid ya, todo ha terminado para nosotros.
Todos debemos irnos.
Seguidme ahora por las escaleras de chispas,
Todos y cada uno de vosotros.

Joaquín, Francisco y Antonio
Y María de múltiples nombres,
Purísima, Refugio y Soledad,
Seguidme desde aquí

¡Venid! Todos mis santos y mis Vírgenes,
Salid de vuestros santuarios
Para seguir a vuestro señor, el Crucificado;
Traed todos vuestros signos.

Subid por las llamas, y con pies sobre las chispas,
Ascended al cielo,
Siguiendo una vez más al Maestro,
De regreso ahora, a las alturas.

Adiós, que todo quede olvidado
En México.
Hacia el lago de paz y olvido del cielo
Ya nos vamos.

Mientras se cantaban estos versos llegó otro bote, y unos soldados abrieron camino para Ramón, que llevaba su sarape blanco de bordes azules y fleco escarlata, un joven sacerdote de la iglesia, vestido con sotana negra, y seis hombres de sarapes oscuros con los bordes azules de Quetzalcóatl. Esta extraña procesión desfiló por entre la muchedumbre y franqueó la verja del patio.

Al verles acercarse, el círculo de hombres que rodeaba el tambor se abrió, formando una media luna. Ramón se colocó detrás del tambor, los seis hombres de sarapes oscuros se dividieron y cubrieron los extremos de la media luna, y el joven y esbelto sacerdote de sotana negra se quedó solo frente a la media luna, de cara al gentío.

Levantó la mano; Ramón se quitó el sombrero; todos los hombres asistentes se quitaron los sombreros.

El sacerdote dio media vuelta, se encontró con Ramón en el centro de la media luna y le entregó la llave de la iglesia alargando la mano por encima del tambor. Entonces el sacerdote esperó.

Ramón metió la llave en la cerradura y abrió las puertas de la iglesia de par en par. Los hombres que estaban en la primera fila se arrodillaron de improviso al ver la iglesia oscura como una caverna pero con el trémulo resplandor de muchos cirios, lejanos al parecer en la misteriosa oscuridad y de llama oscura y vacilante como la Presencia del arbusto ardiente.

El gentío osciló, apretó sus filas y se arrodilló. Sólo aquí y allí un jornalero, un chofer o un ferroviario se mantenían erguidos.

El sacerdote levantó un poco más la mano y se volvió hacia el pueblo.

—Hijos míos —habló, y su voz pareció levantar un susurro en el lago—, Dios Todopoderoso ha llamado al cielo a Su Hijo y la Santísima Madre de Su Hijo. Sus días en México han terminado. Regresan al Padre.

«Jesús, el Hijo de Dios, se despide de vosotros.
María, la Madre de Dios, se despide de vosotros.
Por última vez os bendicen antes de dejaros.
Contestad: ¡Adiós!*
Decid ¡Adiós!, hijos míos».

Los hombres del círculo emitieron un profundo ¡Adiós! Y entre los soldados, y entre el gentío arrodillado, sonó un ¡Adiós! repetido, extraño y disonante, como una especie de tormenta.

De repente, en un abrir y cerrar de ojos, en la oscuridad de la iglesia donde el gentío tenía fija la mirada, el arbusto ardiente de los cirios se extinguió, y la oscuridad fue completa. A través de la luz solar, iluminada aquí y allí por la frágil llama de una vela, se extendía una caverna de oscuridad.

Algunos hombres del gentío exclamaron y gimieron.

Entonces el tambor sonó con dulzura y dos hombres de la media luna empezaron a cantar de nuevo el Himno de Despedida con voces magníficas y terribles. Eran hombres que Ramón, o sus seguidores, habían encontrado en sórdidas tabernas de la ciudad de México, hombres de voces asombrosas y educadas, el potente tenor mexicano que parecía desgarrar la tierra. Hombres a los que la «época» ha reducido a cantantes de los más viles antros de la ciudad. Y ahora cantaban con toda la terrible desesperación que llevaban dentro, la temeridad endemoniada.

Cuando terminaron, el sacerdote volvió a levantar la mano y dio la bendición; añadiendo luego con voz tranquila:

—«Y ahora dejad que me vaya con todos los santos —dijo Jesús—. Porque regreso a mi Padre que está en los cielos, y guío a mi Madre con la mano derecha hacia la paz de mi Morada».

Se volvió y entró en la iglesia. Ramón le siguió, y tras él, lentamente, todos los hombres de la media luna. Arriba, la campana de la iglesia repicó unos minutos sobre el silencio sepulcral. Enmudeció.

Y al cabo de un momento, en las profundidades de la iglesia resonó un tambor, con un golpe terrible y remoto y una lenta monotonía.

El sacerdote, con vestimenta blanca llena de valiosos encajes, apareció en el umbral del templo llevando un alto crucifijo. Vaciló, y después salió al sol. La gente arrodillada se cogió de las manos.

En la penumbra de la iglesia se encendieron unos cirios cuyas llamas solitarias se fueron acercando a la puerta. Don Ramón salió de la oscuridad desnudo hasta la cintura, con el sarape sobre el hombro, portando el anda delantera del gran catafalco donde yace bajo cristal el terrible Cristo muerto de la Semana Santa. Un hombre alto y moreno, desnudo hasta la cintura, llevaba el anda posterior sobre el hombro. La muchedumbre gimió y se persignó. El cuerpo de tamaño natural de Cristo pareció realmente muerto mientras cruzaba el umbral. Cuando pasó entre la gente, los hombres y mujeres arrodillados alzaron los rostros y abrieron los brazos, en un indescriptible éxtasis de temor, súplica y reconocimiento de la muerte.

Tras el catafalco del Cristo Crucificado, una lenta procesión de hombres desnudos hasta la cintura, llevando imagen tras imagen. Primero el terrible Cristo Crucificado, con el cuerpo desnudo rayado como un tigre con la propia sangre. Después la imagen del Salvador del Sagrado Corazón, la conocida figura del altar lateral, con cabellos largos y manos extendidas. Luego la imagen de Jesús de Nazaret, coronado de espinas.

Después la Virgen con el manto azul, el encaje y la corona dorada. Las mujeres empezaron a gemir cuando emergió, bastante vulgar, a la cegadora luz del sol. Detrás de ella, en la iglesia, los cirios se apagaban uno tras otro.

Luego le tocó el turno a san Antonio de Padua, con un niño en brazos. Tras él, san Francisco, mirando extrañamente una cruz que tenía en la mano. Luego, santa Ana. Y por último, san Joaquín. Cuando éste salió, las puertas se abrían sólo a la oscuridad.

Las imágenes ofrecían un aspecto algo pueril, sobre los hombros morenos bajo el ardiente sol y las sombras de los árboles. El tambor cerraba el cortejo, latiendo lentamente. El sol centelleaba sobre el cristal que cubría al Cristo Muerto mientras los hombres lo llevaban hacia el agua. El gentío murmuraba y se mecía sobre las rodillas. Las mujeres gritaban: ¡Purísima!* ¡Purísima!* ¡No nos abandones!* Y algunos hombres proferían con sofocada angustia, una y otra vez: ¡Señor! ¡Señor! ¡Señor!*

Pero la extraña procesión avanzaba lentamente bajo los árboles, por la gruesa arena, hacia la gran luz próxima al lago. Había una ligera brisa bajo un sol ardiente. Los sarapes doblados sobre los hombros morenos y suaves se movían un poco y las imágenes se tambaleaban de un lado a otro. Pero adelante, hacia el borde del agua, continuó avanzando el alto crucifijo, seguido del catafalco de cristal. Después, Jesús con una túnica de seda roja, luego un Jesús de madera, muy mal pintado, tras él un Jesús de túnica blanca con un manto púrpura que ondeaba como un pañuelo, y María llena de encajes sobre un rígido satén blanco y azul. Pero los santos sólo estaban pintados; eran de madera pintada.

El esbelto sacerdote de vestimenta blanca se tambaleaba por la arena bajo el pesado crucifijo, que tenía un blanco Cristo vuelto hacia las aguas del lago. Junto al pequeño embarcadero había una gran *canoa** negra como una pasarela muy ancha tendida sobre la popa. Dos hombres vestidos de blanco, con las piernas desnudas, caminaban junto al esbelto sacerdote, cuyas mangas blancas ondearon como banderas cuando subió a bordo por la pasarela. Unos hombres le ayudaron a embarcar y entonces se dirigió a la proa, donde por fin pudo poner recto el crucifijo, todavía de cara al lago.

La cubierta del barco no tenía escotillas, sólo mesas fijas para las imágenes. Con lentitud, Ramón bajaba y subía a bordo, el gran catafalco de cristal fue colocado en su lugar y los dos hombres pudieron secarse la frente húmeda y apartar sus negros y calientes cabellos. Ramón se defendió del sol poniéndose el sarape y el sombrero. La canoa se mecía suavemente. El viento venía del oeste. El lago era pálido e irreal, como deslumbrado por el sol.

Una tras otra se fueron levantando las imágenes en la popa del barco contra el azul del cielo para descender en seguida y posarse sobre sus soportes, donde quedaban un poco más altas que los negros costados de la canoa, a la vista de la muchedumbre apiñada en la playa.

Era una extraña y chillona colección de imágenes. Pero, no obstante, cada imagen tenía cierto patetismo propio y cierto matiz de horror por el hecho de estar amontonada junto con las otras para su último viaje en los caballetes dispuestos en las cubiertas de las canoas. Junto a cada una de las imágenes permanecían los portadores, con sombrero y sarape, agarrando las varas con mano firme.

En la playa había una pequeña hilera de soldados y junto a la gran canoa esperaban más soldados en tres lanchas motoras. La playa estaba cubierta por una masa de gente. Muchos botes de remos daban vueltas en torno a las embarcaciones, curiosos como peces. Pero ninguno se acercó en demasía.

Marineros de piernas desnudas empezaron a impeler la canoa con botadores. Se apoyaban pesadamente sobre éstos, caminando por el borde de la cubierta. Con lentitud, la embarcación empezó a moverse sobre las aguas poco profundas, alejándose de la playa y la muchedumbre.

Otros dos marineros izaron la enorme vela blanca y cuadrada, que se elevó en el aire con rapidez, hinchándose al viento. Ostentaba el gran signo de Quetzalcóatl, la serpiente azul enroscada y el águila azul sobre campo amarillo, en el centro, como un ojo gigantesco.

El viento soplaba del oeste, pero la embarcación tomó rumbo al sudeste, hacia la pequeña isla de los Escorpiones, que se erguía como un difuso montículo entre la neblina del lago. La vela se hinchó, y el gran ojo pareció mirar hacia atrás, hacia el pueblo de verdes sauces e iglesia blanca y vacía, y la muchedumbre de la playa.

Lanchas motoras rodeaban a la enorme y lenta canoa y pequeños botes la seguían como insectos a cierta distancia, sin acercarse demasiado. El agua corriente chascaba con dulzura, los hombres de las imágenes sujetaban las varas con una mano y sus sombreros con la otra, el gran ojo de la vela miraba hacia tierra firme y la blancura del velamen rozaba el cristal del féretro en el que descansaba el Cristo ensangrentado, y las imágenes cuyos mantos aleteaban al viento.

En la playa, la gente se dispersó, alejándose o sentándose en la arena para quedarse mirando con una especie de paciencia muda que era casi indiferencia. La canoa se fue empequeñeciendo, haciéndose más inconspicua, fundiéndose con la luz, y los botes que la rodeaban parecían meros puntos. El lago cansaba la vista con su resplandor.

Lejos, bajo los árboles, en un silencio que era casi un letargo, una mujer fue a buscar una oscura sandía, la abrió con una piedra y dio rosados fragmentos a sus hijos. En silencio, unos hombres echaban sal sobre la gruesa raja de pepino comprada a la mujer que estaba bajo el árbol. En silencio se dirigieron a la iglesia y pasaron frente a los soldados que guardaban la puerta.

En la iglesia reinaba una oscuridad absoluta, hendida por la luz que entraba por el umbral, y estaba absolutamente vacía; muros, pavimento, altar, cruceros, todo se hallaba despojado de sus adornos. Los que habían entrado volvieron a salir, siempre en silencio.

Era mediodía y hacía mucho calor. La canoa se iba acercando lentamente al difuso montículo de la isla donde vivía una sola familia de indios, pescadores que poseían unas cuantas cabras y una pequeña parcela de tierra seca en la que cultivaban unas pocas alubias y algo de maíz. El resto de la isla era roca, matorrales y escorpiones.

El barco fue impelido con botadores hacia una pedregosa bahía, a la que se fue aproximando lentamente. Las lanchas y los pequeños botes llegaron antes a ritmo apresurado. Tostados ya por el sol, unos hombres desnudos se bañaban entre las rocas.

La gran vela fue arriada, la canoa se arrimó a la orilla rocosa, unos hombres saltaron al agua y las imágenes fueron desembarcadas y llevadas con lentitud hasta las rocas, donde quedaron esperando a los portadores.

La procesión se formó de nuevo en la orilla de la desértica isla, frente a un par de cabañas donde un gallo rojo cantaba entre los desperdicios, y avanzó en dirección a las rocas y los matorrales del litoral opuesto.

La costa que miraba hacia Sayula era toda roca, pelada y dolorosa para los pies. En un hueco de la orilla habían sido levantadas unas piedras altas, unidas en su extremo superior por barrotes de hierro que recordaban a una parrilla. Debajo estaba dispuesto un montón de ramas, y al lado había otro montón.

Las imágenes y el catafalco con el gran Cristo Muerto fueron depositados sobre la parrilla, donde formaron un patético racimo. El crucifijo se apoyaba sobre las imágenes. Era mediodía y el calor y la luz resultaban agobiantes, pero al sur del lago ya se levantaban fantásticos nubarrones.

Más allá del agua, más allá de su resplandor, el pueblo parecía un espejismo, con sus árboles y blancos campanarios.

Hombres llegados en los botes se apiñaron sobre las rocas del pequeño anfiteatro. En silencio, Ramón encendió trozos de caña y ocote con un espejo ustorio. Llamas parecidas a jóvenes serpientes surgieron a la fuerte luz del sol con un vapor de humo. Entonces Ramón prendió fuego a las ordenadas pirámides de ramas que había bajo la parrilla de las imágenes.

Se oyó un chisporroteo y apareció un hilo de humo blancuzco, y se extendió la dulce fragancia del ocote mientras las lenguas de un rojo anaranjado saltaban en el aire cálido y blanco. Hálitos ardientes soplaron de improviso, se elevaron repentinas llamas, y el ocote, lleno de dulce resina, empezó a crepitar con fuerza. El cristal del catafalco emitió extraños y dolorosos quejidos al astillarse y caer con estrépito. Entre los barrotes de hierro, llamas de color marrón temblaban bajo las imágenes, que en seguida se ennegrecieron. Los pequeños hábitos de seda y satén se volvieron negros en un abrir y cerrar de ojos, y las heridas de pintura se derritieron y adquirieron un tono negruzco.

El joven sacerdote se quitó la vestimenta de hilo, la estola y la casulla y, con el rostro arrebolado, las echó a las llamas. Entonces se despojó de la negra sotana y emergió con el algodón blanco de los hombres de Quetzalcóatl; los calzoncillos blancos estaban enrollados hasta la rodilla. Tiró la sotana al fuego y alguien le alargó un gran sombrero y un sarape blanco de bordes azules.

Se olía a pintura quemada y a lana y ocote ardiendo. El fuego lamía como una masa oscura las imágenes ennegrecidas, hasta que sólo pudo verse un confuso matorral de humo y llamas entre rojas y marrones, chisporroteando y crepitando con furia. El crucifijo resbaló hacia un lado y cayó, todo en llamas. Un hombre lo recogió y lo puso sobre el fuego, bajo las imágenes. Varios hombres, en una especie de éxtasis, tiraron más leña resinosa, que casi explotó al convertirse en llama. Las rocas se abrían y estallaban como bombas. Todos retrocedieron para alejarse de aquel ensordecedor árbol de llamas que cada vez era más alto y emitía humo y chispas que se ensanchaban al subir hacia el cielo.

Una de las piedras que sostenían la parrilla se rompió con una explosión, y barrotes de hierro y muñones de imágenes cayeron en un montón desordenado. El catafalco había desaparecido, pero aún temblaban unas cintas de hierro que finalmente, al rojo vivo, se retorcieron y fundieron sobre el torrente del repentino fuego. Extrañas varillas de hierro aparecieron de la nada, emergiendo de sólidos carbones rojos.

Y pronto, todo cuanto quedaba era un fuerte resplandor de rojos carbones de madera, con un revoltijo de hierro a medio fundir.

Ramón, un poco apartado, lo contemplaba en silencio, con la mirada oscura e impasible.

Entonces, cuando sobre el fuego languidecieron las últimas llamas azuladas, desde un promontorio empezaron a elevarse cohetes en el aire con un silbido, para explotar en seguida en el azul invisible con una lluvia de luces azules y doradas.

El gentío había visto desde la playa el árbol de humo con su tronco de llamas. Ahora oyó la bulliciosa explosión de los cohetes y volvió a mirar, exclamando, entre consternado y gozoso por el placer de la destrucción:

—¡Señor! ¡Señor! ¡La Purísima! ¡La Santísima!*

Las llamas, el humo y los cohetes se fundieron en la nada como por arte de magia, dejando intacto el ardiente aire. Los carbones de fuego fueron barridos y lanzados a un precipicio.

Cuando la canoa hizo el viaje de regreso, la orilla del lago se veía a través del aire opaco, parda y eterna. Una nube se levantaba en el sudoeste, de detrás de las montañas secas y silenciosas, como una vasta cola blanca, como la vasta cola blanca de una ardilla que acabara de ocultarse tras las montañas. Esta salvaje cola blanca se elevaba en dirección al cenit, directamente hacia el sol. Y cuando la canoa extendió su vela para virar, una delicada película de sombra se cernía ya sobre el lago lechoso.

Sólo en el extremo de la isla de los Escorpiones continuaba temblando una capa de aire caliente.

Ramón volvió en una de las lanchas. El cielo se cubría lentamente, preparándose para el trueno y la lluvia. La canoa, incapaz de volver al punto de partida, puso rumbo a Tuliapán. Los pequeños botes se apresuraban en silencio.

Desembarcaron antes de que se levantara el viento. Ramón se fue a cerrar con llave las puertas de la iglesia.

El gentío se dispersó con el viento; los rebozos ondeaban con furia, las hojas caían de los árboles, el polvo flotaba y se trasladaba a gran velocidad. Sayula estaba vacío de Dios y, en el fondo de su corazón, todos se alegraban.

CAPITULO XIX

EL ATAQUE A JAMILTEPEC

De repente, casi todos los soldados desaparecieron del pueblo: había una «rebelión» en Colima. Un tren había sido detenido y muchos pasajeros, asesinados. Y ciertos militares, los generales *Fulano y Zutano**, se habían «pronunciado» contra el gobierno.

¡Inquietud en el aire, todo el mundo gozando de aquellos periódicos escalofríos de miedo! Aparte de estos escalofríos, todo continuaba como de costumbre. La iglesia permanecía cerrada, y muda. El reloj no funcionaba. De improviso el tiempo dejó de existir, los días pasaban desnudos y eternos, al viejo estilo no mensurado de antaño. Los días extraños, no medidos, no registrados, no contados del antiguo mundo pagano.

Kate se sentía un poco como una sirena que intentase nadar en un elemento hostil. Iba a la deriva, arrastrada por una silenciosa marea hacia el antiguo letargo antediluviano en que las cosas se movían sin contacto. Ella se movía y existía sin contacto. Incluso el toque de las horas se había detenido. Del mismo modo que un náufrago no ve nada más que agua, Kate no veía otra cosa que la superficie de las aguas.

Por lo tanto, se agarraba a su tabla. Y como no podía soportarlo, alquiló un viejo y desvencijado Ford para que la llevara a Jamiltepec por las ruinosas carreteras en las primeras horas de la tarde.

El campo aparecía extraño y desierto, como suele ocurrir cuando se inician estas «rebeliones». Como si la esencia de la vida fuera succionada y sólo quedara un vacío inanimado en la hueca y malévola campiña. Aunque Jamiltepec no estaba lejos, una vez se hallaron en las afueras del pueblo el chofer y su pequeño ayudante empezaron a asustarse y a temblar de miedo.

Hay algo verdaderamente misterioso en la calidad del miedo mexicano. Es como si el hombre y la mujer se desplomaran y yacieran retorciéndose en el suelo como reptiles heridos, incapaces de enderezarse. Kate empleaba toda su voluntad contra este temor incontrolado.

Llegaron a Jamiltepec sin incidentes. El lugar parecía tranquilo y normal. En el patio había una carreta de bueyes vacía; no se veía ningún soldado de guardia. Todos habían sido llamados para luchar contra la rebelión. Pero unos cuantos peones se movían con desgana de un lado a otro. El día era festivo y apenas se trabajaba.

En la casa de los peones, las mujeres hacían tortillas y preparaban la salsa de chile picando sobre los metates*. ¡Una *fiesta*!* Sólo el molino que bombeaba agua del lago daba rápidas vueltas con un poco de ruido.

Kate entró en el patio dentro del coche y dos *mozos** con pistolas y cartucheras se acercaron a hablar en voz baja con el chofer.

—¿Está doña Carlota? —preguntó Kate.

—No, señora. La *patrona** no está aquí.

—¿Y don Ramón?

—¡*Sí, señora! Sí está**

Mientras Kate titubeaba, algo nerviosa, Ramón salió del umbral interior del patio vistiendo sus deslumbrantes prendas blancas.

—He venido a verle —dijo Kate—; ignoro si usted preferiría que no hubiese venido. Pero puedo volver con el coche.

—No —respondió él—, me alegro. Me sentía abandonado, no sé por qué. Subamos.

—¡Patrón! —interpeló el chofer en voz baja—. ¿Tengo que esperar?

Ramón le dijo unas palabras. El chofer estaba inquieto y no quería quedarse. Arguyó que debía estar en Sayula a cierta hora. Era una excusa; resultaba evidente que quería marcharse cuanto antes.

—¿Será mejor dejarle marchar —dijo Ramón a Kate—. ¿No le importa volver en el barco?

—No deseo causarle molestias.

—Lo más cómodo es dejar que se vaya; luego usted podrá irse con el barco cuando mejor le convenga. Así todos tendremos más libertad.

Kate pagó al chofer, y el Ford empezó a traquetear. Al cabo de unos momentos giró en redondo en el patio, cruzó el zaguán y desapareció dando tumbos.

Ramón habló a los dos mozos que llevaban pistola. Obedientes, se alejaron franqueando el portal.

—¿Por qué necesita hombres armados? —inquirió ella.

—Oh, tienen miedo de los bandidos —contestó Ramón—. Siempre que hay una rebelión en alguna parte, todo el mundo tiene miedo de los bandidos. Y, como es natural, esto hace que los bandidos aparezcan.

—Pero, ¿de dónde vienen? —preguntó Kate mientras entraban en la casa.

—De los pueblos —repuso él—, cerrando la pesada puerta de entrada y atrancándola con gruesas barras de hierro, que iban de pared en pared.

El corredor abovedado era ahora una pequeña prisión, porque el portal de hierro del extremo que daba al lago estaba igualmente atrancado. Kate dirigió la mirada hacia el estanque redondo, sobre el que flotaban algunos lirios azules. Más allá, el pálido lago se antojaba casi fantasmal bajo el fuerte resplandor del sol.

Ramón envió a un criado a la cocina y subió con Kate las escaleras de piedra que conducían a la terraza superior. ¡Qué solitaria, qué inmensamente sola y abandonada podía parecer la hacienda! Las mismas paredes de piedra podían emanar una sensación de vacío, soledad, negación.

—Pero ¿de qué pueblos proceden los bandidos? —insistió ella.

—De cualquiera. Dicen que en su mayoría proceden de San Pablo o de Ahuajijic.

—¡Muy cerca!—exclamó Kate.

—O de Sayula —añadió él—. Cualquiera de los hombres tocados con grandes sombreros que usted ve pasear por la plaza pueden ser bandidos, sobre todo cuando el pillaje es rentable como profesión y no se castiga con especial severidad.

—¡Resulta difícil de creer! —exclamó ella.

—¡Es tan evidente! —replicó él, sentándose frente a Kate en una mecedora y sonriéndole a través de la mesa de ónix.

—¡Supongo que sí!

Ramón dio una palmada y su mozo, Martín apareció. El patrón le dio una orden en voz baja y el indio repuso en una voz todavía más baja y sosegada. Entonces amo y servidor se saludaron con una inclinación de cabeza y este último salió, haciendo susurrar un poco sus buaraches por la terraza.

Ramón hablaba con la voz apagada y cohibida, tan común en el país, como si todos tuvieran miedo de hablar en voz alta, así que se limitaban a murmurar con precaución. Esto era insólito, y Kate lo observó en él con cierto disgusto. Se quedó mirando los macizos mangos, cuya fruta cambiaba de color como si se estuviera acalorando progresivamente, y después desvió la vista hacia el lago, rizado, de color marrón pálido. Las montañas de la orilla opuesta eran muy oscuras. Sobre ellas flotaba una espesa nube negra, todavía distante, que emitía de vez en cuando unos relámpagos inquietos y repentinos.

—¿Dónde está don Cipriano? —preguntó Kate.

—Don Cipriano es ante todo el general Viedma por el momento —contestó Ramón—. Está persiguiendo rebeldes en el Estado de Colima.

—¿Serán muy difíciles de perseguir?

—Probablemente no. De todos modos, Cipriano disfrutará persiguiéndolos. Es zapoteca, y la mayoría de sus hombres son zapotecas de las colinas. Les encanta perseguir a hombres inexistentes.

—Me extrañó que no estuviera con usted el domingo cuando se

llevaron las imágenes —observó ella—. Creo que fue un acto muy valiente.

—¿De verdad? —rió él—. No lo fue. Es mucho menos valiente llevarse algo y destruirlo que iniciar el latido de un nuevo pulso.

—Pero primero hay que destruir lo viejo.

—Esas anticuadas imágenes... sí, claro. Pero es inútil mientras no haya otra cosa que se mueva... desde dentro.

—¿Y usted la tiene?

—Creo que sí. ¿Qué cree usted?

—Lo mismo —repuso ella—, un poco dudosa.

—Creo que la tengo —prosiguió él—. Siento que algo nuevo se mueve en mi interior. —Se estaba riendo de ella por su vacilación—. ¿Por qué no se une a nosotros? —añadió.

—¿Cómo? ¿Casándome con don Cipriano?

—No necesariamente. No necesariamente casándose con alguien.

—¿Cuál será su próxima acción? —inquirió ella.

—Volveré a abrir la iglesia para que pueda ocuparla Quetzalcóatl. Pero no me gustan los dioses solitarios. Creo que debería haber varios para que fueran felices juntos.

—¿Necesitamos dioses?

—Claro que sí. Necesitamos manifestaciones, creo yo.

Kate se sumió en un silencio rebelde.

—También necesitamos diosas y ése es otro dilema —añadió Ramón con una sonrisa.

—Cuánto odiaría tener que ser una diosa para el pueblo —observó Kate.

—¿Para los monos? —preguntó él, sonriendo.

—¡Sí! Claro.

En este momento Ramón se enderezó escuchando. Había sonado un disparo, que Kate oyó, pero sin prestarle atención; para sus oídos, pudo tratarse del tubo de escape de un automóvil o incluso de una lancha.

De improviso, una pequeña descarga de disparos.

Ramón se puso en pie de un salto, ágil como un gato, y corrió hacia la puerta de hierro que daba a las escaleras para correr los cerrojos.

—¿Quiere entrar en aquella habitación? —sugirió a Kate, señalando un umbral oscuro—. Allí estará a salvo. Espere unos minutos hasta que vuelva.

En este preciso momento sonó un grito en el patio y un hombre profirió entre sus últimos estertores: *¡Patrón!*

Los ojos de Ramón se dilataron por una terrible cólera, la cólera de la muerte. Su rostro palideció y adquirió una expresión extraña mientras miraba a Kate sin verla, con una llama oscura en los ojos.

Acababa de sacar de la funda que colgaba de su cadera un revólver de cañón largo.

Todavía sin verla, cruzó la terraza con pasos rápidos y ágiles, como los de un gato, y saltó a la escalera del extremo y de allí al tejado, con la suave y eterna pasión de cólera en sus miembros.

Kate permanecía en el umbral de la habitación, paralizada. La luz del día parecía haberse oscurecido ante sus ojos.

—¡Hola!* ¿Está usted ahí? —oyó la voz de él desde la azotea, llena de una cólera que era casi una carcajada.

La respuesta fue un ruido confuso en el patio y varios disparos. ¡La lenta y firme respuesta de los disparos!

Kate se sobresaltó cuando oyó avanzar por el aire un veloz silbido. Esperó, aterrada, y entonces vio que era un cohete explotando sobre el lago con un sonido parecido a un disparo y emitiendo una lluvia de rojas bolas de luz. ¡Una señal de Ramón!

Incapaz de entrar en la oscura estancia, Kate esperó como hipnotizada. Y de pronto algo se despertó en su interior y voló por la terraza y los peldaños de la azotea. Comprendió que no le importaba morir si moría con aquel hombre. No sola.

La azotea resplandecía de sol. Era plana, pero tenía diferentes niveles. Kate corrió directamente hacia la luz, hacia el parapeto, y casi estaba ya a la vista del portal del patio cuando sonó un ligero impacto y trozos de yeso salpicaron sus cabellos y su rostro. Dio media vuelta y voló de nuevo, como una abeja, hacia los peldaños que bajaban a la terraza.

Los peldaños se hallaban en un rincón donde se levantaba una especie de torrecilla de piedra, cuadrada, con asientos de piedra. Kate se desplomó en uno de estos asientos, mirando con terror hacia los peldaños, que eran estrechos y serpenteaban entre los sólidos muros.

Estaba casi paralizada por el pánico, pero algo en su interior permanecía tranquilo. Apoyada en la pared y mirando la soleada azotea, no podía creer en la muerte.

Vio la blanca figura y la cabeza oscura de Ramón dentro de una de las torrecillas cuadradas del otro lado de la azotea. La torrecilla estaba abierta y era apenas más alta que él. Ramón se encontraba en un rincón, mirando de lado por una tronera, absolutamente inmóvil. Con deliberación, disparó su revólver, y desde abajo llegó un grito ahogado y una repentina descarga.

Ramón se apartó de la tronera y se despojó del blusón blanco para que no revelara su presencia. Sobre la faja llevaba una cartuchera. A la sombra de la torrecilla, su cuerpo aparecía curiosamente oscuro sobre la blancura de los pantalones. Volvió a apostarse junto a la larga y angosta apertura. Levantó con cuidado el revólver, y los disparos, uno, dos, tres, lentos y deliberados, sobresaltaron a Kate.

Y nuevamente se produjo una descarga, y por el cielo volaron trozos de yeso y piedra. Luego reinó otra vez el silencio, un largo silencio. Kate estaba sentada con las manos apretadas contra el cuerpo.

Las nubes habían cambiado y el sol era amarillento. A la luz más intensa, las montañas del otro lado del parapeto mostraban un fleco de joven verdor, bello y difuso.

Todo estaba silencioso. Ramón no se movía, manteniéndose pegado al muro y mirando hacia abajo. Ella sabía que estaba vigilando el gran portal interior.

Sin embargo, cambió de posición. Con el revólver en la mano, se agachó y corrió como un gato encolerizado, expuesta al fuerte sol la espalda desnuda, hacia el refugio del grueso parapeto, por el que siguió corriendo en dirección a la otra torrecilla.

Esta torrecilla carecía de techo y estaba más cerca de Kate, que seguía paralizada, en una especie de eternidad, sobre el asiento de piedra, contemplando a Ramón. Este se arrimó a la pared y apoyó el revólver sobre la tronera. Y de nuevo disparó, una, dos, tres, cinco veces. Abajo una voz gritó *¡Ay! ¡Ay! ¡Ay!* con acento de dolor animal. Se oyó una voz transmitiendo órdenes. Ramón dobló una rodilla y cargó el revólver. Entonces encendió una cerilla, y de nuevo Kate tuvo un sobresalto cuando un cohete se elevó ferozmente en el cielo, donde explotó como una bomba y dejó caer las bolas de llama roja que tardaron en extinguirse en el aire puro y remoto.

Kate suspiró, preguntándose qué ocurría. Sabía que era una lucha a muerte, pero tan extraña, tan vacua. ¡Sólo el ruido de los disparos! No podía ver nada afuera y ardía en deseos de ver qué pasaba en el patio.

Ramón seguía en su puesto, arrimado a la pared y mirando hacia abajo, inmóvil. Hubo disparos y una lluvia de plomo, pero no se movió. Kate no podía verle el rostro, sólo parte de la espalda; los altivos hombros morenos y suaves, la negra cabeza un poco inclinada hacia delante, en plena concentración y la cartuchera en la cintura, sobre el hilo blanco y amplio de los pantalones. Estaba quieto en vigilante concentración, casi como el propio silencio. De pronto, con diabólica rapidez de movimientos, cambió de posición y apuntó.

La había olvidado completamente; incluso su existencia. Lo cual era, sin duda, como tenía que ser. Kate continuó inmóvil, esperando. Esperando, esperando a la luz amarillenta de la eternidad, con cierta quietud en suspenso dentro de ella. Alguien vendría del pueblo. Esto se terminaría. No tardaría en tocar a su fin.

Al mismo tiempo, se estremecía cada vez que él disparaba, y volvía la vista hacia él. Y le pareció oírle decir: «Necesitamos manifestaciones, creo yo». Ah, cuánto odiaba el ruido de los disparos.

De improviso emitió un grito penetrante y de un salto se alejó de su refugio. Acababa de ver una cabeza oscura en el rellano de la escalera.

Antes de que pudiera darse cuenta, Ramón pasó frente a ella como un leopardo y dos hombres chocaron entre sí cuando el asaltante entró corriendo en la azotea. Los dos cayeron al suelo, un revólver rodó a sus pies, miembros terribles se retorcían con furia.

El revólver caído era el de Ramón. Pero se disparó un arma entre los dos hombres y una roja mancha de sangre apareció de pronto sobre la ropa de algodón blanco mientras ambos se retorcían y luchaban en el suelo.

Los dos eran hombres corpulentos y se veían enormes luchando sobre el pavimento. Ramón sujetaba al bandido por la muñeca de la mano que sostenía la pistola. El bandido, de rostro cruel, ojos en blanco y bigotes escasos, tenía entre sus blancos dientes el brazo desnudo de Ramón, y apretaba con fuerza, mostrando sus rojas encías, mientras buscaba el machete con la mano libre.

Kate no podía creer que aquel rostro negro y cruel, de ojos sin vista y dientes apretados, estuviera consciente. Ramón le tenía agarrado por la cintura. El revólver del bandido cayó, y la mano negra del hombre se movió sobre el cemento, buscándolo a tientas. La sangre fluía entre sus dientes, pero parecía estar poseído de una ciega superconciencia, como si fuera un demonio y no un hombre.

Su mano casi tocaba el revólver de Ramón. Llena de horror, Kate corrió y se apoderó del arma, alejándose después a toda prisa cuando el bandido levantó súbitamente el cuerpo para librarse del cuerpo de Ramón le apuntó con el revólver. Odiaba a aquel horrible demonio que yacía debajo de Ramón como no había odiado a nadie en su vida. Pero no osaba disparar.

Ramón gritó algo, mirándola. Kate no pudo comprenderle pero corrió hacia un lado a fin de disparar contra el hombre que se retorcía bajo el cuerpo de Ramón. Mientras corría, el bandido realizó un violento esfuerzo, levantó a Ramón y con la mano libre se apoderó del cuchillo de Ramón y lo clavó.

¡Kate profirió un grito! ¡Oh, cuánto deseaba disparar! Vio el cuchillo clavarse de lado, introducirse en la espalda de Ramón con un corto pinchazo. En el mismo instante se oyeron pasos en la escalera y otro hombre de cabeza oscura saltó a la azotea desde la torrecilla.

Kate inmovilizó la muñeca y disparó sin mirar, en un repentino segundo de puro control. La cabeza negra se desplomó hacia ella. Retrocedió, horrorizada, levantó el revólver y volvió a disparar, pero no dio en el blanco. Sin embargo, pudo ver sangre roja entre los negros cabellos de aquella cabeza, que cayó y quedó sobre el suelo, mientras el cuerpo se retorcía y convulsionaba con una mueca mortal en el rostro.

Mirando de horror en horror, vio a Ramón, con el rostro inmóvil como la muerte, y el brazo y la espalda chorreando sangre, sostener la cabeza del bandido por los pelos y clavarle el cuchillo en la garganta una y dos veces, mientras la sangre salía a borbotones como un proyectil rojo; oyó el extraño sonido de un surtidor, de un espantoso burbujeo, y entonces el hombre, con una última y terrible convulsión, tiró a Ramón a un lado y éste quedó torcido, agarrado todavía a los pelos del hombre con una mano y al ensangrentado cuchillo con la otra, y contemplando la lívida y contorsionada cara, en la que la ferocidad parecía haberse congelado con una expresión fija, resuelta e inhumana.

Después, sin soltar los cabellos de su víctima, miró hacia arriba, cautelosamente. Y vio a la víctima de Kate, que con los cabellos negros empapados en sangre, y los ojos vidriosos y temibles, estaba tratando de arrodillarse. Era el rostro más extraño del mundo: la frente alta y abombada con pelos pegados por la sangre, que fluía en hilillos sobre las negras cejas y los ojos negros y vidriosos en los que brillaba el último grado de la ferocidad, más extraña incluso que el asombro, la ferocidad vidriosa y absoluta que contenía la última conciencia de aquel hombre.

Era un rostro largo, demacrado y hermoso salvo en aquellos ojos de vidriosa ferocidad y en los dientes blancos algo largos bajo los ralos bigotes.

El hombre estaba reducido a su último grado de existencia: su ferocidad vidriosa y temible.

Ramón soltó los pelos de su víctima, cuya cabeza cayó de lado con la roja boca abierta de par en par, y se puso en cuclillas. El segundo bandido se encontraba arrodillado, con la mano sobre el cuchillo. Ramón se agachó y ambos se mantuvieron inmóviles. Pero Ramón perdió el equilibrio.

Los ojos negros y vidriosos de ferocidad pura emitieron un destello de astucia. El hombre se estaba enderezando. Iba a saltar para el ataque.

Y mientras saltaba, Ramón lanzó el cuchillo, que era rojo como un pájaro cardenal. Voló como un pájaro y las gotas de la sangre de Ramón volaron con él, salpicando incluso a Kate, que se mantenía dispuesta con el revólver cerca de la escalera.

El bandido volvió a arrodillarse y se mantuvo un momento como si rezara, con el rojo mango del cuchillo sobresaliendo del abdomen cubierto por los pantalones blancos. Entonces cayó lentamente hacia delante, doblado, y quedó una vez más de bruces, con las nalgas al aire.

Ramón siguió en cuclillas, vigilante, casi sobrenatural, con los ojos oscuros brillando de cautela, de pura y salvaje atención. Entonces se levantó, con mucha calma y suavidad, cruzó el cemento ensangrentado hasta el hombro caído, recogió el cuchillo limpio que pertenecía al hombre, levantó la barbilla que chorreaba sangre y de un golpe atravesó con el cuchillo la garganta del bandido. Este se desplomó sin la menor convulsión.

Seguidamente, Ramón se volvió hacia el primer hombre y le observó un momento con atención. Pero aquella horrible cara negra estaba muerta.

Y entonces Ramón miró a Kate, que esperaba en pie junto a las escaleras con el revólver. La frente de Ramón era como la de un muchacho, muy pura y primitiva, y sus ojos tenían cierta primitiva expresión de virginidad. Como debieron ser los hombres en aquellos terribles primeros días, con aquella belleza extraña de lo prístino y rudimentario.

En general, no la reconoció. Pero había un remoto destello de reconocimiento.

—¿Están los dos muertos? —preguntó ella, anonadada.

—*¡Creo que sí!** —respondió él en español.

Se volvió a mirar una vez más y recogió la pistola que yacía sobre el cemento. Al hacerlo, se percató de que su mano derecha estaba totalmente roja y la sangre fluía por el brazo. Secó la mano con la chaqueta del muerto, pero sus pantalones también estaban empapados de sangre y se le pegaban a las caderas, aunque no advirtió esto último.

Era como un ser primitivo, remoto en su conciencia y de sexo lejano y también remoto.

Seguían oyéndose curiosos estertores del segundo hombre, sonidos solamente físicos. El primero yacía con las piernas separadas y el rostro malévolo petrificado sobre un charco de sangre negruzca.

—¡Vigile las escaleras! —exclamó Ramón en español—, mirándola con ojos enigmáticos que parecían asomar desde una jungla lejana. No obstante, en su oscuridad seguía brillando un furtivo reconocimiento.

Gateó hasta la torrecilla y miró hacia afuera. Entonces volvió con la misma precaución y arrastró el muerto más cercano hasta el parapeto, donde levantó el cuerpo hasta que la cabeza quedó colgando. No se oía ningún sonido. Se enderezó y miró por encima del parapeto. Ningún sonido, ninguna señal.

Echó una mirada al cadáver y lo tiró abajo. Entonces se acercó a Kate para dar un vistazo a las escaleras.

—Su primer disparo sólo rozó a aquel hombre. Creo que le dejó aturdido —dijo a Kate.

—¿Hay más? —preguntó ella, estremeciéndose.

—Me parece que se han ido todos.

Estaba pálido, casi blanco, con la misma frente prístina, como la de un muchacho, como una especie de crepúsculo inmovilizado.

—¿Está usted mal herido? —inquirió ella.

—¿Yo? ¡No! —y se llevó la mano a la espalda para tocar la herida cada vez más hinchada con los dedos llenos de sangre.

La tarde iba avanzando hacia un crepúsculo amarillo y denso. Ramón fue de nuevo a mirar la terrible cara del primer muerto.

—¿Le conocía? —preguntó Kate.

El negó con la cabeza.

—No, que yo sepa —contestó. Y luego—: Es bueno que haya muerto. Es bueno que haya muerto. Es bueno que los hayamos matado a los dos.

La miró con aquel destello de salvaje reconocimiento desde muy lejos.

—¡Oh, no! ¡Es terrible! —exclamó ella, temblando.

—¡Ha sido bueno para mí que estuviera usted a mi lado! ¡Ha sido bueno que los matáramos entre los dos! Es bueno que estén muertos.

La densa y exuberante luz amarilla que asomaba tras las nubes doraba las montañas del atardecer. Se oyó una bocina de automóvil.

Ramón fue en silencio hacia el parapeto; la sangre mojaba ahora la parte baja de sus pantalones, que se le pegaron a las piernas cuando se agachó. La exuberante luz amarilla bañaba la azotea ensangrentada. Había el terrible olor de la sangre.

—Se acerca un coche —anunció Ramón.

Asustada, Kate cruzó la azotea.

Vio las colinas y sus laderas nadando en una luz dorada, como laca. Las negras chozas de los peones y las extravagantes hojas de los plátanos se perfilaban misteriosamente, los árboles verdes y dorados tenían ramas de sombra. Y arriba, en la carretera, había una nube de polvo y luego un centelleo de cristal cuando el automóvil tomó la curva.

—Quédese aquí —ordenó Ramón— mientras yo bajo.

—¿Por qué no han venido a ayudarle sus peones? —preguntó ella.

—¡Nunca lo hacen! A menos que estén armados para este fin —respondió él.

Se fue, recogiendo el blusón por el camino y poniéndoselo. E inmediatamente la sangre lo empapó.

Bajó las escaleras. Kate escuchó sus pasos. Abajo, el patio era todo sombras, y estaba vacío si se exceptuaban los cadáveres de dos hombres vestidos de blanco, uno cerca del zaguán y otro contra una columna del cobertizo.

El automóvil no dejó de tocar la bocina mientras bajaba a toda velocidad entre los árboles. Por fin se detuvo en el zaguán. Estaba lleno de soldados, algunos de pie en los estribos.

—¡Don Ramón! ¡Don Ramón! —gritó el oficial, saltando del coche—. ¡Don Ramón! —Empezó a golpear las puertas del zaguán interior.

¿Por qué no abría Ramón? ¿Dónde estaba?

Kate se asomó al parapeto y gritó como un ave salvaje:

—¡Ya viene! ¡Ya viene don Ramón! ¡Ya viene!*

Todos los soldados levantaron la cabeza para verla y Kate retrocedió, aterrada. Después, llena de pánico, bajó corriendo a la terraza. Había sangre en los peldaños de piedra, y en el rellano, un gran charco. Y en la terraza, cerca de las mecedoras, dos hombres muertos sobre un gran charco de sangre.

¡Uno de ellos era Ramón! Por un momento, Kate estuvo inconsciente, y luego fue recuperándose con lentitud. Ramón se había caído, con la herida chorreando sangre, y sus brazos rodeaban el cuerpo de otro hombre que también estaba sangrando. Este hombre abrió los ojos y entre estertores, con voz ciega y moribunda murmuró:

—¡Patrón!

Era Martín, el mozo de Ramón, que estaba rígido y moribundo en brazos de su amo. Y Ramón, al levantarle, había incrementado la hemorragia de su herida y se había desmayado. Yacía como muerto. Pero Kate vio latir un pulso muy débil en su garganta.

Kate corrió ciegamente escaleras abajo y luchó para abrir la gran verja de hierro, gritando sin parar:

—¡Vengan! ¡Que venga alguien! ¡Acudan junto a don Ramón! ¡Se está muriendo!

Un muchacho y una mujer, ambos aterrados, aparecieron en el umbral de la cocina. Alguien abrió el portal en el momento en que seis soldados a caballo entraban al galope en el patio. El oficial saltó del caballo y corrió como una liebre con el revólver en la mano, haciendo entrechocar las espuelas, que lanzaron destellos; cruzó el umbral interior y subió las escaleras como un loco. Cuando Kate volvió a la terraza, el oficial se hallaba junto a Ramón, mirándole, con el revólver todavía en la mano.

—¿Está muerto? —preguntó, pasmado, levantando la vista hacia Kate.

—¡No! —repuso ella—. Sólo ha perdido mucha sangre.

Los oficiales levantaron a Ramón y le echaron sobre la terraza. Después, rápidamente, le quitaron el blusón. La herida manaba gran cantidad de sangre en la espalda.

—Tenemos que detener la hemorragia —dijo el teniente—. ¿Dónde está Pablo?

Al instante llamaron a Pablo.

Kate corrió a un dormitorio en busca de agua, y arrancó de la cama una vieja sábana de hilo. Pablo era un joven médico castrense. Kate le dio la palangana de agua y la toalla y empezó a rasgar la sábana para hacer vendas. Ramón yacía desnudo en el suelo, todo manchado de sangre. Y la luz se estaba extinguiendo.

—¡Traed una lámpara! —ordenó el joven médico.

Lavó la herida con manos ágiles, mirándola tan de cerca que casi la tocó con la nariz.

—¡No es gran cosa! —dijo.

Kate había preparado vendas y una compresa. Se agachó para alargarlas al médico. Una criada colocó en el suelo junto al médico una lámpara de pantalla blanca. El la levantó para observar otra vez la herida.

—¡No! —repitió—. No es gran cosa.

Entonces miró a los soldados que se mantenían inmóviles, con la luz en sus rostros oscuros.

—¡*Tú!** —interpeló, haciendo un gesto.

Rápidamente, el teniente levantó la lámpara, y el médico, asistido por Kate, procedió a taponar y vendar la herida. Y Kate, mientras tocaba la carne suave e inerte de Ramón, pensó: «¡Esto también es él, el cuerpo silencioso!» ¡Y aquel rostro que clavó el cuchillo en la garganta del bandido era él! Y aquella frente sombría, y aquellos ojos remotos, como una virgen de la muerte, eran él. ¡Incluso un salvaje surgido del crepúsculo! «Y el hombre que me conoce, ¿dónde está? Es uno entre todos estos hombres, nada más. ¡Oh, Dios mío, devuélvele su alma, restitúyela a este cuerpo ensangrentado. Deja que vuelva su alma o el universo será frío para mí y para muchos hombres.»

El médico terminó el vendaje provisional, observó la herida del brazo, limpió la sangre de la espalda, nalgas y piernas y dijo:

—Hemos de llevarle a la cama. Levántele la cabeza.

Con rapidez, Kate levantó la pesada e inerte cabeza. Los ojos estaban entreabiertos. El médico cerró los labios, sombreados por el ralo bigote negro. Pero los dientes estaban firmemente cerrados.

El médico meneó la cabeza.

—Traigan un colchón —ordenó.

El viento había empezado a soplar con repentina furia y la larga llama de la lámpara saltaba dentro del cristal. Hojas y polvo corrían con su susurro por la terraza y los relámpagos se sucedían. El cuerpo de Ramón yacía inmóvil, el vendaje ya estaba empapado de sangre, y la trémula luz de la lámpara iluminaba la escena.

Y nuevamente Kate vio con claridad que el cuerpo es la llama del alma, que salta y se extingue sobre la invisible mecha del alma; y ahora el alma, como una mecha parecía gastada, y el cuerpo era una llama moribunda.

«¡Inflama otra vez su alma, Dios mío!», rogó Kate para sus adentros.

Todo lo que podía ver del cuerpo desnudo era la terrible ausencia del alma viviente que había albergado. Todo lo que quería era que el alma regresara y los ojos se abrieran.

Le echaron en la cama y le taparon, y cerraron las puertas al viento y la lluvia. El médico se frotó con coñac la frente y las manos. Y al final los ojos se abrieron; el alma estaba allí, pero muy distante.

Durante unos momentos Ramón yació con los ojos abiertos, sin ver ni moverse. Luego se meneó un poco.

—¿Qué ocurre? —preguntó.

—No se mueva, don Ramón —dijo el médico, cuyas manos esbeltas eran aún más delicadas que las de una mujer—. Ha perdido mucha sangre. Quédese quieto.

—¿Dónde está Martín?

—Fuera.

—¿Cómo está?

—Muerto.

Los ojos oscuros bajo las pestañas negras no cambiaron ni se movieron. Luego llegó la voz:

—Lástima que no los matáramos a todos. Lástima que no los matáramos a todos. ¿Dónde está la *señora inglesa?**

Está aquí.

Los ojos negros miraron a Kate. Entonces Ramón recobró otra parte de su conocimiento.

—Gracias por mi vida —murmuró, cerrando los ojos. Y añadió—: Aparte la lámpara.

Unos soldados llamaban al teniente golpeando el cristal de la ventana. Entró un hombre bajo y moreno, secándose la lluvia del rostro y echándose los negros cabellos hacia atrás.

—Hay otros dos muertos en la azotea —comunicó a su oficial.

El teniente se levantó y salió con él. También Kate salió a la terraza. La lluvia arreciaba en la primera oscuridad. De la azotea bajaba una linterna: cruzó la terraza hasta las escaleras, seguida por dos soldados expuestos a la lluvia torrencial que llevaban un cadáver, y tras ellos iban dos más con el otro cuerpo. Los buaraches de los soldados susurraban sobre la húmeda terraza. El lúgubre cortejo se dirigió a las escaleras.

Kate permaneció en la terraza de cara a la oscuridad mientras la lluvia caía con violencia. Se sentía inquieta aquí, en esta casa de hombres y soldados. Encontró el camino de la cocina, donde el muchacho avivaba el fuego de leña y la mujer picaba tomates sobre el *metate** para hacer una salsa.

—¡Ay, señora! —exclamó la criada—. Cinco hombres muertos y el patrón herido mortalmente! ¡Ay! ¡Ay!

—¡Siete hombres muertos! —corrigió el chico—. ¡Dos en la azotea!

—¡Siete hombres! ¡Siete hombres!

Kate se sentó en una silla, aturdida, incapaz de oír otra cosa que no fuera la lluvia torrencial, incapaz de sentir nada. Entraron dos o tres peones y dos mujeres, los hombres envueltos hasta la nariz en sus mantas. Las mujeres traían *masa** y se inició un gran palmoteo de tortillas. Hablaban en el dialecto de la región, en tonos bajos y rápidos, y Kate no les escuchaba.

Por fin la lluvia empezó a remitir. Kate sabía que pararía de repente. Había un rumoroso sonido de agua corriente, entrando a chorros, salpicando y cayendo a borbotones en la cisterna. Y Kate pensó: «La lluvia lavará la sangre de la azotea y caerá por los tubos en el aljibe. Habrá sangre en el agua.»

Miró su vestido blanco manchado de sangre. Sintió frío. Se levantó para subir de nuevo a la gran casa vacía y oscura, carente de dueño.

—¡Ah, señora! ¿Va usted arriba? Anda, Daniel, ¡lleva la linterna para la señora!

El muchacho encendió la vela de la linterna y Kate volvió a la terraza superior. Brillaba una luz en el dormitorio donde se encontraba Ramón. Kate entró en el salón y recogió su sombrero y su chal beige oscuro. El teniente la oyó y fue hacia ella muy de prisa, muy cordial y respetuoso.

—¿Quiere pasar, señora? —le preguntó— y fue a abrirle la puerta de la estancia donde yacía Ramón: el dormitorio de huéspedes.

Kate entró. Ramón yacía de lado, con el negro y escaso bigote apretado contra la almohada. Ya era él mismo.

—Es muy desagradable para usted continuar aquí, señora Caterina —dijo—. ¿Le gustaría ir a su casa? El teniente pondrá el automóvil a su disposición.

—¿No hay nada que pueda hacer aquí? —inquirió Kate.

—¡Ah, no! ¡No se quede! Es demasiado desagradable para usted. Yo me levantaré pronto y la visitaré para agradecerle mi vida.

La miró a los ojos. Y ella vio que ya había recobrado el alma y que con el alma la veía y la reconocía; aunque siempre desde la peculiar lejanía que era inevitable en él.

Bajó las escaleras con el joven teniente.

—¡Oh, qué asunto tan horrible! ¡No eran bandidos, señora! —exclamó el joven con pasión—. No vinieron a robar. Vinieron a asesinar a don Ramón, ¡imagínese, señora!, sencillamente a asesinar a don Ramón. ¡Ah, si usted no hubiera estado aquí, habrían logrado su propósito! ¡Ah, imagíneselo, señora! Don Ramón es el hombre más valioso de México. Es posible que en todo el mundo no haya otro hombre como él. Y, personalmente, no tiene enemigos.

287

Como hombre entre los hombres, carece de enemigos. Así es, señora. ¡No tiene ni uno solo! Pero, ¿sabe quiénes han sido? Los sacerdotes y los Caballeros de Cortés.

—¿Está seguro? —preguntó Kate.

—¡Seguro, señora! —exclamó indignado el teniente—. ¡Mire! Hay siete hombres muertos. Dos eran mozos armados que vigilaban en el zaguán. ¡Uno era el propio mozo de don Ramón, Martín! ¡Ah, un hombre fiel y muy valiente! Don Ramón no perdonará jamás su asesinato. Luego hay los dos hombres muertos en la azotea y los otros dos muertos en el patio por don Ramón. Tenemos además a un hombre herido por Martín, que se ha roto una pierna al caerse y ahora es nuestro prisionero. Venga a verlos, señora.

Se hallaban en el húmedo patio. Había pequeñas hogueras bajo los cobertizos, y los pequeños y temerarios soldados se acurrucaban a su alrededor, mientras un grupo de peones abrigados con sus mantas se mantenían a cierta distancia. Al otro lado del patio, unos caballos piafaban y hacían sonar sus arneses. Un muchacho llegó corriendo con tortillas envueltas en un paño. Los morenos soldados, acurrucados como animales, echaron sal sobre las tortillas y las devoraron con dientes pequeños, blancos y fuertes.

Kate vio los grandes bueyes atados en sus cobertizos y los carros vacíos. Un pequeño grupo de asnos mordisqueaba alfalfa en un rincón.

El oficial caminaba junto a Kate; sus espuelas centelleaban a la luz del fuego. Fue hacia el enfangado coche, que estaba en el centro del patio, y después hacia su caballo, de cuya silla extrajo una linterna eléctrica, y entonces condujo a Kate al cobertizo del extremo.

Allí encendió de repente la linterna sobre siete cadáveres colocados en hilera. Los dos en la azotea estaban mojados. El de Ramón yacía con el fuerte pecho al descubierto y el rostro negruzco y demoníaco vuelto hacia un lado; era un hombretón. El de Kate estaba rígido. Martín había sido herido en la clavícula; parecía contemplar el techo del cobertizo. Los otros eran dos peones y dos hombres calzados con botas negras y vestidos con pantalones grises y chaquetas azules. Todos estaban inertes, rígidos y muertos, y, en cierto modo, eran un poco ridículos. Quizá sea la indumentaria lo que da a los muertos esa apariencia horripilante y absurda. Pero al mismo tiempo está siempre presente el hecho grotesco de que los cuerpos están vacíos.

—¡Mire! —indicó el teniente, tocando un cuerpo con el pie—. Este es un chofer de Sayula, y aquél un barquero de Sayula. Estos dos son peones de San Pablo, y ese hombre —el teniente propinó un puntapié al cadáver— es un desconocido. Era el que había matado Ramón. —En cambio, éste —añadió, dando un puntapié al hombre de cabeza abombada que había caído bajo el disparo de Kate— es de Ahuajijic, y estaba casado con la mujer que ahora vive con un peón de esta hacienda. ¡Ya lo ve, señora! Un chofer y un barquero de Sayula, que son Caballeros de Cortés; y dos peones de San Pablo que obedecen al clero. No son bandidos. Ha sido un intento de asesinato. Aunque, naturalmente, lo habrían robado todo si hubieran matado a don Ramón.

Kate miraba fijamente los cadáveres. Tres de ellos eran guapos; uno, el barquero, tenía una fina línea de barba negra que enmarcaba su rostro bien proporcionado. Era muy guapo, pero estaba muerto y había la burla de la muerte en sus facciones. Todos eran hombres que estaban en la flor de la vida. Pero, muertos, ni siquiera importaban. Eran horribles, pero no importaba que estuvieran muertos. Estaban vacíos. Tal vez, incluso en vida, había habido cierto vacío, cierta nulidad en su apuesto físico.

Durante un momento puro, Kate deseó que los hombres no fueran tan guapos como estos morenos nativos. Incluso su belleza se le antojó repulsiva; la sombría belleza de las cosas inacabadas que subsistía en la antigua suavidad de reptil. Un escalofrío recorrió a Kate.

¡El alma! Si al menos le hablara el alma que hay en el hombre y la mujer, y no siempre este extraño y perverso materialismo, o un animalismo deformado. ¡Si al menos las personas fueran almas, y sus cuerpos gestos del alma! ¡Si fuera posible olvidar los cuerpos y los hechos, y estar presente con almas fuertes y vivas!

Atravesó el patio, salpicado de excrementos de caballo, en dirección al coche. El teniente estaba eligiendo a los soldados que se quedarían aquí. Serían los de caballería. Un peón que montaba un delicado caballo roano, entró en el zaguán y pasó al trote por delante de los soldados. Había estado en Sayula para recoger unos medicamentos y dar mensajes al *Jefe.**

Por fin el coche, rodeado de soldados por todas partes, salió lentamente del patio. El teniente iba sentado junto a Kate. Detuvo otra vez el coche ante el espacioso granero blanco que había bajo los árboles para hablar a dos soldados apostados allí.

Luego reemprendieron la marcha bajo los árboles húmedos, por el fango que se apelotonaba en torno a las ruedas y enfilaron la avenida que conducía a la carretera, donde se encontraban las negras chozas de los peones. Pequeñas hogueras llameaban frente a una o dos chozas; las mujeres cocían tortillas sobre las placas de barro que ponían al fuego. Una mujer se dirigía a su choza con un tizón ardiendo, como una antorcha, para encender su cocina. Unos cuantos peones estaban en cuclillas contra las paredes de sus casas, totalmente silenciosos. Cuando el automóvil enfocó la carretera con sus grandes y potentes faros, unos cerditos de pelo corto y ensortijado se pusieron a chillar, y sus figuras y rostros destacaron del fondo como bajo un reflector.

Había una choza con una ancha apertura en la negra pared, y un viejo estaba de pie en el interior. El coche se detuvo para que el teniente llamara a los peones apoyados en la casa, que se acercaron al coche con los ojos brillantes, parpadeando con aprensión. Parecían muy avergonzados y humildes mientras contestaban al teniente.

Entretanto Kate se fijó en un niño que compró un refresco por un centavo y un trozo de cordel por tres centavos al anciano de la choza de la gran apertura, que era una tienda.

El coche volvió a ponerse en movimiento, iluminando con sus potentes faros los setos de cactos, mesquites y árboles de *palo blanco**, y los grandes charcos de agua de la carretera. El viaje sería muy lento.

CAPITULO XX

BODA SEGUN QUETZALCOATL

Kate se ocultó en su casa, despavorida. No soportaba hablar con la gente, ni siquiera podía resistir los incoherentes discursos de Juana. Los hilos que la unían a la humanidad parecían haberse roto. Las pequeñas cosas humanas habían dejado de interesarla. Sus ojos eran más oscuros, y ciegos para los individuos. Todos eran individuos, como hojas que crujen en la oscuridad. Y ella estaba sola bajo los árboles.

La mujer de los huevos quería seis centavos por huevo.

—Y yo le he dicho... yo le he dicho... ¡que los compramos por cinco centavos! —prosiguió Juana.

—¡Claro! —convino Kate. No le importaba que los compraran a cinco o a cincuenta, o no los compraran.

No le importaba, no le importaba en absoluto. Ni siquiera le importaba la vida. No había modo de escapar a su completa indiferencia. Sentía indiferencia por el mundo entero, incluso por la misma muerte.

—¡Niña! ¡Niña! ¡Aquí está el hombre de las sandalias! ¡Mire, mire que bonitas se las ha hecho! ¡Mire que buaraches mexicanos va a usar la Niña!

Se los puso. El hombre pedía demasiado dinero. Le miró con sus ojos remotos e indiferentes, pero sabía que en el mundo es preciso vivir, así que le pagó menos de lo que pedía pero más de lo que él habría aceptado realmente.

Se sentó de nuevo en la mecedora, en la sombra de la habitación. ¡Estar sola! Sin que nadie le hablara, sin que nadie se acercase a ella. Porque en realidad su alma y su espíritu se habían alejado, estaban en el centro de un desierto, y el esfuerzo de aproximarse a la gente para fingir un aparente encuentro, o contacto, era casi más de lo que podía soportar.

Jamás había estado tan sola, y tan inerte, y tan totalmente falta de deseo; sumida en una pálida indiferencia, como la muerte. Jamás había pasado los días tan ciegamente, con tanta inconsciencia, en tramos de vaciedad.

A veces, para alejarse de la casa, se sentaba bajo un árbol, junto al lago. Y allí, sin saberlo, dejaba que el sol le quemara los pies y le inflamara el rostro. Juana prorrumpía en exclamaciones. Los pies se hincharon y aparecieron ampollas, y el rostro quedó enrojecido y sensible. Pero todo pareció ocurrir solamente en su concha; ella seguía en su pálida y cansada indiferencia.

Sólo en el centro de su ser emergía a veces una pequeña llama, y entonces Kate sabía que su único deseo era que su alma viviera. La vida de días, hechos y acontecimientos había muerto en ella, y ahora era como un cadáver. Pero en su interior ardía una luz, la luz de su alma esconcida. A veces temblaba y se extinguía, pero en seguida volvía a arder.

Ramón la había encendido. Y una vez encendida, el mundo se antojaba hueco y muerto, y todas las actividades mundanas eran vacías para ella. ¡Su alma! ¡Su frágil y oculta alma! Kate quería vivir la vida de su·alma, no la suya propia.

Llegaría el día en que vería a Ramón y Cipriano, y el alma que se estaba extinguiendo volvería a arder en ella y la haría sentirse fuerte. Entretanto, sólo podía sentirse débil, muy débil, débil como si estuviera moribunda. Pensaba que aquella tarde sangrienta había llevado temporalmente a todas sus almas al crepúsculo de la muerte. Pero regresarían. Regresarían. Y ahora no podía hacer otra cosa que someterse y esperar. Esperar, con un alma casi muerta, y las manos y el corazón sumidos en un densa e inerte indiferencia.

Ramón había perdido mucha sangre. Y también ella, de distintas maneras, se había quedado sin la sangre del cuerpo. Se sentía exangüe e impotente.

Un día la visitó Cipriano. Ella se estaba meciendo en el salón, con una bata de algodón por toda vestimenta, y tenía el rostro enrojecido e hinchado. Le vio pasar por delante de la ventana, vestido de uniforme. Después se paró en el umbral de la terraza, bajo, moreno, grave y apuesto.

—Entre, por favor —invitó ella con un esfuerzo. Sentía que los párpados le quemaban.

El la miraba con sus grandes ojos negros que expresaban tantas cosas incomprensibles para ella. Apenas podía devolverle la mirada.

—¿Ha perseguido ya a todos sus rebeldes? —le preguntó.

—De momento, sí.

Cipriano parecía estar a la expectativa, como si esperase algo.

—¿Y no ha sufrido ninguna herida?

—No, ninguna.

Ella desvió la mirada, sin saber qué decir.

—Fui a Jamiltepec ayer por la tarde —dijo él.

—¿Cómo está don Ramón?

—Mejor.

—¿Mucho mejor?

—No, sólo un poco mejor. Pero ya anda algunos pasos.

292

—Es maravilloso cómo se recuperan las personas.

—Sí. Morimos con gran facilidad, pero también volvemos rápidamente a la vida.

—¿Y usted? ¿Luchó contra los rebeldes o ellos no quisieron luchar?

—Sí que quisieron. Hubo uno o dos combates, poca cosa.

—¿Murió algún hombre?

—¡Sí! Unos cuantos. Pero no muchos; tal vez un centenar. Nunca puede decirse, ¿verdad? Quizá fueron doscientos.

Hizo un vago ademán con una mano.

—Pero ustedes vivieron la peor rebelión en Jamiltepec, ¿no? —inquirió de repente—, con la densa gravedad india que hace sombrío cualquier ambiente.

—No se prolongó mucho, pero fue espantoso mientras duró.

—Espantoso, ¿no? ¡Si yo lo hubiera sabido! Había dicho a Ramón: «¿No quieres que se queden los soldados? ¿La guardia?» Pero él contestó que no era necesario. Sin embargo, aquí nunca se sabe, ¿no?

—¡Niña! —gritó Juana desde la terraza—. ¡Niña! Don Antonio dice que viene a visitarla.

—Dile que venga mañana.

—¡Ya está en camino! —gritó Juana con consternación.

Don Antonio era el grueso casero de Kate; y, naturalmente, el amo permanente de Juana, más importante para ésta que la propia Kate.

—¡Aquí está! —gritó— y desapareció corriendo.

Kate se inclinó hacia delante y vio la corpulenta figura del casero en la acera, frente a la ventana, quitándose el sombrero de fieltro y haciéndole una reverencia. ¡Un sombrero de fieltro! Kate sabía que aquel tipo era un ferviente fascista y que los reaccionarios Caballeros de Cortés le tenían en gran estima.

Kate le saludó con una fría inclinación de cabeza.

El casero repitió la reverencia, con el sombrero de fieltro en la mano.

Kate no pronunció una sola palabra.

El hombre se apoyó sobre un pie y después sobre el otro, y por fin se alejó por la acera en dirección a los aposentos del servicio, como si no hubiera visto ni a Kate ni al general Viedma. Unos momentos después volvió a pasar frente a la ventana, como si Kate y el general no existieran.

Cipriano miró la corpulenta figura de don Antonio como si se tratara de una ráfaga de viento.

—¡Es mi casero! —explicó Kate—. Supongo que quiere saber si alquilaré la casa para los próximos tres meses.

—Ramón me pidió que viniera a verla... para saber cómo estaba,

¿no? Y para rogarle que vaya a Jamiltepec. ¿Quiere ir conmigo ahora? El automóvil está aquí.

—¿Debo ir? —preguntó Kate, inquieta.

—No, no a menos que lo desee. Ramón dijo que sólo debía ir en caso de que lo deseara, pues tal vez resulte doloroso para usted volver a Jamiltepec tan pronto después de...

¡Qué curioso era Cipriano! Decía las cosas como si fueran simples hechos sin el menor contenido emocional. En cuanto a la posibilidad de que ir a Jamiltepec resultara doloroso para Kate, no significaba nada para él.

—Fue una suerte que estuviera allí aquel día, ¿no? —observó Cipriano—. Podían haberle matado. ¡Es probable que le hubiesen matado! ¡Muy probable! Terrible, ¿no?

—También podían haberme matado a mí —replicó ella.

—¡Ah, sí! ¡Claro! —convino él.

¡Qué curioso era! Cubierto por una especie de laca de índole mundana, debajo ocultaba un negro volcán con un número insospechado de capas de lava. Y cuando hablaba, medio abstraído, desde su laca mundana, las palabras salían breves y rápidas, y siempre vacilantes, con el consabido ¿No? final. No era él en absoluto cuando hablaba.

—¿Qué habría hecho usted si hubieran matado a don Ramón? —preguntó Kate para tantear el terreno.

—¿Yo?... —La miró con un destello de aprensión. El volcán estaba despertando—. ¿Si le hubieran asesinado? —Sus ojos se clavaron en ella con una mirada feroz.

—¿Le habría importado mucho? —insistió Kate.

—¿A mí? ¿Si me hubiera importado? —repitió él con una mirada de suspicacia en sus ojos indios.

—¿Habría significado mucho para usted?

Cipriano siguió mirándola con suspicacia y ferocidad.

—¡Para mí! —exclamó, llevándose la mano a los botones de la guerrera—. Para mí Ramón es más que la vida. Más que la vida. —Sus ojos parecieron perder la visión mientras repetía esta frase, y la ferocidad se convirtió en una peculiar mirada, confiada y ciega, que daba la sensación de mirar hacia dentro o hacia el vasto vacío del cosmos, donde no existe visión.

—¿Más que cualquier otra cosa? —inquirió ella.

—¡Sí! —contestó él, abstraído, con una ciega inclinación de cabeza. Luego, de repente, la miró y dijo—: Usted salvó su vida.

Con esto quería decir que por consiguiente... Pero Kate no comprendió la implicación.

Fue a cambiarse y emprendieron el viaje a Jamiltepec. Cipriano, sentado junto a ella, la inquietaba un poco. La obligaba a ser físicamente consciente de él, de su cuerpo pequeño, pero fuerte y dominante, con sus negras corrientes y tempestades de deseo. Su alcance era muy limitado, en realidad. Gran parte de su naturaleza era inerte y pesada, incapaz de reaccionar, limitada como la de una serpiente o un lagarto. Pero dentro de su oscuro y denso alcance esgrimía un singular poder. Kate casi podía *ver* el negro humo del poder que emitía, la oscura y densa vibración de su sangre, que era capaz de hechizarla.

Mientras viajaban de lado en el automóvil, silenciosos, balanceándose al compás de los tumbos del vehículo, Kate podía sentir el curioso calor vibrante de la sangre de él y el denso poder de la *voluntad* que circulaba oculto en sus venas. Podía ver de nuevo el oscurecimiento de los cielos y el misterio fálico irguiéndose como una remolineante nube negra hasta el cenit sombrío y crepuscular para penetrarlo; el antiguo y supremo misterio fálico. Y se vio a sí mismo en el eterno crepúsculo, bajo un cielo donde el sol avanzaba entre la neblina, en una tierra donde árboles y criaturas caminaban a la sombra, y el hombre, desnudo, oscuro, medio visible, era absorbido súbitamente por el poder supremo y se elevaba como una oscura columna que giraba para perforar el mismo cenit.

¡El misterio del mundo primitivo! Kate podía sentirlo ahora en toda su vaga y furiosa magnificencia. Ahora sabía el significado de la mirada negra y centelleante de Cipriano. En el mundo tenebroso donde los hombres carecían de visión y vientos de furia se elevaban desde la tierra, Cipriano era todavía un poder. En cuanto se entraba en su misterio, la escala de todas las cosas cambiaba y él se convertía en un poder masculino viviente, indefinido e ilimitado. La pequeñez, las limitaciones dejaban de existir. En sus ojos negros y chispeantes, el poder carecía de límites, y era como si de él, de su cuerpo de sangre, pudiera levantarse aquella columna de nubes que oscilaba y se curvaba como una serpiente o un árbol muy alto hasta que barría el cenit y toda la tierra que había abajo aparecía oscura, postrada y consumida. Aquellas manos pequeñas, aquella perilla oscura que pendía de su mentón, la curva de sus cejas y la ligera oblicuidad de sus ojos, la forma abombada de su cabeza india, con los negros y tupidos cabellos, todo era para ella como símbolos de otro misterio, el misterio del mundo primitivo y crepuscular donde las formas pequeñas se convierten de pronto en enormes y gigantescas sobre las sombras, y un rostro como el de Cipriano es el rostro de un dios y un demonio a la vez, el inmortal rostro de Pan. El antiguo misterio, que realmente es antiguo, no ha desaparecido. Jamás desaparecerá.

Mientras él gurdaba silencio, hechizándola con su tenebroso poder de Pan, ella sentía que estaba sometiéndose, sucumbiendo. El era una vez más el antiguo macho dominante, insondable, intangible, de repente muy alto y de tanto alcance que cubría el cielo para crear una oscuridad que era él mismo y nada más que él mismo, el masculino Pan. Y ella caía desmayada debajo de él, perfecta en su postración.

Era el antiguo misterio fálico, el antiguo dios-demonio del masculino Pan. Cipriano eternamente inflexible, en el crepúsculo primitivo, conservando la antigua penumbra a su alrededor. Kate comprendía ahora su poder sobre sus soldados. Tenía el antiguo don del poder demoníaco.

Jamás cortejaría a una mujer; lo veía con claridad. Cuando el poder de su sangre surgía en su interior, la oscura aureola emanaba de él como una nube grávida de energía, como el trueno, y ascendía como el remolino que se eleva de pronto en el crepúsculo y forma una gran columna flexible que oscila y se balancea con fuerza, nítida entre el cielo y la tierra.

¡Ah, y qué misterio de postrada sumisión provocaría en ella esa erección gigantesca! Una sumisión absoluta, como la tierra que hay bajo el cielo. Bajo un absoluto abovedado.

¡Ah, qué matrimonio! ¡Qué terrible y qué completo! Con la finalidad de la muerte, y sin embargo, más que la muerte. Los brazos del Pan tenebroso. Y la voz tremenda, apenas inteligible, de la nube.

Kate podía concebir ahora su matrimonio con Cipriano; la pasividad suprema, como la tierra bajo el crepúsculo, consumada en una viviente falta de vida, el puro y sólido misterio de la pasividad. ¡Ah, qué abandono, qué abandono, qué abandono!... de tantas cosas que quería abandonar.

Cipriano puso la mano, con su calor y peso extraños y suaves, sobre la rodilla de Kate, y el alma de ésta se fundió como un trozo de metal.

—*En poco tiempo, ¿verdad?** —preguntó, mirándola a los ojos con aquella sombría expresión de poder próximo a consumirse.

Ella le miró sin palabras. El lenguaje la había abandonado, y se recostó, impotente y silenciosa, en el vasto e indescriptible crepúsculo del mundo de Pan. Su propio ser la había abandonado, y ya no recordaba el resto del día. Lo único que se dijo fue:

«¡Mi amante demoníaco!»

Su mundo podía terminar de muchas maneras, y ésta era una de ellas: volver al crepúsculo del antiguo mundo de Pan, donde el alma de la mujer era muda y jamás se expresaría.

El coche se detuvo; habían llegado a Jamiltepec. El la miró de nuevo mientras abría la portezuela de mala gana. Y cuando se apeó, Kate volvió a verle de uniforme, su pequeña figura vestida de uniforme. La había olvidado por completo; sólo había visto su rostro, el rostro del supremo dios-demonio, con las cejas arqueadas, los ojos ligeramente oblicuos y la escasa perilla. El Dueño. El imperecedero Pan.

El seguía mirándola, usando todo su poder para evitar que viera en él al pequeño general de uniforme, que era la visión cotidiana. Y ella rehuyó su mirada y no le vio de ninguna forma.

Encontraron a Ramón sentado en un diván en la terraza, vistiendo sus prendas blancas. Su tez de color marrón cremoso dejaba transparentar la palidez.

Vio inmediatamente el cambio operado en Kate, cuyo rostro era el de una resucitada, curiosamente bañado en la muerte, y con una ternura mucho más nueva y vulnerable que la de un niño. Ramón echó una ojeada a Cipriano. El rostro de éste parecía más oscuro que de costumbre y tenía la secreta altivez y el retraimiento del salvaje. Ramón lo conocía bien.

—¿Está usted mejor? —preguntó Kate.

—¡Casi bien! —repuso él, mirándola con dulzura—. ¿Y usted?

—Yo estoy muy bien.

—¿Seguro?

—Sí, creo que sí... aunque me he sentido como perdida desde aquel día. Espiritualmente, quiero decir. En lo demás, estoy muy bien. ¿Se le ha cicatrizado ya la herida?

—¡Oh, sí! Siempre se me cicatrizan con rapidez.

—Los cuchillos y balas son cosas terribles.

—Sí, cuando hieren a quien no deben.

Kate se sentía como si acabara de despertarse de un desmayo mientras Ramón le hablaba y la miraba. Sus ojos y su voz parecían bondadosos. ¿Bondadosos? De pronto la palabra se le antojo extraña, tuvo que esforzarse por captar su significado.

No había bondad en Cipriano. El dios-demonio Pan precedía a la bondad. Kate se preguntó si quería bondad. No lo sabía; todo era vago, confuso.

—Estaba pensando en volver a Inglaterra —dijo.

—¿Otra vez? —observó Ramón con una ligera sonrisa—. Alejarse de balas y cuchillos, ¿verdad?

—¡Sí! Alejarme —y Kate suspiró profundamente.

—¡No! —exclamó Ramón—. No se vaya. No encontrará nada en Inglaterra.

—Pero, ¿puedo quedarme aquí?

—¿Acaso puede evitarlo?

—Me gustaría saber qué hacer.

—¿Cómo saberlo? Algo ocurre dentro de uno, y todas las decisiones se esfuman. Deje que ocurra lo que ha de ocurrir.

—No puedo dejarme llevar como si no tuviera un alma propia.

—A veces es lo mejor.

Hubo una pausa, Cipriano se mantenía totalmente fuera de la

conversación, en su mundo de sombras, aparte y secretamente hostil.

—He pensado mucho en usted —dijo Kate a Ramón— y me he preguntado si vale la pena.

—¿Qué?

—Lo que está haciendo: tratar de cambiar la religión de esta gente. Si es que tienen una religión que cambiar. No creo que sea un pueblo religioso. Es supersticioso y nada más. No me gustan los hombres y mujeres que se arrastran arrodillados hasta el altar y mantienen los brazos extendidos durante horas enteras. Hay en ello algo equivocado y estúpido. Jamás adoran a Dios, sólo a cierto poder maligno. Me he preguntado muchas veces si vale la pena que usted se entregue a ellos y se ponga en sus manos. Sería horrible que llegaran a matarle. Ya le he visto *medio* muerto.

—Y ahora me ve vivo otra vez —sonrió él.

Pero siguió un silencio sombrío.

—Creo que don Cipriano les conoce mejor que usted. Creo que él sabe mejor que usted si todo esto servirá de algo.

—¿Y qué dice Cipriano? —inquirió Ramón.

—Digo que soy un hombre de Ramón —replicó tercamente el aludido.

Kate le miró y desconfió de él. A largo plazo, no era el hombre de nadie. Era aquel antiguo Pan masculino que no tenía dueño ni podía siquiera concebir el servicio; en especial el servicio de la humanidad. Sólo veía la gloria; el negro misterio de la gloria consumada. Y a sí mismo como un viento de gloria.

—Tengo la impresión de que le traicionarán —dijo Kate a Ramón.

—¡Tal vez! Pero yo no me traicionaré a mí mismo. Hago aquello en lo que creo. Es posible que haya dado sólo el primer paso hacia el recodo del cambio. Pero, *ce n' est que le premier pas qui coûte...* ¿Por qué no quiere ir hasta el recodo con nosotros? Por lo menos es mejor que estar sentada.

Kate no contestó a su pregunta. Se quedó mirando los mangos y el lago, y el recuerdo de aquella tarde volvió a su mente.

—¿Cómo llegaron aquellos dos hombres, aquellos dos bandidos hasta la azotea? —preguntó, extrañada.

—Esta vez fue una mujer; una muchacha que Carlota trajo aquí de la Cuna de Ciudad de México para que trabajara de costurera y enseñara a coser a las esposas de los peones. Tenía un cuartucho en el extremo de aquella terraza... —Ramón señaló la terraza que se proyectaba sobre el lago, que estaba enfrente de la terraza a la que daba su propio dormitorio y donde había la galería cubierta—. Se enredó con uno de los peones, una especie de segundo capataz llamado Guillermo. Guillermo tiene esposa y cuatro hijos, pero acudió a mí para consultarme si podía cambiar y quedarse con Maruca, la costurera. Yo le dije que no, que debía permanecer con su familia. Y envié a Maruca a Ciudad de México. Pero como había recibido cierta educación, Maruca creía que lo sabía todo. Envió mensajes a Guillermo y éste se reunió con ella en México, abandonando a la esposa y los cuatro hijos. Entonces la esposa se fue a vivir con otro peón —el herrero—, cuya esposa había muerto y que era considerado un buen partido; un hombre decente.

»Un día apareció Guillermo y preguntó si podía volver. Le dije que no con Maruca. El contestó que no quería a Maruca, que sólo quería volver. Su esposa estuvo de acuerdo en volver a su lado con los niños. El herrero también accedió a dejarla marchar. Yo dije: muy bien, pero él había perdido su empleo de capataz y tenía que ser otra vez peón.

»Y él pareció contento, satisfecho. Pero poco después llegó Maruca y se quedó en Sayula, fingiendo establecerse como costurera. Se ganó la confianza del párroco; y volvió a atraer a Guillermo.

»Parece ser que los Caballeros de Cortés habían prometido una gran recompensa al hombre que les llevara mi cabeza; en secreto, claro está. La muchacha convenció a Guillermo y Guillermo encontró a esos dos peones, uno de San Pablo y otro de Ahuajijic; otra persona organizó el resto.

»El dormitorio de la muchacha era aquel que da a la terraza, no lejos de donde parten los escalones que conducen a la azotea. La habitación tiene una alta ventana con celosía que mira a los árboles. Entre ellos hay un vetusto *laurel de India.** Al parecer la muchacha se subió a una mesa y desenganchó la celosía de hierro de la ventana mientras vivía aquí, y luego Guillermo, saltando desde la rama (algo muy arriesgado, pero el chico era de esa clase), pudo aterrizar en el alféizar y entrar en la habitación.

»Al parecer, él y los otros dos iban a arrancarme el cuero cabelludo y saquear la casa antes de que pudieran entrar los demás. Así pues, el primer hombre, el que maté yo, trepó al árbol, abrió la ventana empujándola con un palo largo, entró en la habitación y subió las escaleras de la terraza.

»Martín, mi mozo, que esperaba en las otras escaleras, preparado por si intentaban volar la puerta de hierro, oyó el golpe de la ventana y corrió hacia el otro extremo en el preciso momento en que el segundo bandido —el que usted derribó de un disparo— estaba acurrucado en el alféizar, a punto de saltar de la habitación. La ventana es muy pequeña y está muy alta.

»Antes de que Martín pudiera hacer nada, el hombre saltó sobre él y le clavó dos veces el machete. Después se apoderó del cuchillo de Martín y subió las escaleras, y momentos más tarde usted le disparó a la cabeza.

»Martín se hallaba en el suelo cuando vio las manos de un tercer hombre agarradas al marco de la ventana, y luego, la cara de Guillermo. Martín se levantó y pasó el machete sobre estas manos, obligando a Guillermo a dejarse caer sobre las piedras de abajo.

»Cuando yo bajé de la azotea, encontré a Martín tendido frente a la puerta de aquella habitación. Me dijo: *Han entrado por aquí, patrón. Guillermo es uno de ellos.*

»Guillermo se fracturó el muslo sobre las piedras y los soldados le encontraron. Lo confesó todo, expresó su arrepentimiento y me pidió perdón. Ahora está en el hospital.

—¿Y Maruca? —preguntó Kate.

—También la tienen presa.

—Siempre surge un traidor —murmuró Kate con acento sombrío.

—Esperemos que siempre surja una Caterina —dijo Ramón.

—Pero ¿continuará usted con esto... con su Quetzalcóatl?

—¿Cómo puedo dejarlo? Ahora es mi *métier.* ¿Por qué no se une con nosotros? ¿Por qué no me ayuda?

—¿Cómo?

—Ya lo verá. Pronto volverá a oír los tambores. Pronto llegará el primer día de Quetzalcóatl. Ya lo verá. Entonces aparecerá Cipriano, con un sarape rojo, y Huitzilopochtli compartirá el Olimpo mexicano con Quetzalcóatl. Y necesitaremos una diosa.

—Pero ¿será don Cipriano el dios Huitzilopochtli? —preguntó Kate, desconcertada.

—Será el Primer Hombre de Huitzilopochtli, como yo soy el Primer Hombre de Quetzalcóatl.

—¿De verdad? —preguntó Kate a Cipriano—. ¿De ese horrible Huitzilopochtli?

—¡Sí, señora! —afirmó Cipriano con una sutil sonrisa de altivez, el salvaje oculto dándose a conocer.

—No el antiguo Huitzilopochtli, sino el nuevo —intervino Ramón—. Y entonces tendrá que haber una diosa; esposa o virgen, tiene que haber una diosa. ¿Por qué no usted, como la Primera Mujer de... Itzapapalotl, por ejemplo, sólo por el sonido del nombre?

—¿Yo? —exclamó Kate—. ¡Jamás! Me moriría de vergüenza.

—¿Vergüenza? —rió Ramón—, Ah, señora Caterina, ¿por qué vergüenza? Es una cosa que *debe* hacerse. Tiene que haber manifestaciones. *Tenemos* que cambiar la visión del cosmos viviente; es *preciso.* El Pan más antiguo está en nosotros, y no permitirá que reneguemos de él. A sangre fría y a sangre caliente a la vez, tenemos que hacer el cambio. Así es como el hombre está hecho. Yo acepto la *imposición* del Pan más antiguo en mi alma, y con mi yo más nuevo. Una vez el hombre ha concentrado su alma y llegado a una conclusión, la hora de las alternativas ha pasado. *Debo actuar.* Eso es todo. *Soy* el Primer Hombre de Quetzalcóatl. Soy el propio Quetzalcóatl, si usted quiere. Una manifestación, a la vez que un hombre. Me acepto completo y procedo a forjar destino. Si no, ¿qué otra cosa podría hacer?

Kate guardó silencio. La pérdida de sangre parecía haber purificado a Ramón, confiriéndole una curiosa frescura, y nuevamente discurría fuera del alcance de la emoción humana. ¡Una extraña especie de imperativo categórico! Kate comprendía ahora su poder sobre Cipriano; estribaba en este imperativo que él reconocía en su propia alma y que era realmente como un mensajero del más allá.

Le miró como una niña mirando a través de una reja: un poco nostálgica y un poco asustada.

¡Ah, el alma! El alma estaba siempre lanzando destellos, oscureciéndose y adoptando nuevas formas, todas extrañas entre sí. Había creído que ella y Ramón sabían algo de sus almas respectivas, y ahora él era este hombre pálido y distante, que tenía en el alma un curioso destello, como un mensaje del más allá. Y estaba lejos, muy lejos de cualquier mujer.

Mientras que Cipriano le había abierto de pronto un mundo nuevo, un mundo crepuscular dominado por el rostro oscuro y medio visible del dios-demonio Pan, que no puede perecer jamás y retorna siempre a la humanidad desde las sombras. El mundo de sombras y oscura postración barrido por el viento fálico que sopla en la oscuridad.

Cipriano tenía que ir a la ciudad situada en el extremo del lago, cerca del Estado de Colima: Jaramay. Iría en una lancha motora con un par de soldados. ¿Quería acompañarle Kate?

Esperó su respuesta en un denso silencio.

Ella dijo que sí. Estaba desesperada; no quería volver a su casa muerta y vacía.

Era uno de esos breves períodos en que la lluvia parece estrangulada y en el aire se cierne el trueno, un trueno pasado y silencioso que está latente de día en día entre la espesa y densa luz del sol. Kate, en estos días mexicanos, sentía que entre la violencia volcánica de la tierra y la violencia eléctrica del aire los hombres caminaban oscuros e incalculables, como demonios de otro planeta.

El viento del oeste parecía fresco en el lago, pero era una masa corriente de electricidad que quemaba el rostro, los ojos y las raíces de los cabellos de Kate. Cuando se despertaba por la noche y apartaba la sábana, de las yemas de sus dedos salían chispas. Sentía que no podía vivir.

El lago era como una frágil leche de trueno; los oscuros soldados se acurrucaban, inmóviles, bajo la toldilla de la lancha. Parecían oscuros como la lava y el azufre, y llenos de una electricidad latente y diabólica. Como salamandras. El barquero que gobernaba la embarcación desde la popa era casi tan guapo como el hombre que había matado Kate. Pero éste tenía ojos de color gris claro, fosforescentes con puntos plateados.

Cipriano estaba sentado en silencio frente a ella. Se había quitado la guerrera y el cuello se veía casi negro sobre la camisa blanca. Kate se daba cuenta de lo diferente que era su sangre de la de ella, oscura, negruzca, como la sangre de los lagartos que dormían sobre las rocas negras y calientes. Podía sentir su fuerza inmutable, que mantenía erguida la cabeza de un negro azulado como si fuera la estatua de una fuente. Y Kate sentía disolverse, extinguirse su propio orgullo.

Intuía que él quería envolverla con su sangre. Como si fuera posible. Estaba tan quieto, tan absorto, y la oscuridad de su nuca se parecía tanto a la invisibilidad, y, sin embargo, siempre estaba esperando, esperando, esperando invisible y ponderosamente.

Kate yacía sobre la toldilla expuesta al calor y la luz, sin mirar hacia fuera. El viento hacía crujir la lona.

Ignoraba si la travesía había sido larga o corta, pero ya se acercaban al silencioso extremo del lago, donde la playa se curvaba frente a ellos, redonda. Daba la impresión de ser únicamente pura y solitaria luz de sol.

Pero más allá de los guijarros crecían sauces llorones y se levantaba el edificio de un rancho. Tres canoas ancladas se movían con sus líneas rígidas y negras. Había una llanura, con un campo de maíz a medio crecer que hacía ondear sus banderas verdes. Pero todo se antojaba invisible a la luz caliente e intensa.

El agua cálida se fue haciendo menos profunda a medida que llegaban a la playa. Negras aves acuáticas se mecían como corchos. El motor se detuvo y la lancha avanzó por inercia. Bajo el agua se veían piedras redondas cubiertas por los verdes cabellos de las algas. Se detuvieron a unos veinte metros de la playa.

Los soldados se quitaron los buaraches, enrollaron sus pantalones de algodón y se metieron en el agua. El alto barquero les imitó, y empezó a tirar de la lancha, pero como no podía acercarla más a la orilla, la ancló con una piedra de gran tamaño. Luego, con los misteriosos ojos claros bajo las negras pestañas fijos en Kate, le preguntó en voz baja si podía llevarla hasta la playa sobre sus hombros.

—¡No, no! —exclamó ella—: Me meteré en el agua.

Y se quitó precipitadamente medias y zapatos y entró en el agua, levantando su fina falda de seda rayada. El hombre se echó a reír; y lo mismo hicieron los soldados.

El agua estaba casi caliente. Kate continuó avanzando a ciegas, con la cabeza baja. Cipriano la contemplaba con la silenciosa e impasible paciencia de su raza, y cuando la vio llegar a la arena, él bajó a tierra a hombros del barquero.

Cruzaron la arena caliente hasta los sauces y los campos de maíz, y allí se sentaron en unas piedras grandes. El lago se extendía pálido e irreal hacia la infinita lejanía, flanqueado por difusas montañas, desnudas y abstractas. Las canoas eran negras y rígidas; sus mástiles, inmóviles. La lancha blanca se mecía a poca distancia. Las negras aves acuáticas flotaban como corchos en este lugar que era el final del agua y el final del mundo.

Una mujer solitaria subió por la playa de guijarros con una jarra de agua al hombro. Al oír un ruido, Kate miró y vio un grupo de pescadores que sostenían un cónclave en una hondonada que había bajo un árbol. Saludaron, mirándola con sus ojos negros. Saludaron con humildad, y, no obstante, en sus ojos negros había aquella antigua y remota dureza y altivez.

Cipriano había mandado a los soldados a buscar caballos. Hacía demasiado calor para andar.

Se sentaron en silencio en la invisibilidad de este extremo del lago, frente a la intensa luz.

—¿Por qué no soy el viviente Huitzilopochtli? —inquirió Cipriano en voz baja, mirándola directamente a los ojos.

—¿Siente usted que lo es? —preguntó ella a su vez, sobresaltada.

—Sí —contestó él con la misma voz baja y secreta—. Es lo que siento.

Los ojos negros la miraron con un reto sobrecogedor. Y la voz tenue y oscura parecía arrebatarle toda su voluntad. Permanecieron en silencio, y Kate sintió que se estaba desmayando, que perdía su conciencia para siempre.

Llegaron los soldados con un caballo árabe para él, de color negro, muy delicado, y para ella un asno, que podía montar de lado. Cipriano la subió a la silla, y Kate se sentó, consciente sólo a medias. Un soldado tomó las riendas del asno y se pusieron en marcha; casi en seguida pasaron por delante de unas redes para pescar, largas y frágiles, colgadas de unas cuerdas junto al sendero, formando largos festones transparentes.

Luego salieron al sol y al polvo gris y negro, en dirección a las chozas grises y negras de Jaramay que bordeaban el ancho y desierto camino.

Jaramay era caliente como un horno de lava. Casuchas bajas y negras de techumbre de teja flanqueaban la larga y dilapidada calle. Casas medio derruidas. Un sol abrasador. Una acera de ladrillos toda rota y desgastada por el sol. Un perro guiando a un ciego a lo largo de bajas paredes negras por la acera destrozada. Unas cuantas cabras. Y una falta de vida, un vacío indescriptibles.

Llegaron a la desmantelada plaza, con una iglesia requemada por el sol y unas palmeras raídas. Vacío, sol, aridez, destrucción. Un hombre montado sobre un delicado caballo árabe trotaba airosamente por las piedras, con el fusil atrás y el gran sombrero enmarcando una cara oscura. El resto, un vasto espacio vacío como centro de vida. Era curioso lo delicado que se veía el caballo y lo erguido que iba el jinete entre las ruinas tostadas por el sol.

Se detuvieron ante un gran edificio. Unos soldados se cuadraron en la entrada. Saludaron a Cipriano como si estuvieran paralizados, poniendo los ojos en blanco.

Cipriano desmontó en un instante. Mientras emitía los oscuros rayos de su peligroso poder, encontró al *Jefe** en extremo obsequioso; un hombre gordo vestido con prendas blancas llenas de manchas. Todos pusieron sus voluntades enteramente a su disposición.

Cipriano pidió un dormitorio donde su *esposa** pudiera descansar. Kate estaba pálida y toda su voluntad la había abandonado. El la guiaba con su voluntad.

Aceptó una gran habitación de suelo de ladrillos, con un gran lecho nuevo de metal cubierto por una colcha de algodón coloreado y dos sillas. La extraña, seca y desnuda vacuidad, que casi se antojaba fría en medio del calor.

—El sol la hace palidecer. Acuéstese y descanse. Cerraré las ventanas —dijo él.

Cerró los postigos hasta que sólo quedó la oscuridad.

Entonces, en la oscuridad, súbitamente, la tocó con dulzura, acariciando su cadera.

—He dicho que era usted mi esposa —murmuró con su voz india, baja y suave—. Es cierto, ¿verdad?

Kate tembló, y sus miembros parecieron fundirse como el metal. Se fundió toda en una inconsciencia derretida; su voluntad, todo su ser desapareció, dejándola sola en una vida fundida, como un lago de fuego tranquilo, ajena a todo salvo a la naturaleza eterna del fuego en que había desaparecido. Desaparecido en el fuego perenne, que no conoce la muerte. Sólo el fuego puede dejarnos, y nosotros podemos morir.

Y Cipriano era el amo del fuego. El Viviente Huitzilopochtli, como se llamaba a sí mismo. El viviente amo del fuego. El dios de la llama; la salamandra.

Uno no puede hacer lo que quiere y lo que quieren los dioses. Ha de optar por una de las dos alternativas.

Cuando entró en la habitación contigua, Cipriano estaba allí, esperándola. Se levantó rápidamente, mirádola con ojos negros y centelleantes que parecían despedir relámpagos de luz destinados a jugar sobre ella. Y la tomó de la mano, para tocarla otra vez.

—¿Quiere ir a comer a un pequeño restaurante? —preguntó.

En el enigmático centelleo de sus ojos, ella vio una alegría que la asustó un poco. El contacto de su mano era misteriosamente íntimo y suave. Sus palabras no decían nada; jamás dirían nada. Pero Kate ladeó la cabeza, un poco asustada de aquella alegría primitiva que era tan impersonal e incomprensible para ella.

Después de envolverse en su gran chal de seda amarilla, al estilo español, para defenderse del calor, y tomar la blanca sombrilla ribeteada de verde, Kate salió con él y ambos pasaron por delante del obsequioso *Jefe**, el teniente y los soldados en posición de firmes. Eran hombres de carne y hueso, comprendían su presencia y se inclinaron mucho ante ella, mirándola con ojos resplandecientes. Y ella comprendió lo que era ser una diosa al estilo antiguo, ser saludada por el verdadero fuego de los ojos de los hombres y no por sus labios.

Con su gran sombrero de terciopelo verde jade y el pecho cubierto por el chal de brocado amarillo, cruzó la plaza requemada por el sol, una especie de desierto hecho por el hombre, caminando suavemente junto a su Cipriano, suave como una gata, ocultando el rostro bajo el sombrero verde y la sombrilla y manteniendo su cuerpo secreto y evasivo. Y los soldados y los oficiales y funcionarios de la *Jefatura*,* al mirarla con ojos muy fijos, no veían en ella a la mujer simplemente física, sino el inaccesible y voluptuoso misterio de la consumación física del hombre.

Comieron en la oscura caverna de una *fonda** regentada por una extraña vieja que tenía sangre española en las venas. Cipriano fue muy brusco e imperioso en sus órdenes y la vieja corría de un lado a otro con una especie de terror. Pero en el fondo estaba emocionada.

Kate se sentía perpleja ante el nuevo misterio de su propia evasividad. Era evasiva incluso consigo misma. Cipriano apenas le dirigía la palabra; lo cual era perfecto. Kate no quería que le hablara, y las palabras dirigidas directamente a ella, sin el curioso velo con que esta gente sabía cubrir sus voces, hablando sólo a la indiferente persona que había en ella, la sobresaltaban como si fueran golpes. ¡Ah, los desagradables golpes del lenguaje directo y brutal! Kate había sufrido mucho por su causa. Ahora necesitaba esta velada evasividad en sí misma y que se dirigieran a ella en tercera persona.

Después de comer fueron a ver los sarapes que estaban tejiendo para Ramón. Sus dos soldados les escoltaron unos cuantos metros hasta una calle ancha y ruinosa de casas negras y bajas, y allí llamaron a un gran portal.

Kate entró en la bienhechora sombra del zaguán. En la oscura sombra del patio interior, donde el sol ardía sobre los plátanos, había un completo taller de tejedor. Un hombre grueso y tuerto mandó a un niño a buscar sillas. Pero Kate paseó de arriba abajo, fascinada.

En el zaguán había un gran montón de sedosa lana blanca, muy fina, y en el oscuro corredor del patio trabajaban todos los tejedores. Dos muchachos, con tableros planos y cuadrados provistos de numerosas cerdas de alambre, cardaban la blanca lana y la convertían en fijas guedejas que sacaban de los tableros como si fuera neblina y depositaban junto a las dos muchachas del fondo del cobertizo.

Estas muchachas estaban en pie junto a sus ruecas, que accionaban con una mano mientras con la otra mantenían bailando un milagroso hilo de blanca lana en el mismo extremo de la aguja del carrete que hilaba a gran velocidad; los transparentes rollos de la lana cardada rozaban apenas el carrete y en seguida salían como un largo y puro hilo blanco que se enrollaba en el carrete; entonces se ponía en su lugar otra pieza de lana cardada. Una de las muchachas, muy bella, de rostro ovalado, que sonrió tímidamente a Kate, era muy hábil. Resultaba casi milagroso su modo de tocar el carrete para sacar un hilo de lana casi tan fino como el algodón de coser.

Al otro extremo del corredor, bajo el cobertizo negro, había dos telares, y dos hombres estaban tejiendo. Pisaban los pedales de los telares primero con un pie y después con el otro, absortos y silenciosos a la sombra de las negras paredes de barro. Uno de los hombres tejía un sarape escarlata, muy fino, que tenía el hermoso matiz del rojo cochinilla. Era un trabajo difícil. A partir del centro de puro color escarlata se iniciaban varias líneas en zigzag de color blanco y negro que formaban una especie de rizo y se prolongaban hasta el borde, que era negro. Era maravilloso ver al hombre, provisto de pequeñas bobinas de hilo rojo, blanco y negro, tejiendo un poco de fondo y tejiendo después el zigzag negro hasta este fondo que formaba el centro, y seguidamente el zigzag blanco, con dedos oscuros y ágiles, ajustando rápidamente la aguja, formando el dibujo con la velocidad del rayo y finalmente apretando el balancín para prensar los hilos. El sarape se tejía sobre una urdimbre negra, cuyos largos y finos hilos recordaban a un arpa. Pero la mayor belleza era la del perfecto y delicado escarlata del tejido.

—¿Para quén es éste? —preguntó Kate a Cipriano—. ¿Para usted?

—Sí —repuso él—, ¡es para mí!

El otro hombre estaba tejiendo un sencillo sarape blanco con bordes azules y negros y empujaba la bobina de hilo de un lado a otro, entre las blancas cuerdas del arpa, apretando con fuerza cada hilo de la trama con la barra de madera, y después cambiando los largos y finos hilos de la urdimbre.

A la sombra del cobertizo de barro, los puros colores de la lustrosa lana parecían místicos: el escarlata cardenal, el puro y sedoso blanco, el hermoso azul y el negro, brillante en la sombra de las paredes negruzcas.

El hombre gordo y tuerto sacó varios sarapes y dos muchachos los desdoblaron uno a uno. Había uno nuevo, blanco con flores azules, tallos negros y hojas verdes que formaban los bordes, y en la *boca**, por donde se metía la cabeza, un ramillete de pequeñas flores de todos los colores del arco iris formando un círculo azul.

—¡Me encanta éste! —exclamó Kate—. ¿Para qué sirve?

—Es de Ramón; son los colores de Quetzalcóatl, azul, blanco y negro natural. Pero éste es para el día en que se abran las flores, cuando acompañe a la diosa que ha de venir —explicó Cipriano.

Kate guardó silencio, atemorizada.

Había dos sarapes escarlatas con un diamante en el centro; completamente negros, con un dibujo de diamantes negros en el borde.

—¿Son suyos estos dos?

—Son para los mensajeros de Huitzilopochtli. Estos colores son los míos: escarlata y negro. Pero también uso el blanco, así como Ramón tiene un fleco de mi escarlata.

—¿No le da miedo? —preguntó ella, mirándole un poco cohibida.

—¿A que se refiere?

—A esto que hace. Ser el viviente Huitzilopochtli.

—*Soy* el viviente Huitzilopochtli —contestó él—. Si Ramón se atreve a ser viviente Quetzalcóatl, yo me atrevo a ser el viviente Huitzilopochtli. *Soy* él. ¿O no?

Kate le miró, miró su rostro oscuro con la pequeña perilla, las cejas arqueadas y los ojos negros ligeramente oblicuos. En la mirada fiera y redonda de sus ojos había cierto silencio y cierta ternura para con ella. Pero aparte de esto, sólo una seguridad inhumana que miraba mucho más allá de ella, hacia la oscuridad.

Y ella ocultó la cara, murmurando:

—Sé que lo es.

—Y el día de las flores —dijo él— también usted vendrá, con un vestido verde que tejerán para dicha ocasión, con flores azules en la costura, y en la cabeza, la luna nueva de flores.

Kate ocultó el rostro, asustada.

—Venga a mirar las lanas —propuso Cipriano, y la condujo al lado sombreado del patio donde los hilos pendían en chorreantes trenzas de color, escarlatas, azules, amarillos, verdes y marrones.

—¡Mire! —exclamó él—. Su vestido será verde, sin mangas, y llevará un refajo con flores azules.

El verde era un color subido verde manzana.

Bajo el cobertizo había dos mujeres acurrucadas ante grandes recipientes de barro colocados sobre un fuego que ardía lentamente en un agujero cavado en la tierra. Vigilaban el agua hirviente. Una de ellas tomó flores secas amarillas y marrones y las echó a su olla como si fuese una bruja preparando un filtro. Contempló subir las flores y girar suavemente en el agua. Entonces echó unos polvos blancos.

—Y el día de las flores también vendrá usted. ¡Ah! Si Ramón es el centro del mundo nuevo, un mundo de flores nuevas surgirá a su alrededor para apartar el mundo antiguo. La nombro la Primera Flor.

Salieron del patio. Los soldados habían traído el negro semental árabe para Cipriano, y el asno para ella, sobre el cual podía montar de lado, como las campesinas. Así cruzaron el cálido y desierto silencio de la población de barro y enfilaron el sendero de polvo profundo y grisáceo bajo árboles muy verdes que empezaban a florecer para llegar al fin a la orilla silenciosa del extremo del lago, donde las delicadas redes de pescar colgaban en largas hileras y ondeaban al viento, una tras otra balanceándose sobre los guijarros, mientras un poco más lejos se balanceaba el verde maíz y los esponjosos sauces temblaban como suaves plumas verdes.

El lago se extendía pálido e irreal hasta el infinito; la lancha motora se acercó a la playa. Las negras canoas permanecían inmóviles algo más adentradas en el lago. Dos mujeres, diminutas como pájaros, lavaban arrodilladas en la orilla del agua.

Kate saltó del asno.

—¿Por qué no sigue montada hasta la lancha? —inquirió Cipriano.

Ella miró la lancha y pensó en el asno tropezando y salpicando.

—No —contestó—, iré a pie por el agua, como antes.

El llegó hasta el agua con su árabe negro, que olfateó y entró con paso delicado en las cálidas aguas. Luego, cuando se encontraba un poco más adentro, se detuvo y comenzó de repente a piafar en el agua, como si escarbara en la tierra, de la manera más extraña posible, golpeando rápidamente el agua con las manos, de modo que se formaban pequeñas olas que le salpicaban las negras patas y el vientre.

Pero también salpicaba a Cipriano, que tiró de las riendas y tocó al animal con las espuelas. El caballo saltó y echó a andar medio aturdido, como si bailara en el agua, muy airosamente, haciendo un ruido de chapoteo. Cipriano lo tranquilizó y el animal siguió vadeando ágilmente las aguas del vasto lago, bajando la negra cabeza para mirar con una especie de fascinación el fondo de piedras y agitando la negra cola mientras movía sus negras y brillantes ancas.

Entonces, de pronto, volvió a detenerse y, con un rápido golpe de la mano, envió un chorro de agua al aire que mojó su vientre brillante hasta que pareció una serpiente negra y las patas, húmedas columnas. Y de nuevo Cipriano levantó la cabeza del caballo y lo tocó con las espuelas, obligándole a bailar en un remolino de agua.

—¡Oh, es tan gracioso! ¡Su aspecto es tan elegante cuando piafa en el agua! —gritó Kate desde la orilla—. ¿Por qué lo hace?

Cipriano se volvió en la silla y la miró con la repentina y alegre risa india.

—Le gusta mojarse... ¿quién sabe?

Un soldado se acercó corriendo y tomó las bridas. Cipriano desmontó con agilidad desde el estribo y saltó hacia atrás para aterrizar limpiamente en la cubierta de la lancha; un auténtico jinete salvaje. El soldado saltó descalzo a la silla y condujo al caballo a la playa. Pero el semental negro, viril y voluntarioso, siguió insistiendo en golpear el agua y salpicarse, con un deleite ingenuo y travieso.

—¡Mire! ¡Mire! —exclamó Kate—. ¡Qué bonito!

Pero el soldado estaba encogido en la silla, subiendo los pies como un mono y gritando al caballo. Iba a mojar sus bellos arneses.

Condujo al árabe en diagonal por el agua hacia donde una anciana, sentada en su propio silencio y antes casi invisible, estaba acurrucada en el agua, de la que sólo sobresalían sus hombros desnudos, y se mojaba la cabeza gris con media calabaza que llenaba de agua una y otra vez. El caballo salpicaba y bailaba, y la anciana se enderezó, pegándose a su cuerpo la camisa mojada, y refunfuñó con voz tranquila, inclinándose hacia delante con su media calabaza en la mano; el soldado rió, el caballo negro piafó, alegre y excitado, levantando chorros de agua, y el soldado volvió a gritar... pero sabía que podía hacer responsable a Cipriano de las salpicaduras del animal.

Kate caminó despacio hasta la lancha y subió a bordo. El agua era caliente, pero el viento soplaba con una densidad fuerte y eléctrica. Kate se secó rápidamente los pies y las piernas con el pañuelo y se puso las medias de seda y los zapatos marrones.

Se sentó y miró hacia atrás, al extremo del lago, el desierto de guijarros, las redes transparentes y, más lejos, la tierra negra con el verde maíz, el verdor de un grupo de árboles y el accidentado sendero que se adentraba en las hileras de vetustos árboles por donde los soldados de Jaramay se alejaban ahora montados en el caballo negro y el asno. A la derecha había un rancho; un edificio negro, largo y bajo y un racimo de chozas negras con tejados de tejas vacíos con vallas de juncos y grupos de plátanos y sauces llorones. Todo a la densa e inmutable luz de la tarde, con el lago extendiéndose hasta lo invisible entre las montañas irreales.

—¡Qué hermoso es esto! —admiró Kate—. Casi podría vivir aquí.

—Ramón dice que convertirá al lago en el centro de un nuevo mundo —observó Cipriano—. Seremos los dioses del lago.

—Yo me temo que soy sólo una mujer —dijo Kate.

Los ojos negros de él la miraron rápidamente.

—¿Qué significa esto: sólo una mujer? —inquirió con severidad.

Ella bajó la cabeza. ¿Qué significaba? ¿Qué significaba en realidad? ¡Sólo una mujer! Dejó que su alma volviera a sumirse en la bella evasividad en la que todo es posible, incluso poder ser evasivo entre los dioses.

La lancha, seguida de una estela de espuma, avanzaba con rapidez por el agua de un marrón pálido. Los soldados, que estaban en la proa para compensar el peso, se acurrucaban en el suelo con la expresión vidriosa y embotada de la gente soñolienta. Y pronto se amontonaron en el fondo de la embarcación, formando dos pequeños bultos acostados y en contacto.

Cipriano estaba sentado junto a Kate, sin guerrera, con los brazos en mangas de camisa extendidos sobre el respaldo de su asiento. La cartuchera se apoyaba en sus caderas. Su rostro carecía de expresión, sólo miraba hacia delante. El viento despeinaba los negros mechones de su frente y los pelos de la barba. Su mirada se cruzó con la de Kate con una sonrisa distante y remota en el fondo de sus ojos negros. Pero era un maravilloso reconocimiento de ella.

El barquero iba erguido en la popa, vigilando con pálidos ojos de conciencia superficial. El gran sombrero oscurecía su rostro, la cinta del mentón resbaló hasta la mejilla. Sintiendo que ella le miraba, le echó una rápida ojeada como si no existiera para él.

Kate se volvió, tiró los almohadones al suelo y se acostó sobre ellos. Cipriano se puso en pie en la oscilante cubierta y le alargó otro almohadón. Kate se cubrió la cara con el chal mientras el motor susurraba, la toldilla gemía bajo el viento repentino y las olas se levantaban tras la popa, golpeando la lancha e impulsándola hacia delante, enviando espuma al aire en el calor y el silencio del lago.

Kate perdió la conciencia bajo el chal amarillo, en el silencio de los hombres.

Se despertó por la súbita interrupción del motor y se incorporó. Estaban cerca de la orilla; los blancos campanarios de San Pablo asomaban entre los árboles. El barquero, con los ojos muy abiertos, se inclinaba sobre el motor, abandonando la caña del timón. Las olas hacían girar lentamente la lancha.

—¿Qué ocurre? —preguntó Cipriano.

—¡Más gasolina, Excelencia! —repuso el barquero.

Los soldados se despertaron y levantaron.

La brisa había amainado.

—Vienen las aguas —dijo Cipriano.

—¿La lluvia? —preguntó Kate.

—Sí... —y señaló con el fino dedo oscuro, que era pálido en la yema, las nubes negras que salían corriendo de detrás de las montañas, y en otro lugar más lejano se levantaban grandes y densos nubarrones con extraña premura. El aire parecía espesarse encima de sus cabezas. En diversos lugares centelleaban los relámpagos y lejos, muy lejos, sonaban truenos apagados.

La lancha seguía parada. Se olía a gasolina. El barquero se afanaba con el motor, que volvió a ponerse en marcha para detenerse una vez más a los pocos momentos.

El hombre enrolló sus pantalones y, ante el asombro de Kate, se metió en el agua a pesar de que estaban a una milla de la playa. El agua no le llegaba a las rodillas. Se encontraban en un banco. El barquero empujó la lancha, caminando por el agua en silencio.

—¿Es profundo el lago un poco más adelante? —le preguntó Kate.

—Allí, señorita, donde nadan aquellas aves de pecho blanco, tiene ocho metros y medio de profundidad —contestó el barquero, señalando mientras caminaba.

—Tenemos que apresurarnos —dijo Cipriano.

—¡Sí, Excelencia!

El hombre volvió a bordo, saltando con sus piernas largas y bien formadas. El motor farfulló. La lancha empezó a correr a toda velocidad. Se estaba levantando un viento nuevo y frío.

Pero doblaron un recodo y vieron delante de ellos el promontorio plano con los oscuros mangos y el amarillo pálido del piso superior de la hacienda de Jamiltepec descollando entre los árboles. Las palmeras se erguían inmóviles, la buganvilla pendía en pesadas hojas de color magenta. Kate podía ver chozas de peones entre los árboles, y mujeres lavando arrodilladas sobre piedras a la orilla del lago, donde desembocaba el río, y una gran plantación de plátanos justamente encima.

Un viento fresco giraba en los cielos. Nubes negras se iban amontonando. Ramón bajó lentamente al pequeño puerto cuando estaban desembarcando.

—Viene el agua —dijo en español.

—Llegamos a tiempo —contestó Cipriano.

Ramón miró a ambos a la cara y comprendió. Kate, en su mucha evasividad, rió suavemente.

—Hay otra flor abierta en el jardín de Quetzalcóatl —anunció Cipriano en español.

—Bajo la roja planta canácea de Huitzilopochtli —dijo:

—Sí, allí, señor —asintió Cipriano—. *¡Pero una florecita tan zarca! Y abrió en mi sombra, amigo**

—*Eres hombre de alta fortuna.**

—*¡Verdad!**

Debían ser las cinco de la tarde. El viento silbaba entre las hojas y de repente la lluvia empezó a caer envuelta en vapor blanco. El suelo era un sólido humo blanco de agua y el lago había desaparecido.

—Tendrá que quedarse aquí esta noche —dijo Cipriano a Kate en español, con la suave y envolvente voz de los indios.

—Pero la lluvia cesará —objetó ella.

—Tendrá que quedarse aquí —repitió él la misma frase española, con una voz curiosa, parecida a una ráfaga de viento.

Kate miró a Ramón, sonrojada. El le dirigió una mirada que a Kate se le antojó muy remota, muy distante.

—La novia de Huitzilopochtli —dijo con una débil sonrisa.

—Tú, Quetzalcóatl, tendrás que casarnos —pidió Cipriano.

—¿Lo deseáis así? —inquirió Ramón.

—¡Sí! —afirmó ella—. Quiero que nos case usted, sólo usted.

—Cuando se ponga el sol —decidió Ramón.

Y se fue a su dormitorio, Cipriano acompañó a Kate a su habitación y entonces la dejó y fue a ver a Ramón.

La fría lluvia continuó cayendo, precipitándose desde el cielo con el vapor de la velocidad.

Cuando llegó el crepúsculo a través de la incesante lluvia, una criada llevó a Kate un vestido o camisa sin mangas de hilo blanco, con un volante al final de la falda bordado todo él con rígidas flores azules puestas al revés sobre los tallos negros y con dos rígidas hojas verdes. En el centro de las flores había el diminuto Pájaro de Quetzalcóatl.

—¡El patrón le ruega que se ponga este vestido! —dijo la mujer, que llevaba también una linterna y una breve nota.

La nota era de Ramón, redactada en español: «Toma el vestido de la novia de Huitzilopochtli y póntelo, y no lleves otra prenda que ésta. No dejes ningún hilo ni otra cosa del pasado que pueda tocarte. El pasado se ha desvanecido. Este es el nuevo crepúsculo.»

Kate no sabía muy bien cómo ponerse la camisa, pues no tenía mangas ni aberturas para meter los brazos; era una túnica recta con un cordón cosido a la cintura. Entonces recordó la antigua costumbre india y ató el cordón por encima de su hombro izquierdo; o, mejor dicho, pasó el cordón atado por encima de su hombro izquierdo, dejando al descubierto los brazos y parte del pecho derecho; la túnica quedaba así muy fruncida sobre sus pechos. Y suspiró, porque no era más que una camisa con flores puestas al revés en la parte baja de la falda.

Ramón, descalzo, vestido de blanco, fue a buscarla y la llevó en silencio hasta el jardín. El zaguán estaba oscuro y la lluvia caía sin tregua en el crepúsculo, pero estaba remitiendo. Todo era oscuridad crepuscular.

Ramón se quitó el blusón y lo tiró a las escaleras. Entonces, con el pecho desnudo, la condujo al jardín bajo la persistente lluvia. Cipriano salió a su encuentro, descalzo, con el pecho desnudo y los anchos pantalones blancos y la cabeza descubierta.

Permanecieron en pie sobre la tierra, que todavía emanaba el humo blanco de las aguas. La lluvia los empapó en un momento.

—Descalzos sobre la tierra viva, con los rostros abiertos a la lluvia viva —recitó Ramón en español y con voz queda—, a la hora del crepúsculo, entre la noche y el día; hombre y mujer, en presencia de la estrella inmortal, se encuentran para ser perfectos el uno en el otro. Levanta tu rostro, Caterina, y di: *Este hombre es mi lluvia del cielo.*

Kate levantó la cara y cerró los ojos bajo el chaparrón.

—Este hombre es mi lluvia del cielo —dijo.

—Esta mujer es la tierra para mí; repítelo, Cipriano —habló Ramón, hincando una rodilla y poniendo la mano plana sobre la tierra.

Cipriano se arrodilló y puso la mano sobre la tierra.

—Esta mujer es la tierra para mí —dijo.

—Yo, mujer, beso los pies y los talones de este hombre, porque seré fuerza para él durante todo el largo crepúsculo del Lucero del Alba.

Kate se arrodilló y besó los pies y talones de Cipriano y pronunció las palabras.

—Yo, hombre, beso la frente y el pecho de esta mujer porque seré su paz y su acrecentamiento durante todo el largo crepúsculo del Lucero del Alba.

Cipriano la besó y pronunció las palabras.

Entonces Ramón puso la mano de Cipriano sobre los ojos húmedos de lluvia de Kate, y la mano de Kate sobre los ojos húmedos de lluvia de Cipriano.

—Yo, una mujer, bajo la oscuridad de esta mano que me cubre, ruego a este hombre que venga a mí en el corazón de la noche y no me niegue jamás —recitó Kate—, y que ello sea un lugar constante entre nosotros, para siempre.

—Yo, un hombre, bajo la oscuridad de esta mano que me cubre, ruego a esta mujer que me reciba en el corazón de la noche, en el lugar constante que está entre nosotros para siempre.

—El hombre traicionará a la mujer, y la mujer traicionará al hombre —dijo Ramón— y le será perdonado a cada uno de los dos. Pero si se han conocido como tierra y lluvia, entre el día y la noche, en la hora de la Estrella; si el hombre ha conocido a la mujer con su cuerpo y la estrella de su esperanza, y la mujer ha conocido al hombre con su cuerpo y la estrella de su deseo, de modo que se haya producido una unión, y un lugar constante para ambos donde se han conocido como una sola estrella, ninguno de los dos podrá traicionar al lugar constante donde el encuentro vive como una estrella perenne. Porque si uno de ellos traiciona al lugar constante de los dos, no le será perdonado ni de día ni de noche ni en el crepúsculo de la estrella.

La lluvia remitía, la noche era oscura.

—Id a bañaros en el agua tibia que es paz entre todos nosotros. Y untad de aceite vuestros cuerpos, que es la quietud del Lucero del Alba. Ungid incluso las plantas de vuestros pies y las raíces de vuestros cabellos.

Kate subió a su habitación y encontró en ella una gran bañera de barro llena de agua caliente, y grandes toallas. También, en un hermoso cuenco, aceite, y un trozo de suave algodón.

Bañó su cuerpo húmedo de lluvia en el agua caliente, se secó y ungió su cuerpo con el claro aceite, que era claro como el agua, y suave, y despedía un ligero perfume y era bueno para la piel. Untó todo su cuerpo, incluso entre los cabellos y bajo los pies, hasta que sintió un agradable olor.

Entonces se puso otra de las túnicas con flores azules invertidas que habían dejado para ella sobre la cama, y encima un vestido de lana verde tejido a mano, hecho de dos piezas unidas por los lados, que dejaban entrever un poco la túnica blanca de debajo, y se juntaban sobre el hombro izquierdo. En la parte baja de la falda había bordada una rígida flor azul sobre un tallo negro, con dos hojas negras, a ambos lados del volante. Y la camisa blanca dejaba al descubierto una parte del pecho y asomaba por debajo de la falda verde, enseñando las flores azules.

Era extraño y primitivo, pero hermoso. Metió los pies en los verdes buaraches trenzados. Pero necesitaba un cinturón. Se ciñó el talle con un trozo de cinta.

Un mozo llamó a la puerta para anunciar que la cena estaba servida.

Riendo tímidamente, se dirigió al salón.

Ramón y Cipriano la esperaban en silencio, vestidos con sus prendas blancas. Cipriano llevaba el sarape rojo echado sobre los hombros.

—¡Bien! —aprobó Cipriano, adelantándose—. La novia de Huitzilopochtli, como una mañana verde. Pero Huitzilopochtli te pondrá la faja, y tú le pondrás los zapatos, para que jamás te abandone y estés siempre bajo su hechizo.

Cipriano ató a su cintura una estrecha faja de lana blanca con blancas torres bordadas sobre un fondo negro y rojo. Y ella se agachó y deslizó en los pequeños y oscuros pies de Cipriano los buaraches de tiras de cuero con una cruz negra sobre los dedos.

—Otro pequeño regalo —dijo Ramón.

Hizo que Kate pasara sobre la cabeza de Cipriano un cordón azul del que pendía un pequeño símbolo de Quetzalcóatl, la serpiente en plata y el pájaro en azul turquesa.

—¡Bien! —exclamó Ramón—. Este es el símbolo de Quetzalcóatl, el Lucero del Alba. Recordad que el matrimonio es el lugar del encuentro y el lugar del encuentro es la estrella. Si no hay estrella, ni lugar de encuentro, ni verdadera unión del hombre con la mujer en un ser completo, no existe el matrimonio. Y si no hay matrimonio, no existe más que la agitación. Si no hay un honrado encuentro del hombre con la mujer y de la mujer con el hombre, no puede ocurrir nada bueno. Pero si hay encuentro, quien traicione el lugar constante, que es el lugar del encuentro, que es lo que vive como una estrella entre el día y la noche, entre la oscuridad de la mujer y el amanecer del hombre, entre la noche del hombre y la mañana de la mujer, no será perdonado jamás, ni aquí ni en el más allá. Porque el hombre es frágil y la mujer es frágil, y nadie puede fijar la línea por la que otro tiene que andar. Pero la estrella que está entre dos personas y es su lugar de encuentro no debe ser traicionada.

»Y la estrella que está entre tres personas, y es su lugar de encuentro, no debe ser traicionada.

»Y la estrella que está entre todos los hombres y mujeres, y entre todos los hijos de los hombres, no debe ser traicionada.

»Quien traicione a otro hombre, traiciona a un hombre como él mismo, un fragmento. Porque si no hay estrella entre un hombre y otro hombre, o incluso entre un hombre y una esposa, no hay nada. Pero quien traiciona a la estrella que hay entre él y otro hombre, lo traiciona todo y todo se pierde para el traidor.

»Donde no hay estrella ni lugar constante, no hay nada, por lo que nada puede perderse.

CAPITULO XXI

LA REAPERTURA DE LA IGLESIA

Kate volvió a su casa de Sayula, y Cipriano a su cuartel de la ciudad.

—¿No quieres venir conmigo? —inquirió él—. ¿Por qué no nos casamos civilmente y vivimos en la misma casa?

—No —repuso ella—. Me he casado contigo por Quetzalcóatl y por nadie más. Seré tu esposa en el mundo de Quetzalcóatl y no en otro. Y si la estrella ha surgido entre nosotros, la contemplaremos.

Sentimientos de pugna jugaron en los ojos oscuros de Cipriano. No podía soportar que le contrariaran. Pero en seguida volvió la mirada fuerte y distante.

—Muy bien —dijo—. Es lo mejor.

Y se marchó sin volver a mirarla.

Kate volvió a su casa, sus criados y su mecedora. En su interior se mantenía muy quieta y casi sin pensamientos, haciendo caso omiso del paso del tiempo. Lo que debía ocurrir, ocurriría por sí mismo.

Ya no temía las noches, cuando estaba sola en la oscuridad. Pero temía un poco los días. La asustaba tan mortalmente cualquier contacto.

Una mañana abrió la ventana de su dormitorio y miró hacia el lago. Había salido el sol, y extrañas sombras borrosas se cernían sobre las colinas que dominaban el lago. En la orilla del agua una mujer duchaba con una calabaza vacía a un cerdo escultural, mojándolo con movimientos rápidos y asiduos. La pareja se veía en silueta contra el pardo y pálido lago.

Pero era imposible quedarse ante la ventana abierta para mirar el angosto camino. Un anciano apareció de repente y le ofreció una hoja llena de minúsculos peces, charales, parecidos a astillas de vidrio, por diez centavos, y una muchacha abría una esquina de su rebozo para enseñar tres huevos a Kate con una mirada implorante. Una vieja se acercaba con una historia triste que Kate ya conocía. Huyó de la ventana y la importunidad.

En el mismo instante, el sonido que siempre hacía detener su corazón retembló en el aire invisible. Era el sonido de los tambores, de los tam-tam golpeados con rapidez. El mismo sonido que oyera sonar en la distancia en la penumbra tropical de Ceilán, al atardecer, procedente del templo. El mismo sonido que había oído al borde de los bosques del norte, cuando los pieles rojas bailaban en torno al fuego. El sonido que despierta oscuros y antiguos ecos en el corazón de todos los hombres, el ruido sordo del mundo primitivo.

Dos tambores palpitaban con violencia uno contra otro. Después fueron debilitándose paulatinamente, con un curioso ritmo irregular, hasta que por fin quedó sólo una nota lenta, continua y monótona, como una gran gota de oscuridad que cayera pesadamente, de modo continuo, en la soleada mañana.

El pasado evocado es aterrador, y si se evoca para arrollar el presente, es diabólico. Kate sentía verdadero terror al oír un tamtam. Parecía golpearla directamente sobre el plexo solar, provocándole náuseas.

Fue hacia la ventana. Al otro lado del camino se elevaba un alto muro de jardín construido con ladrillos de adobe, y por encima de él, el sol brillaba sobre las copas de los naranjos, como oro puro. Más allá de los naranjos había tres altas y despeinadas palmeras de esbeltos troncos. Y sobre las copas de las dos palmeras más altas asomaban los campanarios gemelos de la iglesia. Los había contemplado muy a menudo; las dos cruces griegas de hierro parecían apoyarse en las copas de las palmeras.

Ahora, en un instante, vio el brillo del símbolo de Quetzalcóatl en el lugar donde estaban las cruces: dos soles circulares, con el oscuro pájaro en el centro. El oro de los soles —o las serpientes— lanzaba destellos a la luz del sol, y el pájaro alzaba las alas oscuras dentro del círculo.

Entonces los dos tambores volvieron a latir uno contra otro con el curioso ritmo salvaje e irregular que al principio no parece un ritmo y después da la impresión de contener una llamada casi siniestra en su poder, actuando directamente sobre la sangre indefensa. Kate sintió temblar sus muñecas, tal era su miedo. Además, casi podía oír también los latidos del corazón de Cipriano; su marido en Quetzalcóatl.

—¡Escuche, Niña! ¡Escuche, Niña! —gritó desde la galería la voz asustada de Juana.

Kate fue a la galería. Ezequiel había enrollado su colchón y se estaba subiendo los pantalones. Era domingo por la mañana, día en que solía dormir hasta después de la salida del sol. Sus cabellos negros y tupidos estaban erizados y en su rostro había una expresión soñolienta, pero en su tranquila indiferencia y cabeza algo inclinada Kate pudo observar la secreta satisfacción que le procuraba el bárbaro sonido de los tambores.

—¡Viene de la iglesia! —exclamó Juana.

Kate sorprendió inesperadamente la mirada oscura dé la mujer. En general se olvidaba de que Juana era de piel oscura, y diferente. Pasaba días enteros sin tenerlo en cuenta, hasta que de pronto encontraba la mirada negra y vacía con un destello en el centro, y, con un sobresalto interior, se preguntaba involuntariamente: «¿Me odia?».

¿O era sólo la indescriptible diferencia de la sangre?

Ahora, en el oscuro destello que Juana le enseñara durante un momento, Kate leyó miedo, triunfo y un desafío lento y salvaje. Algo muy inhumano.

—¿Qué significa? —le preguntó Kate.

—Significa, Niña, que ya no repicarán más las campanas. Se las han llevado y ahora tocan los tambores en la iglesia. ¡Escuche! ¡Escuche!

Los tambores volvían a latir rápidamente.

Kate y Juana fueron hacia la ventana abierta.

—¡Mire, Niña! ¡El Ojo del Otro! Ya no hay cruces en la iglesia. Es el Ojo del Otro. ¡Mire cómo brilla! ¡Qué bonito!

—Significa —dijo la voz ronca de Ezequiel, que cada día era más profunda— que ahora es la Iglesia de Quetzalcóatl. Es el templo de Quetzalcóatl, nuestro propio Dios.

Resultaba evidente que era un acendrado Hombre de Quetzalcóatl.

—¡Imagínese! —murmuró Juana con voz reverente. Parecía un montón de oscuridad chata al lado de Kate.

Entonces levantó de nuevo la vista, y los ojos de las dos mujeres se encontraron un momento.

—¡Mira los ojos de sol de la Niña! —exclamó Juana, posando la mano sobre el brazo de Kate. Los ojos de Kate eran del color de la avellana y cambiaban del gris al oro, y en este momento centelleaban con asombro y un matiz de miedo y consternación. Juana pareció triunfante.

Un hombre de sarape blanco con bordes azules y negros apareció de repente ante la ventana, levantó su sombrero, que ostentaba el signo de Quetzalcóatl, y pasó una tarjeta por entre las rejas.

La tarjeta decía: «Venga a la iglesia cuando oiga el tambor grande; hacia las siete». Lo firmaba el signo de Quetzalcóatl.

—¡Muy bien! —respondió Kate—. Vendré.

Eran ya las siete menos cuarto. Frente a la habitación se oía la escoba de Juana barriendo la galería. Kate se puso un vestido blanco y un sombrero amarillo, y se adornó con un largo collar de topacios muy pálidos que despedían destellos amarillos y malvas.

La tierra estaba muy mojada por la lluvia y las hojas se veían frescas y con un verdor tropical, pero muchas hojas viejas habían sido barridas y alfombraban el suelo.

—¡Niña! ¿Ya sale? ¡Espere! ¡Espere! El café. ¡Cancho, de prisa!

Corrieron unos pies descalzos, las niñas llevaron taza, plato, bollos y azúcar y la madre llegó cojeando con el café. Ezequiel pasó por el camino y levantó su sombrero. Se dirigía a las habitaciones del servicio.

—Ezequiel dice... —empezó a gritar Juana. Y de pronto sonó un golpe suave y profundo que pareció trazar un hueco en el aire. ¡Pom!... ¡Pom!... ¡Pom!, muy lentamente. Era el tambor grande, irresistible.

Kate se levantó inmediatamente.

—Me voy a la iglesia —dijo.

—Sí, Niña... Ezequiel dice... Ya voz, Niña...

Y Juana se alejó renqueando a buscar su rebozo negro.

El hombre del sarape blanco con bordes azules y negros estaba esperando junto a la verja. Levantó su sombrero y echó a andar detrás de Kate y Juana.

—¡Nos está siguiendo! —susurró Juana.

Kate tapó sus hombros con el chal amarillo.

Era domingo por la mañana, los veleros se alineaban ante la orilla del agua con sus cascos negros. Pero la playa estaba vacía. Mientras el gran tambor dejaba caer su lenta y sonora nota, las últimas personas corrían apresuradas hacia la iglesia.

Frente a la iglesia había una multitud de nativos, los hombres con oscuros sarapes o sus mantas rojas sobre los hombros; las noches de lluvia eran frías; y los sombreros en las manos. ¡Las altas y oscuras cabezas indias! Las mujeres con rebozos azules les seguían. El gran tambor hacía explotar lentamente su nota desde el campanario. Kate tenía el corazón en la boca.

En el centro de la multitud, una doble hilera de hombres con los sarapes escarlatas y el diamante negro de Huitzilopochtli sobre los hombros formaba con sus rifles una recta senda entre la muchedumbre.

—¡Pase! —dijo a Kate su guardián. Y Kate entró en la senda de sarapes escarlatas y negros, a pasos lentos y aturdidos porque la observaban los ojos negros de muchos hombres. Su guardián la seguía, pero habían prohibido a Juana que se acercara.

Kate se miró los pies y tropezó. Entonces levantó la vista.

Ante la entrada del patio de la iglesia se hallaba una figura brillante con un sarape cuyos zigzags escarlatas, blancos y negros serpenteaban, deslumbrantes, hasta los negros hombros; encima de los cuales se erguía la cabeza de Cipriano, tranquila y soberbia, con la pequeña perilla y las cejas arqueadas. La saludó levantando la mano.

Detrás de él, una doble hilera de guardas de Quetzalcóatl, con sus sarapes de bordes azules y negros, se extendía desde el umbral del patio hasta la puerta cerrada de la iglesia.

—¿Qué debo hacer? —interrogó Kate.

—Quédate aquí conmigo un momento —dijo Cipriano sin moverse de la verja.

No era nada fácil enfrentarse a aquellas caras oscuras y ojos negros y centelleantes. Después de todo, ella era una gringuita, y se sentía como tal. ¿Un sacrificio? ¿Era ella un sacrificio? Bajó la cabeza, tocada con el sombrero amarillo, y contempló el collar de topacios brillando y agitando sus delicados y pálidos colores contra el vestido blanco. Joachim se lo había regalado; lo había confeccionado para ella en Cornualles. ¡Tan lejos! ¡En otro mundo, en otra vida, en otra era! Ahora estaba condenada a pasar por estas extrañas pruebas, como una víctima.

El gran tambor del campanario enmudeció, y de improviso los pequeños tambores empezaron a sonar como una lluvia de granizo en el aire, y con la misma rapidez se extinguieron.

En tonos bajos y profundos, la guardia de Quetzalcóatl profirió al unísono:

—¡Oye! ¡Oye! ¡Oye! ¡Oye!

La pequeña puerta insertada en las grandes puertas de la iglesia se abrió y don Ramón apareció en el umbral. Vestido de blanco, con el sarape de Quetzalcóatl, permaneció a la cabeza de sus hileras de guardas hasta que se hizo el silencio. Entonces levantó su brazo derecho desnudo.

—Nunca sabremos qué es Dios —dijo con fuerte voz a todo el pueblo.

La Guardia de Quetzalcóatl se volvió hacia el pueblo, levantando el brazo derecho.

—¡Nunca sabréis qué es Dios! —repitieron.

Después, entre el gentío, la Guardia de Huitzilopochtli pronunció las mismas palabras.

Tras lo cual se hizo un silencio total en el que Kate fue consciente de una selva de ojos negros que brillaban con un fuego blanco.

«Pero los Hijos de Dios van y vienen.
Vienen de más allá del Lucero del Alba;
Y allí retornan desde la tierra de los hombres.»

Era nuevamente la solemne y fuerte voz de Ramón. Kate miró su rostro; era cremosa en su palidez, pero de expresión inmutable, y parecía estar enviando un grito de cambio hacia la multitud, arrancándoles de su vulgar complacencia.

La Guardia de Quetzalcóatl se volvió hacia el gentío y repitió las palabras de Ramón.

«María Jesús os han dejado para ir al lugar
[de renovación.

Y Quetzalcóatl ha venido. Está aquí.
Es vuestro señor.»

Con estas palabras, Ramón pudo introducir el poder de su fuerte voluntad entre la muchedumbre, que empezó a doblegarse bajo su influencia. Mientras miraba hacia todos aquellos ojos negros, sus propios ojos parecían carecer de expresión, aunque daban la impresión de estar viendo el corazón de toda la oscuridad que había frente a él, donde su incomprensible misterio divino vivía y se movía.

«Los que me siguen deben cruzar las montañas
[del cielo,
Y, más allá de las casas de las estrellas nocturnas,
Sólo podrán encontrarme en el Lucero del Alba.

»Pero los que no quieran seguirme, no deben mirar.
Si miran, perderán la vista, y si se demoran,
[quedarán lisiados.»

Permaneció un momento en silencio, contemplando a la muchedumbre con el ceño fruncido. Entonces bajó el brazo y dio media vuelta. Las grandes puertas de la iglesia se abrieron, revelando un oscuro interior. Ramón entró solo en la iglesia. Dentro de ella, el tambor empezó a latir. La guardia de Quetzalcóatl fue entrando lentamente en la penumbra del interior, y la guardia escarlata de Huitzilopochtli pasó al patio de la iglesia para ocupar el lugar de la guardia de Quetzalcóatl. Cipriano permaneció en el umbral del patio. Su voz sonó clara y militar.

—Escuchadme, pueblo. Podéis entrar en la casa de Quetzalcóatl. Los hombres deben dirigirse hacia la derecha y la izquierda, y quitarse los zapatos y mantenerse erguidos. Ante un nuevo Dios, nadie debe arrodillarse.

»Las mujeres deben entrar por el centro, y cubrir sus rostros. Y pueden sentarse en el suelo.

»Pero los hombres han de mantenerse en pie, y erguidos.

»Entrad ahora, los que os atreváis.»

Kate entró en el templo con Cipriano.

Todo era diferente, el suelo estaba pulido y era negro, las paredes tenían franjas de color, el lugar parecía oscuro. Dos hileras de los hombres vestidos de blanco de Quetzalcóatl formaban una larga avenida en el centro de la iglesia.

—Por aquí —indicó uno de los hombres de Quetzalcóatl en voz baja—, conduciendo a Kate hacia el centro, entre las inmóviles hileras de hombres.

Kate caminó sola y asustada por el pavimento negro y pulido, cubriéndose el rostro con el chal amarillo. Las columnas de la nave eran de color verde oscuro, como árboles que se elevaran hacia un techo profundo y azul. Los muros estaban rayados verticalmente en negro y blanco, bermellón, amarillo y verde, y las ventanas ostentaban cristales azules, escarlatas y negros, y tenían puntos de luz. Aquellos ventanales formaban un extraño laberinto.

La luz del día se filtraba solamente a través de las pequeñas ventanas que había casi a la altura del techo profundo y azul, donde las franjas de los muros convergían en un laberinto verde, como hojas de plátanos. Abajo, la iglesia estaba sumida en la oscuridad, adornada con colores vivos.

Kate avanzó hasta los escalones del altar. Detrás del presbiterio, donde antes se alzaba el altar, ardía una pequeña pero intensa luz blanca y azulada, y más abajo había una oscura y gigantesca figura, como un extraño bloque, al parecer tallada en madera. Era un hombre desnudo tallado de forma arcaica y algo plana, que tenía el brazo derecho sobre la cabeza y sobre este brazo mantenía en equilibrio un águila de madera tallada con las alas extendidas; la parte superior de las alas brillaba como el oro, cerca de la luz, mientras la parte inferior era una sombra negra. En torno a la maciza pierna izquierda de la imagen masculina estaba tallada una serpiente, también dorada, cuya cabeza descansaba en la mano de la figura, cerca del muslo. El rostro del hombre era oscuro.

Esta gran estatua era rígida como una columna y bastante imponente en el azul presbiterio iluminado por la luz blanca.

A los pies de la estatua había un altar de piedra en el que ardía un pequeño fuego de madera de ocote. Y en un trono bajo, al lado del altar, estaba Ramón.

La gente empezaba a entrar en la iglesia. Kate oyó el extraño sonido de los pies desnudos de los hombres sobre el suelo negro y pulido; las blancas figuras avanzaban hacia los escalones del altar, con los rostros cobrizos llenos de asombro, persignándose involuntariamente. Filas de hombres fueron entrando con lentitud, y las mujeres les seguían casi corriendo para agacharse en el suelo y cubrir sus caras. Kate también se puso en cuclillas.

Una hilera de hombres de Quetzalcóatl se colocó a los pies del altar, como una valla con un agujero en el centro, de cara a los fieles. Frente al hueco estaba el altar iluminado y Ramón.

Ramón se puso en pie. Los hombres de Quetzalcóatl se volvieron para darle la cara y levantaron los brazos derechos desnudos en el mismo gesto de la estatua. Ramón también levantó el brazo, y el sarape le resbaló hacia el hombro, revelando el costado desnudo y la faja azul.

—¡Que todos los hombres saluden a Quetzalcóatl! —ordenó una voz clara.

Los hombres escarlatas de Huitzilopochtli se estaban mezclando con los hombres de la congregación, haciendo poner en pie a los que se habían arrodillado y levantando el brazo derecho de algunos, poniendo las palmas hacia el cielo, alzando las caras y enderezando y tensando los cuerpos. Eran la estatua que recibía al águila.

Y así, en torno a las matas bajas y oscuras de las mujeres agachadas se levantó un bosque de hombres erguidos, poderosos y tensos por la inexplicable pasión. Era un bosque de oscuras muñecas y manos levantadas hacia los muros rayados y vibrantes y el laberinto verde que se elevaba hacia las pequeñas ventanas enrejadas abiertas de par en par para que entrara la luz y el aire del techo.

—Yo soy el viviente Quetzalcóatl —anunció ia voz solemne e impasible de Ramón.

«Soy el Hijo del Lucero del Alba y vástago de las
[profundidades.
Nadie conoce a mi Padre, y yo tampoco le conozco.
Mi Padre está en el fondo de las profundidades,
[desde donde me dio vida.
El envía al águila del silencio sobre espaciosas alas
Para que se apoye en mi cabeza, mi cuello y mi
[pecho
Y me infunda la fuerza de las alas.
Envía a la serpiente de la energía a mis pies y mis
[lomos
Para que la fuerza me invada como agua en
[manantiales calientes.
Pero en el centro brilla, como brilla en el centro
[el Lucero del Alba,
Entre la noche y el día, la Estrella de mi alma,
Que es mi Padre al que no conozco.
Yo os digo, el día no se convertirá en gloria
Ni la noche adquirirá su profundidad
De no ser por las estrellas matutina y vespertina,
[en torno a las cuales giran.
La Noche se cierra sobre mí, y se abre el Día, y yo
[soy la estrella que los separa.
Entre vuestro pecho y vuestro vientre hay una
[estrella.
Si no se encuentra ahí,
Sois calabazas vacías llenas de polvo y viento.
Cuando andáis, la estrella anda con vosotros, entre
[vuestro pecho y vuestro vientre.

Cuando dormís, resplandece con suavidad.
Cuando habláis con verdad y honradez, brilla en
                    [vuestros labios y vuestros dientes.
Cuando eleváis las manos con valor y osadía, su
                    [resplandor es claro en vuestras palmas.
Cuando os volvéis hacia vuestras esposas como los
                    [hombres valientes a sus mujeres,
El Lucero del Alba y la Estrella Vespertina
                                [resplandecen juntas.
Porque el hombre es el Lucero del Alba
Y la mujer es la Estrella Vespertina.
Yo os digo, no sois hombres solitarios.
La estrella del más allá está dentro de vosotros.
Pero ¿habéis visto a un hombre muerto, y cómo
                            [le abandona su estrella?
Así la estrella os abandonará a vosotros, igual que
una mujer abandona al hombre cuyo calor no la
                                [calienta.
Si un día decís: *No tengo ninguna estrella, no soy*
                                [una estrella,
En seguida os abandonará, y penderéis como una
                    [calabaza de la parra de la vida,
Sin más que corteza,
Esperando que las ratas de la oscuridad vengan a
                            [roer vuestras entrañas.
¿Oís las ratas de la oscuridad royendo vuestras
                                [entrañas?
¿Hasta que estéis vacíos como granadas comidas
por las ratas colgando vacías del Arbol de la
                                [Vida?
Si la estrella brillara, no se atreverían, no podrían.
Si fuérais hombres del Lucero del Alba,
Si la estrella brillara dentro de vosotros,
Ninguna rata de la oscuridad se atrevería a roeros.
Pero yo soy Quetzalcóatl, del Lucero del Alba.
Soy el viviente Quetzalcóatl,
Y vosotros sois hombres que deberían ser hombres
                            [del Lucero del Alba.
Cuidad de no convertiros en calabazas roídas por
                                [las ratas.
Yo soy Quetzalcóatl del águila y la serpiente.
La tierra y el aire.
Del Lucero del Alba.
Soy Señor de los Dos Caminos...»

El tambor empezó a latir, los hombres de Quetzalcóatl se despojaron repentinamente de sus sarapes y Ramón hizo lo mismo. Ahora eran hombres desnudos hasta la cintura. Los ocho hombres que estaban en los peldaños del altar subieron ahora al lugar donde ardía la pequeña hoguera, y uno tras otro fueron encendiendo altos cirios verdes, cuya luz era muy clara. Se colocaron a ambos lados del presbiterio, manteniendo los cirios en alto de modo que el rostro de madera de la imagen brilló como si estuviera vivo, y sus ojos de plata y azabache lanzaron curiosos destellos.

—El hombre debe tomar el vino de su espíritu y la sangre de su corazón, el aceite de su vientre y la semilla de sus lomos, y ofrecerlos primero al Lucero del Alba —dijo Ramón en voz alta—, volviéndose hacia el pueblo.

Cuatro hombres se le acercaron. Uno colocó sobre su frente una corona azul con el águila, otro rodeó su pecho con un cinturón rojo, otro le ciñó el talle con un cinturón amarillo, y el último ajustó un cinturón blanco en torno a sus lomos. Entonces el primero apretó un pequeño cuenco de cristal contra la frente de Ramón, y en el cuenco había un líquido blanco que parecía agua brillante. El siguiente le tocó el pecho con un cuenco y el contenido rojo del recipiente se movió de un lado a otro. El tercero le rozó el ombligo con un cuenco que contenía un líquido amarillo, y el último los lomos con un cuenco cuyo contenido era oscuro. Los levantaron todos a la luz.

Luego, los cuatro hombres vertieron los cuatro líquidos en un cuenco de plata que Ramón sostenía con ambas manos.

—Porque si el Dios Desconocido no vierte su Espíritu sobre mi cabeza y fuego en mi corazón, y no envía su poder como una fuente de aceite dentro de mi vientre, y su rayo como un caliente manantial dentro de mis lomos, yo no existo, no soy nada, soy una calabaza muerta.

»Y si no tomo el vino de mi espíritu y el rojo de mi corazón, la fuerza de mi vientre y el poder de mis lomos para mezclarlos todos juntos y encenderlos ante el Lucero del Alba, traiciono a mi cuerpo, traiciono a mi alma, traiciono a mi espíritu y a mi Dios Desconocido.

»El hombre es cuádruple. Pero la estrella es sólo una estrella. Y un hombre es una sola estrella.

Tomó el cuenco de plata y lo removió lentamente entre sus manos, en el acto de la mezcla.

Entonces se volvió de espaldas al pueblo y levantó mucho el cuenco entre sus manos, como ofreciéndolo a la imagen.

Seguidamente, de improviso, echó el contenido del cuenco al fuego del altar.

Hubo una pequeña explosión y una llama azul se elevó en el aire, seguida por una llama amarilla y un humo entre rojo y rosado. En tres instantes sucesivos, los rostros de los hombres que estaban en el presbiterio se iluminaron de azul, de oro y de rojo oscuro. Y en el mismo momento Ramón se volvió hacia el pueblo y levantó la mano.

—¡Saludad a Quetzalcóatl! —gritó una voz—, y los hombres empezaron a levantar los brazos, cuando otra voz sonó como un gemido extraño.

—¡No! ¡Ah, no! ¡Ah, no! —chilló la voz con acento histérico. Procedía de las mujeres puestas en cuclillas, que miraron con temor en su torno y vieron a una mujer vestida de negro arrodillada en el suelo, con el chal negro apartado de la cara levantada y las manos blancas extendidas hacia la Madonna en el antiguo ademán.

—¡No! ¡No! ¡No está permitido! —gritó la voz—. ¡Señor! ¡Señor! ¡Santísima Virgen! ¡Impedídselo! ¡Impedídselo!

La voz quedó reducida otra vez a un gemido, las manos blancas apretaron el pecho, y la mujer de negro empezó a avanzar sobre las rodillas entre las hileras de mujeres que se hacían a un lado para dejarla pasar. Se dirigía al altar sobre las rodillas, con la cabeza baja, emitiendo plañideras súplicas en voz baja.

Kate sintió que se le helaba la sangre. En cuclillas cerca de los escalones del altar, se volvió a mirar hacia atrás, y supo por la forma de la cabeza inclinada bajo el chal negro que la mujer era Carlota.

Toda la iglesia estaba helada por el terror.

—¡Jesús! ¡Salvador! ¡Salvador! ¡Oh, Virgen María! —gemía Carlota mientras se dirigía arrodillada hacia el altar.

Dio la impresión de que pasaron horas antes de que llegara a los escalones del altar. Ramón seguía en pie bajo la gran imagen de Quetzalcóatl, con el brazo levantado.

Carlota, en cuclillas sobre un escalón, levantó las manos blancas y el rostro blanco con el frenesí del antiguo fervor.

—¡Señor! ¡Señor! —gritó con extraña voz estática que heló las entrañas de Kate—. ¡Jesús! ¡Jesús! ¡Jesús! ¡Jesús!

Carlota se ahogaba en su éxtasis. Y todo el tiempo, Ramón, el viviente de Quetzalcóatl, continuaba ante el centelleante altar con el brazo desnudo levantado y mirando con ojos oscuros e inalterables a la mujer que se hallaba a sus pies.

Dolores y convulsiones torturaban el cuerpo de Carlota. Miró hacia arriba con ojos ciegos, y de pronto volvió a sonar su voz en la misteriosa rapsodia de la plegaria:

—¡Señor! ¡Señor¡ ¡Perdónale!

»Dios del amor, ¡perdónale! No sabe lo que hace.

»¡Señor! ¡Señor Jesucristo! Pon fin a esto. Señor del mundo, Cristo crucificado, pon fin a esto. Ten piedad de él, Padre, ¡ten piedad de él!

»Oh, apodérate ahora de su vida, ahora mismo, para que su alma no pueda morir.

Su voz había adquirido fuerza y resonaba metálica y terrible.

—Dios Todopoderoso, quítale la vida y salva su alma.

Y en el silencio que siguió a este grito, sus manos parecieron temblar en el aire como llamas de muerte.

—¡El Omnipotente —dijo la voz de Ramón, hablando en voz. baja, como si se dirigiera a ella— está conmigo, y yo sirvo a la Omnipotencia!

Carlota permaneció con las manos enlazadas en el aire; los brazos blancos y la cara blanca tenían un aspecto místico, como el ónix, en contraste con el fino vestido negro. Estaba absolutamente rígida. Y Ramón, con el brazo levantado, la miraba con expresión abstracta y una ligera contracción en las cejas.

Una fuerte convulsión sacudió el cuerpo de Carlota, que volvió a parecer tensa y emitió ruidos inarticulados. Entonces tuvo otra convulsión, durante la cual levantó los puños con frenesí. Cuando sufrió la tercera convulsión, cayó como un fardo y con un gemido ahogado sobre los escalones del altar.

Kate se levantó de repente y corrió hacia ella para incorporarla. La encontró rígida, con un poco de espuma en los labios descoloridos y ojos fijos y vidriosos.

Kate levantó la mirada hacia Ramón, consternada. Este había dejado caer el brazo y estaba con las manos apoyadas en los muslos, como una estatua. Pero continuaba mirando con los ojos muy abiertos y absortos, sin cambios. Sorprendió la mirada de consternación de Kate y, con la rapidez del rayo, sus ojos buscaron a Cipriano. Entonces volvió a mirar a Carlota desde una distancia inmutable. Ni un músculo de su rostro se movió. Y Kate comprendió que su corazón había muerto en relación con Carlota, que estaba muerto, totalmente muerto, y desde aquella vacuidad mortal contemplaba a su esposa. Sólo su ceño estaba un poco fruncido en la frente lisa y masculina. Sus antiguas conexiones se habían cortado. Kate creyó oírle decir: *No hay ninguna estrella entre Carlota y yo.* ¡Y qué cierto era!

Cipriano acudió con premura, se quitó el brillante sarape, envolvió con él a la pobre figura rígida y, tras levantarla con facilidad, enfiló con ella en los brazos la senda abierta por las mujeres hasta la puerta y salió al resplandeciente sol; y Kate le siguió. Y mientras le seguía, oyó la lenta y profunda voz de Ramón:

«Yo soy el viviente Quetzalcóatl.
Desnudo, salgo de las profundidades,
Del lugar al que llamo mi Padre.

Desnudo, he hecho el viaje de regreso
Desde el cielo, pasando ante los durmientes hijos
                                    [de Dios.

De las profundidades del cielo, salí como un
                                    [águila.
De las entrañas de la tierra como una serpiente.

Todas las cosas que se eleven en la vida que hay
                [entre la tierra y el cielo, me conocen.

Pero yo soy la estrella interior invisible.
Y la estrella es la linterna que sostiene la mano
                            [del Motor Desconocido.

Más allá de mí hay un Señor que es terrible, y
                [maravilloso, y oscuro para mí para siempre.
No obstante, he yacido en sus lomos antes de que
                        [me engendrara en la Madre espacio.

Ahora estoy solo en la tierra, y esto es mío.
Son mías las raíces de la oscura y húmeda senda
                                [de la serpiente.
Y son mías las ramas de las sendas del cielo y del
                                    [pájaro,
Pero la chispa que soy yo es más que sólo mía.

Y los pies de los hombres, y las manos de las
                            [mujeres me conocen.
Y los muslos, rodillas y lomos, y los intestinos de
                [la fuerza y la semilla se iluminan conmigo.
La serpiente de mi mano izquierda besa vuestros
                [pies en la oscuridad con su boca de fuego
                                    [acariciante.
Y pone su fuerza en vuestros talones y tobillos,
                [su llama en vuestras rodillas, piernas y lomos,
                [su círculo de descanso en vuestro vientre.
Porque yo soy Quetzalcóatl, la serpiente
                                    [emplumada,
Y no estoy con vosotros hasta que mi serpiente
                [haya cerrado su círculo de descanso en vuestro
                                    [vientre.
Y yo, Quetzalcóatl, el águila del aire, estoy
                [rozando vuestros rostros con mi visión,

Y dando aire a vuestros pechos con mi aliento,
Y construyendo mi nido de paz en vuestros huesos.
Yo soy Quetzalcóatl, de los Dos Caminos.»

Kate se demoró para oír el final de este himno. Cipriano también se había quedado en el porche, con la extraña figura envuelta en el brillante sarape en sus brazos. Sus ojos se cruzaron con los de Kate. En su mirada negra había una especie de homenaje al misterio de los Dos Caminos; una especie de secreto. Y Kate se sintió inquieta.

Caminaron de prisa bajo los árboles hasta el hotel, que estaba muy cerca, y acostaron a Carlota en una cama. Un soldado ya había ido en busca de un médico; y también mandaron a buscar un sacerdote.

Kate se sentó junto a la cama. Carlota yacía emitiendo breves y horribles gemidos. Los tambores del campanario empezaron a sonar con un ritmo salvaje y complicado. Kate se asomó a la ventana y miró. El gentío estaba saliendo deslumbrado de la iglesia.

Y entonces, desde el tejado de la iglesia llegó el potente canto de unas voces masculinas, que revolotearon como un águila oscura en el aire brillante; un canto profundo e incansable, con un matiz de apasionada seguridad. Kate volvió a la ventana. Vio a los hombres en el tejado de la iglesia y al pueblo apiñado abajo. Y la cadencia de aquel canto interminable, con su fondo de exaltación por el poder y la vida, temblaba en el aire como una oscura e invisible presencia.

Cipriano volvió a entrar, y miró a Carlota y a Kate.

Están entonando la canción de Bienvenida a Quetzalcóatl —anunció.

—¿Es ésta? —preguntó Kate—. ¿Cuáles son las palabras?

—Te conseguiré una hoja —dijo él.

Se quedó a su lado, sometiéndola al hechizo de su presencia. Y ella todavía luchó un poco, como si se estuviera ahogando. Cuando no se ahogaba, sentía deseos de ahogarse. Pero cuando llegaba a ocurrir, luchaba por su antiguo equilibrio.

Se oyó un grito lastimero de Carlota. Kate volvió apresurada a su cabecera.

—¿Dónde estoy? —preguntó la pobre mujer, pálida, horrible, de aspecto agonizante.

—Está descansando en la cama —repuso Kate—. No se inquiete.

—¿Dónde estaba antes? —inquirió la voz de Carlota.

—Quizá ha sufrido una ligera insolación —dijo Kate.

Carlota cerró los ojos.

Entonces, de improviso, el ruido de los tambores resonó una vez más con potente sonido. Y pareció que afuera, al sol, la vida se desarrollaba en poderosas olas.

Carlota se sobresaltó y abrió los ojos.

—¿Qué es este ruido?

—Es una *fiesta** —contestó Kate.

—Ramón —dijo Carlota— me ha asesinado y ha perdido su propia alma. Es un asesino y uno de los malditos. ¡El hombre con quien me casé! ¡El hombre con quien me casé! ¡Un asesino entre los malditos!

Era evidente que ya no oía los ruidos del exterior.

Cipriano no podía soportar el sonido de su voz. Se acercó a la cama a grandes zancadas.

—¡Doña Carlota! —interpeló, mirando a los apagados ojos de ella, que estaban fijos y no veían nada—. No muera con palabras mentirosas en los labios. Si alguien la ha asesinado, ha sido usted misma. Nunca ha estado casada con Ramón. Usted se casó a su propio modo.

Hablaba con acento fiero y vengativo.

—¡Ah! —profirió la moribunda—. ¡Ah! No me casé con Ramón. ¡No! ¡Nunca me casé con él! ¿Cómo podía hacerlo? No era como yo quería que fuese. ¿Cómo podía casarme con él? ¡Ah! Creía que nos habíamos casado. ¡Estoy tan contenta de que no fuera cierto, tan contenta!

—¿Está contenta? ¿Está contenta? —repitió Cipriano con furia, enfadado con el mismo espíritu de la mujer, hablando a su espíritu—. ¡Está contenta porque nunca vertió el vino de su cuerpo en el cuenco de la mezcla! No obstante, hubo un día en que bebió el vino del cuerpo de él y fue suavizada con su aceite. ¿Está contenta de no haberle dado el suyo? ¿Está contenta de haber guardado el vino de su cuerpo y el aceite secreto de su alma? ¿De haberle dado sólo el agua de su caridad? Yo le digo que el agua de la caridad, la sibilante agua del espíritu, acaba por ser amarga en la boca, en el pecho, y en el vientre; porque extingue el fuego. Usted habría querido extinguir el fuego, doña Carlota. Pero no puede hacerlo, y no lo hará. Ha sido caritativa y despiadada con el hombre que llamaba suyo, y así ha extinguido su propio fuego.

—¿Quién está hablando? —preguntó el espíritu de doña Carlota.

—Yo, Cipriano Viedma, estoy hablando.

—¡El aceite y el vino! ¡El aceite, el vino y el pan! ¡Son el sacramento! ¡Son el cuerpo y la bendición de Dios! ¿Dónde está el sacerdote? Quiero el sacramento. ¿Dónde está el sacerdote? Quiero confesarme y tomar el sacramento para conseguir la paz de Dios —apremió el espíritu de doña Carlota.

—El sacerdote está en camino. Pero no se puede recibir ningún sacramento a menos que uno lo dé. ¡El aceite, el vino y el pan! No es el sacerdote quien debe darlos. Es preciso verterlos en el cuenco de la mezcla, que Ramón llama el cáliz de la estrella. Si no se vierte aceite ni vino en el cuenco, no se puede beber de él. Y no existe sacramento.

—¡El sacramento! ¡El pan! —exclamó el espíritu de doña Carlota.

—No hay pan. No existe ningún cuerpo sin sangre y sin aceite, como descubrió Shylock.

¡Un asesino, perdido entre los malditos! —murmuró Carlota—. ¡El padre de mis hijos! ¡El esposo de mi cuerpo! ¡Ah, no! Es mejor que llame a la Virgen María y me muera.

—¡Llámela, pues, y muera! —exclamó Cipriano.

—¡Mis hijos! —murmuró Carlota.

—Es bueno que tenga que dejarlos. Con su caridad de mendiga ha robado también su aceite y su vino. Es bueno que ya no pueda robarles nada más, virgen caduca, solterona, viuda nata, madre llorosa, esposa impecable y mujer justa. Usted robó el mismo sol del cielo y la savia de la tierra. Porque, ¿qué fue lo que vertió? Sólo el agua de una dilución muerta en el cuenco de la vida, ladrona. ¡Oh muera, muera, muera! ¡Muera y quede mil veces muerta! ¡No haga nada más que morir totalmente!

Doña Carlota había vuelto a caer en la inconsciencia; incluso su espíritu se negaba a escuchar. Cipriano echó sobre sus hombros el sarape que llameaba de un modo siniestro y se tapó con él hasta la nariz, por lo que sólo eran visibles sus ojos negros y centelleantes cuando salió como un rayo de la habitación.

Kate se quedó sentada junto a la ventana y rió un poco. La mujer primitiva que había en ella se rió para sus adentros, porque siempre había conocido la existencia de los dos ladrones a ambos lados de la Cruz, con Jesús; el ladrón altivo y merodeador del macho por derecho propio, y el ladrón mucho más sutil, frío, taimado y caritativo de la mujer por derecho propio, entonando eternamente su gemido de mendiga acerca del amor de Dios y la piedad divina.

Pero Kate era también una mujer moderna y una mujer por derecho propio. Así que continuó junto a Carlota. Y cuando llegó el médico, aceptó su obsequiosidad como parte de sus derechos como mujer. Aquellos dos ministros del amor, ¿para qué servían sino para ser obsequiosos con ella? En cuanto a sí misma, apenas podía ser llamada una ladrona y merodeadora de la virilidad del mundo cuando estos hombres venían a obligarla a aceptar su obsequiosidad, gimoteando para que la tomara y les librara de la responsabilidad de su propia virilidad. No, si las mujeres son ladronas, sólo es porque los hombres quieren ser robados. Si las mujeres roban la virilidad del mundo, es sólo porque los hombres quieren que se la roben, ya que, al parecer, lo último que desean es responsabilizarse de su propia virilidad.

Así Kate continuó sentada en la habitación de la moribunda

Carlota, sonriendo un poco de cinismo. Afuera sonaban los tam-tam y el profundo canto de los hombres de Quetzalcóatl. Más allá, bajo los árboles, en el espacio limpio y vacío que había frente a la iglesia, Kate vio a los hombres medio desnudos bailando en círculo al ritmo del tambor; la danza circular. Luego bailaron una danza religiosa sobre el regreso de Quetzalcóatl. Era el baile antiguo, de pies desnudos y absorto de los indios, el baile de la absorción interior. Y también era el baile de este pueblo; de los aztecas, zapotecas y huicholes, que es igual, en esencia, que el de todos los indígenas de América; el curioso baile silencioso y absorto de los pies y tobillos suaves, y el dejarse ir del cuerpo, suavemente, pero con un gran peso, sobre potentes rodillas y tobillos, para pisar la tierra como un gallo cubre a la gallina. Y las mujeres pisaban con suavidad al unísono.

Y Kate, escuchando los tambores y los sonoros cánticos, y con-templando los cuerpos exuberantes y suaves en la danza, pensó con algo de escepticismo: «¡Sí! Para éstos es más fácil. Pero todos los hombres blancos, los de la raza dominante, ¿qué hacen en este momento?

Por la tarde hubo una gran danza de la *Bienvenida a Quetzalcóatl*. Kate sólo pudo ver parte de ella, frente a la iglesia.

Los tambores latieron vigorosamente todo el tiempo, la danza se movía, sinuosa, hacia la orilla del agua. Kate se enteró después que la procesión de mujeres con canastas en la cabeza llenas de pan y frutas envueltas en hojas bajó hasta la playa y cargó los botes. Entonces todos los bailarines subieron a bordo de botes y canoas y remaron hasta la isla.

Celebraron una fiesta en la isla y aprendieron la danza de la *Bienvenida a Quetzalcóatl*, que bailarían todos los años en este día. Y aprendieron la Canción de Bienvenida a Quetzalcóatl, que más tarde Cipriano llevó a Kate mientras ésta velaba en la penumbra de la habitación del hotel a la mujer inconsciente, que emitía pequeños y mecánicos sonidos.

El médico acudió a toda prisa y el sacerdote llegó poco después. Ninguno de los dos pudo hacer nada. Volvieron de nuevo por la tarde, y Kate salió a dar un paseo por la playa medio desierta, donde contempló el grupo de botes acercándose a la isla y pensó que la vida es una cuestión todavía más terrible que la misma muerte. Uno se moría y ahí acababa todo. Pero vivir no acababa nunca, nunca encontraba su fin, y la responsabilidad no podía rehuirse.

Volvió a la cabecera de la enferma y, con ayuda de una mujer, desnudó a la pobre Carlota y le puso un camisón. Llegó un médico de la ciudad, pero la pobre mujer se estaba muriendo. Y Kate se quedó a solas con ella una vez más.

¿Dónde estarían los hombres?

¿El negocio de vivir? ¿Estarían realmente entregados al gran negocio de vivir, abandonándola aquí a este negocio de morir?

Había caído la noche cuando oyó volver los tambores. Y nuevamente aquel canto profundo, lleno, casi marcial de los hombres, salvaje y remoto, al ritmo del tambor. Tal vez, después de todo, la vida vencería una vez más, y los hombres serían hombres para que las mujeres pudieran ser mujeres. Kate lo sabía fatalmente.

Cipriano volvió a su lado, oliendo a sol y sudor, con el rostro ardiente y los ojos chispeantes. Miró hacia la cama, hacia la mujer inconsciente y las botellas de medicina.

—¿Qué dicen? —inquirió.

—Los médicos creen que puede recuperarse.

—Morirá —afirmó Cipriano.

Entonces fue con ella a la ventana.

—¡Mira! —dijo—. Esto es lo que cantan.

Era el texto de la canción de *Bienvenida a Quetzalcóatl.*

BIENVENIDA A QUETZALCOATL

No nos hemos malgastado ni hemos sido aban-
[donados.
¡Quetzalcóatl ha llegado!
No podemos pedir nada más.
¡Quetzalcóatl ha llegado!

El tiró el Pez dentro del bote.
El gallo se irguió y cantó sobre las aguas.
El ser desnudo subió a bordo.
¡Qué Quetzalcóatl ha llegado!

Quetzalcóatl ama la sombra de los árboles.
¡Dadle árboles! ¡Llamad a los árboles!
Somos como árboles, altos y susurrantes.
Quetzalcóatl está entre los árboles.

No me digas que mi cara resplandece.
¡Quetzalcóatl ha llegado!
Sobre mi cabeza, su águila silente
Aviva una llama.

Ata mis zapatillas moteadas para el baile.
La serpiente ha besado mis talones.
Como un volcán se mueven mis caderas
Con fuego, y mi garganta está llena.

La luz azul del día está en mi cabellos.
La estrella surge entre las dos
Maravillas, brillando por doquier
Y diciendo sin voz: «¡Atención!»

¡Ah, Quetzalcóatl!
Pon un sueño negro como la belleza en el secreto
[de mi vientre.
Pon la estrella por todo mi cuerpo.
Llámame hombre.

Mientras leía, Kate podía oír al pueblo cantando el himno al son de las flautas de junco, que repetían la melodía una y otra vez. Este pueblo extraño y mudo de México se dejaba oír por fin. Era como si les hubieran quitado de encima una piedra, y ahora Kate oía su voz por primera vez, profunda, salvaje, con cierta amenaza y exaltación.

«El ser desnudo subió a bordo.
¡Quetzalcóatl ha llegado!»

Podía oír la exaltación y la amenaza en las voces de los hombres. Entonces, una voz de mujer, casi tan clara como una estrella, se sumó al coro masculino en el verso:

«La luz azul del día está en mis cabellos.
La estrella surge entre las dos
Maravillas...»

¡Qué extraño! El pueblo había abierto por fin sus corazones. Se habían librado de la piedra de su languidez y un mundo nuevo había comenzado. Kate tenía miedo. Anochecía. Puso la mano sobre la rodilla de Cipriano, perdida. Y él se inclinó y colocó su mano morena sobre la mejilla de Kate, respirando en silencio.

—Hoy —murmuró suavemente— hemos progresado.

Ella buscó su mano. Todo estaba a oscuras. Pero, ¡oh, a gran profundidad, muy lejos, más allá de ella, el calor vasto, suave y viviente! ¡Tan lejos de ella!

«Pon un sueño negro como la belleza en el secreto
[de mi vientre.
Pon la estrella por todo mi cuerpo.»

Casi podía oír a su alma clamando a Cipriano por este sacramento. Permanecieron sentados de lado en la oscuridad mientras anochecía, y él sostenía con suavidad la mano de ella entre las suyas. Afuera, el pueblo seguía cantando. Algunos bailaban en torno al tambor. En los campanarios, donde antes estuvieran las campanas, centelleaban unas luces, y formas blancas de hombres y sonaban el ruido del gran tambor, y, una y otra vez, el cántico. En el patio de la iglesia ardía una hoguera, y hombres de Huitzilopochtli vigilaban a dos de sus hombres, desnudos con excepción de un taparrabo y las plumas escarlatas de la cabeza, que bailaban el antiguo baile de la danza y gritaban desafíos a la luz de las llamas.

Entró Ramón vestido de blanco. Se quitó el gran sombrero y permaneció mirando a Carlota, que ya no emitía ningún ruido y tenía los ojos en blanco. Ramón cerró los suyos un momento y dio media vuelta, sin decir nada. Fue a la ventana, donde Cipriano seguía sentado en su silencio impenetrable pero vivo, que bastaba para llenar el espacio donde el lenguaje había fallado, manteniendo la mano de Kate entre las suyas. Y no la soltó ahora.

Ramón miró hacia las hogueras de los campanarios, a la que ardía ante la puerta de la iglesia, a los pequeños fuegos de la playa, junto al lago; y a las figuras de los hombres vestidos de blanco y las mujeres con sus oscuros rebozos y amplísimas faldas, a los dos danzarines desnudos, al gentío que permanecía en pie, a los ocasionales sarapes escarlatas de Huitzilopochtli, y los blancos y azules de Quetzalcóatl, y escuchó el lejano motor de un coche, las carreras de los niños, el murmullo de los hombres que rodeaban al tambor para cantar.

—Es la vida —dijo— lo que constituye un misterio. La muerte es apenas misteriosa en comparación.

Llamaron a la puerta. Había vuelto el médico y venido una enfermera para cuidar a la moribunda. La monja se movía con suavidad por la habitación y se inclinaba sobre su paciente.

Cipriano y Kate se marcharon a Jamiltepec en un bote, alejándose de las hogueras y el ruido para ir a la profunda oscuridad del extremo del lago. Kate sentía que deseaba ser cubierta con una penumbra oscura y viviente, por las profundidades a las que podía llevarla Cipriano.

Pon un sueño negro como la belleza en el secreto
[de mi vientre.

Pon la estrella por todo mi cuerpo.

Y Cipriano, mientras viajaba en el bote con ella, sintió que el sol interior se levantaba oscuramente en él y se difundía por todo su cuerpo; y sintió que la misteriosa flor de la feminidad de Kate se abría lentamente a él, como una anémona marina se abre en la profundidad del mar, con infinita y suave carnosidad. La dureza de la propia voluntad había desaparecido, y la suave anémona de Kate florecía por sí misma para él desde la profundidad de las mareas.

Ramón se quedó en el hotel, en el impenetrable santuario de su propio silencio. Carlota seguía inconsciente. Hubo consulta de médicos, pero no sirvió de nada. Murió al amanecer, antes de que sus hijos pudieran llegar desde Ciudad de México, en el momento en que una canoa zarpaba con ayuda de una pequeña brisa y los pasajeros entonaban la Canción de Bienvenida a Quetzalcóatl, inesperadamente, sobre las pálidas aguas.

CAPITULO XXII

EL VIVIENTE HUITZILOPOCHTLI

Enterraron a doña Carlota en Sayula, y Kate, aunque era una mujer, asistió también al funeral. Don Ramón seguía al féretro con sus ropas blancas y su gran sombrero con el signo de Quetzalcóatl. Sus hijos iban con él; y había muchos desconocidos, hombres vestidos de negro.

Los muchachos eran extraños adolescentes con sus trajes negros de pantalones fruncidos en las rodillas. Tenían ambos la cara redonda y el cutis de un marrón cremoso, con cierto matiz rosado. El mayor, Pedro, se parecía más a don Ramón; pero sus cabellos eran más suaves, más finos que los de su padre, y tiraban a castaños. Era taciturno y torpe y mantenía la cabeza baja. El menor, Cipriano, tenía los ojos asombrados, de color avellana, de su madre.

Habían venido desde Guadalajara en coche con su tía y regresarían directamente a la ciudad. En el testamento, la madre había nombrado tutores para ellos, especificando que su padre consentiría en ello. Y había dejado su considerable fortuna a los dos muchachos. Pero el padre era uno de los fideicomisos.

Ramón se encontraba en su habitación del hotel, que daba al lago, y sus dos hijos estaban sentados en el sofá de caña, frente a él.

—¿Qué queréis hacer, hijos míos? —preguntó Ramón—. ¿Volver con vuestra tía Margarita y regresar al colegio de los Estados Unidos?

Los muchachos permanecieron un rato en un taciturno silencio.

—¡Sí! —contestó por fin Cipriano, con los cabellos castaños erizados por la indignación—. Esto es lo que nuestra madre deseaba que hiciéramos. Así que, naturalmente, lo haremos.

—¡Muy bien! —aprobó Ramón—. Pero recordad que soy vuestro padre y que mi puerta, mis brazos y mi corazón estarán siempre abiertos para vosotros cuando vengáis.

El hijo mayor movió los pies y murmuró, sin levantar la vista:

—¡No podemos venir, papá!

—¿Por qué no, hijo?

El muchacho le miró con ojos castaños tan desafiantes como los suyos propios.

—Papá, ¿te llamas a ti mismo El Viviente Quetzalcóatl?

—Sí.

—Pero, papá, nuestro padre se llama Ramón Carrasco.

—También eso es cierto —dijo Ramón, sonriendo.

—Nosotros —balbuceó Pedro— no somos hijos del Viviente Quetzalcóatl, papá. Somos Carrasco y de Lara.

—Buenos nombres ambos —observó Ramón.

—Jamás —prorrumpió el joven Cipriano con ojos que echaban chispas—, jamás podremos quererte, papá. Eres nuestro enemigo. Has matado a nuestra madre.

—¡No, no! —repuso Ramón—. No debéis decir eso. Vuestra madre buscó su propia muerte.

—¡Mamá te quería mucho, mucho! —gritó Cipriano con lágrimas en los ojos—. Siempre te amó y rezó por ti... —Empezó a llorar.

—¿Y yo, hijo mío?

—¡Tú la odiabas y la has matado! ¡Oh, mamá, mamá! ¡Oh, mamá! ¡Te necesito! —lloró el muchacho.

—¡Ven a mi lado, pequeño! —dijo Ramón con suavidad, extendiendo las manos.

—¡No! —rechazó Cipriano, pataleando y echando chispas por los ojos a través de las lágrimas—. ¡No! ¡No!

El mayor bajó la cabeza y prorrumpió a su vez en llanto. Ramón tenía en la frente el pequeño y perplejo fruncimiento de dolor. Miró de un lado a otro, como buscando una solución. Entonces se dominó.

—Escuchadme, hijos míos —habló—. Vosotros también seréis hombres; no tardaréis en serlo. Mientras seáis muchachos, no sois hombres ni mujeres. Pero pronto llegará el cambio, y tendréis que ser hombres. Y entonces sabréis que el hombre ha de ser hombre. Cuando su alma le dicta que haga una cosa, tiene que hacerla. Cuando seáis hombres, deberéis escuchar con atención a vuestras propias almas, y aseguraros de serles fieles. Sed fieles a vuestras propias almas; el hombre no puede hacer otra cosa.

—*Je m'en fiche de ton âme, mon père!* —exclamó Cipriano con uno de sus arranques en francés. Era una lengua que hablaba a menudo con su madre.

—Tú puedes hacerlo, muchacho —dijo Ramón—, pero yo no.

—¡Papá! —interpeló el hijo mayor—. ¿Es tu alma diferente del alma de mamá?

—¿Quién sabe? —respondió Ramón—. Yo la entiendo de modo diferente.

—Porque mamá siempre rezaba por tu alma.

—Y yo, a mi modo, rezo por la suya, hijo mío. Si su alma vuelve a mí, la acogeré en mi corazón.

—El alma de mamá —concretó Cipriano— irá directamente al paraíso.

—¡Quién sabe, hijo! Tal vez el paraíso para las almas de los muertos está en los corazones de los vivos.

—No comprendo lo que dices.

—Es posible —continuó Ramón— que incluso ahora el único paraíso para el alma de vuestra madre esté en mi corazón.

Los dos muchachos le miraron fijamente con los ojos muy abiertos.

—Jamás creeré eso —declaró Cipriano.

—O tal vez sea en *tu* corazón —dijo Ramón—. ¿Tienes *tú* un lugar en el corazón para el alma de tu madre?

El joven Cipriano le miró con asombrados ojos color de avellana.

—El alma de mi madre irá directamente al paraíso porque es una santa —afirmó en tono rotundo.

—¿A qué paraíso, hijo mío?

—Al único. Donde se encuentra Dios.

—¿Y dónde está?

Hubo una pausa.

—En el cielo —contestó Cipriano tercamente.

—Está muy lejos y muy vacío. Pero yo creo, hijo mío, que los corazones de los hombres vivos son el mismo centro del cielo. Y allí está Dios, y el paraíso: dentro de los corazones de los hombres y las mujeres. Y allí van a descansar las almas de los muertos, allí, en el mismo centro donde la sangre afluye; allí es donde los muertos duermen mejor.

—¿Y continuarás diciendo que eres el Viviente Quetzalcóatl? —inquirió Cipriano.

—¡Claro! Y cuando tú seas un poco mayor, tal vez vendrás a mi lado y también lo dirás.

—¡Nunca! Has matado a nuestra madre y siempre te odiaremos. Cuando seamos hombres, nuestro deber sería matarte.

—Vamos, ¡esto es una frase rimbombante, pequeño! ¿Por qué escucháis solamente a criados y sacerdotes y gente de esta índole? ¿Acaso no son vuestros inferiores, puesto que sois mis hijos y de vuestra madre? ¿Por qué adoptáis la charla de criados e inferiores? ¿No tenéis seso para el lenguaje de los hombres valientes? Tú no me matarás, y tampoco lo hará tu hermano, porque yo no lo permitiré, aunque lo deseárais. Y no lo deseáis. No hables más como un lacayo, Cipriano, porque me negaré a escucharte. ¿Eres ya un pequeño lacayo o sacerdote? Vamos, lo que sí eres es vulgar. Será mejor que hablemos en inglés, o en tu francés. El castellano es una lengua demasiado buena para esta desatinada charla.

Ramón se levantó y fue a la ventana para mirar hacia el lago. Los tambores de la iglesia sonaban para anunciar el mediodía, cuando todos debían mirar al sol y guardar silencio para musitar una plegaria.

«El sol ha subido a la colina, el día está bajando la ladera.
Estoy aquí entre la mañana y la tarde con mi alma, y la
[levanto.
Mi alma pesa de tanto sol que lleva y rebosa de fuerza.
Los rayos del sol me han llenado como un panal;
Es el momento de la plenitud
Y la cima de la mañana».

Ramón se volvió y recitó a sus hijos el verso de mediodía. Ellos escucharon en confuso silencio.

—¡Vamos! —exclamó—. ¿Por qué estáis confundidos? Si os hablara de vuestras botas nuevas, o de diez pesos, no os confundiríais. Pero si hablo del sol y de vuestras propias almas llenas de sol como panales, os enfurruñáis. Será mejor que volváis a vuestro colegio de América y aprendáis a ser hombres de empresa. Será mejor que digáis a todo el mundo: «¡Oh, no, no tenemos padre! Nuestra madre ha muerto y nunca hemos tenido padre. Somos hijos de una inmaculada concepción, así que seremos excelentes hombres de negocios».

—Yo seré sacerdote —anunció Cipriano.

—Y yo, médico —dijo Pedro.

—¡Muy bien! ¡Muy bien! *Seré* está muy lejos de *soy,* y mañana será otro día. Venid a verme cuando vuestro corazón os lo dicte. Sois mis hijos, digáis lo que digáis, y os acariciaré los cabellos y me reiré de vosotros. ¡Venid! ¡Venid aquí!

Les miró, y ellos no se atrevieron a desobedecer; el poder de su padre era mucho mayor que el suyo.

Tomó a su hijo mayor en los brazos y le acarició la cabeza.

—¡Ea! —exclamó—. Tú eres mi hijo mayor y yo soy el padre que se llama a sí mismo el Viviente Quetzalcóatl. Cuando te pregunten: «¿Es tu padre el que se hace llamar el Viviente Quetzalcóatl?», contéstales: «Sí, es mi padre». Y cuando te pregunten qué piensas de semejante padre, diles: «Soy joven y todavía no le comprendo. Y no quiero juzgar a mi padre sin comprenderle». ¿Dirás esto, Pedro, hijo mío? —y Ramón acarició los cabellos del muchacho con tal suavidad y ternura que el hijo sintió una especie de respeto.

—¡Sí, papá! Diré esto —contestó, aliviado.

—Está bien —dijo Ramón, posando la mano un momento sobre la cabeza del niño, como una bendición.

Entonces se volvió hacia el hijo menor.

—Acércate y deja que acaricie tus rebeldes cabellos.

—¡Si te quiero a ti, no puedo querer a mamá! —exclamó Cipriano.

—Vaya, ¿tan estrecho es tu corazón? No quieras a nadie si ello te torna mezquino.

—Pero yo no deseo acercarme a ti, papá.

—Entonces quédate donde estás, hijo mío, y ven cuando lo desees.

—Yo no creo que me quieras, papá.

—No, cuando eres un mono obstinado, no te quiero. Pero cuando tu verdadera virilidad haya llegado a ti, y seas valiente y osado, y no atolondrado e impertinente, entonces serás digno de cariño. ¿Cómo puedo quererte si no eres digno de que te quieran?

—Mamá siempre me quería.

—Ella te decía que eras suyo. Yo no te llamo mío. Tú eres tú. Cuando eres digno de cariño, puedo quererte, pero cuando eres atolondrado e impertinente, no puedo. El molino no da vueltas cuando el viento no sopla.

Los muchachos se marcharon. Ramón les contempló mientras esperaban en el embarcadero vestidos de negro, con las rodillas desnudas, y su corazón voló hacia ellos.

—¡Ah, pobrecillos! —dijo para sus adentros. Y luego—: Pero lo único que puedo hacer es conservar mi alma como un castillo para ellos, ser una fortaleza para cuando la necesiten... si es que alguna vez llegan a necesitarla.

Estos días Kate solía sentarse a la orilla del lago a la primera luz del amanecer. El día apuntaba con gran claridad entre las lluvias y Kate podía ver cada arruga de las grandes colinas que tenía enfrente, y el repliegue, o paso, por el que llegaba un río desde Tuliapán era tan neto para ella que tenía la impresión de haberlo recorrido. Los pájaros rojos parecían más frescos y de colores más vivos después de la lluvia, y las ranas se oían croar toda la mañana.

Pero en cierto modo el mundo era diferente; todo diferente. No repicaban las campanas de la iglesia ni el reloj daba las horas. Se habían llevado el reloj.

Y en su lugar, los tambores. Al amanecer, el gran tambor difundía por el aire su poderoso sonido. Después una sonora voz masculina entonaba desde el campanario el Verso del Amanecer:

«La oscuridad se divide, el sol atraviesa la pared.
El día está al llegar.
Levanta tu mano, di ¡Adiós!, di ¡Bien venido!
Y luego guarda silencio.
Deja que la oscuridad te abandone, deja que la luz te
[penetre.
Hombre del crepúsculo».

La voz y el gran tambor enmudecían. Y en el amanecer, los hombres que se habían levantado guardaban silencio, con el brazo levantado, en el momento del cambio, y las mujeres cubrían sus rostros y bajaban las cabezas. Todo permanecía inmóvil en el momento del cambio.

Entonces latía rápidamente el tambor ligero, al tiempo que el primer rayo de sol proyectaba su luz desde la cresta de las grandes colinas. El día había comenzado. La gente del mundo emprendía su camino.

Hacia las nueve el tambor ligero sonaba con premura y la voz del campanario anunciaba:

—¡Medio camino! ¡Medio camino por la ladera de la mañana!

A mediodía resonaba el gran tambor, y el pequeño volvía a latir a las tres con el grito:

—¡Medio camino! Medio camino por la ladera de la tarde.

Y de nuevo a la puesta del sol, el gran tambor retumbaba y la voz pregonaba al viento:

> «¡Deténte! ¡Deténte! ¡Deténte!
> Levanta la mano y di ¡Adiós! y ¡Bien venida!
> Hombre del crepúsculo.
> El sol está en el porche exterior, grítale: ¡Gracias! ¡Oh,
> [gracias!
> Y luego guarda silencio.
> Perteneces a la noche».

Y otra vez, en el crepúsculo, los hombres aparecían por doquier con la cabeza y el brazo levantados, y las mujeres con los rostros cubiertos y las cabezas inclinadas; todo permanecía inmóvil para el momento del cambio.

Después latían de repente los tambores pequeños y la gente se preparaba para la noche.

El mundo era diferente, diferente. Los tambores parecían dejar el aire suave y vulnerable, como si estuviera vivo. Sobre todo, no había sonido de metal sobre metal en los momentos de cambio.

> «Metal para la resistencia.
> Tambores para el corazón palpitante.
> El corazón no cesa jamás».

Este era uno de los pequeños versos de Ramón.

Era extraño el cambio que se estaba produciendo en el mundo. El aire tenía ya un silencio más suave, más aterciopelado, y parecía vivo. Y no había horas. Amanecer, mediodía y puesta de sol media mañana, o medio camino ascendente por la ladera, y mediatarde, o medio camino descendente por la ladera; esto era el día, con las guardias de la noche. Empezaron a llamar a las cuatro guardias del día la guardia del conejo, la guardia del halcón, la guardia del zopilote y la guardia del ciervo. Y los cuatro cuartos de la noche eran la guardia de la rana, la guardia de la luciérnaga, la guardia del pez y la guardia de la ardilla.

«Vendré a buscarte —escribió Cipriano— cuando el ciervo alargue la última pata hacia el bosque».

Kate sabía que esto significaba el último cuarto de las horas del ciervo; algo después de las cinco.

Era como si, gracias a Ramón y Cipriano, desde Jamiltepec y la región del lago se estuviera abriendo y desarrollando un mundo nuevo con la suavidad y sutileza del anochecer que aparta el desorden del día. Algo nuevo, suave y crepuscular se extendía y penetraba lentamente en el mundo, incluso en las ciudades. Ahora, incluso en las ciudades se veían los sarapes azules de Quetzalcóatl, y los tambores se oían a las Horas, esparciendo una curiosa malla de crepúsculo sobre el estrépito de las campanas y el rumor del tráfico. Incluso en la capital volvió a sonar el gran tambor, y muchos hombres, incluso hombres vestidos con traje de ciudad, se inmovilizaban con el rostro levantado y un brazo alzado en el aire, escuchando el verso de mediodía, que sabían de memoria, y tratando de no oír el entrechocar de metales.

«Metal para la resistencia.
Tambores para el corazón palpitante».

Pero era un mundo de metal y un mundo de resistencia. Cipriano, extrañamente poderoso con los soldados, pese al odio que inspiraba a otros oficiales, se inclinaba por enfrentarse al metal contra metal. Por hacer que Montes declarase: La Religión de Quetzalcóatl es la religión de México, oficial y declarada. Y después, respaldar esta declaración con el ejército.

Pero, «¡No, no! —dijo Ramón—. Dejemos que se difunda por sí sola. Y esperemos hasta que tú puedas ser declarado el viviente Huitzilopochtli y tus hombres puedan llevar el sarape rojo y negro, con la curva de la serpiente. Entonces quizá podamos celebrar la boda pública con Caterina, que será una madre entre los dioses».

Siempre, Ramón trataba en la medida de lo posible de evitar la resistencia y el odio. Escribió cartas abiertas al clero, diciendo:

«¿Quién soy yo para ser enemigo de la Unica Iglesia? Soy un católico entre católicos. Me gustaría una Sola Iglesia en todo el mundo, con Roma como Ciudad Central, si Roma lo deseara.

»Pero pueblos diferentes deben tener Salvadores diferentes, del mismo modo que tienen diferente lengua y diferente color. El misterio final es uno solo. Pero las manifestaciones son múltiples.

»Dios ha de venir a México con sarape y buaraches, o no será Dios de los mexicanos, que no podrán reconocerle. Desnudos, todos los hombres son sólo hombres. Pero el contacto, la mirada, la palabra que va de un hombre desnudo a otro es el misterio de la vida. Vivimos de manifestaciones.

»Y los hombres son frágiles, y fragmentados, y están extrañamente agrupados en su fragmentación. El Dios invisible lo ha creado así: ha oscurecido unas caras y emblanquecido otras, y nos ha colocado en grupos, del mismo modo que el zopilote es un pájaro, y el loro de las tierras cálidas es un pájaro, y una pequeña oropéndola es un pájaro. Pero el ángel de los zopilotes debe ser un zopilote, y el ángel de los loros un loro. Y para el primero, el cadáver olerá siempre bien, y para el otro, la fruta.

»Los sacerdotes que se unan a mí no renegarán de Dios ni de su fe. Cambiarán su modo de hablar y sus prendas de vestir, como el peón llama con un grito a los bueyes y con otro a los mulos. Cada uno responde a su propia llamada a su propia manera».

Escribió a los socialistas y agitadores:

«¿Qué queréis? ¿Que todos los hombres sean como vosotros? Y cuando todos los peones de México lleven trajes americanos y zapatos de un negro brillante, y busquen la vida en el periódico y su virilidad en el gobierno, ¿estaréis satisfechos? ¿Acaso el gobierno os dio vuestra virilidad, que esperáis que la dé a estos otros?

»Es tiempo de olvidar. Es tiempo de eliminar el rencor y la piedad. Nadie ha mejorado por ser objeto de piedad y todo el mundo pierde si se deja dominar por el rencor.

»No podemos hacer nada con la vida, excepto vivirla.

»Busquemos a la vida donde se encuentra. Y cuando la hayamos encontrado, la vida resolverá los problemas. Pero cada vez que negamos la vida, a fin de resolver un problema, provocamos la aparición de diez problemas más. Al solucionar los problemas del pueblo perdemos al pueblo en una venenosa selva de problemas.

»La vida hace, moldea y cambia el problema. El problema existirá siempre, y siempre será diferente. Así pues, nada puede ser resuelto, ni siquiera por la vida, porque la vida disuelve y determina, pero no resuelve.

»Por consiguiente, nos volvemos hacia la vida; y del reloj hacia el sol y del metal a la membrana.

»De este modo esperamos que el problema se disuelva, ya que nunca puede ser resuelto. Cuando los hombres buscan primero la vida, no buscan tierra ni oro. La tierra yacerá en el regazo de los dioses, donde yacen los hombres. Y si vuelve el antiguo sistema comunal, y el pueblo y la tierra son una sola cosa, será muy bueno. Porque, verdaderamente, ningún hombre puede poseer tierras.

»Pero cuando nos hundimos en una ciénaga, no sirve de nada intentar el galope. Sólo podemos vadear con ímprobos esfuerzos. Y en nuestra prisa por tener un niño, no sirve de nada arrancarlo del útero.

»Buscad a la vida, y la vida traerá el cambio.

»Buscad a la propia vida, deteneos incluso al amanecer y al ponerse el sol, y la vida volverá a nosotros y nos guiará a través de las transiciones.

»No forcéis nada, sólo estad preparados para resistir si tratan de forzaros. Porque los nuevos brotes de vida son tiernos, y son mejores diez muertes que el pisoteo y matanza de estos brotes por los fanfarrones del mundo. Cuando se trate de luchar por los tiernos brotes de vida, luchad como el jaguar defiende a sus cachorros o la osa a sus oseznos.

»Todo cuanto es vida es vulnerable, sólo el metal es invulnerable. Luchad por el vulnerable desarrollo de la vida. Por eso podéis luchar sin rendiros jamás».

Cipriano también hablaba continuamente a sus soldados, y siempre con el mismo grito:

—¡Somos hombres! ¡Somos luchadores!

—Pero ¿qué podemos hacer?

—¿Hemos de marchar hacia la misma muerte?

—¡No! ¡No! Hemos de marchar hacia la vida.

«Los gringos están aquí. Les hemos dejado venir. Tenemos que permitirles que se queden porque no podemos echarles. Con pistolas, espadas y bayonetas no lograremos echarles jamás, porque ellos tienen mil cuando nosotros tenemos uno. Y si vienen en paz, dejemos que se queden en paz.

»Pero todavía no hemos perdido a México. No nos hemos perdido mutuamente.

»Somos la sangre de América. Somos la sangre de Moctezuma.

»¿Para qué sirve mi mano? ¿Sólo para girar la manivela de una máquina?

Mi mano sirve para saludar al Dios de los mexicanos, que está más allá del cielo.

»Mi mano sirve para tocar la mano de un hombre valiente.

»Mi mano sirve para sostener un arma.

»Mi mano sirve para hacer crecer el trigo de la tierra.

»¿Para qué sirven mis rodillas?

»Mis rodillas sirven para mantenerme altivo y erguido.

»Mis rodillas sirven para seguir mi camino.

»Mis rodillas son las rodillas de un hombre.

»Nuestro Dios es Quetzalcóatl, el del cielo azul, y Huitzilopochtli, de color rojo, me vigila en el portal.

»Nuestros dioses odian al hombre arrodillado. Gritan: ¡Eh! ¡Erguido!

»—Entonces, ¿qué podemos hacer?

»—¡Esperar!

»Soy un hombre desnudo como vosotros bajo mi ropa.

»¿Soy un hombre alto? ¿Soy un hombre alto y poderoso, de Tlascala, por ejemplo?

»No, no lo soy. Soy bajo. Procedo del sur. Soy bajo...

»Y no obstante, ¿acaso no soy vuestro general?

»¿Por qué?

»¿Por qué soy un general, y vosotros sólo soldados?

»Os lo diré.

»Yo he encontrado la otra fuerza.

«Existen dos fuerzas: la que está en la fuerza de los bueyes, los mulos y el hierro, las máquinas y las escopetas, y de los hombres que no pueden conseguir la segunda fuerza.

»Luego existe la segunda fuerza. Es la que vosotros necesitáis. Y podéis conseguirla, tanto si sois altos·como bajos. Es la fuerza que procede de detrás del sol. Y podéis conseguirla, ¡podéis conseguirla aquí! —se golpeó el pecho— ¡y aquí! —se golpeó el vientre— ¡y aquí! —se golpeó los lomos—. Es la fuerza que procede de detrás del sol».

Cuando Cipriano se excitaba, los ojos le despedían chispas, y era como si plumas oscuras, como alas, le crecieran·en los hombros y la espalda, y como si estas alas oscuras se movieran y centellearan como las de un águila excitada. Sus hombres creían verle, como con una segunda vista, entre un demoníaco aleteo de alas, como un antiguo dios. Y murmuraban con los ojos encendidos:

—¡Es Cipriano! ¡Es él! Nosotros somos Ciprianitos, sus hijos.

—¡Somos hombres! ¡Somos hombres! —gritaba Cipriano.

»Pero, escuchad. Existen dos clases de hombres. Los que tienen la segunda fuerza y los que no la tienen.

»Cuando llegaron los primeros gringos, perdimos nuestra segunda fuerza. Y los padres nos enseñaron: ¡Someteos! ¡Someteos!

»¡Los gringos tenían la segunda fuerza!

»¿Cómo la habían conseguido?

»Muy astutos, la robaron a escondidas. Permanecieron muy quietos, como una tarántula en su agujero. Y luego, cuando ni el sol ni la luna ni las estrellas sabían que estaba allí, ¡pif!, la tarántula dio un salto, mordió, dejó el veneno y absorbió el secreto.

»Así se adueñaron de los secretos del aire y el agua, y desenterraron los secretos de la tierra. Y así los metales fueron suyos, y fabricaron armas, máquinas y barcos, e hicieron trenes, telegramas y la radio.

»¿Por qué? ¿Por qué hicieron todas estas cosas? ¿Cómo pudieron hacerlas?

»Porque con astucia habían conseguido el secreto de la segunda fuerza, que procede de detrás del sol.

»Y nosotros tuvimos que ser esclavos porque sólo teníamos la primera fuerza; habíamos perdido la segunda.

»Ahora la estamos recuperando. Hemos vuelto a encontrar el camino del sol que se oculta detrás del sol. Allí se hallaba Quetzalcóatl, y don Ramón le encontró. Allí se halla el rojo Huitzilopochtli, y yo le he encontrado. Porque he encontrado la segunda fuerza.

»Cuando él venga, todos los que os esforcéis encontraréis la segunda fuerza.

»Y cuando la tengáis, ¿dónde la sentiréis?

»¡No aquí! —y se golpeó la frente—. No donde la tienen los astutos gringos, en la cabeza y en sus libros. Nosotros no. Nosotros somos hombres no arañas.

»¡La tendremos aquí! —se golpeó el pecho— ¡y aquí —se golpeó el vientre—. ¡Y aquí! —se golpeó los lomos.

»¿Somos hombres? ¿No podemos conseguir la segunda fuerza? ¿No podemos? ¿La hemos perdido para siempre?

«¡Yo digo que no! Quetzalcóatl está entre nosotros. He encontrado al rojo Huitzilopochtli. ¡La segunda fuerza!

»Cuando paseéis o estéis sentados, cuando trabajéis o estéis acostados, cuando comáis o durmáis, pensad en la segunda fuerza, en que debéis conseguirla.

»Sed muy silenciosos. Es tímida como un pájaro en un árbol oscuro.

»Sed muy limpios, limpios en vuestros cuerpos y vuestras ropas. Es como una estrella, que no quiere brillar en la suciedad.

»Sed muy valientes, y no bebáis hasta emborracharos, ni os manchéis con malas mujeres, ni robéis. Porque un hombre borracho ha perdido su segunda fuerza, y el hombre pierde su fuerza en las malas mujeres, y un ladrón es un cobarde, y el rojo Huitzilopochtli odia a los cobardes.

»¡Intentadlo! Intentad encontrar la segunda fuerza. Cuando la tengamos, los otros la perderán».

Cipriano luchaba duramente con su ejército. La maldición de cualquier ejército es no tener nada que hacer. Cipriano obligaba a todos sus hombres a cocinar, lavar, limpiar y pintar el cuartel, cultivar su huerto de hortalizas y plantar árboles dondequiera que hubiese agua. Y él mismo ponía un apasionado interés en todo lo que hacía. No se le escapaba una guerrera sucia, un pie dolorido, un buarache mal trenzado. Pero incluso cuando guisaban sus comidas se encontraba entre ellos.

—Dame algo de comer —decía—. ¡Dame una *enchilada!**

Entonces elogiaba el guiso o decía que era malo.

Como a todos los salvajes, les gustaba hacer cosas pequeñas. Y, como a la mayoría de mexicanos, cuando están seguros de lo que tienen entre manos, les encantaba hacerlas bien.

Cipriano estaba decidido a inculcarles algo de disciplina. Disciplina es lo que México necesita y lo que necesita el mundo entero. Pero es la disciplina interna la que importa. La maquinal, desde fuera, se desmorona.

Hizo que los indios salvajes del norte llevaran sus tambores al patio del cuartel y bailaran las danzas antiguas. La danza, la danza que tiene significado, es una profunda disciplina en sí misma. Los antiguos indios del norte continúan poseyendo el secreto del baile animístico. Bailan para adquirir poder; poder sobre las fuerzas *vivientes* o potencias de la tierra. Y estas danzas requieren una intensa y oscura concentración, y una inmensa resistencia.

Cipriano fomentaba las danzas más que cualquier otra cosa. Las aprendía él mismo con curiosa pasión. La danza de la lanza y el escudo, la danza del cuchillo, la danza de la emboscada, y la danza de la sorpresa las aprendió en los salvajes poblados del norte, y las bailaba en el patio del cuartel, junto a la hoguera, por la noche, cuando el gran portal estaba cerrado.

Después, desnudo con excepción de un taparrabo, y el cuerpo pintado con aceite y rojo polvo de arcilla, se enfrentaba a un corpulento indio desnudo y, con escudo y lanza, bailaba la danza de los dos guerreros, campeones en el centro del denso círculo de soldados. Y la silenciosa y rítmica concentración de este duelo de sutileza y rapidez hacía mover suavemente los pies al mismo ritmo del tambor, y el cuerpo desnudo, ágil y sutil, describía círculos con delicada y primitiva astucia, agachándose y saltando como una pantera, con la lanza en equilibrio, hacia un choque de escudos, y después se apartaba con el estentóreo alarido de exaltación y desafío.

En esta danza, nadie era más sutil y repentino que Cipriano. Sabía girar en el suelo con la espalda arqueada, invisible como un lince, dando vueltas en torno a su adversario, con los pies golpeando y el esbelto cuerpo ladeándose al son del tambor. Y de pronto, como un relámpago, estaba en el aire, con la lanza dirigida hacia la clavícula de su enemigo y resbalando luego hacia su hombro cuando el adversario se volvía y resonaba el grito de guerra. Los soldados que formaban el denso círculo miraban, fascinados, pronunciando los antiguos y apagados gritos.

Y a medida que la danza continuaba, Cipriano sentía que sus fuerzas se incrementaban y latían en su interior. Cuando todos sus miembros brillaban de sudor y su espíritu estaba por fin satisfecho, se sentía a la vez cansado y sobrecargado de un poder extraordinario. Entonces se envolvía en su sarape escarlata y negro y ordenaba a otros hombres que lucharan, dando su lanza y su escudo a otro soldado u oficial, y yendo él a sentarse en el suelo para observarles a la luz de la hoguera. Y en aquel momento sentía que sus miembros y todo su cuerpo estaban dotados de un inmenso poder, y este oscuro misterio del poder le abandonaba para repartirse entre sus soldados. Y permanecía en silencio, imperturbable, manteniendo a todos aquellos hombres de ojos negros en el esplendor de su propio ser silencioso. Su propia conciencia parecía emanar de la carne y los huesos de sus soldados; eran conscientes, no a través de sí mismos, sino a través de él. Y así como es instinto del hombre proteger su propia cabeza, también ese instinto les llevaba a proteger a Cipriano, porque era la parte más preciosa de ellos mismos. Era en él donde residía su grandeza. Su esplendor provenía de su poder y su mayor conciencia era la conciencia que él les infundía.

—No soy sólo mío —les decía—. Pertenezco al rojo Huitzilopochtli y al poder que viene de detrás del sol. Y vosotros no sois solo vuestros. Solos no sois nada. Sois míos, sois mis hombres.

Les animaba a bailar desnudos, con el taparrabo, y a frotarse con el rojo polvo de tierra una vez estaban untados de aceite.

—Este es el aceite de las estrellas. Frotad bien con él vuestros miembros y seréis fuertes como el cielo estrellado. Esta es la sangre roja de los volcanes. Frotad con ella y tendréis el poder del fuego de los volcanes, que surge del centro de la tierra.

Les animaba a bailar las silenciosas y concentradas danzas al son del tambor, a bailar durante horas para adquirir fuerza y poder.

—Si conocéis los pasos de la danza, pisaréis cada vez con más fuerza hasta que toquéis el centro de la tierra con vuestros pies. Y cuando toquéis el centro de la tierra, tendréis tanto poder en vuestro vientre y vuestro pecho que ningún hombre será capaz de venceros. Conseguid la segunda fuerza. Conseguidla de la tierra, conseguidla de detrás del sol. Conseguid la segunda fuerza.

Realizaba largas y rápidas marchas por la salvaje campiña mexicana y por las montañas, moviéndose con velocidad y ligereza. Le gustaba que sus hombres acamparan al aire libre, sin tiendas; pero con centinelas, y las estrellas sobre la cabeza. Perseguía a los bandidos con rápidos movimientos. Desnudaba a los prisioneros y los maniataba. Pero si alguno parecía valiente, le hacía prestar juramento y le unía a sus tropas. Si era un canalla cobarde y traicionero, le hundía el cuchillo en el corazón diciendo:

—Soy el rojo Huitzilopochtli, el del cuchillo.

Ya había elegido a su propio grupo de hombres entre la soldadesca vestida con le ignominioso uniforme, vistiéndoles de blanco con la faja escarlata, las correas escarlatas en el tobillo, y el sarape rojo y negro. Y sus hombres tenían que ser limpios. Sobre la marcha se detenían en algún río con la orden de que todos los hombres se desnudaran y lavaran, y lavaran sus ropas. Entonces los soldados, oscuros con destellos rojizos, se paseaban desnudos mientras las prendas blancas de resistente algodón se secaban sobre la tierra. Después reiniciaban la marcha, refulgentes por la peculiar blancura de las prendas de algodón en México, con el fusil a la espalda, el sarape y un pequeño macuto, tocados con los sombreros de paja de copas escarlatas.

—¡Han de moverse! —decía a sus oficiales—. Tienen que volver a aprender a moverse con rapidez y sin cansarse, asistidos por el antiguo poder. No dejéis que se echen en el suelo. Durante las horas de sueño, dejadles dormir. Cuando estén despiertos, que trabajen, desfilen, bailen o hagan la instrucción.

Dividió su regimiento en pequeñas compañías de un centenar de hombres cada una, con un centurión y un sargento al mando. Cada compañía debía aprender a actuar con perfecto acuerdo, libre y flexiblemente.

—Perfeccionad a vuestro centenar —insistía Cipriano— y yo perfeccionaré a vuestros millares.

»¡Escuchad! —proseguía—. Nada de guerra de trincheras ni de cañones para nosotros. Mis hombres no son carne de cañón ni excrementos de trincheras. Donde hay cañones, no estamos nosotros. Nuestras centurias se retiran y atacan donde no hay cañones. Hemos de ser rápidos, hemos de ser silenciosos, no hemos de llevar carga y la segunda fuerza ha de estar en nosotros; eso es todo. No nos proponemos fijar ningún frente, sino atacar en el momento oportuno y en mil puntos a la vez.

Y siempre reiteraba:

—Si podéis conseguir el poder del corazón de la tierra, y el poder de detrás del sol; si podéis adquirir el poder del rojo Huitzilopochtli, nadie será capaz de venceros. Conseguid la segunda fuerza.

Ahora Ramón presionaba ya abiertamente a Cipriano para que asumiera al Viviente Huitzilopochtli.

—¡Vamos! —le apremiaba—. Ya es hora de que dejes que el general Viedma sea absorbido por el rojo Huitzilopochtli. ¿No crees?

—Cuando sepa lo que significa —respondió Cipriano.

Se hallaban sentados sobre las esteras de la habitación de Ramón, en el calor que precedía a la lluvia, hacia finales de la estación lluviosa.

—¡Levántate! —ordenó Ramón.

Cipriano se levantó inmediatamente, con aquella suave prontitud de sus movimientos.

Ramón se acercó a él en seguida, colocó una de sus manos sobre los ojos de Cipriano y se los cerró. Luego se puso detrás de Cipriano, que permaneció inmóvil en la cálida oscuridad, con la conciencia girando en extrañas ondas concéntricas, hacia un centro donde se precipitaba repentinamente en la insondable profundidad que se parece al sueño.

—¿Cipriano? —la voz sonó muy lejana.

—Sí.

—¿Es oscuro?

—Es oscuro.

—¿Está viva? ¿Está viva la oscuridad?

—Claro que está viva.

—Quién vive?

—Yo.

—¿Dónde?

—Lo ignoro. En la viviente oscuridad.

Entonces Ramón vendó los ojos y la cabeza de Cipriano con un trozo de piel negra. Después, con suave y cálida presión, posó una mano desnuda sobre el pecho desnudo de Cipriano, y la otra entre sus hombros. Cipriano estaba en una oscuridad profunda, erguido y silencioso.

—¿Cipriano?

—Sí.

—¿Está oscuro en tu corazón?

—Está oscureciendo.

Ramón sintió que el latido del corazón de Cipriano remitía lentamente. En Cipriano, otro círculo de oscuridad había empezado a girar con lentitud desde su corazón. Daba vueltas cada vez más amplias, como un sueño más profundo.

—¿Es oscuro?

—Es oscuro.

—¿Quién vive?

—Yo.

Ramón ató los brazos de Cipriano a sus costados con un cinturón de piel alrededor del pecho. Entonces puso una mano sobre el ombligo y la otra mano en la espalda de Cipriano, y apretó con una presión lenta, cálida y potente.

—¿Cipriano?

—Sí.

La voz y la respuesta se alejaban cada vez más.

—¿Es oscuro?

—No, mi Señor.

Ramón se arrodilló y abrazó la cintura de Cipriano, apretando su negra cabeza contra su costado. Y Cipriano empezó a sentir como si su mente, su cabeza se estuviera fundiendo en la oscuridad; como una perla en vino tinto, el otro círculo de sueño comenzó a oscilar, muy vasto. Y ahora era un hombre sin cabeza que se movía como un viento oscuro sobre la superficie de las aguas oscuras.

—¿Es perfecto?

—Es perfecto.

—¿Quién vive?

—¡Quién...!

Cipriano ya no lo sabía.

Ramón le ató con fuerza el talle, y entonces, apretando su cabeza contra la cadera, dobló los brazos en torno a los lomos de Cipriano, cerrando con sus manos los lugares secretos.

—¿Cipriano?

—Sí.

—¿Está todo oscuro?

Pero Cipriano no podía contestar. El último círculo estaba girando, y el aliento que soplaba sobre las aguas ya se hundía en ellas, no había más expresión. Ramón permaneció arrodillado con la cabeza, los brazos y las manos apretadas durante unos momentos más. Entonces ató los lomos, sujetando las muñecas a las caderas.

Cipriano se mantenía rígido e inmóvil. Ramón abrazó las dos rodillas, hasta que estuvieron calientes, y pudo sentirlas oscuras y dormidas como dos piedras vivas, o dos huevos. Luego las ató rápidamente, y agarró los tobillos como si agarrase el tronco de un árbol joven por donde emerge de la tierra. En cuclillas sobre la tierra, los agarró con intensa presión, descansando su cabeza en los pies. Los momentos pasaron y los dos hombres permanecieron inconscientes.

Después Ramón ató los tobillos, levantó súbitamente a Cipriano con suavidad de sonámbulo, le acostó sobre la piel de un gran león de las montañas, que se hallaba extendida sobre las mantas, tiró de él el sarape rojo y negro de Huitzilopochtli y se echó a sus pies, sujetando los pies de Cipriano sobre su propio abdomen.

Y ambos hombres pasaron a una perfecta inconsciencia, Cipriano dentro del seno de la serena creación, y Ramón en el sueño de la muerte.

Cuánto tiempo pasaron en la oscuridad, nunca lo supieron. Atardecía. Ramón se despertó de improviso por la sacudida de los pies de Cipriano. Se incorporó y apartó la manta de la cara de Cipriano.

—¿Es de noche? —inquirió éste.

—Casi de noche —respondió Ramón.

Siguió un silencio, mientras Ramón desataba los nudos, empezando por los pies. Antes que quitar la venda de los ojos, cerró la ventana, de modo que la estancia quedó casi a oscuras. Cuando quitó la venda, Cipriano se sentó, mirando, y de repente se cubrió los ojos.

—¡Déjala completamente a oscuras! —exclamó.

Ramón cerró los postigos y en la habitación reinó una noche completa. Entonces volvió a sentarse sobre la estera junto a Cipriano. Este se había dormido otra vez. Al cabo de un rato, Ramón le dejó.

No volvió a verle hasta el amanecer, cuando le encontró bajando al lago para nadar. Los dos hombres nadaron juntos mientras el sol apuntaba por el horizonte. Con la lluvia, el lago estaba más frío. Luego fueron a la casa para frotar sus miembros con aceite.

Cipriano miró a Ramón con unos ojos negros que parecían estar mirando a todo el espacio.

—Me fui muy lejos —observó.

—¿Hasta donde no existe el más allá? —preguntó Ramón.

—Sí, hasta allí.

Y un momento después, Cipriano se envolvió de nuevo en su sarape y se quedó dormido.

No se despertó hasta la tarde. Entonces comió, tomó un bote y remó por el lago hasta el pueblo de Kate. La encontró en casa. Ella se sorprendió al verle con sus prendas blancas y el sarape de Huitzilopochtli.

—Voy a ser el viviente Huitzilopochtli —anunció.

—¿De verdad? ¿Cuándo? ¿Te sientes extraño? —Kate tenía miedo de sus ojos; parecían inhumanos.

—El jueves. El día de Huitzilopochtli será el jueves. ¿Querrás sentarte a mi lado y ser mi esposa cuando sea un dios?

—Pero ¿sientes de verdad que eres un dios? —inquirió ella, incrédula.

El la miró de una forma extraña.

—He estado allí —dijo— y he regresado. Pero pertenezco al lugar adonde he ido.

—¿Dónde es?

—Donde no existe el más allá y la oscuridad se hunde en el agua, y dormir y estar despierto es la misma cosa.

—No —dijo Kate, asustada—, nunca he comprendido el misticismo. Me da miedo.

—¿Es místico que yo venga a verte?

—No —contestó Kate—, supongo que es físico.

—También lo es esto otro, sólo que va más lejos. ¿No quieres ser la novia de Huitzilopochtli? —preguntó de nuevo.

—No tan pronto —repuso Kate.

—¡No tan pronto! —repitió él.

Hubo una pausa.

—¿Volverás a Jamiltepec conmigo ahora? —inquirió Cipriano.

—Ahora no.

—¿Por qué ahora no?

—Oh, no lo sé. Me tratas como si no tuviera una vida propia —acusó ella—, y la tengo.

—¿Una vida propia? ¿Quién te la ha dado? ¿Dónde la conseguiste?

—No lo sé. Pero la tengo. Y he de vivirla. No puedo dejarme absorber.

—¿Por qué, Malintzi? —preguntó él, dándole un nombre—. ¿Por qué no puedes?

—¿Dejarme absorber? Pues, porque no puedo.

353

—Soy el viviente Huitzilopochtli —dijo él—, y he sido absorbido. Creía que tú también podías serlo, Malintzi.

—¡No! ¡No del todo! —exclamó Kate.

—¡No del todo! ¡No del todo! ¡Ahora no! ¡Ahora mismo no! ¡Tan a menudo que dices hoy la palabra no! Tengo que volver a casa de Ramón.

—Sí. Vuelve a él. Sólo te importa él y tu viviente Quetzalcóatl y tu viviente Huitzilopochtli. Yo soy sólo una mujer.

—No, Malintzi, eres más. Eres más que Kate, eres Malintzi.

—¡No! Soy sólo Kate y soy sólo una mujer. Desconfío de todo lo demás.

—Yo soy más que sólo un hombre, Malintzi. ¿No lo comprendes? prendes?

—¡No! —repuso Kate—. No lo comprendo. ¿Por qué *habrías* de ser más que sólo un hombre?

—Porque soy el viviente Huitzilopochtli. ¿No te lo he dicho? Hoy tienes polvo en la boca, Malintzi.

Se fue, dejándola en la terraza meciéndose con furia, otra vez enamorada de su antigua personalidad y hostil a la nueva situación. Pensaba en Londres, París y Nueva York y en toda la gente que vivía allí.

—¡Oh! —gritó para sus adentros, ahogándose—. Por el amor de Dios, tengo que salir de esto y volver junto a personas sencillas y humanas. Detesto el simple sonido de Quetzalcóatl y Huitzilopochtli. Prefiero morir a seguir viéndome mezclada en esto. Son horribles, en realidad, tanto Ramón como Cipriano. Y quieren endosármelo todo a mí, con su pomposa palabrería y su Malintzi. ¡Malintzi! Yo soy Kate Forrester. No soy ni Kate Leslie ni Kate Taylor. Estoy harta de que todos los hombres quieran ponerme nombres. Nací como Kate Forrester y moriré siendo Kate Forrester. Quiero irme a casa. Realmente es horrible ser llamada Malintzi. Me lo han endosado por las buenas.

LA NOCHE DE HUITZILOPOCHTLI

Celebraron la ceremonia de Huitzilopochtli por la noche, en el espacioso patio de la iglesia. La guardia de Huitzilopochtli, con sarapes a rayas negras, rojas y amarillas, como las rayas de los tigres o las avispas, sostenía antorchas de ocote encendido. Se había preparado una gran fogata, a la que aún no se había prendido fuego, en el centro del patio.

En los campanarios donde antes estaban las campanas ardían hogueras y retumbaba el gran tambor de Huitzilopochtli con notas profundas y siniestras. Había sonado sin interrupción desde la puesta del sol.

El gentío se apiñó bajo los árboles, frente a la verja del patio de la iglesia. Las puertas del templo estaban cerradas.

Cuatro cañones dispararon salvas simultáneamente, apuntando hacia las cuatro direcciones, y sendos cohetes explotaron en cascadas rojas, verdes, blancas y amarillas.

Las puertas de la iglesia se abrieron y apareció Cipriano con su brillante sarape de Huitzilopochtli y tres plumas verdes de papagayo en vertical sobre su frente. Llevaba una antorcha. Se inclinó y encendió la gran fogata, y entonces cogió cuatro tizones encendidos y los lanzó a cuatro de sus hombres, que esperaban, desnudos a excepción del taparrabo. Los hombres agarraron los tizones en el aire y corrieron en las cuatro direcciones para encender las fogatas de las cuatro esquinas del patio.

Los guardas se habían despojado de sarapes y blusones y estaban desnudos hasta las fajas escarlatas. Un tambor pequeño empezó a latir para el baile, y el baile comenzó; los hombres medio desnudos lanzaban al aire sus antorchas encendidas y las recuperaban en su caída, todo sin dejar de bailar. Cipriano, en el centro, lanzaba tizones del fuego.

Ahora que no llevaba el sarape, su cuerpo podía verse pintado con franjas horizontales rojas y negras, y de sus labios descendía una delgada línea verde y de sus ojos una banda amarilla.

Las cinco fogatas, hechas con pequeñas pilas de leña de ocote, enviaban llamas puras a la oscuridad del cielo, iluminando a los danzarines, que cantaban con voces profundas mientras bailaban.

Las hogueras no tardaron en ser una gigantesca llama. El tambor sonaba sin cesar, y los hombres de Huitzilopochtli continuaban bailando como demonios. Entretanto, la muchedumbre permanecía sentada en el antiguo silencio indio, con los ojos centelleantes a la luz del fuego. Y gradualmente las fogatas comenzaron a extinguirse, y la blanca fachada de la iglesia, que también había bailado a la luz de las llamas amarillas, empezó a adquirir un tono azulado en la parte superior, que iba confundiéndose con la noche, y un tono rosado en la parte inferior, detrás de las siluetas oscuras que bailaban ante los rescoldos.

De repente se interrumpió la danza y los hombres se taparon con los sarapes y se sentaron. Aquí y allí ardían pequeños fuegos de ocote sobre los trípodes de caña, en un silencio que se prolongó unos minutos. Entonces sonó el tambor y una voz masculina empezó a cantar con voz clara y desafiante el *Primer Canto de Huitzilopochtli:*

> Yo soy Huitzilopochtli,
> El Rojo Huitzilopochtli,
> El rojo de sangre.

> Yo soy Huitzilopochtli,
> Amarillo como el sol,
> Con el sol en la sangre.

> Yo soy Huitzilopochtli,
> Blanco como el hueso,
> Con el sol en la sangre.

> Yo soy Huitzilopochtli.
> Con una brizna de hierba entre mis dientes.

> Yo soy Huitzilopichtli, sentado en la oscuridad,
> Y mi rojo mancha el cuerpo de la penumbra.

> Vigilo junto al fuego,
> Espero detrás de los hombres.

> En la quietud de mi noche
> El cacto afila su espina.
> La hierba busca con sus raíces el otro sol.

> Más profundo que las raíces del mango,
> Abajo, en el centro de la tierra,
> Está el brillo amarillo, amarillo de serpientes de mi sol.

¡Oh, cuidado con él!
¡Cuidado conmigo!
Quien atraviese mi llama de serpiente
Es mordido y debe morir.

Soy el dormir y el despertar
De la ira de la virilidad de los hombres.
Soy el salto y el temblor
Del fuego doblegado.

El canto tocó a su fin. Hubo una pausa, y entonces todos los
hombres de Huitzilopochtli volvieron a entonarlo, cambiando el
«Yo» por «Él».

El es Huitzilopochtli,
El Rojo Huitzilopochtli,
El rojo de sangre.

El es Huitzilopochtli,
Amarillo como el sol,
Con sol en la sangre.

El es Huitzilopochtli,
Blanco como el hueso,
Con sol en la sangre.

El es Huitzilopochtli,
Con una brizna de hierba entre sus dientes.

El es Huitzilopochtli, sentado en la oscuridad,
Y su rojo mancha el cuerpo de la penumbra.

Vigila junto al fuego,
Espera detrás de los hombres.

En la quietud de su noche,
El cacto afila su espina.
La hierba busca con sus raíces el otro sol.

Más profundo que las raíces del mango,
Abajo, en el centro de la tierra,
Está el brillo amarillo, amarillo de serpientes de su sol.

¡Oh, hombres, tened cuidado, tened cuidado!
Vigila al brillo y a él.
Y no corráis contra sus rayos;
Quien sea mordido, morirá.

El es Huitzilopochtli, dormida o despierta
Serpiente en los vientres de los hombres.
Huitzilopochtli, saltando y temblando,
Es el fuego de la pasión de los hombres.

Las grandes fogatas ya se habían extinguido del todo. Sólo las pequeñas llamas de los trípodes iluminaban la escena con un resplandor rojizo. La guardia se retiró al muro exterior del patio con las bayonetas erguidas. El gran tambor latía solo, lentamente.

. El patio era ahora un espacio despejado, con los rescoldos de las fogatas y el aleteo de las llamas de ocote. Y ahora pudo discernirse una tribuna erigida contra el muro blanco de la iglesia.

En el silencio se abrieron las grandes puertas del templo, y Cipriano salió con su brillante sarape, llevando en la cabeza, un puñado de plumas escarlatas con el borde negro. Subió a la tribuna y se detuvo de cara a la muchedumbre, con la luz de una antorcha en la cara y en las brillantes plumas, que se elevaban como llamas de la parte posterior de su cabeza.

Tras él salió una extraña procesión: un peón con anchos calzones blancos era conducido prisionero por dos de los guardias de Huitzilopochtli, que llevaban sarapes a rayas rojas, negras, amarillas, blancas y verdes; luego, otro peón prisionero; tras él, otro; en total, cinco hombres, el quinto muy alto, cojo, con una cruz roja pintada en la parte delantera de su chaqueta blanca. Cerraba la procesión una mujer prisionera, también ella entre dos guardas, con la cabellera suelta sobre una túnica roja.

Subieron a la tribuna. Los prisioneros fueron colocados en hilera, con sus guardas respectivos detrás de cada uno de ellos. El peón cojo estaba aparte, con sus dos guardas a sus espaldas; la mujer también estaba aparte, con otros dos guardas detrás de ella.

El gran tambor cesó y sonó la larga, aguda y triunfante nota de una trompeta, repetida tres veces. Después los timbales o pequeños tam-tam, resonaron como el granizo.

Cipriano alzó la mano y se hizo el silencio.

En el silencio empezó a hablar, con frases cortas y marciales:

«El hombre que es hombre es más que un hombre.
Ningún hombre es hombre hasta que es más que un hombre.

Hasta que tiene el poder
Que no es el suyo propio.

Yo tengo el poder de detrás del sol,
Y del centro de la tierra.
Soy Huitzilopochtli,
Soy oscuro como las entrañas sin sol de la tierra

Y amarillo como el fuego que consume,
Y blanco como el hueso,
Y rojo como la sangre.
Pero toqué la mano de Quetzalcóatl
Y entre nuestros dedos surgió una brizna de hierba verde.

Toqué la mano de Quetzalcóatl.
¡Oíd! Soy señor de los guardias de la noche
Y el sueño de la noche emana de mí como una pluma roja.

Soy el guardián, y el amo del sueño.
En el sueño de la noche veo merodear a los perros grises.
Que acechan para devorar el sueño.
En la noche, el alma de un cobarde huye de él
Como un perro gris cuyo hocico vomite rabia,
Y se arrastra entre durmientes y soñadores que descansan
[en mi oscuridad,
Y en quienes el sueño se sienta como un conejo, de orejas
[largas orilladas de noche,
Por las laderas del sueño, que recorren como un ciervo en
[el crepúsculo.

Por la noche veo arrastrarse a los perros grises que se alejan
[de los durmientes
Que son cobardes, que son embusteros, que son traidores,
[que no tienen sueños
Que alcen sus orejas como las del conejo, o recorran la os-
[curidad como los ciervos,
Y cuyos sueños son perros, perros grises de hocico amarillo.
De los mentirosos, los ladrones, los falsos, traicioneros y
[mezquinos
Veo salir los perros grises donde mis ciervos pacen en la
[oscuridad.
Entonces tomo mi cuchillo y lo lanzo contra el perro gris.
Y, ¡mirad!, ¡se ha clavado entre las costillas de un hombre!
¡La casa del perro gris!

¡Cuidado! ¡Cuidado!
Guardaos de los hombres y las mujeres que caminan entre
[vosotros.
No sabéis cuántos de ellos son morada de perros grises.
Hombres que parecen inofensivos, mujeres de bellas pa-
[labras,
Pueden albergar al perro gris.

Los tambores empezaron a sonar y el cantor empezó a entonar
con voz clara y pura:

EL CANTO DEL PERRO GRIS

Cuando dormís y no lo sabéis
El perro gris se arrastra entre vosotros.
En vuestro sueño os retorcéis, el alma os duele.
El perro gris está mordiendo vuestras entrañas.

Entonces llamad a Huitzilopochtli:
«El perro gris me cogió en la encrucijada
Mientras bajaba por el camino del sueño
Y cruzaba el camino de los inquietos.

El perro gris saltó hasta mis entrañas.
Huitzilopochtli, échalo».
¡Escucha!, contesta el Gran Ser. *¡Derríbalo!*
Mátalo en su impura morada.

Por el camino de los inquietos
Seguís la pista del perro gris
Hasta su morada en el corazón de un traidor.
Un ladrón, un asesino de sueños.

Y lo matáis allí de un solo golpe,
gritando: *Huitzilopochtli, ¿lo he hecho bien?*
Para que tu sueño no sea un cementerio
Por el que merodeen perros impuros.

El canto cesó, y hubo un silencio. Entonces Cipriano hizo una seña a los hombres para que acercaran al peón que llevaba la cruz negra pintada delante y detrás. El peón se adelantó cojeando.

Cipriano: ¿Quién es este hombre cojo?
Guardas: Es Guillermo, capataz de don Ramón, que traicionó a don Ramón, su amo.
Cipriano: ¿Por qué cojea?
Guardas: Cayó a las rocas desde una ventana.
Cipriano: ¿Qué le inspiró la idea de traicionar a su amo?
Guardas: Su corazón es un perro gris, y una mujer, una perra gris, le sugestionó.
Cipriano: ¿Qué mujer sugestionó al perro gris?
Los guardas se adelantaron con la mujer.
Guardas: Esta mujer, Maruca, Señor, la del corazón de perra gris.
Cipriano: ¿Ha sido realmente ella?
Guardas: Sí, ella.
Cipriano: Mataremos al perro gris y a la perra gris, porque

sus bocas están llenas de veneno amarillo. ¿Está bien, hombres de Huitzilopochtli?

Guardas: Está muy bien, mi Señor.

Los guardas despojaron al peón Guillermo de sus prendas blancas, tras lo cual quedó desnudo, excepción hecha del taparrabo gris y la cruz gris y blanca que llevaba pintada en el pecho. La mujer también tenía una cruz gris y blanca pintada en el cuerpo. La dejaron en enaguas, que eran cortas y de lana gris.

Cipriano: El perro gris y la perra gris ya no andarán más por el mundo. Enterraremos sus cuerpos en cal viva, hasta que sus almas y sus cuerpos estén devorados y no quede ningún resto. Porque la cal es el hueso sediento que se traga a un alma y su sed no se sacia. Atadles con las cuerdas grises y poned ceniza sobre sus cabezas.

Los guardas obedecieron con prontitud. los prisioneros, cenicientos, miraban con negros ojos centelleantes y no emitieron ningún sonido. Un guarda se mantenía detrás de cada uno de ellos. Cipriano hizo una señal y, rápidos como el relámpago, los guardas ataron las gargantas de las víctimas con un trapo gris y con una brusca sacudida les desnucaron, levantándoles hacia atrás con un sólo movimiento. Luego dejaron los trapos grises muy apretados en torno a las gargantas y los cuerpos crispados en el suelo.

Cipriano se volvió hacia la muchedumbre:

«Los Señores de la Vida son los Amos de la Muerte.
Azul es el aliento de Quetzalcóatl.
Roja es la sangre de Huitzilopochtli.
Pero el perro gris pertenece a la ceniza del mundo.
Los Señores de la Vida son los Amos de la Muerte.
Azul es el cielo profundo y el agua profunda.
Rojos son la sangre y el fuego.
Amarilla es la llama.
El hueso es blanco y está vivo.
El cabello de la noche es oscuro sobre nuestros rostros.
Pero los perros grises están entre las cenizas.
Los Señores de la Vida son los Amos de la Muerte».

Entonces se volvió hacia los otros peones prisioneros.

Cipriano: ¿Quiénes son estos cuatro?
Guardas: Cuatro que vinieron a matar a don Ramón.
Cipriano: ¿Cuatro hombres contra un solo hombre?

361

Guardas: Fueron más de cuatro, mi Señor.

Cipriano: Cuando muchos hombres luchan contra uno, ¿cuál es el nombre de la mayoría?

Guardas: Cobardes, mi Señor.

Cipriano: En efecto, cobardes. Son menos que hombres. Los hombres que son menos que hombres no merecen la luz del sol. Si han de vivir los hombres que son hombres, los hombres que son menos que hombres han de ser liquidados para que no se multipliquen. Los hombres que son más que hombres han de juzgar a los hombres que son menos hombres. ¿Deben morir?

Guardas: Tienen que morir, mi Señor.

Cipriano: Mi mano ha tocado la mano de Quetzalcóatl, y entre las hojas negras, una ha salido verde, con el color de Malintzi.

Acudió un ayudante y levantó el sarape de Cipriano por encima de su cabeza, dejando su cuerpo desnudo hasta la cintura. Los guardas se despojaron igualmente de sus sarapes.

Cipriano alzó el puño, en el que apretaba un ramillete de plumas negras, u hojas.

Entonces dijo con lentitud:

Huitzilopochtli reparte la hoja negra de la muerte.
Tomadla con valentía.
Tomad la muerte con valentía.
Cruzad valientes la frontera, admitiendo vuestra falta.

Decidid continuar siempre adelante, hasta que entréis en el
[Lucero del Alba.
Quetzalcóatl os enseñará el camino.
Malintzi del vestido verde abrirá la puerta.
Os acostaréis en la fuente.
Si llegáis a la fuente, y os acostáis
Y la fuente cubre vuestra cara para siempre,
Habréis dejado atrás para siempre vuestra falta.
Y el hombre que es más que un hombre dentro de vosotros.
Se despertará por fin del olvido total
Y se levantará, y mirará a su alrededor,
Dispuesto de nuevo para el negocio de ser hombre.

Pero Huitzilopochtli tocó la mano de Quetzalcóatl
Y una hoja verde saltó entre las negras.
La hoja verde de Malintzi,
Que perdona una vez y no más.

Cipriano se volvió hacia los cuatro peones. Alargó al primero el ramillete de cuatro hojas negras. Este hombre, que era bajo, miró las hojas con curiosidad.

—No hay ninguna verde —observó con escepticismo.

—¡Bien! —exclamó Cipriano—. Entonces toma una negra.

Y le entregó una hoja negra.

—Lo sabía —refunfuñó el hombre—, tirando la hoja con desprecio y desafío.

El segundo hombre sacó una hoja negra. Se quedó mirándola, como fascinado, dándole vueltas.

El tercer hombre sacó una hoja cuya mitad inferior era verde.

—¡Mira! —exclamó Cipriano—. ¡La hoja verde de Malintzi!

Y entregó la última hoja negra al cuarto hombre.

—¿Tengo que morir? —preguntó éste.

—Sí.

—Yo no quiero morir, patrón.

—Jugaste con la muerte, y ahora salta sobre ti.

Los ojos de los tres hombres estaban vendados con tela negra; les quitaron los blusones y los bombachos. Cipriano tomó una daga fina y brillante.

—Los Señores de la Vida son Amos de la Muerte —dijo con voz alta y clara.

Y con la rapidez del rayo clavó la daga en el corazón de los hombres vendados con tres veloces y potentes golpes. Entonces levantó la daga ensangrentada y la tiró al suelo.

—Los Señores de la Vida son Amos de la Muerte —repitió.

Los guardas levantaron uno a uno los cuerpos llenos de sangre y entraron con ellos en la iglesia. Sólo quedaba el prisionero que tenía la hoja verde.

—Poned la hoja verde de Malintzi sobre su frente; porque Malintzi perdona una vez y no más —dijo Cipriano.

—¡Sí, mi Señor! —contestó el guarda.

Y se llevaron al hombre a la iglesia.

Cipriano les siguió, y el último guarda fue tras él.

A los pocos minutos los tambores empezaron a sonar y los hombres fueron entrando lentamente en la iglesia. No se admitía a las mujeres. Todo el interior estaba cubierto de banderas rojas y negras. Al lado del presbiterio había un nuevo ídolo: una maciza figura sentada de Huitzilopochtli, hecha con piedra de lava. Y a su alrededor ardían doce velas rojas. El ídolo empuñaba el ramillete de cintas, u hojas negras. Y a sus pies yacían los cinco cadáveres.

El fuego que ardía sobre el altar enviaba lenguas de llama hacia la oscura estatua de Quetzalcóatl. Ramón estaba sentado en su pequeño trono, llevando los colores azul y blanco de Quetzalcóatl. Había otro trono igual a su lado, pero se hallaba vacío. Seis guardas de Quetzcóatl se mantenían a ambos lados de Ramón; en cambio, en el lado del presbiterio reservado a Huitzilopochtli no había nadie salvo los muertos.

Los pesados tambores de Huitzilopochtli sonaban afuera, incesantemente, con un ruido frenético. Dentro retumbaba con suavidad el tambor de Quetzalcóatl. Y los hombres que aún se encontraban fuera del templo iban entrando lentamente por el pasillo que dejaba la guardia de Quetzalcóatl.

Una flauta dio la órden de cerrar las puertas. Los tambores de Quetzalcóatl enmudecieron. y de nuevo se oyó desde los campanarios el salvaje clarín de Huitzilopochtli.

Entonces, en silencio, descalza, desfiló por el centro de la iglesia la procesión de Huitzilopochtli, desnuda con excepción de los taparrabos y la pintura, y las plumas escarlatas de los tocados. Cipriano tenía la mandíbula pintada de blanco y de su boca salía una fina línea verde; cruzaba su nariz una línea de color negro, otra amarilla partía de los ojos y una escarlata recorría la frente, de la cual se elevaba una pluma verde; en la parte posterior de la cabeza llevaba un bonito tocado de plumas escarlata. Una franja roja estaba pintada a través de su pecho, y una amarilla en el talle. El resto era de un gris ceniciento.

Tras él desfilaba su guardia, con los rostros rojos, negros y blancos, los cuerpos pintados como el de Cipriano, y una pluma escarlata detrás de la cabeza. El duro y seco tambor de Huitzilopochtli sonaba monótonamente.

Cuando el Viviente Huitzilopochtli estuvo cerca de los escalones del altar, el viviente Quetzalcóatl se levantó para recibirle. Los dos saludaron, cada uno de ellos cubriendo sus ojos con la mano izquierda durante un momento, y luego tocándose los dedos con la mano derecha.

Cipriano se colocó ante la estatua de Huitzilopochtli, metió la mano en un cuenco de piedra y, emitiendo el potente grito o chillido de Huitzilopochtli, levantó la mano roja. Su guardia pronunció el potente grito y desfiló muy de prisa, mojándose cada hombre la mano y levantando después el puño húmedo y rojo. Los duros tambores de Huitzilopochtli sonaban como locos en la iglesia, y de pronto enmudecieron.

Ramón: ¿Por qué es roja tu mano, Huitzilopochtli, hermano mío?
Cipriano: Es la sangre de los traidores, oh, Quetzalcóatl.
Ramón: ¿Qué han traicionado?
Cipriano: Al sol amarillo y al corazón de la oscuridad; a los corazones de los hombres y los capullos de las mujeres. Mientras vivieron, el Lucero del Alba no podía verse.
Ramón: ¿Y ahora están verdaderamente muertos?

Cipriano: Verdaderamente muertos, mi Señor.

Ramón: ¿Han derramado su sangre?

Cipriano: Sí, mi Señor, salvo que los perros grises no derraman sangre. Dos han tenido la muerte sin sangre de los perros grises, y tres han muerto ensangrentados.

Ramón: Dame la sangre de los tres, hermano Huitzilopochtli, para rociar el fuego.

Cipriano llevó el cuenco de la piedra y el pequeño ramillete de hojas negras del ídolo de Huitzilopochtli. Con lentitud y suavidad. Ramón echó al fuego unas gotas de sangre con las hojas negras.

Ramón: Oscuridad, bebe la sangre de la expiación.
Sol, trágate la sangre de la expiación.
Elévate, Lucero del Alba, entre el mar dividido.

Devolvió el cuenco y las hojas a Huitzilopochtli, que las volvió a colocar junto al ídolo negro.

Ramón: Tú que has quitado las vidas de los tres, Huitzilopochtli, hermano mío, ¿qué vas a hacer con las almas?

Cipriano: Entregártelas a ti, mi Señor Quetzalcóatl, mi Señor del Lucero del Alba.

Ramón: Sí, entrégamelas y yo las envolveré en mi aliento y enviaré al viaje más largo, al sueño y el lejano despertar.

Cipriano: Mi Señor es señor de los dos caminos.

La desnuda y pintada guardia de Huitzilopochtli se acercó, depositó los cadáveres de los tres hombres apuñalados sobre sendos féretros rojos y los dejó a los pies de la estatua de Quetzalcóatl.

Ramón: Bien, el camino será largo, más allá del sol, hasta el portal del Lucero del Alba. Y si el sol está enfadado, ataca más velozmente que un jaguar, y el silbido de los vientos es como un águila airada, y las aguas superiores atacan llenas de ira como serpientes plateadas. Ah, tres almas, haced ahora las paces con el sol y los vientos y las aguas, y avanzad con valor, con el aliento de Quetzalcóatl a vuestro alrededor como una capa. No temáis ni retrocedáis ni fracaséis; sino llegad al final del viaje más largo y dejad que la fuente cubra vuestro rostro. Y así todo será, al final, renovado.

Cuando hubo hablado a los muertos, Ramón tomó incienso y lo echó al fuego, y se levantaron nubes de humo azulado. Luego, con un incensario esparció el humo azul por encima de los muertos.

Seguidamente desdobló tres telas azules y cubrió los cadáveres. Entonces la guardia de Quetzalcóatl levantó los féretros, y sonó la flauta de Quetzalcóatl.

—¡Saludad al Lucero del Alba! —gritó Ramón—, volviéndose hacia la luz de detrás de la estatua de Quetzalcóatl y levantando el brazo derecho para la plegaria de Quetzalcóatl. Todos los hombres se volvieron hacia la luz y alzaron con pasión el brazo derecho. Y el silencio y el Lucero del Alba llenaron el templo.

El tambor de Quetzalcóatl retumbó; lentamente, los guardas de Quetzalcóatl se alejaron con los tres muertos envueltos en la tela azul.

Entonces se oyó la voz del Viviente Huitzilopochtli:

—La cara de Quetzalcóatl no puede mirar hacia los perros grises muertos. Sobre los perros grises muertos no aparece el Lucero del Alba. Pero el fuego de los cadáveres los consumirá.

Los secos tambores de Huitzilopochtli sonaron con estrépito. Ramón permaneció de espaldas a la iglesia, con el brazo alzado hacia el Lucero del Alba. Y la guardia de Huitzilopochtli levantó los cuerpos, estrangulados, los depositó sobre sendos féretros, los cubrió con una tela gris y se los llevó.

El clarín de Huitzilopochtli volvió a sonar.

> Cipriano: Los muertos ya están en camino. Quetzalcóatl les asiste en su largo viaje. Pero los perros grises duermen dentro de cal viva, en el lento fuego de los cadáveres. El fin ha llegado.

Ramón dejó caer el brazo y se volvió hacia la iglesia. Todos los hombres dejaron caer los brazos. Sonaron de nuevo los suaves tambores de Quetzalcóatl, mezclándose con los duros tambores de Huitzilopochtli. Entonces ambas guardias empezaron a cantar al unísono:

GUARDIA DE HUITZILOPOCHTLI

El rojo Huitzilopochtli
Separa al día y la noche.

Huitzilopochtli, el dorado,
Guarda a la vida de la muerte, y a la muerte de la vida.

Ni perros grises ni cobardes se le escapan,
Ni los traidores moteados.
Los rubios falsos no pueden pasar
Por delante de él sin ser vistos.

Los valientes tienen paz al atardecer,
Los honrados miran hacia la aurora,
Los viriles salen en pleno día azul,
Ante Huitzilopochtli.

El rojo Huitzilopochtli
Es el purificador.

El negro Huitzilopochtli
Es el destino.

El Huitzilopochtli dorado
Es el fuego liberador.

El Huitzilipochtli blanco
Es hueso lavado.

El Huitzilopochtli verde
Es la brizna de hierba de Malintzi.

Al principio de cada estrofa, la Guardia de Huitzilopochtli golpeaba su palma izquierda con el puño derecho de color escarlata, y los tambores resonaban con gran estrépito, con una terrible explosión de ruido. Cuando el canto terminó, los tambores se fueron extinguiendo como un trueno cada vez más lejano, dejando un eco en los corazones de los hombres.

Ramón: ¿Por qué es tan roja tu mano. Huitzilopochtli?
Cipriano: Por la sangre de hombres apuñalados, hermano.
Ramón: ¿Siempre será roja?
Cipriano: Hasta que Malintzi, la del vestido verde, traiga su cuenco de agua.

El clarín y la flauta sonaron a la vez. La guardia de Huitzilopochtli apagó las velas rojas, una a una, y la guardia de Quetzalcóatl extinguió las velas azules. La iglesia quedó a oscuras, a excepción de la pequeña pero violenta luz blanca y azulada que ardía detrás de la estatua de Quetzalcóatl, y el rescoldo del fuego del altar.
Ramón empezó a hablar con lentitud:

Los muertos están en camino, el camino es oscuro.
Solamente se ve el Lucero del Alba.
Más allá del blanco de la blancura,
Más allá del negro de la negrura,
Más allá del día fijado,
Más allá de la rebelde pasión de la noche,

La luz que alimentan dos recipientes
Con aceite negro y aceite blanco,
Brilla en el portal.
El portal del lugar más recóndito,
Donde convergen el Aliento y las Fuentes,
Donde los muertos están vivos y los vivos están muertos.
Las profundidades que la vida no puede imaginar,
El Manantial y el Fin, de los que sólo sabemos
Que existen, y su vida es nuestra vida y nuestra muerte.
Todos los hombres cubren sus ojos
Ante lo no visto.
Todos los hombres se pierden en el silencio
De lo insonoro.

La iglesia estaba totalmente silenciosa; todos los hombres se
mantenían en pie con una mano sobre los ojos.

Hasta que se oyó la nota de un gong de plata, y se encendieron
en el altar las velas verdes de Malintzi. La voz de Ramón se oyó una
vez más:

Como las verdes velas de Malintzi,
Como un árbol frondoso.
La lluvia de sangre ha caído, ha regado la tierra.

Los muertos han emprendido el largo viaje
Hacia más allá de la estrella.
Huitzilopochtli ha lanzado su manto negro
A los que quieren dormir.

Cuando el viento azul de Quetzalcóatl
Sopla suavemente,
Cuando cae el agua de Malintzi,
Esparciendo el verdor:

Contad los granos rojos del fuego de Huitzilopochtli
Que haya en vuestros corazones, oh, hombres,
Y soplad las cenizas.

Porque los vivos viven
Y los muertos mueren.
Pero los dedos de todos tocan los dedos de todos
En el Lucero del Alba.

CAPÍTULO XXIV

MALINTZI

Cuando se prohibió a las mujeres la entrada en la iglesia, Kate se fue a su casa deprimida e inquieta. Las ejecuciones la habían escandalizado y entristecido. Sabía que Ramón y Cipriano hacían lo que hacían con deliberación; creían en sus actos y obraban según su conciencia. Y era probable que, como hombres, tuviera razón.

Pero sólo parecían hombres. Cuando Cipriano dijo: *El hombre que es hombres es más que un hombre*, parecía llevar hasta el punto máximo la significación masculina con una especie de cualidad demoníaca. A ella se le antojaba todo una *voluntad* terrible, el ejercicio de una pura y espantosa voluntad.

Y en el fondo de su alma sentía repulsión contra esta manifestación de voluntad pura. Aunque también era fascinante. Había algo oscuro, brillante y fascinador en Cipriano y en Ramón. ¡El poder sombrío y despiadado, incluso la pasión de voluntad en los hombres! ¡La extraña, sombría y lustrosa belleza de todo ello! Kate reconocía que se hallaba bajo su hechizo.

Al mismo tiempo, como suele suceder con cualquier hechizo, no la dominaba completamente. Estaba hechizada, pero no del todo. En un rincón de su alma había repugnancia y un poco de náusea.

Ramón y Cipriano tenían razón sin duda en lo que concernía a ellos mismos, a su pueblo y a su país. Pero ella, en definitiva, pertenecía a otro lugar. No a esta terrible *voluntad* natural que parecía agitar sus alas en el mismo aire del Continente americano. Siempre voluntad, voluntad, voluntad, sin remordimientos ni atenuantes. Esto era América para ella; todas las Américas. ¡Voluntad pura!

¡La voluntad de Dios! Kate empezó a comprender esta frase antes tan temible. En el centro de todas las cosas, una oscura e impetuosa Voluntad enviaba sus terribles rayos y vibraciones, como un gigantesco pulpo. Y en el otro extremo de la vibración, los hombres, los hombres creados, erguidos en la oscura potencia, respondiendo a Voluntad con voluntad, como dioses o demonios.

También era maravilloso. Pero ¿dónde estaba la mujer en este terrible intercambio de voluntades? Realmente no era más que una subordinada, un instrumento; la piedra suave sobre la que el hombre afilaba el cuchillo de su despiadada voluntad; la suave piedra imantada que magnetizaba la hoja de acero y mantenía todas sus moléculas vivas en la corriente eléctrica.

Ah, sí, era maravilloso. Era, como decía Ramón, una manifestación, una manifestación de la Deidad. Pero ella no podía responder a la Deidad como una Voluntad pura y terrible.

Joachim, al dejarse desangrar por un pueblo al que de nada serviría su sacrificio, era el otro extremo. El negro y magnífico orgullo de la voluntad que surge de la tierra volcánica de México era desconocido para él. Representaba a uno de los dioses blancos que se autosacrificaban. De ahí la amargura de Kate. Y de ahí, naturalmente, el hechizo de belleza y brillante satisfacción que Cipriano podía ejercer sobre ella. Estaba enamorada de él cuando se encontraban juntos: en sus brazos, Kate se hallaba por completo a merced de su hechizo. Era la profunda y lánguida piedra imantada que hacía brillar todos los huesos de él con la energía del orgullo despiadado. Y ella misma sentía una gran satisfacción en el abrazo, una profunda impresión de poder pasivo y envolvente.

Pero no podía ser puramente esto, este objeto de simple reciprocidad. ¡Seguramente, aunque su naturaleza femenina era recíproca con la masculina, seguramente era más que eso! No podía creer que él y ella no fueran otra cosa que dos potentes corrientes recíprocas entre las que el Lucero del Alba centelleaba como una chispa surgida de la nada. ¡Seguramente no sería así! ¡Ella tenía que tener un minúsculo Lucero del Alba en su interior que era ella misma, su propia alma y su propia estrella!

Pero él jamás admitiría esto. Jamás vería la minúscula estrella de su propio ser. Para él, ella no era más que la respuesta a su llamada, la funda de su hoja, la nube de su relámpago, la tierra para su lluvia, el combustible de su fuego.

Sola, ella no era nada. Sólo tenía importancia como la hembra pura que correspondía a su pura masculinidad.

Como individuo aislado, tenía poca o ninguna significación. Como una mujer sola era repulsiva, e incluso maligna, para él. No era real hasta que era recíproca.

En gran parte esto era verdad, y ella lo sabía. En gran parte, lo mismo era cierto de él, y sin ella para darle el poder, él tampoco podría alcanzar su propia virilidad y su propio significado. Con ella o sin ella, Cipriano sobrepasaría a los hombres ordinarios, porque el poder estaba en él. Pero sin ella no conseguiría jamás su realización definitiva, no sería completo jamás, sino principalmente un instrumento.

El también sabía esto; aunque tal vez no lo bastante bien. Se esforzaría por conservarla, por tenerla, para su propia realización. No la dejaría marchar.

Pero ¿recordaría alguna vez aquella pequeña estrella de Kate? No. ¿Acaso no se concebía a sí mismo como un poder y una potencia sobre la faz de la tierra, una voluntad encarnada, como un viento fuerte y oscuro? Y por ello, inevitablemente, ella no era otra cosa que la piedra para su descanso, su lecho para el sueño, la caverna y guarida de su voluntad masculina.

¿Qué más? Para él, no había nada más. ¡La estrella! El Lucero del Alba de don Ramón era algo que surgía entre él y ella y pendía resplandeciente; la extraña tercera identidad que era los dos a la vez y ninguno de los dos, y que estaba entre la noche de él y el día de ella.

¿Sería cierto? ¿No era nada, nada por ella misma? Y él, solo, sin su última virilidad, ¿no era nada sin ella, o casi nada? Como una higuera que crece, pero nunca llega a dar fruto.

¿Sería esto cierto para los dos, que solos no eran casi nada? Cada uno, por separado, casi nada; solitarios en una especie de crepúsculo gris y mecánico, sin ninguna estrella.

Y juntos, en extraña reciprocidad, ¿centelleaban oscuramente hasta que el Lucero del Alba surgía entre ellos?

El le diría, como Ramón había dicho de Carlota: «¡Alma! No, no tienes alma propia. Tienes, como máximo, media alma. Se requiere a un hombre y una mujer juntos para formar un alma. El alma es el Lucero del Alba, que surge entre los dos. Uno solo no puede tener alma».

Esto decía Ramón. Y Kate sabía que correspondía a los sentimientos de Cipriano. Cipriano no podía ver a Kate como un ser por sí mismo. Y aunque viviera mil años más, jamás la vería como tal. Sólo la veía como recíproca con él, como su equilibrio, y la correspondencia en el otro lado del cielo.

«Deja que el Lucero del Alba surja entre nosotros —le diría—. Sola, no eres nada, y yo estoy *manqué*. Pero juntos somos las alas de la Mañana».

¿Era cierto? ¿Era ésa la respuesta final a la afirmación de individualidad del hombre?

¿Era cierto? ¿Y era su deber sagrado sentarse junto a él con el vestido de Malintzi, en la iglesia, como la diosa que admite su media naturaleza? ¡Su media naturaleza! ¿Es que no había estrella del alma solitaria? ¿Era todo una ilusión?

¿Era el individuo una ilusión? ¿El hombre, cualquier hombre, todos los hombres, sólo un fragmento por sí mismos, sin conocer al Lucero del Alba? Y todas las mujeres lo mismo; solas, sin estrella y fragmentarias. Incluso en la relación con el Dios más íntimo, todavía fragmentarias y sin bendición.

¿Era cierto que el umbral era el Lucero del Alba, la única entrada al Santuario? Y el Lucero del Alba surge entre dos, y entre muchos, pero nunca en uno solo.

¿Y era el hombre una simple voluntad oscura y penetrante, y la mujer el arco con el que se dispara la flecha? El arco sin la flecha no era nada, y la flecha sin el arco un simple dardo de corto alcance, inefectivo.

Pobre Kate, era difícil tener que reflexionar sobre esto. Significaba una sumisión que nunca había intentado. Significaba la muerte de su ser individual. Significaba abandonar tantas cosas, incluso sus propios cimientos. Porque había creído firmemente que todos los hombres y todas las mujeres se fundaban en el individuo.

¿Debía admitir ahora que el individuo era una ilusión y una falsificación? No existía semejante animal. Excepto en el mundo mecánico. En el mundo de las máquinas, la máquina individual es efectiva. El individuo, como ser perfecto, no existe ni puede existir en el mundo animado. Todos somos fragmentos. Y, como máximo, mitades. Lo único entero es el Lucero del Alba. El cual sólo puede surgir entre dos; o entre muchos.

Y los hombres sólo se pueden encontrar a la luz del Lucero del Alba.

Pensó de nuevo en Cipriano y las ejecuciones, y se cubrió la cara con las manos. ¿Era éste el cuchillo del que tenía que ser funda? ¿Tan poderosa y despiadada debía ser la estrella que surgiera entre ella y él? El, desnudo y pintado, con sus soldados, bailando, sudando y gritando entre ellos. ¡Y ella sin ser vista, ausente!

Mientras se mecía en su terrible soledad e incertidumbre, oyó los tambores de los campanarios y el sonido de cohetes. Fue hasta el portal. Sobre la iglesia, en el cielo nocturno, pendía una rutilante nube de fuego rojo y azul, los colores de Quetzalcóatl y Huitzilopochtli. La noche de Huitzilopochtli debía haber termindo. El cielo se oscureció de nuevo y aparecieron todas las estrellas, lejos, mucho más lejos de donde había pendido la nube rutilante.

Entró en la casa para acostarse. Todos los criados habían salido a ver los cohetes. Ezequiel estaría con los hombres en la Iglesia.

Oyó pasos sobre la grava, y de pronto Cipriano apareció en el umbral, vestido de blanco. Se quitó rápidamente el sombrero. Sus ojos negros brillaban, casi ardían al mirarla con una luz que ella aún no le había visto nunca. Todavía llevaba manchas de pintura en el rostro. En el brillo de sus ojos parecía estar sonriéndole, pero de un modo deslumbrado e infantil.

—Malintzi —le dijo en español—, ¡oh, ven! Ven y ponte el vestido verde. No puedo ser el Viviente Huitzilopochtli sin una novia. ¡No puedo serlo, Malintzi!

Estaba frente a ella, rutilante, alegre y extrañamente joven y vulnerable, tan joven e ingenuo como una llama. Ella vio que cuando el fuego se encendiera libremente en él, sería siempre así, alegre y rutilante con su llama de juventud virgen. Ahora no había ninguna voluntad; era sensible como un muchacho y la llamaba sólo con su llama infantil: el vivo, rutilante y violento *Deseo*. Esto venía primero. La *Voluntad* que ella había visto era subsidiaria e instrumental, el *Deseo* con armadura.

Estaba tan acostumbrada a luchar por su propia alma con hombres individualistas, que por un momento se sintió vieja e insegura. La extraña y brillante vulnerabilidad de él, la desnudez del viviente Deseo, la desconcertaban. Estaba acostumbrada a hombres que sabían dominarse bien y buscaban sus propios fines como individuos.

—¿Adónde quieres que vaya? —preguntó.

—A la iglesia —contestó él—. Esta noche es mía. Soy Huitzilopochtli, pero no puedo serlo si estoy solo —añadió con una sonrisa veloz, melancólica y vigilante, como si todo su ser estuviera temblando con un delicado fuego.

Kate se abrigó con un oscuro chal escocés y se fue con él. Cipriano caminaba con pasos rápidos y cortos, al estilo indio. La noche era muy oscura. En la playa ardían algunos fuegos de artificio y toda la gente se congregaba allí.

Entraron en el patio de la iglesia por detrás, utilizando la pequeña puerta del sacerdote. Los soldados ya estaban envueltos en sus sarapes, dormidos bajo la pared. Cipriano abrió la pequeña puerta de la sacristía y Kate entró en la oscuridad. El la siguió y encendió una vela.

—Mis soldados saben que esta noche velo en la iglesia —explicó—. Ellos harán la guardia.

El centro de la iglesia estaba totalmente oscuro, pero la luz blanca y azulada ardía sobre la estatua de Quetzalcóatl, iluminando débilmente lo que había a su alrededor.

Cipriano levantó su vela hacia la negra estatua de Huitzilopochtli. Entonces se volvió y miró a Kate con ojos brillantes.

—Yo soy Huitzilopochtli, Malintzi —dijo en su español indio y quedo—, pero no puedo serlo sin ti. Quédate conmigo, Malintzi. Di que eres la novia del Viviente Huitzilopochtli.

—¡Sí! —repuso ella—. Lo digo.

Llamas convulsas de alegría y triunfo parecieron iluminar el rostro de Cipriano. Encendió dos velas ante Huitzilopochtli.

—¡Ven! —exclamó—. Ponte el vestido verde.

La llevó a la sacristía, donde había muchos sarapes doblados, el cáliz de plata y otros utensilios de la iglesia, y la dejó mientras se ponía el vestido de Malintzi que había llevado cuando Ramón celebró su boda.

Cuando salió, encontró a Cipriano desnudo y pintado frente a la estatua de Huitzilopochtli, sobre una alfombra de pieles de jaguar.

—Soy el Viviente Huitzilopochtli —murmuró a Kate en una especie de éxtasis.

»Tú eres Malintzi —añadió, la novia de Huitzilopochtli.

La exaltación convulsiva reapareció en su rostro. Tomó la mano de ella en su mano izquierda y permanecieron así mirando la luz azulada.

—¡Cúbrete la cara! —dijo a Kate.

Se cubrieron la cara en el saludo.

—¡Ahora saluda a Quetzalcóatl! —añadió, y alzó el brazo. Ella alargó la mano izquierda, que era el saludo femenino.

Entonces se volvieron hacia la estatua de Huitzilopochtli.

—¡Saluda a Huitzilopochtli! —siguió ordenando él, golpeando con brusquedad la palma de su mano izquierda con el puño derecho. Pero éste era el saludo masculino. A ella le había enseñado a juntar las palmas a la altura del pecho y después separarlas con gesto ampuloso delante del ídolo.

Luego colocó una pequeña lámpara de barro entre los pies de Huitzilopochtli. De la rodilla derecha del ídolo tomó un pequeño recipiente negro que contenía aceite, y dijo a Kate que cogiera un recipiente similar de color blanco de la rodilla izquierda del dios.

—Ahora —explicó—, juntos llenamos la lámpara.

Y juntos vertieron el aceite de sus jarritas en la lámpara, que tenía forma de platillo.

—Ahora, juntos la encendemos —añadió él.

Tomó uno de los dos cirios que ardían ante el ídolo negro, ella tomo el otro, y con las llamas temblando y goteando juntas, encendieron el pabilo flotante, que ardió como un capullo azul y redondo antes de alargarse.

—Apaga tu cirio —dijo él—. Es nuestro Lucero del Alba.

Soplaron para apagar los dos cirios. Ahora era casi oscuro; sólo había la luz lenta, como un copo de nieve, de sus vidas unidas flotando entre los pies de Huitzilopochtli, y la luz perpetua, pequeña y azulada, que ardía detrás de la estatua de Quetzalcóatl.

Al pie del altar, junto a la silla de Huitzilopochtli, se había colocado una tercera silla.

—Siéntate en tu trono de Malintzi —indicó Cipriano.

Se sentaron de lado, cogidos de las manos y en completo silencio, mirando hacia la iglesia oscura. El había puesto ramilletes de flores verdes, como la fina y verdosa lila, sobre el respaldo de la silla, y su perfume era como un sueño, fuerte y embriagadoramente dulce en la oscuridad.

—¡Qué extraña la ingenuidad de él! No era como Ramón, pomposo y deliberado en sus ceremonias En sus pequeños actos con ella esta noche, Cipriano era ingenuo como un niño. Kate apenas podía mirar hacia aquel capullo de luz que según él significaba sus vidas unidas sin que el corazón le diera un vuelco. Ardía con tal redonda suavidad, y él depositaba una confianza tan implícita y pueril en su símbolo. La ceremonia entera comunicaba a Cipriano cierta alegría infantil y salvaje. ¡Las extrañas convulsiones, como llamas de gozo y satisfacción, que recorrían su rostro!

«¡Ah, Dios mío! —pensó Kate—. Hay más de una manera de convertirse en un niño pequeño».

La luminosidad y magnificencia del comienzo: esto era lo que Cipriano quería introducir en su matrimonio. El potente y embriagador perfume de aquellas invisibles flores verdes, que los peones llaman *buena de noche*.

Era extraño... lo que aportaba al matrimonio era algo llameante y resuelto, eternamente virginal. No, como ella había visto siempre en los hombres, anhelantes y buscando sus propios fines, sino llevando ingenuamente su llama a la llama de Kate.

Mientras se encontraba sentada en la iglesia oscurecida, cerca del intenso perfume de las flores, en el asiento de Malintzi, contemplando el capullo de su vida unida a la de él, entre los pies del ídolo, y sintiendo la mano oscura de él apretando la suya, Kate se sorprendió rememorando su infancia. Los años parecían estar alejándose en grandes círculos, distanciándose cada vez más de ella.

Y dejándola sentada como una niña en su primera adolescencia. ¡El Viviente Huitzilopochtli! Ah, con qué facilidad era el Viviente Huitzilopochtli. Más que cualquier otra cosa. Más que Cipriano, más que un macho, era el Viviente Huitzilopochtli. Y ella se había convertido en la diosa novia, en Malintzi, la del vestido verde.

Ah, sí, era infantil. Pero la realidad. Ella debía tener unos catorce años, y él quince. Y él era el joven Huitzilopochtli y ella la novia Malintzi, la novia niña. Kate lo había visto. Cuando la llama le iluminó y lamió su figura entera, Cipriano era joven y vulnerable como un muchacho de quince años, y siempre lo sería, incluso cuando tuviera setenta.

Y era su novio. Aquí, por fin, no era una *voluntad*. Cuando le vestía su propia llama libre, no era la *voluntad* lo que le vestía. Podía ser lo que quisiera en el mundo, un general, un verdugo, pero la llama de sus vidas unidas era un desnudo capullo del fuego. Su matrimonio era una llama joven y vulnerable.

Así él continuó silencioso en su trono, con la mano de ella en la suya, hasta que los años se alejaron de ella en círculos veloces y fue, como puede ser cualquier mujer verdadera, no importa a qué edad, nuevamente una muchacha y, para él, virgen. Cipriano le cogió la mano en silencio hasta que ella fue Malintzi, y virgen para él, y cuando se miraron y sus ojos se encontraron, las dos llamas se convirtieron en una sola. Ella cerró los ojos, y se hizo la oscuridad.

Más tarde, cuando abrió los ojos y vio el capullo de llama justo encima de ella, y el ídolo negro invisiblemente agachado, oyó la extraña voz de él, la voz de un muchacho silbando en español, en un ingenuo éxtasis:

—¡Miel! ¡Miel de Malintzi!*

Y Kate le apretó contra su pecho, convulsivamente. La llama íntima de él era siempre virginal, era siempre la primera vez. Y siempre volvía a hacer de ella una virgen. Kate podía sentir sus dos llamas ardiendo juntas.

«¿De qué otro modo —se dijo a sí misma— puede una volver a empezar, si no es encontrando de nuevo la propia virginidad? Y cuando se encuentra la propia virginidad, se da una cuenta de que está entre los dioses. El es uno de los dioses, y yo también. ¿Por qué habría de juzgarle?».

Así, cuando pensaba en él y sus soldados, en historias de rápida crueldad que había oído contar de él: cuando le recordaba apuñalando a los tres peones indefensos, pensaba: «¿Por qué habría de juzgarle? Es uno de los dioses. Y cuando viene a mí, pone su pura y rápida llama sobre la mía, y cada vez vuelvo a ser una muchacha, y cada vez él toma la flor de mi virginidad, y yo la suya. Me deja *insouciante* como una jovencita. ¿Qué me importa que mate a gente? Su llama es joven y limpia. Es Huitzilopochtli, y yo soy Malintzi. ¿Qué me importa lo que Cipriano Viedma haga o deje de hacer? ¿O incluso lo que Kate Leslie haga o deje de hacer?».

CAPITULO XXV

TERESA

Ramón sorprendió un poco a Kate contrayendo segundas nupcias un par de meses después de la muerte de doña Carlota. La novia era una joven de unos veintiocho años llamada Teresa. Se celebró una discreta boda civil, y Ramón llevó a su nueva esposa a Jamiltepec.

La conocía desde que era niña, porque había nacido en la famosa hacienda de Las Yemas, a unos veinte kilómetros de Jamiltepec tierra adentro. Don Tomás, su padre, había sido un fiel amigo de los Carrasco.

Pero don Tomás había fallecido un año antes, dejando la grande y rentable hacienda de tequila a sus tres hijos, bajo la administración de Teresa. Esta era la más joven. Sus dos hermanos tenían el carácter habitual mexicano: derrochador, pródigo, brutal. Por consiguiente, don Tomás, a fin de salvar la hacienda de sus manos destructoras, había nombrado administradora a Teresa y obtenido para ello el consentimiento de los hermanos. Al fin y al cabo, eran unos haraganes que nunca habían demostrado el menor deseo de ayudar en la tarea más bien ardua de dirigir una gran hacienda de tequila durante la vida de su padre. Teresa, por el contrario, había tomado las riendas del negocio durante la enfermedad de su padre, mientras sus dos hermanos malgastaban su vida en la blanda existencia de los mexicanos de su clase en las distintas ciudades.

Sin embargo, en cuanto murió su padre y Teresa se hizo cargo de la hacienda, los hermanos llegaron a casa con la sana intención de convertirse en *hacendados**. Por la fuerza bruta suplantaron a su hermana, dando órdenes a espaldas suyas y burlándose de ella, unidos contra ella por primera vez. La estaban relegando a su lugar como mujer, es decir, a la recluida clase de prostitución a la que, según ellos, pertenecían las mujeres.

Pero eran fanfarrones y, como tales, cobardes. Y, como tantos mexicanos de su clase, blandos y suicidas. Trabaron amistad con jueces y generales. Montaban con resplandecientes trajes de *charro** y recibían a montones de dudosos visitantes.

Contra esta brutalidad suave y sensual, Teresa no podía hacer nada, y lo sabía. Eran suaves y sensuales, guapos a su manera, generosos, despreocupados, pero fanfarrones, y sin miedo en sus entrañas.

—Conviértete en deseable y consigue marido —dijeron a su hermana.

A sus ojos, el mayor crimen de Teresa era no ser deseable para los hombres de su clase; no haber tenido nunca un amante, no haberse casado, la hacía casi repulsiva para ellos. ¿para qué servía la mujer sino para el sexo y la prostitución?

—¿Quieres llevar los pantalones? —se mofaban—. ¡No, señorita! No, mientras haya dos hombres aquí, tú no vas a llevar los pantalones. ¡No, señorita! Los pantalones son para los hombres. Las mujeres ocultan bajo las enaguas aquello que las hace mujeres.

Teresa estaba acostumbrada a estos insultos, pero aun así, le hacían arder la sangre.

—¿Es que quieres ser una mujer americana? —le decían—. Pues vete a América y córtate el pelo y lleva pantalones. Cómprate un rancho allí y consigue un marido que obedezca tus órdenes. ¡Vamos!

Teresa fue a ver a sus abogados, pero ellos se lavaron las manos. Entonces fue a ver a Ramón, a quien conocía desde que era una niña.

Habría significado un pleito inútil y ruinoso pretender echar a los hermanos de la hacienda. En vez de ello, Ramón pidió a Teresa que se casara con él, y dispuso cuidadosamente su dote, para que siempre dispusiera de su propia fortuna.

—Es un país donde los hombres desprecian el sexo y viven para él —dijo Ramón—, lo cual equivale a un suicidio.

Ramón fue con su esposa a visitar a Kate. Teresa era más bien baja, pálida, y tenía una espesa cabellera negra y grandes ojos negros. Pero en sus tranquilos modales y boca cerrada había un aire de independencia y autoridad. Había sufrido muchas humillaciones a manos de sus hermanos, cierta palidez persistía en torno a sus ojos, resto de las lágrimas, la ira y la indignación impotentes, y la amargura del sexo insultado. Pero ahora amaba a Ramón con una lealtad virgen y salvaje. Esto también era evidente. El había salvado a su sexo del insulto, devolviéndoselo con todo su orgullo y su belleza. Y a cambio, ella sentía hacia él una reverencia casi feroz.

Pero con Kate fue tímida y distante; un poco asustada de la mujer experta, independiente, de tez blanca, la mujer de la otra raza. Se sentó en el salón de Kate con su sencillo vestido blanco y su rebozo de gasa negra, quietas sobre la falda las manos morenas, erguido el cuello y ladeada la mejilla fina y bien torneada. Parecía, pensó Kate, una modistilla.

Pero Kate no contaba con aquel extraño y aquiescente poder de autoridad que poseía Teresa en su cuerpo esbelto y oscuro. Y tampoco con las miradas negras y rápidas de los ojos de Teresa, que se posaban en ella de vez en cuando con curiosa fiereza y suspicacia. Un alma violenta en aquel cuerpo discreto y esbelto. A veces salía de su boca una palabra ahogada y jugaba en sus labios una sonrisa reprimida. Pero sus ojos ardientes no cambiaban. Ni siquiera miró una sola vez a Ramón.

—¿Cuánto cobras por palabra, *chica*?* —le preguntó éste con una especie de suave cariño.

Entonces los ojos oscuros de Teresa le miraron y su boca dibujó una sonrisa. Era evidente que estaba perdidamente enamorada de él, en una especie de trance amoroso. Pero mantuvo su distanciada frialdad hacia Kate.

«Me desprecia —pensó ésta—, porque no puedo estar enamorada como ella».

Y durante un segundo, Kate envidió a Teresa. En el siguiente, la despreció. «El tipo de harén...».

Bueno, ser un sultán convenía muy bien a la naturaleza de Ramón. Estaba muy guapo con su ropa blanca, muy sereno y seguro de sí mismo como un pachá, y sin embargo, al mismo tiempo, había algo suave, agradable, algo adolescente incluso en su bienestar físico. Con su talante suave, y complaciente como el de un pachá, se sirvió un cóctel de ginebra, vermut y lima. Teresa le observaba por el rabillo del ojo, y al mismo tiempo observaba a Kate, la enemiga potencial, la mujer que hablaba con los hombres en su mismo plano.

Kate se levantó para ir a buscar cucharas. En el mismo momento, él retrocedió de su lugar junto a la mesa, donde estaba exprimiendo una lima, y chocó ligeramente con ella. Y Kate volvió a notar lo rápida y sutil que era su evasión física de ella, la rapidez cálida y suave, casi líquida, con que evitaba su contacto. Su natural voluptuosidad la soslayaba como una llama se aparta de una corriente de aire.

Kate se ruborizó un poco. Y Teresa vio el instantáneo rubor bajo la tez blanca y el destello de luz amarilla, casi de cólera, que lanzaron los ojos color de avellana de Kate. El momento de evasión de dos diferentes corrientes sanguíneas.

Y Teresa se levantó y fue al lado de Ramón, y allí se inclinó para observar las botellas y preguntar con la curiosa puerilidad afectada de las mujeres cobrizas:

—¿Qué pones en la coctelera?

—¡Mira! —contestó Ramón. Y con la misma puerilidad curiosa de los hombres de piel oscura, le explicó la composición del cóctel, dándole a probar un poco de ginebra con una cuchara.

—Es un tequila impuro —comentó ella ingenuamente.

—¿A ocho pesos la botella? —rió él.

—¿Tanto? ¡Es mucho!

Le miró un momento a los ojos y vio el rostro de él oscurecerse y hacerse más cálido, como si su sangre quisiera fluir hacia ella. La

379

pequeña cabeza de Teresa se irguió, más orgullosa. Le había recuperado.

«¡Trucos de harén!», pensó Kate para sus adentros. Y se impacientó un poco al ver al corpulento y solemne Ramón envuelto en las redes de esa criatura morena y diminuta. Le molestó ser tan consciente de su presencia física, de su arrogante cuerpo masculino cubierto por las finas prendas blancas, los hombros fuertes y a la vez suaves, los fuertes y espléndidos muslos. Era como si también ella, al encontrarse en presencia de este sultán, estuviera dispuesta a sucumbir como parte del harén.

¡Qué curiosa voluntad tenía la mujer morena! ¡Qué sutil poder femenino había en su cuerpo más bien flaco! Tenía el poder de hacer de él un hombre grande y glorioso, mientras ella misma quedaba casi en la sombra, salvo por sus grandes ojos negros iluminados por un poder salvaje.

Kate la observaba, maravillada. Ella misma había conocido a hombres que la hacían sentirse como una reina, como si el cielo estuviera en su regazo y su cabeza entre las estrellas. Sabía lo que era sentirse cada vez más importante, hasta que llenaba el universo con su femineidad.

Ahora veía ocurrir lo contrario. Esta mujercita de ojos negros tenía un poder casi misterioso para hacer a Ramón importante y magnífico mientras ella se volvía borrosa, casi *invisible,* salvo por sus grandes ojos negros. Y él era realmente como un sultán, como una fruta madura dorada por el sol, con una presencia extraña y magnífica. Y entonces, por un poder misterioso contenido en su frágil cuerpecillo, la flaca Teresa le dominaba completamente.

Y esto era lo que Ramón quería. Y Kate se encolerizó. El macho corpulento, fluido, brillante, le resultaba repulsivo. Y la mujercita tensa de cara oscura y pálida, pálida bajo sus grandes e intensos ojos negros, con todo su ser femenino tenso por el esfuerzo de exaltar a este hombre corpulento y reluciente, enfurecía a Kate. No podía soportar aquella reluciente sonrisa en los ojos oscuros de Ramón, una especie de satisfacción de pachá. Y no podía soportar la erguida y tensa figurilla de la mujer morena, que utilizaba todo su poder de esta manera.

¡Este poder oculto y secreto de la mujer de piel oscura! Kate lo llamaba harén y autoprostitución. Pero ¿lo era? Sí, seguramente era el enfoque de la esclava, seguramente ella no quería de él más que sexo, como una prostituta. El antiguo misterio del poder femenino, que consiste en glorificar al macho.

¿Era bueno?, se preguntaba Kate. ¿No era degradante para la mujer? ¿Y no hacía al hombre blando y sensual, o bien odiosamente autócrata?

Sin embargo, Kate había terminado convenciéndose de una cosa: que la clave de toda la vida y toda transferencia a una nueva vida estribaba en la relación viva entre el hombre y la mujer. El hombre y la mujer eran en esta unión la clave de toda la vida presente y toda posibilidad futura. De esta clave de unión entre el hombre y la mujer nacía toda nueva vida. Era el núcleo de la totalidad.

Y esta unión necesitaba un equilibrio. ¡Seguramente necesitaba un equilibrio! ¿Y acaso la tal Teresa no se entregaba enteramente al equilibrio masculino, de modo que todo el peso recaía sobre el lado del hombre?

Ramón no había deseado a Kate. Ramón tenía ahora lo que deseaba: esta pequeña criatura negra, tan servil con él, tan altiva en su propio poder. Ramón no había deseado nunca a Kate: excepto como amiga, como una amiga inteligente. Como mujer, ¡no! Quería a esta pequeña víbora de Teresa.

Cipriano deseaba a Kate. El pequeño general, el soldado fanfarrón, deseaba a Kate: sólo en algunos momentos. No quería realmente casarse con ella. Quería los momentos, nada más. Ella tenía que darle estos momentos, y luego él se marcharía otra vez, a su ejército a sus hombres. Era lo que él quería.

Y era lo que ella quería también. ¡Su vida le pertenecía! No era su *métier* estar atizando el fuego de la sangre masculina y hacer a un hombre todopoderoso y ardiente. ¡Su vida era sólo suya!

Se levantó y fue al dormitorio a buscar un libro que había prometido a Ramón. Ya no podía soportar por más tiempo contemplarle enamorado de Teresa. La densa e insensata sonrisa de su rostro, el curioso brillo de sus ojos y el extraño y pesado *aplomb* de su cuerpo se le antojaba a Kate como una locura. Tenía deseos de echar a correr.

¡Así era la verdadera naturaleza de este pueblo! Salvajes, con la imposible carne fluida de los salvajes y aquella forma salvaje de disolverse en una terrible masa negra de deseo. Su vanidad masculina y su altivez les hinchaban la sangre hasta hacerles sentir infinitos, mientras sus ojos brillaban con una altiva negrura.

El problema residía en que el poder del mundo, que ella sólo había conocido hasta ahora en los ojos azules de los hombres blancos, que hacían reinas a sus mujeres (aunque terminaran odiándolas por ello), estaba desapareciendo de los ojos azules y amaneciendo en los negros. En los ojos de Ramón había en este momento un firme destello de altivez, y temeridad, y poder, que ella reconocía como supremo. Lo mismo refulgía en las rápidas miradas de Cipriano. El poder del mundo agonizaba en los hombres rubios, su valentía y su supremacía les estaban abandonando para instalarse en los ojos de los hombres cobrizos, que por fin empezaban a despertarse.

Joachim, el genio vivaz, inteligente, fiero y sensible, que sabía mirar en el alma de ella, y reírse con sus ojos azules, había muerto bajo la mirada de Kate. Y los hijos de Kate no eran siquiera hijos suyos.

Si Kate hubiera sabido avivar su sangre como Teresa avivaba ahora la sangre de Ramón, Joachim no habría muerto.

Pero era imposible. A cada uno lo suyo. Y a cada raza.

Teresa llamó tímidamente a la puerta.

—¿Puedo entrar?

—¡Claro! —repuso Kate, levantándose y dejando pequeños montones de libros en torno al baúl donde los guardaba.

Era una habitación bastante grande, con puertas que daban al patio y al soleado jardín; suaves mangos se elevaban como trompas de elefante, la hierba era verde después de las lluvias, los polluelos picoteaban bajo las recortadas hojas de los plátanos. Un pájaro escarlata se bañaba en una palangana de agua, abriendo y cerrando sus alas marrones sobre el puro y vivísimo escarlata.

Pero Teresa miraba la habitación y no hacia el patio. Olió la fragancia de los cigarrillos y vio muchas colillas en el cenicero de ágata que había sobre la mesilla. Vio los montones de libros, las joyas esparcidas, las policromas alfombras de Nuevo México en el suelo, la cortina persa colgada detrás del lecho, la bonita colcha de colores, los vestidos de seda oscura y brillante terciopelo tirados sobre un baúl, los chales doblados con sus largos flecos, los zapatos diseminados por el suelo, blancos, grises, beiges, negros, los altos candelabros chinos. La habitación de una mujer que vivía su propia vida, para su propia satisfacción.

Teresa sintió repugnancia, inquietud y fascinación.

—¡Qué bonita es! —exclamó, tocando la policroma colcha.

—Una amiga me la hizo, en Inglaterra.

Teresa lo miró todo con asombro, en especial el revoltijo de joyas que había sobre el tocador.

—¿No le gustan esas piedras rojas? —preguntó Kate, poniéndose otra vez de rodillas para guardar los libros y mirando el cuello moreno inclinado, absorto, sobre las joyas. ¡Hombros delgados, de piel suave y oscura, bajo el fino vestido blanco! Y masas de cabellos negros recogidos con horquillas de concha. Una criatura insignificante, humilde, pensó Kate.

Pero en realidad sabía que Teresa no era insignificante ni humilde. Bajo la piel suave y morena y en aquella espalda femenina ahora inclinada había el extraño y antiguo poder de enardecer la sangre de un hombre, glorificarla y, en cierto modo, guardarla para sí.

Sobre el costurero había una pieza de fina muselina india que Kate había comprado en la India y con la cual no sabía qué hacer. El color era una mezcla de amarillo y anaranjado. Muy hermoso, pero no sentaba bien a Kate. Teresa estaba tocando el borde dorado de la tela.

—¿No es organdí? —preguntó.

—No, muselina. Muselina india tejida a mano. ¿Por qué no se la lleva? A mí no me sienta bien. Sería perfecta para usted.

Kate se levantó y sostuvo la tela contra el cuello moreno de Teresa, señalando el espejo. Teresa vio la cálida muselina amarilla sobre su piel y sus ojos lanzaron chispas.

—¡No! —respondió—. No puedo aceptarla.

—¿Por qué no? A mí no me sirve. Hace ya un año que la tengo y ya me preguntaba si no sería mejor cortarla para hacer cortinas. Acéptela, por favor.

Kate podía ser imperiosa, casi cruel en sus regalos.

—¡No puedo privarla de ella!

—¡Claro que sí!

Ramón apareció en el umbral, y echó una ojeada a la habitación y a las dos mujeres.

—¡Mira! —dijo Teresa, algo confundida—. La señora quiere darme esta muselina india. —Se volvió hacia él timidamente, con la tela apretada contra la garganta.

—Te sienta muy bien —observó él, mirándola.

—La señora no debería regalármela.

—La señora no te la daría a menos que lo deseara.

—¡Está bien! —dijo Teresa a Kate—. ¡Muchas gracias! ¡Muchísimas gracias!

—De nada —respondió Kate.

—Si Ramón dice que me favorece.

—Sí, ¿verdad que la favorece? —preguntó Kate a Ramón—. Fue tejida en India por alguien de tez oscura como la de ella. Le sienta realmente bien.

—¡Muy bonita! —alabó Ramón.

Había echado un vistazo a la habitación, a las diferentes cosas atractivas de diferentes partes del mundo, y a las colillas del cenicero de ágata; al lujo deslustrado, al desorden y el ambiente estéril de una mujer que vive su propia vida.

Kate no sabía lo que él pensaba, pero se dijo para sus adentros: «Este es el hombre a quien defendí en aquella azotea. Este es el hombre que yacía con un agujero en la espalda, desnudo e inconsciente bajo la lámpara. No parecía un sultán entonces».

Teresa debió adivinar sus pensamientos, porque dijo, mirando a Ramón:

—¡Señora! De no ser por usted, habrían matado a Ramón. Nunca dejo de pensar en ello.

—No lo piense más —replicó Kate—. Habría ocurrido otra cosa. De todos modos, no fui yo, fue el destino.

—¡Ah, pero usted fue el destino! —exclamó Teresa.

—Ahora que hay una anfitriona, ¿querrá venir a pasar una temporada en Jamiltepec? —preguntó Ramón.

—¡Oh, sí, sí, venga! —coreó Teresa.

—Pero ¿de verdad quiere que vaya? —inquirió Kate, incrédula.

—¡Sí! ¡Sí! —gritó Teresa.

—Necesita una amistad femenina —explicó suavemente Ramón.

—¡Sí, es verdad! —exclamó Teresa—. Jamás he tenido una verdadera amiga; sólo cuando estaba en el colegio y era muy joven.

Kate dudaba mucho de su capacidad para ser una verdadera amiga de Teresa. Se preguntó qué veían en ella sus dos visitantes.

—Sí, me gustaría ir a pasar unos días —contestó.

—¡Oh, sí! —exclamó Teresa—. ¿Cuándo vendrá?

Fijaron el día.

—Y escribiremos la Canción de Malintzi —dijo Ramón.

—¡No lo haga! —gritó Kate con rapidez.

El la miró con lentitud y extrañeza. Había momentos en que la hacía sentir una especie de niña y considerarle a él un fantasma.

Kate fue a Jamiltepec, y antes de que las dos mujeres se dieran cuenta, empezaron a confeccionar vestidos para Teresa con la muselina amarilla y anaranjada. Para ser una novia, la pobre Teresa, tenía un vestuario muy escaso; sólo unos cuantos vestidos negros, muy patéticos, que le daban cierto aspecto de pobreza, y algunos viejos vestidos blancos. Había vivido para su padre (que poseía una buena biblioteca sobre México y toda su vida quiso escribir una historia del Estado de Jalisco) y para la hacienda. Y proclamaba con orgullo que Las Yemas era la única hacienda, en casi doscientos kilómetros a la redonda, que no había sido destrozada durante las revoluciones que siguieron a la huida de Porfirio Díaz.

Teresa tenía mucho de monja. Pero ello se debía a que era profundamente apasionada, y la pasión profunda tiende a ocultarse y no a exponerse al vulgar contacto.

Así Kate prendió la muselina sobre los hombros morenos, maravillándose otra vez de la extraña y misteriosa suavidad de la oscura piel y la densidad del cabello negro. La familia de Teresa, los Romero, habían estado en México desde los primeros tiempos de la Conquista.

Teresa quería las mangas largas.

—¡Mis brazos son tan delgados! —murmuró, ocultando sus esbeltos y morenos brazos con una especie de vergüenza—. No son hermosos como los tuyos.

Kate era una mujer fuerte y desarrollada de cuarenta años, y tenía los brazos fuertes, blancos y redondeados.

—¡No! —protestó—. Tus brazos no son delgados; están muy bien proporcionados con respecto a tu figura, y son bonitos, morenos y jóvenes.

—Pero hazme las mangas largas, hasta la muñeca —insistió Teresa.

Y Kate la complació, comprendiendo que convenía mejor a la naturaleza de la otra mujer.

—A los hombres de aquí no les gustan las mujeres delgadas —observó Teresa en tono melancólico.

—No hay que preocuparse por lo que gusta a *los hombres* —dijo Kate—. ¿Tú crees que don Ramón desea verte como una perdiz cebada?

Teresa la miró con una sonrisa en los ojos oscuros y brillantes, que eran tan rápidos, y muchas veces tan ciegos.

—¿Quién sabe? —murmuró. Y en su traviesa sonrisa se leía que a ella también le gustaría, a veces, ser una perdiz cebada.

Kate conocía ahora mucho más que antes la vida de la hacienda. Cuando Ramón estaba en casa, consultaba todas las mañanas con su capataz o administrador. Pero Teresa ya le estaba quitando este trabajo de las manos. Ella se encargaría de la finca.

Ramón se ausentaba muy a menudo para ir a Ciudad de México, a Guadalajara, e incluso a Sonora. Su fama le precedía en todo el país; su nombre era conjurado por doquier. Pero bajo la fácil adoración del héroe que sienten los mexicanos, Kate ya empezaba a intuir su latente animosidad. Tal vez les procuraba más satisfacción destruir a sus héroes en última instancia que exaltarlos temporalmente. El momento realmente perfecto era cuando el héroe caía derribado.

Y a Kate, en su escepticismo, le parecía lo más probable que ya estuvieran afilando el machete para hundirlo en el corazón de Ramón en cuanto fuera demasiado elevado para ellos. Aunque, naturalmente, había que contar con Cipriano. Y Cipriano era un pequeño demonio al que temían mucho, y con razón. Y Cipriano, por una vez, se mostraba fiel. El era Huitzilopochtli, y en esto creía con una fe demoníaca. El era Huitzilopochtli y Ramón era Quetzalcóatl. Para Cipriano, se trataba de un hecho simple y vivo. Y mantenía a su ejército afilado como un cuchillo. Ni siquiera el Presidente se atrevería a enfrentarse con Cipriano, y el Presidente también era un hombre valeroso.

—Un día —declaró— pondremos a Quetzalcóatl en la catedral de Puebla, y a Huitzilopochtli en la catedral de México, y a Malintzi en Guadalupe. Ese día llegará, Ramón.

—Ya nos encargaremos de que llegue —contestó éste.

Pero tanto Ramón como Montes sufrían por la profunda animosidad que el pueblo les profesaba en silencio. Siempre ocurría lo mismo; quienquiera que fuese el hombre que ostentara el poder, los mexicanos parecían dirigir contra él un odio sombrío e invisible, el odio de demonios frustrados en sus propias almas cuyo único motivo era destruirlo todo y a todos desde el infierno eterno de su irreversible frustración.

Este era el dragón de México contra el que Ramón tenía que luchar. Montes, el Presidente, también había de luchar contra él, y en esta pugna estaba destrozando su salud. Cipriano se enfrentaba igualmente a él, pero con más éxito que los demás. Con sus tambores, con sus danzas alrededor del fuego, con sus soldados dispuestos y en forma. Podía contar con el verdadero apoyo de sus hombres. Su posición se fortaleció y adquirió fulgor.

También Ramón, aposentado en su propio distrito, sentía fluir hacia sí el poder que emanaba de sus gentes. El era el jefe, y con su poder y su esfuerzo había casi conquistado la antigua e insondable resistencia. A fuerza de poder, casi les había devuelto el suave misterio de la vida, librándoles de la tensión de su resistencia y relajando las voluntades malévolas. En su hogar podía sentir la propia fuerza.

Pero lejos de su casa, sobre todo en la Ciudad de México, se sentía desangrado, desangrado por la sutil y oculta malevolencia de los mexicanos, aves de presa que no cesaban de posarse en la capital cosmopolita.

Cuando Ramón se ausentaba, Kate se quedaba con Teresa. Las dos mujeres tenían esto en común: pensaban que era mejor mantenerse fielmente detrás de un hombre realmente valeroso, que adelantarse para formar en las filas de las mujeres baratas e inoportunas. Y esto las unía. Cierta fidelidad profunda y definitiva hacia el propio hombre, necesitado de esta fidelidad, mantenía unidas a Kate y a Teresa.

La estación lluviosa había casi tocado a su fin, aunque en septiembre e incluso en octubre solía caer algún chaparrón ocasional. Pero el maravilloso otoño mexicano, parecido a una extraña primavera invertida, reinaba en el país. Los espacios yermos se engalanaban con los cosmos rosas y blancos, los extraños árboles salvajes florecían de un modo fantasmal, bosques de pequeños girasoles brillaban al sol, el cielo era de un azul purísimo y los rayos de sol eran templados por la tierra, en parte inundada desde las últimas lluvias.

El lago estaba muy lleno, extraño e inquieto, y había amontonado a lo largo de todas sus orillas montañas de los malignos lirios acuáticos. Las aves salvajes llegaban desde el norte, había nubes enteras de patos en el aire y salpicando el agua como crespones negros. Llegaban muchas aves salvajes, por lo que el misterio septentrional parecía invadir todo el sur. En tierra se olía a agua y reinaba una sensación de placidez. Porque Kate creía firmemente que parte del horror de la gente mexicana se debía a la sequedad sin atenuantes de la tierra y la despiadada crudeza del ardoroso sol. Si el aire pudiera suavizarse con un poco de agua, y la neblina se cerniera sobre los árboles, la implícita e indescriptible malevolencia desaparecería de los corazones humanos.

Kate solía ir a caballo con Teresa a ver los campos. La caña de azúcar del valle interior era de un verde muy vivo y crecía alta, muy alta. Los peones estaban empezando a cortarla con sus machetes parecidos a una espada, y luego llenaban las carretas de bueyes para descargar la caña en el trapiche de Sayula. En las secas laderas de las colinas, la espigada planta del tequila —una especie de magüey— florecía con su férrea malignidad. Cactos salvajes exhibían unas flores similares a rosas, maravillosas y bellas para plantas tan siniestras. Las judías ya habían sido recogidas de sus plantas, y aún quedaban algunas calabazas y sandías desparramadas por el campo. Los rojos chiles colgaban de plantas marchitas y unos tomates muy rojos se hundían en la tierra. Algunas espigas de maíz seguían erguidas, y aún había mazorcas buenas para comer. La cosecha de plátanos era pequeña y los niños iban a la casa con las amarillas manzanas silvestres llamadas tejocote para hacer confitura. Teresa hacía toda clase de mermeladas, incluso higos y melocotones. En los ponderosos mangos volvía a haber algún fruto maduro, pero la mayoría seguía colgando en hileras, pesados, verdosos, parecidos a testículos de toros.

Era otoño en México, con patos salvajes en las aguas y cazadores con escopetas y pequeñas palomas salvajes en las calles. Otoño en México, y la llegada de la estación seca, con el cielo cada vez más alto, de un azul muy pálido y puro, y el crepúsculo anunciándose con un extraño fogonazo de diáfana luz amarilla. En las zarzas, bajo los árboles, se volvían rojas las bayas de café, y la buganvilla resplandecía a la fuerte luz con una fosforescencia de color magenta tan profundo que uno podía hundir los brazos en él. Unos cuantos colibríes tomaban el sol, y los peces del lago se volvían locos y las moscas, que habían sido negras con las primeras lluvias, ahora volvían a desaparecer.

Teresa se cuidaba de todo, y Kate prestaba su ayuda. Ya se tratara de un peón enfermo en una de las chozas, o de los enjambres de abejas de las colmenas que había debajo de los mangos, o de llenar tarros con la cera tan, tan amarilla, o de las mermeladas, o del jardín, o de los terneros, o de la mantequilla y los pequeños quesos frescos que se hacían con tiras de leche cuajada, o de los pavos: ella lo atendía junto con Teresa. Y se maravillaba de la firme, urgente y eficiente *voluntad* que debía ejercerse de una manera continua. Todo funcionaba gracias a un enorme esfuerzo de voluntad. Si una sola vez fallaba la voluntad del amo, todo caí destrozado y en ruinas casi inmediatamente. Jamás podía uno relajarse de verdad. Siempre la voluntad sombría, insistente.

Ramón llegó a casa una tarde de noviembre de un largo viaje a Sonora. Había venido por tierra desde Tepic, y las inundaciones le habían impedido continuar por dos veces. Las lluvias tan tardías eran muy insólitas. Estaba cansado y parecía remoto. A Kate se le detuvo un momento el corazón cuando pensó: «Está en un lugar tan remoto, que cualquier día puede irse para siempre a la muerte».

Volvía a estar nublado y los relámpagos se cruzaban en el horizonte. Pero todo permanecía muy quieto. Kate dijo buenas noches muy temprano y atravesó su parte de terraza para contemplar el lago. Todo estaba oscuro, exceptuando la intermitente palidez del relámpago.

Y se sobresaltó al ver, a la luz de un relámpago, a Teresa sentada de espaldas a la baranda de la terraza abierta, y a Ramón tendido a su lado, con la cabeza apoyada en el regazo de ella. Lentamente, los dedos de Teresa se movían entre los espesos cabellos de Ramón. Estaban ambos tan silenciosos como la noche.

Kate dejó escapar una exclamación y dijo:

—¡Lo siento mucho! No sabía que estaban aquí.

—¡Necesitaba estar bajo el cielo! —exclamó Ramón—, incorporándose para levantarse.

¡Oh, *no* se mueva! —rogó Kate—. Ha sido estúpido por mi parte venir aquí. Está usted cansado.

—Sí —convino él, tendiéndose de nuevo—. Estoy cansado. Esta gente me hace sentir como si tuviera un agujero en el centro de mi cuerpo. Así que he vuelto junto a Teresa.

—¡Sí! —exclamó Kate—. No en vano es el Viviente Quetzalcóatl. Entiendo muy bien que se lo coman vivo. ¿Vale realmente la pena? Quiero decir, entregarse a ellos para que le devoren.

—Debe ser así —repuso él—. El cambio tiene que realizarse, y alguien debe encargarse de ello. A veces deseo que no me hubiera tocado a mí.

—Lo mismo deseo yo. Y Teresa. Me pregunto si no sería mejor ser simplemente un hombre.

Pero Teresa no dijo nada.

—Uno hace lo que debe hacer. Y, al fin y al cabo, uno es siempre simplemente un hombre. Y si recibe heridas... *a la guerre comme à la guerre!*

Su voz sonó en la oscuridad como la de un fantasma.

—¡Ah! —suspiró Kate—. Me pregunto qué significa ser hombre y si es preciso que se exponga a los horrores de todos los demás hombres.

Hubo un momento de silencio.

—El hombre es una columna de sangre, dotada de voz —dijo Ramón—. Y cuando la voz enmudece, y él es sólo una columna de sangre, es un hombre mejor.

Kate se fue tristemente a su habitación, oyendo el sonido de infinito agotamiento en la voz de Ramón. Como si en verdad tuviese un agujero, una herida en el centro de su cuerpo. Kate casi podía sentirla en sus propias entrañas.

¿Y si, con sus esfuerzos, llegaba a matarse? «entonces —pensó Kate— Cipriano quedaría destrozado y todo acabaría».

¡Ah! ¿Por qué un hombre tenía que realizar todos estos esfuerzos por amor a un pueblo salvaje y malévolo que no lo merecía? Era mejor dejar que el mundo se destruyera, si esto era lo que quería.

Pensó en Teresa consolándole, consolándole sin decir nada. ¡Y él como un ser indefenso y herido! Era horrible, en realidad. Ella, Kate, tendría que protestar, tratar de impedírselo. ¿Por qué tenían los hombres que hacerse daño a sí mismos con esta lucha inútil y luego ir a casa para que sus mujeres les consolaran?

Para Kate, la lucha no merecía una sola herida. Que el estúpido mundo del hombre fuera hacia su destrucción, si tal era su destino, lo más rápidamente posible. Y que nadie levantara un dedo para evitarlo. Que cada uno viviera su preciosa vida, que era un don irrepetible, y dejara que el resto siguiera su propio diabólico camino.

Ella *tendría* que haber tratado de impedir que Ramón se destruyera de este modo. Estaba dispuesta a dejarle ser diez Vivientes Quetzalcóalls. Pero no a entregarse a la diabólica malevolencia de la gente.

Pero él quería hacerlo. Exactamente igual que había querido hacerlo Joachim. Y Teresa, con su silencio y su trato infinitamente suave, le curaría mucho mejor que Kate, con sus objeciones y su oposición.

«¡Ah! —se dijo Kate—. Me alegro de que Cipriano sea un soldado y no reciba heridas en el *alma*».

Al mismo tiempo, sabía que sin Ramón, Cipriano era sólo un instrumento, y en definitiva carecía de interés para ella.

Por la mañana, Teresa apareció sola a desayunar. Parecía muy tranquila, ocultando sus emociones a su manera extraña y altiva.

—¿Cómo está Ramón? —preguntó Kate.

—Duerme —repuso Teresa.

—¡Bien! Anoche me dio la impresión de estar agotado.

—Sí. —Los ojos negros miraron a Kate, muy grandes, llenos de lágrimas no derramadas, de valor y de una luz hermosa, profunda y remota.

—*Nunca* he creído que un hombre deba sacrificarse de este modo —dijo Kate— y *sigo* opinando lo mismo.

Teresa la miró directamente a los ojos.

—¡Ah! —exclamó—. No es un sacrificio para él. Siente que debe obrar así. Y si es su deber, yo tengo que ayudarle.

—Pero entonces tú te sacrificas por él, y tampoco puedo creer en esto —declaró Kate.

—¡Oh, no! —contestó rápidamente Teresa, ruborizándose un poco y lanzando chispas por los ojos—. Yo no me sacrifico por Ramón. Si puedo darle... sueño... cuando lo necesita... esto no es un sacrificio. Es... —No terminó la frase, pero sus ojos brillaron y el rubor se intensificó.

—Es amor, lo sé —se apresuró a decir Kate—. Pero también es agotador para ti.

—No es solamente amor —replicó Teresa con orgullo—. Podría haber amado a más de un hombre; muchos son dignos de ello. ¡Pero Ramón! Mi alma está con Ramón. —Las lágrimas asomaron a sus ojos—. No quiero hablar de esto —añadió, levantándose—. Pero tú no debes hurgar en este asunto y juzgarme.

Abandonó presurosa la habitación, dejando a Kate algo desconcertada. Suspiró y pensó en regresar a su casa.

Pero una hora después Teresa apareció de nuevo, y puso una manita fresca y suave sobre el brazo de Kate.

—Siento haber sido grosera —se disculpó.

—No —dijo Kate—, al parecer soy yo quien está equivocada.

—Sí, creo que lo estás —convino Teresa—. Tú crees que sólo hay amor, y el amor es una parte tan pequeña.

—¿Y qué es el resto?

—¿Cómo puedo decírtelo, si no lo sabes? Pero ¿acaso crees que Ramón no es más que un amante para mí?

—¡Un marido! —respondió Kate.

—¡Ah! —Teresa ladeó la cara con extraña impaciencia—. ¡Esas pequeñas palabras! Esas pequeñas palabras! Tampoco un marido. Es mi vida.

—¡Seguramente es mejor que cada uno viva su propia vida!

—¡No! Es como la semilla. No sirve de nada hasta que se da. Yo lo sé; he vivido mi propia vida durante mucho tiempo. Y si se vive demasiado tiempo, se muere. Traté de entregársela a Dios, pero no podía, ignoro por qué. Entonces me dijeron que si me casaba con Ramón y participaba en la herejía de Quetzalcóatl, mi alma se perdería. Pero algo me convenció de que no era cierto. Incluso supe que él necesitaba mi alma. Ah, Kate —una sutil sonrisa apareció en la cara pálida de Teresa—, he entregado mi alma a Ramón. ¿Qué más puedo decir?

—¿Y qué hay del alma de Ramón?

—Descansa dentro de mí... ¡aquí! —Teresa colocó la mano sobre su vientre.

Kate enmudeció durante unos momentos.

—¿Y si te traiciona? —inquirió.

—¡Ah! —exclamó Teresa—. Ramón no es sólo un amante. Es un hombre valiente, y no traiciona a su propia sangre. Y es su alma la que viene a mi lado, y yo lucharía hasta mi último aliento para proporcionarle sueño cuando llegase a mí con su alma y lo necesitara —dijo con calor, añadiendo después como si hablara consigo misma—: ¡No, gracias a Dios, no tengo una vida propia! He sido capaz de dársela a un hombre que es más que un hombre, como dicen en su lenguaje de Quetzalcóatl. Y ahora no morirá dentro de mí como un pájaro en una jaula. ¡Oh, sí, Kate! Si se va a Sinaloa y a la costa occidental, mi alma va con él y toma parte en todo cuanto hace. No le deja nunca solo. Y él no olvida que lleva a mi alma consigo. Lo sé. ¡No, Kate! No debes criticarme ni apiadarte de mí.

—¡Así y todo! —arguyó Kate—. Sigo pensando que sería mejor que cada uno conservase la propia alma y fuese responsable de ella.

—¡Si fuera posible! —exclamó Teresa—. Pero es tan imposible conservar la propia alma dentro de uno para uno mismo, sin que muera, como conservar la semilla del propio seno. Hasta que un hombre le da a una su semilla, la semilla del propio seno no es nada. Y la semilla del hombre no es nada para él. Y hasta que una da su alma a un hombre, y él la toma, la propia alma no es nada para una. Y cuando un hombre ha tomado toda tu alma... Ah, no me hables de traicionar. Un hombre sólo traiciona porque ha recibido una *parte,* y no la totalidad. Y una mujer sólo traiciona porque han tomado una parte de su alma, y no la totalidad. Esto es todo sobre la traición, lo sé. Pero cuando se da y se toma la totalidad, la traición no puede existir. Lo que soy para Ramón, es lo que soy. Y lo que él es para mí, es lo que es. No me importa lo que haga. Si está lejos de mí, es porque lo desea. Mientras conserve siempre intacto lo que yo soy para él.

A Kate no le gustaba tener que aprender lecciones de esta huerfanita de Teresa. Kate era una mujer de mundo, guapa y experimentada. Estaba acostumbrada al homenaje. Las otras mujeres solían tenerle un poco de miedo, porque a su modo era poderosa y despiadada.

Teresa también la temía un poquito como mujer de mundo. Pero nada en absoluto como mujer intrínseca. Atrincherada tras su propia alma fiera y altiva, Teresa consideraba a Kate una de aquellas mujeres del mundo exterior que hacen un papel espléndido pero que no están seguras del verdadero secreto de la femineidad y el poder interno. Todo el poder femenino de Kate, espléndido y despiadado, era de segunda clase para Teresa, comparado con su serena y profunda conexión con Ramón.

Sí, Kate estaba acostumbrada a mirar a las otras mujeres como inferiores. Pero la situación había cambiado de repente. Del mismo modo que sabía, en el fondo de su alma, que Ramón era un hombre de mayor valía que Cipriano, tenía que preguntarse de pronto si Teresa no era mejor que ella.

¡Teresa! ¿Una mujer superior a Kate? ¡Vaya golpe! ¡No podía ser cierto!

Pero lo era. Ramón había querido casarse con Teresa, no con Kate. Y la llama de su matrimonio con Teresa era bien visible tanto en sus ojos como en los de ella. Una llama que no estaba en los ojos de Kate.

El matrimonio de Kate con Cipriano era curioso y momentáneo. Cuando Cipriano estaba lejos, Kate recuperaba su antigua personalidad individual. Sólo cuando Cipriano se hallaba presente, y aun así sólo a veces, la sobrecogía la conexión.

Cuando Teresa se volvía y la miraba con esa segura llama, matizada de indignación, Kate se sentía amedrentada. Quizá por primera vez en su vida, estaba acobardada, arrepentida.

Kate sabía incluso que Teresa sentía cierta repugnancia hacia ella, hacia la mujer extranjera que hablaba con la misma inteligencia que un hombre y jamás entregaba su alma; que no creía en entregar su alma. Todas esas mujeres hermosas y bien vestidas de América o Inglaterra, Europa, guardaban sus almas para sí, en una especie de bolsa, por así decirlo.

Teresa estaba decidida a que Kate dejara de tratarla de manera tan indefinida, como a una inferior. Así era como todas las mujeres extranjeras trataban a las mujeres mexicanas. ¡Porque las extranjeras eran sus propias dueñas! Incluso intentaban ser condescendientes con Ramón.

¡Pero Ramón! Podía mirarlas y hacerlas sentirse pequeñas, insignificantes a pesar de todo su dinero, su experiencia y sus aires de pertenecer a las razas dirigentes. ¡Las razas dirigentes! ¡Esperad! Ramón iba a cambiar todo aquello. Que dirigieran los que sabían hacerlo.

—¿No has dormido! —preguntó Teresa a Kate.

—No muy bien —repuso ésta.

—No. Tienes aspecto de no haber dormido muy bien. Bajo los ojos.

Kate se alisó la piel de debajo de los ojos con gesto displicente.

—En México se adquiere este aspecto —dijo—. No es fácil conservarse joven en este país. Tu aspecto sí que es bueno.

—Sí, me encuentro muy bien.

Teresa tenía una nueva lozanía en la piel oscura, algo frágil y tierno que no quería tener que defender de otra mujer.

—Creo que me iré a casa ahora que Ramón ha llegado —dijo Kate.

—¡Oh! ¡Por qué! ¿Deseas irte!

—Creo que es lo mejor.

—Entonces te acompañaré hasta Sayula. En el bote, ¿no?

Kate recogió sus cosas. Había dormido mal. La noche había sido negra, negra, y contenido algo de horror, como cuando los bandidos habían atacado a Ramón. Aún le parecía estar viendo la cicatriz en su espalda durante aquella noche, y oyendo el estruendo de la lluvia, amenazadora y horrible, durante horas y horas.

En el fondo de su alma, Kate sentía el desprecio de Teresa por su forma de ver su condición de esposa.

—Yo también he estado casada —había dicho Kate— con un hombre excepcional al que amaba mucho.

—¡Ah, sí! —exclamó Teresa—. Y murió.

—Quería morir.

—¡Ah, sí! Quería morir.

—Hice todo lo que pude para evitar que muriera extenuado.

—Ah, sí, para evitarlo.

—¿Qué más podía haber hecho? —preguntó Kate, encolerizada.

—Si hubieras sido capaz de darle tu vida, no habría sentido deseos de morir.

—Es que yo le *di* mi vida. Le amaba... oh, nunca sabrás cuánto. Pero él *no quería* mi alma. Pensaba que yo debía conservarla para mí sola.

—Claro, así son los hombres cuando sólo son hombres. Cuando son cariñosos y valientes quieren que la mujer les dé su alma para guardarla en su seno y ser de este modo más que sólo un hombre. Yo lo sé. Sé dónde está mi alma: en el seno de Ramón, en el seno de un hombre, del mismo modo que su semilla está en mi seno, el seno de una mujer. El es un hombre y una columna de sangre. Yo soy una mujer y un valle de sangre. Nunca le contradiré. ¿Cómo podría hacerlo? Mi alma está dentro de él y me guardaré muy bien de contradecirle cuando está intentando con todas sus fuerzas hacer algo que *él* entiende. No morirá, y no le matarán. ¡No! En su ser fluye la corriente del corazón del mundo: y de mí. Te lo digo a ti porque salvaste su vida y por lo tanto las dos pertenecemos a la misma cosa, tú, yo, él... y Cipriano. Pero no debes juzgarme mal. Ese otro sistema de las mujeres que conservan su propia alma... ah, ¿qué es sino cansancio?

—¿Y los hombres?

—¡Ah! Si hay hombres cuyas almas son cálidas y valientes... ¡cómo consuelan el corazón, Caterina!

Kate bajó la cabeza, terca y airada por haber sido apeada de su eminencia. «¡La moral de la esclava! —se dijo a sí misma—. El mezquino truco de una mujer que vive sólo para el hombre. Para dejar su alma dentro de él, dentro de su precioso cuerpo. ¡Y que lleva la preciosa semilla del hombre en su seno! Mientras ella misma permanece aparte de esto, no es nada».

Kate quería dar rienda suelta a su indignación, pero no lo consiguió del todo. En cierto modo, secreta y airadamente, le envidiaba a Teresa los ojos oscuros iluminados por la llama, y su salvaje confianza. Le envidiaba sus dedos delicados como serpientes. Y, sobre todo, y pese a sí misma, le envidiaba el consuelo de un hombre permanente en su seno. Y el secreto, salvaje e indomable orgullo de su propia feminidad, que nacía de esto.

En la cálida mañana posterior a la lluvia, las ranas croaban frenéticamente. Al otro lado del lago, las montañas eran de un negro azulado, y pequeños jirones de vapor blanco y esponjoso flotaban entre los árboles. Las nubes estaban sobre las cimas de las montañas, formando un horizonte de blanquecina suavidad sobre toda la cordillera. Por el agua parda y solitaria navegaba una vela.

—Hoy es como Europa... como el Tirol —observó Kate con nostalgia.

—¿Amas mucho a Europa? —preguntó Teresa.

Sí, creo que la amo.

—¿Y tienes que volver a ella?

—Creo que sí. ¡Pronto! Para ver a mi madre y a mis hijos.

—¿Te necesitan mucho?

—¡Sí! —respondió Kate, algo vacilante. Luego añadió—: No mucho, en realidad. Soy yo quien les necesita.

—¿Por qué? Quiero decir —agregó Teresa—, ¿les echas de menos?

—A veces —dijo Kate, mientras se le saltaban las lágrimas.

El bote seguía adelante, impulsado por los remos.

—¿Y Cipriano? —inquirió Teresa con timidez.

—¡Ah! —exclamó Kate—. Es casi un desconocido para mí.

Teresa guardó silencio unos momentos.

—Yo creo que el hombre es casi siempre un desconocido para·la mujer —insinuó—. ¿Por qué no tendría que ser así?

—Pero tú —observó Kate— no tienes hijos.

—Ramón los tiene. Y dice: «Yo echo mi pan a las aguas. Y con mis hijos hago lo mismo. Si vuelven a mi lado después de muchos días, estaré contento». ¿No sientes tú así?

—No del todo —respondió Kate—. Soy una mujer, no un hombre.

—Yo, si tengo hijos —manifestó Teresa—, trataré de echar mi pan a las aguas, para que mis hijos vengan a mí de esa manera. Espero hacerlo así. No me gustaría tratar de apartarlos de la vida y pescarlos para mí con una red. Me da muchísimo miedo el amor; es tan personal. Que cada pájaro vuele con sus propias alas, y cada pez nade por su propio curso. La mañana trae algo más que el amor, y yo quiero ser fiel a la mañana.

CAPITULO XXVI

KATE SE CONVIERTE EN ESPOSA

Kate se alegró de volver a su casa y estar más o menos sola. Sentía que se estaba operando en ella un gran cambio y que si el proceso era demasiado violento, moriría. Era el final de algo y el comienzo de otra cosa en el fondo de su ser: en su alma y en sus entrañas. Los hombres, Ramón y Cipriano, causaban el cambio, y México. Porque había llegado la hora. No obstante, si lo que estaba ocurriendo sucedía con excesiva rapidez, o violencia, sentía que significaría su muerte. Así que de vez en cuando tenía que alejarse de todo contacto, y estar sola.

Permanecía sola durante horas en la playa, bajo un verde sauce que dejaba caer su fronda de un verde pálido sobre la orilla. El lago estaba mucho más lleno y cubría más trozo de playa, y se antojaba más suave y misterioso. Los montones de lirios acuáticos que se pudrían a la orilla del agua despedían un fuerte olor. La distancia parecía más lejana. Las nítidas y cónicas colinas estaban salpicadas de verdes matorrales, como un dibujo japonés. Carretas de bueyes provistas de sólidas ruedas llegaban al pueblo, cargadas hasta rebosar con caña de azúcar y tiradas por ocho bueyes de pesadas cabezas y cuernos oscilantes, mientras un peón caminaba delante con la vara puesta sobre el palo transversal del yugo. ¡Tan lentos, tan macizos, y conducidos por un control tan ligero!

Kate tenía una extraña intuición en México de la antigua humanidad prehistórica, la humanidad de ojos oscuros de aquel tiempo, tal vez anterior al período glacial. Cuando el mundo era más frío y los mares estaban menos llenos y toda la formación terrestre era diferente. Cuando las aguas del mundo estaban amontonadas en magníficos glaciares en las cimas altas y a gran altura sobre los polos. Cuando enormes llanuras se extendían hasta los océanos, como la Atlántida y los perdidos continentes de Polinesia, de modo que los mares eran sólo grandes lagos, y los habitantes de ojos oscuros del mundo podían dar la vuelta al globo caminando. Entonces había una humanidad misteriosa, de sangre caliente y pies silenciosos, con una extraña civilización propia.

Hasta que los glaciares se derritieron y empujaron a los pueblos hacia los lugares elevados, como las altiplanicies de México, separándoles en naciones divididas.

A veces, en América, la sombra de aquel mundo prediluvial era tan fuerte que el día de la humanidad histórica se desvanecía en la conciencia de Kate, que empezaba a aproximarse a la antigua especie de conciencia, a la antigua y oscura voluntad, la despreocupación por la muerte, la conciencia sombría y sutil, no cerebral, pero vertebrada. Cuando la mente y el poder del hombre estaban en su sangre y su espina dorsal, y existía la extraña y oscura intercomunicación entre los hombres y entre el hombre y la bestia, que partía de la poderosa espina dorsal.

Los mexicanos seguían siendo esto. Lo que es aborigen en América pertenece todavía al mundo de antes del Diluvio, cuando aún no había nacido el mundo mental y espiritual. En América, por consiguiente, la vida mental y espiritual de la raza blanca florece de modo repentino como una gran hierba que se extiende por terreno virgen. Probablemente se marchitará con la misma rapidez. Vendrá una gran muerte. Y después, los resultados vivos serán un nuevo germen, una nueva concepción de la vida humana, que surgirá de la fusión de la antigua conciencia vertebrada y sanguínea con la actual conciencia mental y espiritual del hombre blanco. La conversión de ambos seres en un nuevo ser.

Kate era más irlandesa que otra cosa, y el misticismo casi mortal del primitivo pueblo celta o ibérico yacía en el fondo de su alma. Era un residuo del recuerdo, algo que continúa viviendo desde el mundo prediluvial y que no puede ser exterminado. Algo más antiguo y de potencia más imperecedera que nuestro mundo pretendidamente poderoso.

Sabía más o menos lo que Ramón intentaba realizar: ¡esta fusión! Sabía qué era lo que hacía a Cipriano más importante para ella que todo su pasado, sus maridos y sus hijos. Era el salto del antiguo macho sanguíneo y antediluviano al unísono con ella. Y por esto, aun sin saberlo, la sangre de Kate había estado palpitando todo este tiempo.

Irlanda no quería ni podía olvidar aquella otra vida antigua, oscura y suntuosa. Los Tuatha De Danaan pueden estar bajo el mar occidental. Pero también están en la sangre viva y jamás podrán ser silenciados. Ahora han vuelto a aparecer para una nueva conexión. Y la poderosa y científica Europa tiene que emparejarse de nuevo con los antiguos gigantes.

Pero el cambio, intuía Kate, no debía llegar hasta ella demasiado pronto y demasiado súbito, o la destrozaría, causándole la muerte. La forma antigua tiene sus horrores. El espíritu del México aborigen, *à terre*, de pies pesados, podía ser tan horrible para ella como para hacerla maligna. La especie de existencia y persistencia lenta e indomable, sin esperanza o *elan*, que está en el americano aborigen le daba a veces la impresión de estar volviéndola loca. ¡La voluntad taciturna, persistiendo a lo largo de los lentos y oscuros siglos, considerando a la existencia individual una bagatela! Una tenacidad demoníaca, menos que humana. Y una repentina ferocidad, un repentino anhelo de muerte, incalculable y terrible.

Un pueblo que en realidad no cambiaba nunca. Hombres que no eran fieles a la vida, a la actualidad viviente, sino fieles a alguna oscura necesidad del pasado. El presente real se derrumbaba de pronto en las almas de hombres y mujeres, y explotaba con violencia la antigua y negra lava volcánica, seguida por una indiferencia de roca formada por la lava.

¡La esperanza! ¡La esperanza! ¿Sería posible alguna vez hacer revivir la esperanza en estas almas negras, y alcanzar el matrimonio que es el único paso hacia el nuevo mundo del hombre?

Pero mientras tanto, una náusea extraña, casi asfixiante, se apoderaba de Kate, y entonces pensaba que tenía que irse para salvarse a sí misma. La extraña insistencia de reptil de sus mismos criados. *La sangre es una sola sangre. Todos tenemos la misma corriente sanguínea.* Algo tribal, aborigen, y casi peor que la muerte para el individuo blanco. Procedente de los ojos oscuros y las potentes espinas dorsales de este pueblo, persistía la desconocida afirmación. *La sangre es una sola sangre.* Era una extraña y sobrecogedora insistencia, una exigencia de sangre al unísono.

Kate pertenecía a una antigua y orgullosa familia. Había sido educada con la idea anglo-germánica de la superioridad *intrínseca* del aristócrata hereditario. Su sangre era diferente de la sangre común, un fluido diferente, más delicado.

Pero en México no había nada de esto. Su criada Juana, el *aguador** que repartía el agua, el barquero que la llevaba por el lago, todos la miraban con la misma expresión en los ojos. *La sangre es una sola sangre. En la sangre, tú y yo no nos diferenciamos.* Lo veía en sus ojos, lo oía en sus palabras, teñía su deferencia y su mofa. Y a veces la hacía sentir físicamente enferma: esta arrogante familiaridad sanguínea.

Y a veces, cuando ella intentaba enderezarse con la antigua y orgullosa afirmación: *Mi sangre es mía. Noli me tangere*, veía en sus ojos el odio antiguo y terrible, el odio que les lleva a toda clase de atrocidades y horribles mutilaciones.

Sentían deferencia ante su espíritu, sus conocimientos, su comprensión. Le concedían una especie de involuntaria reverencia por ello. Pertenecía a las razas dirigentes, a las cultas. Pero a cambio exigían su aquiescencia a la primitiva aserción: *La sangre es una sola sangre. Somos de la misma sangre.* Era la aserción que barría todo individualismo y la dejaba inmersa, ahogada en el gran océano de la sangre viva, en contacto inmediato con todos estos hombres y todas estas mujeres.

A esto era a lo que tenía que someterse. O ellos persistirían en su lenta venganza.

Y no podía someterse sin preparación. Tenía que ser un proceso lento y orgánico. Cualquier paso repentino o violento podía destruirla.

Ahora comprendía la afirmación de Ramón: El hombre es una columna de sangre: la mujer es un valle de sangre. Se trataba de la primitiva unidad del género humano, lo opuesto a la unidad del espíritu.

Pero Kate había considerado siempre su sangre como absolutamente suya, su propiedad individual. El espíritu podía compartirlo, con el espíritu comulgaba. Pero su sangre permanecía con ella en individualidad.

Ahora tenía que afrontar la otra gran afirmación: la sangre es una sola. Esto significaba una extraña muerte sin margen de su yo individual.

Ahora comprendía por qué Ramón y Cipriano llevaban las prendas blancas y las sandalias e iban desnudos, o medio desnudos, como dioses vivientes. Era la aquiescencia a la afirmación primitiva. Era la renovación del antiguo y terrible vínculo de la unión sanguínea del hombre, que hacía del sacrificio de sangre un factor tan potente de la vida. La sangre del individuo es devuelta al gran ser de la sangre, el dios, la nación, la tribu.

Ahora comprendía la extraña unión que siempre sentía entre Ramón y sus hombres, entre Cipriano y sus hombres. Era la suave, profunda y temblorosa comunión de la unidad de la sangre. A veces le daba náuseas; otras le inspiraba deseos de rebelarse. Pero era incapaz de desentrañar aquel poder.

Porque, admitiendo su unidad de sangre, Ramón pretendía al mismo tiempo una supremacía, incluso una divinidad. Era un hombre, del mismo modo que el más humilde de los peones era un hombre. Pero al mismo tiempo, aunque hubiera surgido del mismo manantial de sangre, de las mismas raíces de virilidad que ellos, y fuera, como ellos, un hombre de sangre palpitante, era algo más. Su individualidad, su supremacía, su condición divina no estaban en la sangre ni en el espíritu, sino en una estrella que había en su interior, una estrella inexplicable que nacía del mar oscuro y brillaba entre las aguas y el inmenso cielo. La misteriosa estrella que une a la vasta sangre universal con el aliento universal del espíritu, y resplandece entre los dos.

No el jinete del caballo blanco; ni el jinete del rojo. Lo que está más allá de jinetes y caballos, el inexplicable misterio de las estrellas de las cuales no parte ningún jinete y a las cuales ningún jinete puede llegar. La estrella que es la clave más íntima del hombre, que gobierna el poder de la sangre por un lado y el poder del espíritu por el otro.

Porque esto, lo único supremo sobre todo poder en el hombre, es, al mismo tiempo, poder; que trasciende con mucho el conocimiento; la extraña estrella entre el cielo y las aguas del primer cosmos: tal es la divinidad del hombre.

Y algunos hombres distan mucho de ser divinos. Sólo tienen facultades. Son esclavos, o deberían ser esclavos.

Pero todos los hombres tienen su propia chispa de divinidad, y está ahogada o sofocada por los vientos de fuerza o anulada por las máquinas.

Y cuando el espíritu y la sangre empiezan a destruirse acarreando la gran muerte, la mayoría de las estrellas se extinguen.

Sólo el hombre de una gran estrella, una gran divinidad, puede volver a juntar los polos opuestos en una nueva unión.

Y así era Ramón, y éste era su gran esfuerzo: poner en contacto y unir de nuevo a los grandes polos opuestos. Y éste es el poder divino del hombre. Por este poder se puede reconocer al dios en el hombre, y por ningún otro.

Ramón era un hombre como el último de sus peones era un hombre, con el corazón palpitante y los lomos secretos y los labios cerrados sobre el mismo secreto de virilidad. Y era humano como Kate era humana, con la misma nostalgia del espíritu por el conocimiento y la comunión pura, y la misma alma en la grandeza de su comprensión.

Pero sólo él tenía el poder para llevar a los dos grandes impulsos humanos a un punto de fusión, para ser el pájaro entre las vastas alas del poder creado con dualidad al que el hombre tiene acceso y en que el hombre tiene su ser. El Lucero del Alba, entre el aliento del amanecer y la profundidad de las sombras.

Los hombres habían intentado asesinarle con cuchillos. Carlota habría querido asesinarle con su espíritu. Cada mitad aspiraba por separado a cometer este asesinato.

Pero él se mantenía fuera de su alcance. Era el viviente Quetzalcóatl, y la minúscula chispa de una estrella estaba surgiendo en sus propios hombres, en su propia mujer.

La estrella que hay entre las dos alas del poder: sólo ella era la divinidad del hombre, y la virilidad final.

Kate recibió un mensaje de Cipriano en el que le comunicaba que llegaba y se alojaría en la Villa Aragón. La Villa Aragón era la casa principal del lago, enclavada en un terreno de pequeñas proporciones pero bastante bonito, con grupos de palmeras y tupidos setos de jazmín, aparte de un jardín que se mantenía verde gracias a un riego constante. La casa estaba construida como un pequeño castillo, de aspecto absurdo, aunque los profundos y espaciosos porches orientados hacia las laderas y lomas del frondoso jardín, elevado sobre el lago, eran agradables.

Cipriano llegó muy satisfecho, con una expresión juvenil en los ojos negros y brillantes. Quería que Kate se casara con él en una ceremonia civil mexicana y se instalara con él en la Villa Aragón. Kate vacilaba. Sabía que debía regresar a Europa, a Inglaterra e Irlanda, muy pronto. La necesidad era imperativa. La sensación de amenaza que México le imponía, y el sentido de náusea interna, eran ya imposibles de soportar. Sentía que no podía resistir más, a menos que se marchara para relajarse durante algún tiempo.

Esto fue lo que le dijo a Cipriano. Y el rostro de él se oscureció.

—No me importa mucho casarme o no antes de mi viaje —continuó ella—, pero tengo que irme, pronto, muy pronto.

—¿Cuándo?

—En enero.

El rostro de Cipriano volvió a iluminarse.

—Entonces, cásate conmigo antes de irte —dijo—. La semana próxima.

Ella accedió, con curiosa indiferencia, y él, con los ojos brillantes otra vez, como los de un muchacho, se fue rápidamente para ocuparse de los necesarios preparativos legales.

A Kate no le importaba casarse o no. En un sentido esencial, ya se había casado con Cipriano. Este era ante todo un soldado, rápido en visitarla y rápido en marcharse. Ella estaría casi siempre sola.

Y solamente con él, como hombre y como soldado, podía Kate casarse con relativa facilidad. Era este horrible México lo que la asustaba con esta sensación de fatalidad.

El movimiento de Quetzalcóatl se había extendido por el campo pero de un modo siniestro. El arzobispo se había declarado contrario a él, excomulgando a Ramón, Cipriano y sus seguidores. Se había cometido un intento de asesinar a Montes.

Los seguidores de Quetzalcóatl en la capital habían hecho de la iglesia de San Juan Bautista, que era llamada la iglesia del Salvador Negro, la Sede Metropolitana de Quetzalcóatl. El arzobispo, un hombre colérico, había emplazado a sus fervientes feligreses a marchar en procesión hacia esta iglesia de San Juan, ahora llamada la Casa de Quetzalcóatl, ocuparla y devolverla a la Iglesia Católica. El gobierno, sabiendo que debería luchar tarde o temprano, arrestó al arzobispo y disolvió la procesión después de algún derramamiento de sangre.

Entonces empezó una especie de guerra. Los Caballeros de Cortés echaron mano de su famoso y oculto armamento, no muy impresionante, después de todo, y una muchedumbre clerical, encabezada por un sacerdote fanático, irrumpió en el Zócalo. Montes los hizo cañonear. Parecía el comienzo de una guerra religiosa. En las calles se veían bandadas de los sarapes blancos y azules de Quetzal-cóatl y los escarlatas y negros de Huitzilopochtli, desfilando al son de los tam-tam y haciendo ondear los curiosos estandartes redon-dos, hechos de plumas, de Quetzalcóatl, y los altos signos escarlatas de Huitzilopochtli: largos palos con el suave penacho de plumas escarlatas en un extremo, coronadas por un punto negro. En las iglesias, los sacerdotes seguían arengando a los ortodoxos para una guerra santa. En las calles, los sacerdotes que se habían pasado a Quetzalcóatl arengaban a la muchedumbre.

Eran unos tiempos salvajes. En Zacatecas, el general Narciso Beltrán se declaró en contra de Montes y a favor de la Iglesia. Pero Cipriano había atacado con tanta rapidez y ferocidad con sus soldados de Huitzilopochtli, que Beltrán fue hecho prisionero y fusilado, y su ejército se dispersó.

Entonces Montes declaró ilegal en México a la Iglesia antigua e hizo promulgar una ley que nombraba a la religión de Quetzacóatl la religión nacional de la República. Todas las iglesias estaban cerradas. Todos los sacerdotes fueron obligados a jurar fidelidad a la República, so pena de ser condenados al exilio. Los ejércitos de Huitzilopochtli y los sarapes blancos y azules de Quetzalcóatl apa-recieron en todas las ciudades y pueblos de la República. Ramón trabajaba incesantemente. Cipriano aparecía en momentos inespe-rados, en lugares inesperados. Consiguió despertar en los estados más insatisfechos, Veracruz, Tamaulipas y Yucatán, una especie de frenesí religioso. Extraños bautismos tenían lugar en el mar, y una torre negra y escarlata de Huitzilopochtli se levantó en las orillas.

El país entero sentía la emoción de algo nuevo, de una descarga de nueva energía. Pero había un sentido de violencia y crueldad en todo ello, un matiz de horror.

El arzobispo fue deportado y ya no volvieron a verse sacerdotes por las calles. Sólo los sarapes blancos, azules y pardos de Quetzal-cóatl, y los escarlatas y negros de Huitzilopochtli aparecían entre el gentío. Había una gran sensación de libertad, casi de exuberancia.

Esta era la razón de que Cipriano fuera a ver a Kate con aquellos ojos negros, centelleantes y juveniles. Se hallaba en un extraño estado de triunfo. Kate se asustó, sintiéndose curiosamente hueca. Ni siquiera el nuevo y deslumbrante triunfo y el sentido de algo nuevo sobre la faz de la tierra podían salvarla del todo. Pertenecía demasiado al viejo mundo de Europa, no podía, le resultaba imposi-ble cambiar con tanta rapidez. Pero sentía que si podía volver a Irlanda, y dar *paz* a su vida y su cuerpo durante una temporada, luego podría regresar y aceptar su parte.

Porque no era únicamente su espíritu lo que estaba cambiando, sino también su cuerpo, y la constitución de su misma sangre. Podía sentir el terrible catabolismo y metabolismo de su sangre que la cambiaba incluso como criatura, convirtiéndola en otra.

Y si este proceso se aceleraba, moriría.

Como ya estaba legalmente casada con Cipriano, se fue a vivir con él en la Villa Aragón. Durante un mes. Al cabo de un mes zarparía, sola hacia Irlanda. El estaba de acuerdo.

Era extraño estar casada con él. La convertía en un ser vago y silencioso, como si se estuviera hundiendo, quieta y pesada, por debajo de la superficie de la vida, para yacer en las profundidades del no ser.

La extraña, pesada y *positiva* pasividad. Por primera vez en su vida, Kate se sentía completamente descansada. Y charlar, y pensar se habían convertido en triviales y superficiales para ella: como lo son las olas rizadas en la superficie del lago para las criaturas que viven en la tranquila profundidad del agua.

En su alma, era todavía silenciosa y altiva. Si por lo menos su cuerpo no hubiera sufrido la insoportable náusea del cambio. Se sentía sumergida en un descanso final, dentro de un cosmos grande y abierto. El universo se había abierto para ella en toda su novedad y grandeza, y la había acogido en el lecho profundo del puro reposo. Casi se parecía a Teresa en su seguridad.

Sin embargo, el proceso del cambio que se operaba en su sangre era terrible para ella.

Cipriano era feliz, a su curioso modo indio. Sus ojos continuaban teniendo aquella expresión centelleante, negra y dilatada de un muchacho que acaba de descubrir la extraña y casi misteriosa maravilla de la vida. No miraba muy directamente a Kate ni se fijaba mucho en ella. No le gustaba hablar con ella de ningún tema serio. Cuando Kate quería hablar con seriedad, él le dirigía una mirada oscura y cautelosa y la dejaba sola.

Cipriano era consciente de cosas que ella misma apenas percibía. Sobre todo, de la curiosa cualidad irritante del habla. Y la rehuía. Por extraño que pueda parecer, la hizo consciente de su propio deseo de sensaciones conflictivas e irritantes. Kate comprendió que todo su antiguo amor había sido friccional, cargado con el fuego de la irritación y los espasmos de una voluptuosidad conflictiva.

Curiosamente, Cipriano, al negarse a compartir nada de esto con ella, consiguió convertirlo en externo para Kate. Su voluntad y deseo femeninos, extraños e inquietos, se calmaron y desvanecieron, dejándola suave y extremadamente potente, como los manantiales de agua caliente que brotaban, suaves, sin ruido, pero con gran potencia y una especie de poder secreto.

Kate comprendió, casi con extrañeza, que había muerto en ella la Afrodita de la espuma: la Afrodita inquieta, friccional, extática. Con rápido y oscuro instinto, Cipriano se alejaba de esta faceta de ella. Cuando, en el acto del amor, el éxtasis femenino, inquieto y eléctrico, que conoce espasmos de delirio, volvía a ella, Cipriano retrocedía. Era lo que ella solía llamar su «satisfacción». Había amado a Joachim por esto, porque una y otra vez había podido darle esta «satisfacción» del orgasmo, con espasmos que la obligaban a proferir gritos.

Pero Cipriano no quería dársela. Guiado por un oscuro y certero instinto, se apartaba de ella en cuanto este deseo la dominaba, forzándola a buscar el blanco éxtasis de la satisfacción friccional, el placer de Afrodita. Ella se daba cuenta de que esto era repulsivo para él, que se limitaba a apartarse, inmutable y oscuro, dejándola sola.

Y ella, mientras yacía, se daba cuenta de la inutilidad de esta efervescencia y de su calidad de externa para ella. Parecía acometerla desde fuera, no desde dentro. Y después del primer momento de desengaño, porque se le había negado esta especie de «satisfacción», le invadía el convencimiento de que no la quería realmente, de que en realidad le resultaba repugnante.

Y él, en su oscuro y cálido silencio la conducía de nuevo al flujo suave, cálido y denso en el cual ella era como una fuente brotando sin ruido y con urgente suavidad desde las profundidades volcánicas. Entonces se abría a él con suavidad y calor, aunque brotando con un poder suave y silencioso. Y no había lo que se llama «satisfacción» consciente. Lo que ocurría era oscuro e indescriptible, tan diferente de la fricción aguda de la Afrodita de la espuma, la fricción que se repite en círculos de éxtasis fosforescente hasta el último espasmo salvaje que profiere el grito involuntario, como un grito de muerte, que es el último grito del amor. Ella lo había conocido así, y conocido a fondo, con Joachim. Y ahora también se le negaba esto. Lo que obtenía con Cipriano estaba curiosamente fuera de su conocimiento, y era tan profundo, cálido y fluido como si fuera subterráneo. Y Kate tenía que ceder ante ello; no podía abarcarlo con un espasmo final de éxtasis blanco que se parecía al simple conocimiento.

Y lo mismo que ocurría en el acto del amor, ocurría con él. No lograba *conocerle*. Cuando lo intentaba, algo se aflojaba en ella, obligándola a interrumpir su intento. Tenía que renunciar a ello. Tenía que dejarle, oscuro, cálido y potente, junto con las cosas que *son*, pero que no se conocen. La presencia. Y lo desconocido. Esto era siempre para ella.

Apenas había cosas que decirle. Y no existía una intimidad personal. El se envolvía en su poder como en una capa, y la dejaba inmune dentro de su propia soledad. Era un desconocido para ella, y ella para él. Cipriano aceptaba el hecho de un modo absoluto, como si nada más fuera posible. Ella, a veces, lo encontraba extraño. Había ansiado tanto la intimidad, *insistido* tanto en la intimidad.

Ahora se encontraba aceptándole finalmente y para siempre como el desconocido en cuya presencia vivía. Era su presencia impersonal la que la envolvía. Kate vivía en su aura, y él, Kate lo sabía, vivía en la suya, sin decirse nada, sin ninguna intimidad personal o espiritual. Una comunión sin mente de la sangre.

Por consiguiente, no importaba mucho que él tuviera que irse. Su presencia era algo que dejaba con ella, y él se llevaba consigo la suya. Y, en cierto modo, no había necesidad de emociones.

Cipriano tenía que marcharse una mañana temprano a Ciudad de México. El amanecer era perfecto y claro. El sol todavía no daba en el lago, pero brillaba en las montañas de detrás de Tuliapán, dándoles una nitidez mágica, como si las enfocara una luz embrujada. Los surcos verdes de las laderas parecían estar en la mano de Kate. Dos gaviotas blancas en vuelo pasaron de improviso por la luz y lanzaron destellos. Pero el lago, lleno, suave, pardo y silencioso, continuaba pálido, sin luz.

Kate pensó en el mar. El Pacífico no estaba muy lejos. El mar parecía haberse retirado enteramente de su conciencia, y sin embargo, sabía que necesitaba respirar otra vez su aliento.

Cipriano bajaba a bañarse. Kate le vio alejarse por el cemento del embarcadero cuadrado que era su minúsculo puerto. Le vio despojarse de su prenda y quedar perfilado contra el agua pálida. ¡Qué oscura era su piel! Oscura como la de un malayo. Resultaba curioso que su cuerpo fuera casi tan oscuro como su cara. Y tenía aquella extraña exuberancia física, el pecho corpulento y las nalgas firmes y hermosas de los hombres que aparecen en las antiguas monedas griegas.

Cipriano se dejó caer desde el borde del embarcadero y vadeó el agua difusa, misteriosa y suave. Y en aquel momento la luz se asomó a la cima de la montaña y derramó oro sobre la superficie del lago. Y al instante, Cipriano se tiñó de un rojo de fuego. La luz del sol no era roja, el astro estaba demasiado alto para ello. Era dorado como la mañana. Pero se arreboló en la superficie del lago rozó el cuerpo de Cipriano, tiñéndole de un rojo de fuego, convirtiéndole en un trozo de fuego puro.

¡Los Hijos de la Mañana! ¡La columna de sangre! Un Piel Roja. Kate le miró maravillada mientras él se adentraba, rojo y luminoso, en las aguas del lago, sin darse cuenta. ¡Como envuelto en fuego!

¡Los Hijos de la Mañana! Kate renunció una vez más a su esfuerzo por saber y permaneció relajada dentro de la comunión.

También era la raza. Kate ya había advertido antes que los nativos eran de un rojo puro cuando les alcanzaba la luz matutina o vespertina, bastante horizontal. Como fuegos permanecían de pie en el agua. Pieles Rojas.

Cipriano se marchó a caballo con uno de sus hombres. Y ella le contempló alejarse por el camino, oscuro y quieto sobre su sedoso caballo roano. Le gustaban los caballos rojizos. Y había en él una curiosa inmovilidad mientras montaba a caballo, un antiguo orgullo masculino y al mismo tiempo la oscura y casi fantasmal invisibilidad del indio, que monta pegado al caballo como si hombre y animal hubieran nacido juntos.

Se marchó, y durante un rato ella sintió la antigua nostalgia de su presencia. No de él, exactamente, ni siquiera de verle, tocarle o hablarle. Sólo de sentirle cerca.

Entonces, rápidamente, se recobró. Se ajustó a la presencia que él había dejado atrás, con ella. En cuanto se hubo marchado *realmente,* y el acto de la marcha se hubo terminado, su presencia volvió a ella.

Kate paseó un poco por la orilla, más allá del embarcadero. Le encantaba estar sola: mucho tiempo sola, con un jardín y el lago y la mañana.

«Soy como Teresa, en realidad», se dijo.

De repente vio delante de ella una cuerda larga, oscura y suave que pendía de un pálido peñasco. Pero su alma se puso inmediata y suavemente en guardia. Era una serpiente lo que yacía sobre aquella gran piedra y tenía un sutil dibujo en el lomo oscuro y suave, mientras la cabeza descansaba sobre la tierra.

La serpiente también advirtió su presencia porque, de improviso, con suave e increíble velocidad, se contrajo para bajar del peñasco, y Kate la vio entrar en un pequeño orificio del fondo del muro.

El agujero no era muy grande. Mientras se introducía por él, la serpiente se volvió a mirar, manteniendo en equilibrio la cabeza oscura, puntiaguda y maligna y sacando una oscura lengua. Entonces continuó avanzando, introduciendo lentamente en el orificio su largo y oscuro cuerpo.

Cuando se hubo metido del todo, Kate vio el final de la cola y la cabeza plana descansando sobre uno de los anillos como el diablo con la barbilla sobre los brazos, mirando desde el agujero. Los malignos destellos de sus ojos se fijaron en ella desde dentro del escondite, observándola desde su propia invisibilidad.

Y Kate se quedó pensando en ella y en su oculto puesto de observación, y en todas las cosas ocultas en los lugares ocultos de la tierra. Y se preguntó si la serpiente no lamentaría no ser capaz de elevarse más en la creación, no poder correr sobre cuatro patas en vez de tener que arrastrar su vientre sobre la tierra.

¡Tal vez no! Tal vez tenía su propia paz. Kate sintió cierta reconciliación entre ambas.

CAPITULO XXVII

¡AQUI!

Kate y Teresa se visitaban mutuamente por el lago. Existía una afinidad y una dulzura entre ellas, en especial ahora que Kate iba a estar ausente durante un tiempo.

Había cierta pureza otoñal en el lago. La humedad persistía, los matorrales de las salvajes colinas eran cabelleras verdes. La luz del sol prestaba un denso resplandor a las montañas, y las sombras eran profundas y aterciopeladas. El verdor casi cubría las rocas y la tierra rosada. La caña de azúcar exhibía un verde brillante, la tierra arada era roja, y los árboles oscuros, con los puntos blancos de los pueblos aquí y allí. Y en los lugares salvajes había un pespunte de zarzas y rocas desnudas y grises.

El cielo era muy alto y puro. Por la mañana se oía el sonido de tambores, y, en el aire inmóvil y cristalino, el grito para las pausas del día. Y el día parecía estar siempre deteniéndose y desdoblándose para su mayor misterio. Daba la impresión de que el universo se había abierto, vasto, suave, delicado y pletórico de vida.

Había algo curiosamente calmante incluso en el agua llena, pálida y parda del lago. Se acercaba un bote con la vela hinchada en forma de concha, nacarada, y su proa negra y puntiaguda de canoa rizaba apenas el agua. Parecía el bote de Dionisos apresurándose con un mensaje y los brotes de la vid.

Ahora Kate recordaba apenas la seca y rígida palidez del calor, cuando toda la tierra parecía crepitar con seca malevolencia: como un recuerdo requemado y estéril, demoníaco.

Ramón y Teresa fueron por el lago y remaron hasta el embarcadero. Era una mañana en que las sombras de las montañas eran azules como el aciano.

—¿Todavía piensa en marcharse? —preguntó Ramón.

—Por una temporada. No creerá que soy la esposa de Lot, ¿verdad?

—¡No! —rió Ramón—. Creo que es la esposa de Cipriano.

—Así es. Pero quiero volver por algún tiempo.

—¡Ah, sí! Mejor que se vaya y después regrese. Diga a su Irlanda que haga lo mismo que hemos hecho aquí.

—Pero ¿cómo?

—Que se encuentren a sí mismos de nuevo, y a su propio universo, y a sus propios dioses. Que descubran sus propios misterios. Los irlandeses han sido muy locuaces sobre sus remotos héroes y los verdes días de los dioses heroicos. Ahora dígales que les den vida, del mismo modo que nosotros hemos intentado dar vida a Quetzalcóatl y Huitzilopochtli.

—Se lo diré —contestó Kate—. Si hay alguien que quiera escucharme.

—¡Bien!

Ramón contempló la vela blanca que se acercaba.

—Pero ¿por qué se marcha! —preguntó a Kate tras un silencio.

—A usted le es indiferente, ¿verdad? —inquirió Kate.

Se produjo una profunda pausa.

—No, me importa —repuso él.

—Pero ¿por qué?

De nuevo pasó algún tiempo antes de que contestara.

—Es usted uno de nosotros, la necesitamos.

—¿Incluso cuando no hago nada? ¿Cuando me harto un poco de los vivientes Quetzalcóatls... y del resto, y deseo a un pedestre don Ramón? —replicó ella.

El rió de improviso.

—¿Qué es un don Ramón pedestre? —preguntó—. Un don Ramón pedestre tiene a un Quetzalcóatl viviente dentro de él. Pero usted nos ayuda, a pesar de todo.

—Avanza de manera tan magnífica que nadie pensaría que necesita ayuda: en especial, de una mujer que... despues de todo sólo es la esposa de su amigo.

Estaban sentados en un barco bajo una pastora roja cuyos enormes pétalos escarlatas se extendían como plumas puntiagudas.

—¡La esposa de mi amigo! —repitió él—. ¿Acaso podría ser algo mejor?

—Naturalmente —replicó ella, más que equívoca.

El apoyaba los brazos sobre las rodillas y miraba hacia el lago, abstracto y remoto. Había en su rostro una expresión de cansancio, y la vulnerabilidad que siempre conmovía a Kate. Esta volvió a comprender el aislamiento y la terrible tensión del esfuerzo que representaba cargar con una nueva vida. Pero no tenía otro camino.

Y esto le comunicaba a Kate una sensación de desaliento, el desaliento total de una mujer ante un hombre que se aventura por el más allá. Kate tuvo que ahogar su resentimiento y su desaprobación de aquellos esfuerzos «abstractos».

—¿Se siente tremendamente seguro de sí mismo? —inquirió.

—¿Seguro de mí mismo? —repitió él—. ¡No! Cualquier día puedo morir y desaparecer de la faz de la tierra. No sólo lo sé, sino que lo *siento*. Así que, ¿por qué tendría que estar seguro de *mí mismo*?

—¿Por qué tendría que morir? —preguntó ella.

—¿Por qué cualquiera tiene que morir? ¡Incluso Carlota!

—¡Ah, había sonado su hora!

—¿Acaso se puede fijar la hora de las personas como se fija la de un despertador?

Kate guardó silencio.

—Pero —insistió—, si no está seguro de sí mismo, ¿de qué está seguro?

El la miró con unos ojos oscuros que no pudo comprender.

—Estoy seguro... seguro... —su voz se hizo vaga y su rostro palideció y quedó demacrado como el de un muerto; sólo sus ojos la miraban sombríamente, como los de un fantasma. De nuevo Kate se vio enfrentada al doliente fantasma del hombre. Y ella era una mujer, impotente ante este fantasma atormentado que todavía estaba vivo.

—No creerá que estaba equivocado, ¿verdad? —preguntó Kate, con fría consternación.

—¡No! No estoy equivocado. Es sólo que tal vez no soy capaz de continuar —repuso él.

—¿Y qué pasará entonces? —inquirió ella con frialdad.

—Seguiré mi camino, solo. —Lo único que parecía quedar de él eran los ojos negros y velados que la contemplaban. Empezó a hablar en español—. Me duele el alma, como si me estuviera muriendo —añadió.

—Pero ¿por qué? —gritó ella—. ¿Acaso está enfermo?

—Siento como si mi alma fuera a partirse.

—Pues no lo permita —replicó ella, con miedo y repulsión.

Pero él continuó mirando con aquellos ojos fijos y ausentes. Una quietud profunda y repentina invadió a Kate; un sentido de poder en sí misma.

—Debería olvidarlo todo durante un tiempo —dijo con suavidad—, poniendo una mano compasiva sobre la de él. ¿De qué servía tratar de comprenderle o luchar con él? Ella era una mujer, y él, un hombre, y... y... y... por ello, no del todo real. No conforme con la realidad.

El se sobresaltó de repente al sentir el contacto, como si acabara de despertarse, y la miró con ojos penetrantes y altivos. El consuelo maternal de Kate le había pinchado como un aguijón.

—¡Sí! —asintió—. ¡Es cierto!

—¡Claro que lo es! —contestó ella—. Si quiere ser... tan abstracto y quetzalcoatliano, entierre de vez en cuando la cabeza en la arena, como una avestruz, y olvide.

—¡Vaya! —exclamó él, sonriendo—. ¡Vuelve a estar enfadada!

—No es tan sencillo —explicó ella—. Dentro de mí hay un conflicto. Y ustedes no quieren dejarme marchar una temporada.

—Ni siquiera podemos impedírselo —dijo él.

—Ya lo sé, pero están en contra dè que me vaya... no quieren dejarme marchar en paz.

—¿Por qué ha de marcharse?

—Debo hacerlo —repuso ella—. Debo regresar junto a mis hijos, y mi madre.

—¿Es una necesidad para usted? —inquirió él.

—¡Sí!

En el mismo momento en que admitió la necesidad, se dio cuenta de cierta duplicidad oculta dentro de su ser. Era como si tuviera dos identidades: una, nueva, que pertenecía a Cipriano y a Ramón y que era su yo sensible y vehemente: y otra dura y acabada, formada, que pertenecía a su madre, sus hijos, a Inglaterra y a todo su pasado. El yo antiguo y terminado era curiosamente invulnerable e insensible, curiosamente duro y «libre». En él, ella era un individuo y su propia dueña. El otro yo era vulnerable y estaba orgánicamente conectado con Cipriano, incluso Ramón y Teresa, y por lo tanto no era «libre» en absoluto.

Kate era consciente de esta dualidad en sí misma, y sufría por ello. No podía decidir nada definitivo, ni a favor del antiguo estilo de vida ni del nuevo. Reaccionaba contra los dos. El antiguo era una prisión, y lo detestaba. Pero en el nuevo estilo no era su propia dueña, y su voluntad egoísta retrocedía ante él.

—¡Eso es, precisamente! —exclamó—. *Es* una necesidad en mí, y ustedes quieren negarlo.

—¡No! ¡No! —objetó Ramón—. Espero que no.

—¡Sí! Me ponen trabas, me paralizan para impedir que me vaya —protestó ella.

—No debemos hacerlo —confesó Ramón—. Hemos de dejarla sola y no acercarnos a usted durante un tiempo, si tales son sus sentimientos.

—¿Por qué? ¿Por qué no pueden ser mis amigos? ¿Por qué no pueden estar de *mi* parte en el asunto de mi marcha? ¿Por qué no *quieren* que me vaya, ya que tengo que irme?

El la miró con ojos llenos de lucidez.

—No puedo hacer eso —declaró—. No creo en su marcha. Es volver la espalda: hay algo de deserción en ello. Pero todos estamos complicados. Y si usted *siente* que debe volver durante una temporada, ¡váyase! No es terriblemente importante. Usted ya ha elegido, en realidad. No tengo miedo por usted.

Fue un gran alivio para ella oír esto; porque estaba muy asustada de sí misma. Nunca podía estar segura, ser *completa* en su conexión con Cipriano y Ramón. No obstante, replicó, un poco burlona:

—¿Por qué habría de tener miedo por mí?

—¿Acaso no tiene usted a veces miedo por sí misma? —preguntó él—.

—¡Nunca! —contestó ella—. Estoy absolutamente segura de mí misma.

Estaban sentados en el jardín de la Villa Aragón, bajo el árbol de la pastora roja, cuyos pétalos enormes y escarlatas parecían plumas rojas. La mañana empezaba a ser cálida. El lago se había inmovilizado al cesar el viento. Todo estaba en calma. Salvo las largas plumas escarlatas de la pastora roja.

¡Se acercaba la Navidad! La pastora roja recordaba la Navidad a Kate.

¡Navidad! ¡Las bayas del acebo! ¡Inglaterra! ¡Regalos! ¡Comida! Si se apresuraba, podría estar en Inglaterra por Navidad. La idea de Navidad en su casa, en Inglaterra, con su madre, parecía tan segura, tan familiar, tan normal. ¡Y las cosas excitantes que podría contar a las gentes de casa! ¡Y los excitantes chismes que llegaría a oír! En la distancia, se le antojaba muy atractivo. Todavía tenía sus dudas sobre lo que sería su regreso al hogar.

—A veces lo bueno puede empachar —dijo a Ramón.

—¿Se refiere a algo nuevo en particular? —preguntó él.

—¡Oh... Quetzalcóatl y todo eso! —exclamó Kate—. Una puede hartarse de ello.

—Es posible —dijo él, levantándose y alejándose sin ruido; tan discretamente que ya había desaparecido cuando ella se dio cuenta. Y al darse cuenta, se sonrojó de ira. Pero continuó sentada bajo el árbol de la pastora roja, al cálido y quieto sol de noviembre, mirando con ira el seto de jazmín, con sus puras flores blancas y algunas marchitas, y los rosados capullos entre las hojas oscuras. ¿Dónde había oído algo sobre el jazmín? «¡Y las flores de jazmín entre los dos!».

¡Oh, qué cansada estaba de todo aquello!

Teresa bajaba por la ladera del jardín.

—¿Todavía estás aquí? —exclamó.

—¿Dónde voy a estar, si no? —replicó Kate.

—No sé. Ramón se ha ido a Sayula, a ver al *Jefe**. No ha querido esperarse para ir con nosotros en el bote.

—Debía tener prisa —dijo Kate.

—¡Qué bonitas son estas Nochebuenas! —exclamó Teresa, mirando el esplendoroso ramillete de pastoras rojas.

—Son vuestra flor navideña, ¿verdad? —preguntó Kate.

—Sí, las flores de la Nochebuena...

—¡Qué horrible, una Navidad con hibiscos y pastoras rojas! Me hace añorar el muérdago entre las naranjas que vi en una frutería de Hampstead.

—¿Por qué eso? —rió Teresa.

—¡Oh! —suspiró Kate con petulancia—. Para volver a la vida sencilla. Ver a los autobuses circulando sobre el barro en Piccadilly, la víspera de Navidad, y las aceras mojadas llenas de gente bajo los toldos de los vistosos escaparates.

—¿Es eso la vida para ti? —preguntó Teresa.

—¡Sí! Sin toda esta abstracción, y *voluntad*. La vida es buena para mí si me dejan vivirla en paz y ser yo misma.

—Ya es hora de que Cipriano vuelva a casa —dijo Teresa.

Pero esto hizo saltar a Kate del asiento, con repentina impaciencia. ¡No permitiría que la dominasen! ¡Recuperaría su libertad y verían quién era ella!

Fue al pueblo con Teresa. El aire parecía misteriosamente vivo, con un nuevo *aliento*. Pero Kate se sentía ajena a todo ello. Las dos mujeres se sentaron bajo un árbol en la playa de Sayula, hablaron un poco y contemplaron la enorme extensión del pálido lago.

Un barco negro de toldilla pintada de rojo y con un alto mástil estaba amarrado al bajo rompeolas, que se levantaba un metro escaso de las poco profundas aguas. Por el paseo de cemento se movían pequeños grupos de hombres vestidos de blanco, que miraban el casco negro del barco. Y recortándose, inmóvil, contra el lago había una vaca blanca y negra y un enorme y monolítico toro blanco y negro. Sus siluetas inmóviles se perfilaban contra el agua lejana, que tenía el olor marrón de las tórtolas.

Todo estaba cercano, pero se antojaba extraño y remoto. Dos peones fijaron una pasarela al costado del barco, y entonces empezaron a empujar hacia ella a la vaca, que tanteó indecisa la pasarela y luego, con la lenta indiferencia mexicana, avanzó por los anchos tablones. La guiaron con cuidado hasta el extremo, desde donde miró hacia el interior del barco. Y por fin cayó limpiamente en la bodega.

Ahora el grupo de hombres se puso en movimiento para manejar al enorme y reluciente toro. Un viejo mexicano, alto, que llevaba pantalones muy ceñidos de color crema y un pequeña chaqueta de cuero, y se tocaba con un inmenso sombrero de fieltro bordado profusamente en plata, cogió con suavidad el anillo del hocico del toro, y le levantó la cabeza de modo que quedara al aire la garganta grande y suave. Detrás, un peón bajó la cabeza y con todas sus fuerzas empezó a empujar los potentes y vivos flancos del toro. El mexicano viejo de las piernas esbeltas y el enorme sombrero tiraba mientras tanto de la anilla del hocico. Y con pasos calmosos y pesados, el toro caminó hasta el borde del rompeolas, delicada e impasiblemente, y se detuvo delante de la pasarela.

Los peones se reagruparon. El que iba detrás, que llevaba la faja roja muy apretada sobre las caderas blancas, dejó de empujar, y el mexicano de piernas esbeltas soltó la anilla.

Entonces dos peones pasaron una cuerda en torno al corpachón del toro. El granjero del sombrero bordado se colocó en la pasarela y volvió a agarrar la anilla, muy suavemente. Estiró con cuidado. El toro levantó la cabeza, pero no se movió. Pateó los tablones con una pezuña reacia y permaneció inmóvil, blanco con manchas negras, como un trozo de cielo.

El granjero volvió a tirar de la anilla. Dos hombres estaban tirando de la cuerda, apretando los flancos del monstruo inmóvil y pasivo. Dos peones, con la cabeza baja y los lomos flexibles bajo la faja escarlata, empujaban por detrás con toda su fuerza contra los suaves flancos del imponente animal.

Y todo sin el menor ruido y ningún cambio; contra la palidez del lago, este silencioso y monumental grupo viviente.

Entonces el toro caminó despacio, imperturbable, pero contra su voluntad, sobre los inseguros tablones, por los que fue conducido lentamente hasta el borde de la pasarela. Allí esperó.

Permaneció quieto, enorme y plateado, manchado de sol como cielo, con negras marcas de serpiente en las ancas, macizo contra la toldilla de la canoa. ¿Cómo podría bajar e introducirse en la oscuridad de las entrañas de la embarcación?

Bajó la cabeza miró hacia la bodega. Los hombres que estaban detrás empujaron sus flancos temblorosos, pero él no hizo caso, sino que volvió a bajar la cabeza y mirar hacia abajo. Los hombres empujaban con todas sus fuerzas en el denso silencio mexicano.

Lentamente, con mucho cuidado, el toro se agachó, se hizo pequeño y con un leve y rápido movimiento metió las patas delanteras en el interior del barco, dejando sus enormes cuartos traseros levantados. Arrastró las patas delanteras y tropezó un poco, y en seguida saltó con las patas traseras y entró en la bodega. Había desaparecido.

Quitaron la pasarela. Un peón corrió a soltar las amarras de las piedras del rompeolas. Se oía un extraño ruido de pies suaves en el vientre de la canoa. Unos hombres empujaban desde el agua la negra popa. Pero la embarcación era muy pesada. Entonces, lenta y casualmente, fueron quitando las piedras que había debajo del casco plano y tirándolas a un lado. Con lentitud, la canoa se ladeó, se enderezó, se movió un poco y quedó a flote.

Los hombres subieron a bordo. Los dos peones, desde la cubierta, ayudaban con las pértigas, apoyándose en ellas hasta que alcanzaban la popa, y entonces levantándolas corrieron hasta la alta proa. La canoa se fue deslizando suavemente hacia el interior del lago.

Luego, rápidamente, izaron la gran vela blanca, que no tardó en hincharse al viento. La canoa navegaba ya por el lago, con su carga invisible de vida maciza y moteada.

Todo tan apacible, suave y remoto.

—¿Y querrá Ramón que te sientes a su lado en la iglesia como novia de Quetzalcóatl... con algún nombre extraño? —preguntó Kate a Teresa.

—No lo sé —respondió ésta—. Dice que más adelante, cuando llegue el momento de darles una diosa.

—¿Y a ti te importará?

—Por mí misma, me da miedo. Pero comprendo que Ramón lo quiera. Dice que es aceptar la mayor responsabilidad de la propia existencia. Y creo que es cierto. Si Dios está en mí, y Dios como mujer, entonces también debo aceptar esta parte de mí, y ponerme un vestido verde y ser por un tiempo la mujer-Dios, ya que también es una parte de mí. Creo que es cierto. Ramón dice que hemos de hacerlo manifiesto. Cuando pienso en mis hermanos, creo que es nuestro deber. Así que pensaré en el Dios que palpita invisible, como el corazón de todo el mundo. Y cuando tenga que llevar el vestido verde y sentarme ante toda la gente en la iglesia, miraré hacia el corazón de todo el mundo y trataré de ser mi yo sagrado, porque es necesario y lo que se debe hacer. Es bueno. No lo haría si pensase que no era bueno.

—Pero yo pensaba que el vestido verde era para la Novia de Huitzilopochtli —dijo Kate.

—Ah, sí —rectificó Teresa—. El mío es el negro con los bordes blancos y las nubes rojas.

—¿Preferirías el verde? —preguntó Kate—. Póntelo, si te gusta. Yo me marcho.

Teresa levantó rápidamente la vista.

—El verde es para la esposa de Huitzilopochtli —contestó, como aturdida.

—No veo que tenga importancia —replicó Kate.

Teresa la miró con ojos rápidos y oscuros.

—Hombres diferentes deben tener esposas diferentes —dijo— Cipriano no querría jamás una esposa como yo.

—Y diferentes mujeres deben tener diferentes maridos —respondió Kate—. Ramón sería siempre demasiado abstracto y dominante para mí.

Teresa se sonrojó lentamente, mirando hacia el suelo.

—Ramón necesita demasiada sumisión en la mujer, para mi gusto —añadió Kate—. Y carga con un peso excesivo.

Teresa la miró y levantó la cabeza con altivez, mostrando la garganta morena como una serpiente acosada.

—¿Cómo sabes que Ramón necesita sumisión en la mujer? ¿Cómo lo sabes? A ti no te ha pedido ninguna sumisión. Y te equivocas. No me pide sumisión. Quiere que me entregue a él con ternura, y luego él se entrega a mí con mucha más ternura que yo a él. Porque un hombre como él es más tierno que una mujer. No es como Cipriano. Cipriano es un soldado. Pero Ramón es tierno. Te equivocas en lo que dices.

Kate se rió un poco.

—Y tú eres un soldado entre las mujeres, luchando continuamente —prosiguió Teresa—. Yo no soy así. Pero algunas mujeres tienen que ser soldados en su espíritu, y necesitan maridos soldados. Esta es la razón de que tú seas Malintzi y tu vestido sea verde. Siempre quieres luchar. Lucharías contra ti misma si estuvieras sola en el mundo.

Había mucha quietud en el lago. Estaban esperando a Ramón.

Un hombre pelaba tallos de palmera, en cuclillas bajo un árbol, con sus prendas blancas y la cabeza negra inclinada hacia delante. Después se fue a mojar las largas tiras en el lago, y volvió llevándolas colgadas de la mano, chorreando.

Entonces volvió a sentarse y, diestramente, en silencio, con la oscura e infantil absorción del pueblo, se entregó a su trabajo. Estaba reparando el asiento de una silla. Cuando Kate le miró, él le echó una ojeada, saludándola con un destello negro, y ella sintió un extraño poder en sus miembros como respuesta al destello de reconocimiento y deferencia que había brillado en los ojos del hombre. Como si su deferencia fuera una especie de llama de vida, exuberante en él cuando la vio.

Un caballo roano moteado de blanco galopaba nervioso por la playa, relinchando frenéticamente. Sus crines ondeaban al viento, sus pies pisaban los guijarros al correr y de nuevo abrió el largo hocico y relinchó con ansiedad dirigiéndose hacia el extremo de la playa. ¿Qué habría perdido?

Un peón había metido su carreta de ruedas altas, tirada por cuatro mulas, muy dentro del lago, hasta que el agua cubrió los ejes de las ruedas y casi tocó el fondo de la carreta. Parecía un barco cuadrado tirado por cuatro oscuros caballos de mar que movían sus largas orejas como si fueran hojas, mientras el peón, de blanco y con el gran sombrero gallardamente ladeado, se mantenía erguido. Las mulas caminaban suavemente por el agua, describiendo una curva hacia la orilla.

Era invierno, pero parecía primavera junto al lago. Unos terneros blancos y amarillos, nuevos y sedosos, jugaban, levantando los cuartos traseros, meneando la cola, trotando juntos hasta el agua para olfatearla con suspicacia.

A la sombra de un gran árbol estaba atada una burra, y junto a ella yacía el pollino, pequeño y negro como la tinta, encogido, con la suave cabeza erguida y las grandes orejas negras extendidas como las de una liebre negra llena de brujería.

—¿Cuántos días? —gritó Kate al peón que había salido de la choza de paja.

El le dirigió un destello de sus ojos oscuros, con una especie de gozosa deferencia. Y ella sintió en el pecho una oleada de vivo orgullo.

—¡Anoche, *patrona**! —sonrió él.

—¡Tan nuevo! ¡Tan nuevo! No puede levantarse, ¿verdad?

El peón se acercó, pasó el brazo por debajo del pollino y lo levantó. El animal se quedó esparrancado, lleno de asombro, sobre las patas negras que parecían horquillas dobladas.

—¡Qué bonito es! —exclamó Kate con deleite, y el peón rió, mirándola con una llama suave y agradecida, matizada de reverencia.

El negro pollino no sabía qué era mantenerse en pie. Vaciló sobre sus cuatro temblorosas patas, extrañado. Luego dio varios torpes pasos para oler unos tallos de verde maíz. Olió y olió mucho rato, como si todos los oscuros eones se estuvieran despertando en sus ollares.

Entonces dio media vuelta y miró con la cara vellosa y aterciopelada directamente a Kate, sacándole una lengua de color rosa. Ella soltó una carcajada, y el pollino se quedó quieto, aturdido. Luego volvió a sacar la lengua. Kate rió de nuevo. El animal brincó un poco, torpemente, lo que pareció dejarle muy sorprendido, y en seguida se aventuró a caminar unos pasos más, pero de forma inesperada, incluso para él, volvió a dar un pequeño brinco.

—¡Ya sabe bailar! —gritó Kate—. Y vino al mundo anoche.

—¡Sí, sabe bailar! —repitió el peón.

Después de reflexionar un poco, el pollino caminó con pasos inciertos hacia su madre. Esta era una burra bien desarrollada, gris y marrón, muy reluciente y segura de sí misma. El pollino encontró sin dificultad la ubre y empezó a chupar.

Kate levantó la vista y sus ojos se cruzaron con los ojos del peón, cuya negra llama de vida rebosaba conocimientos y una curiosa seguridad. El pollino negro, la madre, la leche, la vida nueva, el misterio del confuso campo de batalla de la creación; y la adoración de la mujer gloriosa, de pechos abundantes que tenía delante de él; todo esto parecía caber en los primitivos ojos negros de aquel hombre.

—¡*Adiós*!* —se despidió Kate, reacia a marcharse.

—¡*Adiós, patrona*!* —contestó él, levantando de pronto la mano en el saludo de Quetzalcóatl.

Kate cruzó la playa en dirección al embarcadero, sintiendo en su interior una vida palpitante y fuerte. «Es el sexo —se dijo para sus adentros—. ¡Qué maravilloso puede ser el sexo cuando los hombres lo mantienen poderoso y sagrado y así llena el mundo! ¡Como si los rayos del sol le atravesaran a una! Pero no voy a someterme, ni siquiera a esto. ¿Por qué ceder, al fin y al cabo?».

Ramón estaba bajando hacia el barco, con el símbolo azul de Quetzalcóatl en el sombrero. Y en aquel momento los tambores empezaron a anunciar el mediodía y se oyó la llamada del mediodía

415

desde la torre, clara y nítida. Todos los hombres que estaban en la playa se enderezaron y levantaron la mano derecha hacia el cielo. Las mujeres abrieron ambas palmas a la luz. Todo permaneció inmóvil, salvo los animales.

Entonces Ramón bajó al barco y los hombres saludaron con el ademán de Quetzalcóatl.

—¡Es maravilloso, realmente —dijo Kate mientras remaban por el lago—, lo espléndida que puede ser la vida en este país! Como si una continuara perteneciendo de verdad a la nobleza.

—¿Acaso no pertenece usted a ella? —inquirió él.

—Sí, pero en cualquier otra parte me lo niegan. Sólo aquí siento toda la fuerza de mi noble condición. Los nativos siguen adorándola.

—En algunos momentos —observó Ramón—. Después pueden asesinarla y violarla por haberla adorado.

—¿Es inevitable? —preguntó ella con impertinencia.

—Creo que sí —contestó Ramón—. Si usted viviera sola aquí en Sayula y reinara en el pueblo durante un tiempo, acabaría asesinada —o algo peor— por la gente que la había adorado.

—Yo no lo creo.

—Yo lo sé —replicó él.

—¿Por qué? —inquirió ella, obstinada.

—A menos que uno obtenga la nobleza de manos de los dioses y se vuelva hacia el centro del cielo para el propio poder, acabará siendo asesinado.

—Es así como yo obtengo mi nobleza —dijo ella.

Pero no lo creía del todo. Y decidió todavía más firmemente que debía marcharse.

Escribió a Ciudad de México y reservó una litera desde Veracruz a Southampton: zarparía el último día de noviembre. Cipriano llegó a casa el día diecisiete y Kate le comunicó lo que había hecho. El la miró con la cabeza un poco ladeada y una extraña expresión juiciosa, pero ella no pudo adivinar sus sentimientos.

—¿Ya te marchas? —preguntó Cipriano en español.

Y entonces Kate supo, por fin, que estaba ofendido. Cuando estaba ofendido no hablaba nunca en inglés, sino en español, como si se estuviera dirigiendo a otro mexicano.

—¿Y cuándo volverás?

—¡*Quién sabe!** —replicó ella.

El dejó descansar sus ojos negros en el rostro de ella durante unos minutos, observándola, impasibles e incomprensibles. Pensaba, superficialmente, que si quisiera podía recurrir a la ley e impedir a Kate que abandonara el país —o incluso Sayula—, ya que estaba legalmente casada con él. La antigua fijeza de la cólera india, centelleaba, despiadada, en el fondo de sus ojos. Y en seguida se produjo un cambio casi invisible en su rostro, cuando la emoción

416

oculta fue absorbida y la estoica indiferencia, la falta de emoción de siglos enteros, y la estoica tolerancia se apoderaron de él. Kate casi podía sentir las oleadas de sombra y frialdad sucesivas circulando por su sangre, mientras su mente apenas se daba cuenta de ello. Y nuevamente invadió el corazón de Kate el temor de perder su contacto.

En cierto modo era para ella hermoso sentir sombras, y fríos destellos, y una dureza como la de la piedra, y después la extraña y pesada inercia del mediodía tropical, la languidez del sol, moviéndose sobre él mientras se mantenía inmóvil, observándola. Al final era el letargo tropical, sofocante y misterioso, de las horas cálidas, un desmayo de pura indiferencia.

—¡*Como quieras tú!** —dijo Cipriano.

Y ella supo que ya la había soltado en el oscuro y sofocante letargo de su sangre. Ya no haría más esfuerzos para retenerla. También esto era el sino de su raza.

Cipriano tomó un bote y se fue a Jamiltepec a ver a Ramón: como ella ya sabía que haría.

Estaba sola, como de costumbre. Se le ocurrió que era ella misma quien quería esta soledad. No podía relajarse y estar con esta gente. No podía relajarse estando con nadie. Siempre tenía que replegarse sobre su propia individualidad, como hacen los gatos.

El sexo, la correspondencia sexual, ¿tanto le importaba? Quizá le habría importado más si no lo hubiera conocido, pero lo había conocido, y a fondo, consumadamente, con Cipriano. Así que sabía todo cuanto podía saberse de él. Era como si hubiera conquistado otro territorio, otro aspecto de la vida. ¡La conquistadora! Y ahora se retiraría al seno de su propia individualidad, con la presa.

De repente se vio como los hombres solían verla a menudo: la gran gata, con sus espasmos de voluptuosidad y su perpetuo goce de la propia individualidad aislada, aislada. Voluptuosa a la hora del contacto. Después, con una satisfacción felina, rompía el contacto y vagaba sola con una sensación de poder. Cada vez obtenía una especie de poder, que en seguida agregaba a su propia individualidad aislada.

Kate conocía a muchas mujeres así. Jugaban con el amor y la intimidad como el gato con un ratón. Al final acababan devorando al ratón y se alejaban con el vientre lleno y una voluptuosa sensación de poder.

Sólo que a veces el ratón-amante se negaba a ser digerido y había una dispepsia constante. O, como Cipriano, se convertía en una especie de serpiente, que se erguía y la miraba con ojos rutilantes y luego se deslizaba hacia el vacío, dejándola frustrada y sin sensación de poder.

Otra cosa que había observado con cierto horror: una tras otra, sus «amigas», las poderosas amantes, perdían todo su encanto y atractivo a la edad de cuarenta, cuarenta y cinco o cincuenta años, y se convertían en verdaderas gatas viejas, canosas, ávidas y horripilantes, que merodeaban en busca de presas que cada vez escaseaban más. Como seres humanos, quedaban destrozadas. Y continuaban siendo unas canosas gatas viejas, vestidas con elegancia y profiriendo maullidos que ahogaban incluso su animada charla.

Kate era una mujer inteligente, lo bastante como para aprender una lección.

Estaba muy bien que una mujer cultivara su ego, su individualidad. Estaba muy bien que despreciara el amor o amara el amor como un gato ama a un ratón, y jugara con él el mayor tiempo posible antes de devorarlo para vivificar su propia individualidad y llenar voluptuosamente el vientre de su propio ego.

«La mujer ha sufrido mucho más por la represión de su ego que por la represión sexual», afirma una escritora, y es posible que sea cierto. ¡Pero miremos, miremos a las mujeres modernas de cincuenta y cinco años que han cultivado su ego hasta la saciedad! En general son gatas que sólo inspiran piedad o repulsión.

Kate sabía todo esto. Y, sola en su villa, lo rememoraba. Había tenido ya sus buenos tiempos, incluso aquí en México. Y estos hombres la dejarían marchar. No era una prisionera. Podría marcharse con cualquier botín que hubiese capturado.

Y entonces, ¿qué? ¿Sentarse en un salón londinense, y ser una más entre las gatas viejas? ¿Dejar que apareciera en su rostro la peculiar mueca felina y en su voz, el espectral maullido? ¡Horror! Entre todos los horrores, quizá las gatas viejas, sus coetáneas, eran de lo más repelentes a sus ojos. Ni siquiera los viejos verdes del arroyo civilizado la llenaban de tan enfermiza repugnancia.

«¡No! —se dijo a sí misma—. Mi ego y mi individualidad no valen *ese* espantoso precio. Antes abandonar algo de mi ego y renunciar a algo de mi individualidad que convertirme en esto».

Al fin y al cabo cuando Cipriano la tocaba en una caricia, todo su cuerpo florecía. Este era el sexo más grande, que podía llenar a todo el mundo de esplendor, y en el que no se atrevía a pensar porque su poder era mucho mayor que su propia voluntad. Pero, por otro lado, cuando extendía las alas de su propio ego y dejaba libre a su propio espíritu, el mundo podía ser muy maravilloso para ella, cuando estaba sola. Pero al cabo de cierto tiempo la maravilla se esfumaba para dejar sitio a un nostálgico vacío.

«He de tener a los dos —pensó—; no debo renunciar a Cipriano ni a Ramón, ambos hacen florecer la sangre de mi cuerpo. Yo digo que son limitados. Pero uno tiene que ser limitado. Si se intenta ser ilimitado, uno se convierte en un ser horrible. Sin Cipriano para tocarme, limitarme y sumergir mi voluntad, me convertiré en una hembra vieja y horrible. Tengo que *querer* ser limitada. Tengo que estar *contenta* de que un hombre quiera limitarme con una voluntad fuerte y un tacto cálido. Porque lo que llamo mi grandeza, y la vastedad del Señor a mis espaldas, me deja caer en un vacío insondable cuando no hay una mano masculina que me sostenga, cálida y limitada. ¡Ah, sí! Antes que ser una vieja un poco repugnante, declararé mi sumisión; hasta donde sea precisa, y ni un paso más».

Llamó a un criado y bajó para cruzar el lago en un bote de remos. Era una bellísima mañana de noviembre; el mundo aún no había vuelto a resecarse. En los agudos contornos de las escarpadas laderas, las sombras eran de un puro azul de aciano. Abajo estaba la persistente delicadeza del verdor, que ya empezaba a secarse. El lago se extendía en toda su plenitud, aunque ya no se llenaría más, y los lirios acuáticos habían desaparecido. Los pájaros volaban muy bajo en el silencio. Todo guardaba silencio a la luz fuerte y cálida. Algunos campos de maíz mostraban agostados rastrojos, pero ya habían florecido los capullos del palo-blanco y las zarzas de mesquite eran de un verde frágil, y llegaban ráfagas de perfume procedentes de las pequeñas flores amarillas parecidas a la casia.

«¿Por qué tendría que marcharme? —se preguntó Kate—. ¿Por qué tendría que ver los autobuses sobre el barro de Piccadilly la víspera de Navidad, y las aceras mojadas llenas de gente contemplando los grandes escaparates como grandes cavernas de luz? También puedo quedarme aquí, donde mi alma está menos aburrida. Tendré que decir a Ramón que lamento haberme expresado como lo hice. No les censuraré. Después de todo, aquí hay otra clase de inmensidad, con el sonido de los tambores y el grito de Quetzalcóatl».

Ya podía vislumbrar la amarilla, rojiza y almenada planta superior de Jamiltepec, y la exuberante cascada de buganvilla magenta que cubría el alto muro, con la pálida salpicadura de las dentelarias, y muchas rosas sueltas, de color crema.

*¡Están tocando!** —exclamó en voz baja el barquero, mirándola con sus ojos negros y apasionados.

Había oído el sonido del tambor ligero de Jamiltepec. El bote se deslizaba suavemente; y llegaba el sonido de una voz masculina cantando en la mañana.

El barquero levantó un remo, como señal a la casa. Y cuando el bote dobló la curva y entró en el embarcadero, un criado vestido de blanco bajó corriendo hasta el diminuto muelle. En la inmutable luz del sol flotaba una fragancia, quizá de datura y de rosas, y un sempiterno silencio mexicano, no interrumpido por el ruido del tambor y la voz del cantante.

—¿Está don Cipriano? —preguntó Kate.

—*¡Está!** —murmuró el hombre con un ligero ademán hacia la terraza de Ramón, de donde llegaba el canto—. ¿Les digo que ha llegado usted?

No había levantado la voz más allá de un ligero murmullo.

—¡No! —contestó Kate—. Me sentaré un rato en el jardín antes de subir arriba.

—Entonces dejaré abierta la puerta —dijo el hombre— y así podrá subir cuando quiera.

Kate se sentó bajo el gran árbol. Una enredadera de tallos que parecían serpientes y grandes flores marrones y violetas se encaramaba por el muro. Kate escuchó el canto. Era Ramón enseñando a uno de los cantores.

Ramón no tenía muy buena voz. Cantaba en tono bajo, como el aire interno, con una expresión sencilla y muy hermosa. Pero Kate no podía descifrar las palabras.

—¿Ya?* —dijo Ramón cuando hubo acabado.

—¡Ya, patrón!* —repuso el hombre, el cantor.

Y con voz fuerte y pura que hacía vibrar las mismas entrañas, empezó a cantar otro de los himnos.

> Mí camino no es tu camino, y el tuyo no es el mío.
> Pero, ven, antes de separarnos,
> Vayamos por separado al Lucero del Alba
> Para allí encontrarnos.

> No te señalo mi camino, ni digo
> Todavía: ¡«Oh, ven a mi lado!»
> Pero la Estrella es la misma para ambos
> Y nos ha cautivado.

> Mi buen espíritu franquea la distancia
> Que del Espíritu Santo le ha dividido.
> Oh, tú que estás en la tienda de la llama partida,
> Ven a mí, que eres mi preferido.

> A cada hombre, para siempre, su propio camino,
> Pero hacia aquél que flota en el centro
> Y abre su llama como quien abre la tienda
> Para que, inadvertidos, nos metamos dentro.

> El hombre no puede andar como una mujer,
> Ni la mujer como el hombre caminar.
> El espíritu de cada uno se mueve como puede
> Si las hojas de la sombra ha de cruzar.

> Pero el Lucero del Alba y la Estrella Vespertina
> Arman tiendas incandescentes
> Donde nos reunimos como gitanos, sin saber
> Cómo llegan las gentes.

No pido nada excepto cobijarme
Con el Espíritu Santo en su mansión,
Y ser en la tienda de la llama perdida
Huésped del Anfitrión.

Reúnete allí conmigo, mujer mía,
Y quédate, corpórea, a mi lado.
Luego deja que la llama nos envuelva
Como un lazo apretado.

Estad allí conmigo, ¡oh, hombres!
Acercaos al hogar,
Y reíd conmigo mientras la mujer duerme
Hasta su sueño saciar.

El hombre había cantado este himno varias veces, haciendo pausas y olvidándose, vacilando a veces su voz pura y ardiente; y entonces intervenía la voz baja y algo oscura de Ramón, con sutil intensidad, como si oyera desde el centro de una concha; y después volvía el repentino y potente tenor del cantante, que atravesaba la sangre como una llama.

El mozo de Kate la había seguido hasta el jardín y estaba en cuclillas a cierta distancia, bajo un árbol, de espaldas al tronco, como una sombra vestida de blanco. Los dedos de sus pies estaban separados dentro de los buaraches, y la trencilla negra de su sombrero colgaba sobre la oscura mejilla. El resto de su indumentaria era del más puro blanco; y el níveo algodón le moldeaba los muslos.

Cuando los de arriba hubieron terminado de cantar, y el tambor hubo enmudecido, e incluso las voces que hablaban en tono bajo habían callado, el mozo miró a Kate, mientras la trencilla del sombrero le colgaba en torno al mentón, con los ojos negros brillantes y una tímida sonrisa en los labios.

—¿Está muy bien, patrona?* —dijo tímidamente.

—Sí, muy bien —contestó ella con infalible eco. Pero en su pecho había sentimientos encontrados, y el hombre lo sabía.

Parecía tan joven cuando esbozaba aquella sonrisa alegre, tímida y excitada. Había en él algo del eterno niño. Pero un niño que podía convertirse en un instante en un salvaje vengativo y brutal. Y en un hombre siempre despierto y vivo para el sexo, por el momento inocente en la plenitud del sexo, no en su ausencia. Y Kate pensó, como ya pensara antes, que había más de una forma de «convertirse de nuevo en un niño pequeño».

Pero aquel hombre tenía una expresión dura y vigilante en el rabillo del ojo: al acecho de cualquier hostilidad escondida en ella. Quería que Kate aprobase el himno, el tambor, todo el ambiente. Como un niño, quería que lo aprobase todo. Pero si se mostraba hostil, sería él quien comenzara las hostilidades. Un juicio hostil por parte de Kate haría de él un enemigo puro.

¡Ah, todos los hombres eran iguales!

En aquel momento el hombre se levantó con suave celeridad, y Kate oyó la voz de Cipriano desde la terraza:

—¿Qué hay, Lupe?

—*Está la patrona** —contestó el criado.

Kate se puso en pie y miró hacia arriba. Vio la cabeza y los hombros desnudos de Cipriano sobre la baranda de la terraza.

—Ya subo —dijo.

Y, lentamente, franqueó el gran portal de hierro. Lupe, que la seguía, lo cerró tras ella.

En la terraza encontró a Ramón y Cipriano, ambos desnudos hasta la cintura, esperándola en silencio. Kate se sintió intimidada.

—He esperado para oír el nuevo himno ·—dijo.

—¿Y qué le ha parecido? —preguntó Ramón en español.

—Me ha gustado.

—Sentémonos —propuso Ramón, todavía en español. El y ella se sentaron en las mecedoras de caña; Cipriano se quedó de pie contra la pared de la terraza.

Kate había venido para presentar una especie de sumisión: para decir que no quería marcharse. Pero al encontrarles a ambos en pleno estado de ánimo de Quetzalcóatl, con sus pechos masculinos al descubierto, no se sentía muy deseosa de comenzar. La hacían sentir como una intrusa. No se detuvo a pensar que en realidad lo era.

—Al parecer no nos encontramos en tu Lucero del Alba, ¿verdad? —preguntó, burlona, pero con un ligero temblor.

Un silencio más profundo pareció envolver de pronto a los dos hombres.

—Y supongo que una mujer está realmente *de trop,* incluso allí, cuando dos hombres están juntos.

Pero habló con voz un poco vacilante. Cipriano, Kate lo sabía, se quedaba perplejo y ofendido cuando ella le provocaba.

Ramón contestó con la suavidad que procedía directamente de su corazón; pero todavía en español:

—Vamos, ·prima, ¿qué te ocurre?

Tembló el labio de Kate cuando dijo de repente:

—No quiero realmente alejarme de vosotros.

Ramón dirigió una rápida mirada a Cipriano y contestó:

—Lo sé.

Pero el tono suave y protector de su voz despertó una nueva rebeldía en Kate. Las lágrimas asomaron a sus ojos cuando balbuceó, sollozando:

––En realidad, tú no me necesitas.

—¡Sí, te necesito! *¡Verdad! ¡Verdad!** —exclamó Cipriano con su voz baja, secreta, que era casi un murmullo.

E incluso entre sus lágrimas, Kate estaba pensando:

¡Qué embustera soy! Sé muy bien que soy yo quien no les necesita realmente. Me necesito a mí misma. Pero puedo engañarles sin que se den cuenta.

Porque oía la cálida y fálica pasión en la voz de Cipriano.

Entonces sonó la voz de Ramón, como una ducha de agua fría:

—Eres tú quien no nos necesitas —dijo, esta vez en inglés—. No tienes por qué hacer cumplidos con *nosotros*. Escucha a tu mejor deseo.

—¿Y si me dice que me marche? —inquirió ella, desafiadora a pesar de las lágrimas.

—Entonces, ¡vete! ¡On, naturalmente, vete!

De improviso los sollozos de Kate se intensificaron.

—Sabía que no me necesitábais de verdad —lloró.

Entonces la voz de Cipriano dijo, con una suavidad de persuasión cálida y furtiva:

—¡Tú no eres suya! ¡El no ha de decírtelo!

—Esto es muy cierto —convino Ramón—. ¡No me escuches!

Habló en español. Y Kate le miró a través de las lágrimas, y vio que se alejaba rápida y silenciosamente.

Kate se secó la cara, súbitamente tranquila. Entonces miró con ojos húmedos a Cipriano. Este estaba erguido y alerta, como un pequeño macho belicoso, y sus ojos negros y misteriosos se clavaron en los húmedos y límpidos de ella.

Sí, también le tenía un poco de miedo, sobre todo por sus inhumanos ojos negros.

—No quieres que me vaya, ¿verdad? —suplicó Kate.

Una sonrisa lenta, casi estúpida, apareció en el rostro de él, y su cuerpo se convulsionó un poco. Entonces se oyó su voz hablando con el acento suave de los indios, como si toda su boca se derritiera, diciendo en español, pero con el sonido de la «r» casi perdido:

—*¡Yo! ¡Yo!**. —Sus cejas se arquearon con burlona sorpresa, y una pequeña convulsión volvió a sacudir su cuerpo—. *¡Te quiero mucho! ¡Mucho! ¡Mucho!**

Sonó tan suave, tan blando, tan directamente de la sangre suave, húmeda y cálida, que Kate se estremeció.

—¡No dejarás que me vaya! —exclamó.

INDICE